Wissenschaftsrat

Empfehlungen und Stellungnahmen 1996

– Band II –

1997

Herausgegeben vom Wissenschaftsrat
Brohler Straße 11, D-50968 Köln
ISBN 3-923 203-69-1

Inhalt

BAND II

Inhalt

BAND I

Stellungnahme zu den Planungen des Landes Rheinland-Pfalz zur Gründung eines neuen Standortes der Fachhochschule Rheinland-Pfalz in Remagen

vom Januar 1996

Inhalt

Vorbemerkung

Mit Schreiben vom 22. Dezember 1994 hat das Land Rheinland-Pfalz den Wissenschaftsrat um die Begutachtung der Planungen für den Aufbau eines neuen Standortes der Fachhochschule Rheinland-Pfalz im Landkreis Ahrweiler gebeten. Die Planungen sind Teil der strukturellen Ausgleichsmaßnahmen des Bundes für die von der Verlagerung des Parlaments und des Regierungssitzes nach Berlin betroffene Region Bonn.

Die Arbeitsgruppe Fachhochschulgründungen des Wissenschaftsrates hat die Aufbauplanungen mit Vertretern des Landes und der Hochschule am 19. Oktober 1995 erörtert. Weitere Sitzungen fanden am 21. November und am 14. Dezember 1995 statt.

Der Arbeitsgruppe gehörten auch Sachverständige an, die nicht Mitglieder des Wissenschaftsrates sind. Ihnen ist der Wissenschaftsrat zu besonderem Dank verpflichtet.

Der Wissenschaftsrat hat die Stellungnahme am 19. Januar 1996 verabschiedet.

A. Ausgangslage

A. I. Entstehung und rechtliche Grundlagen

Die Errichtung eines neuen Standortes der Fachhochschule Rheinland-Pfalz im Landkreis Ahrweiler erfolgt im Rahmen der Ausgleichsmaßnahmen, die zwischen dem Bund sowie den Ländern Nordrhein-Westfalen und Rheinland-Pfalz am 29. Juni 1994 vereinbart wurden.[1]) Die Ausgleichsmaßnahmen dienen der Konkretisierung der im „Gesetz zur Umsetzung des Beschlusses des Deutschen Bundestages vom 20. Juni 1991 zur Vollendung der Einheit Deutschlands (Berlin-Bonn-Gesetz)" vom 26. April 1994 (BGBL.I S. 918) vorgegebenen Ausgleichsziele. Zweck der Maßnahmen ist es, die Folgen des Verlustes des Sitzes von Parlament und eines Teils der Regierung durch die Ansiedlung neuer Funktionen und Institutionen auszugleichen. Neben der Verlagerung von Bundeseinrichtungen nach Bonn gehört dazu die Stärkung der Region Bonn als Wissenschaftsstandort. Da neben dem Rhein-Sieg-Kreis auch der Kreis Ahrweiler zu den wirtschaftlich und strukturell betroffenen Gebietskörperschaften der Hauptstadtentscheidung gehört, ist auch das Land Rheinland-Pfalz in die Ausgleichsmaßnahmen für die Region Bonn einbezogen.

---

1) Vgl. Artikel 5 der Vereinbarung über die Ausgleichsmaßnahmen für die Region Bonn zwischen der Bundesrepublik Deutschland, den Ländern Nordrhein-Westfalen und Rheinland-Pfalz und der Region Bonn (Bundesstadt Bonn, Rhein-Sieg-Kreis, Kreis Ahrweiler) vom 29. Juni 1994.

Im Rahmen der Ausgleichsmaßnahmen, die Bonn als Wissenschaftsstandort stärken sollen, ist neben der Errichtung eines Centers of Advanced European Studies and Research (CAESAR) oder der Errichtung eines Zentrums für Europäische Integrationsforschung (ZEI) der Universität Bonn u.a. auch die Errichtung einer Fachhochschule Rhein-Sieg in Nordrhein-Westfalen und die Gründung einer neuen Abteilung der Fachhochschule Rheinland-Pfalz im Kreis Ahrweiler beschlossen worden.

Für den Fachhochschulstandort im Kreis Ahrweiler wird der Bund bis einschließlich zum Jahre 2004 insgesamt 185 Millionen DM an Investitions- und Betriebsmitteln bereitstellen. Damit werden die Erstinvestitionen für den Fachhochschulstandort außerhalb des HBFG-Verfahrens finanziert werden.

Standort der neuen Fachhochschulabteilung wird die Stadt Remagen sein. Darüber hinaus plant das Land die Errichtung eines Technologiezentrums in Sinzig sowie eines Technologieparks in der Region. Das Land will mit diesen Maßnahmen sowohl gezielt zur Förderung des Technologietransfers als auch zur Steigerung der Attraktivität des Fachhochschulstandortes beitragen. Die Projekte Technologiepark und Technologiezentrum gehören im Rahmen des Bonn/Berlin-Ausgleichs zu den Maßnahmen der Wirtschaftsstrukturförderung, über die noch nicht abschließend entschieden wurde. Die Finanzierung würde unabhängig von den für den Fachhochschulstandort zur Verfügung stehenden Mitteln erfolgen.

A. II. Bedeutung für die Hochschulstruktur des Landes

In Rheinland-Pfalz besteht seit 1971 eine landeseinheitliche Fachhochschule mit heute 8 Abteilungen und insgesamt 12 Standorten. Aufgrund der wachsenden Größe und im Rahmen der weiteren Zielplanung wird gegenwärtig eine Fachhochschulgesetzesnovelle im Landtag beraten, die eine Aufgliederung der Abteilungen in mehrere selbständige Fachhochschulen vorsieht. Das Land geht mittelfristig davon aus, daß der neue Standort in Remagen der dann selbständigen Fachhochschule in Koblenz zugeordnet werden wird.

Im Wintersemester 1994/95 waren 21964 Studierende an den Fachhochschulen in Rheinland-Pfalz eingeschrieben. Ihnen stehen ca. 11800 flächenbezogene Studienplätze (25 % der in Rheinland-Pfalz vorhandenen Studienplätze) zur Verfügung. Daraus resultiert bei einer mittleren Verweildauer von sieben Semestern eine durchschnittliche räumliche Auslastung der Fachhochschulen von 125 % bezogen auf die Studienanfänger, bzw. 186 % bezogen auf alle Studierenden. Im Jahr 1994 haben von 11351 Studienanfängern 4221 Studienanfänger ihr Studium an Fachhochschulen im Land begonnen; ihr Anteil liegt damit bei 37 %. Dieser Anteil ist seit 1990 (30 %) kontinuierlich gestiegen.

Aufgrund der anhaltend hohen Nachfrage nach Fachhochschulstudienplätzen und zur Entlastung des universitären Bereichs soll der Fachhochschulbereich im Land vor allem durch die neuen Standorte in Zweibrücken, im Kreis Birkenfeld und im Kreis Ahrweiler ausgebaut werden. Das Land ist insgesamt bestrebt, die Zahl der flächenbezogenen Fachhochschulstudienplätze auf 18600 auszuweiten, so daß bis zum Jahre 2000 mindestens 40% aller Studienanfänger ein Studium an den Fachhochschulen beginnen können. Ohne die drei neuen Standorte in Zweibrücken, Birkenfeld und Remagen beträgt das Ausbauziel der Fachhochschule Rheinland-Pfalz 15200 flächenbezogene Studienplätze. Für die neuen Standorte sieht das Land mit 1300 flächenbezogenen Studienplätzen in Zweibrücken, 1100 Studienplätzen in Birkenfeld und 1000 Studienplätzen in Remagen insgesamt 3400 zusätzliche flächenbezogene Studienplätze vor.

Hinsichtlich des Fächerspektrums verfügt die Fachhochschule Rheinland-Pfalz innerhalb der bestehenden 50 Fachbereiche über das gesamte Spektrum der Ingenieur- und Wirtschaftswissenschaften, des Sozialwesens und der Gestaltung. Während die kapazitären Erweiterungen an den bestehenden Standorten zum Aufbau neuer Studiengänge, wie z. B. Wirtschaftsrecht am Standort Mainz, genutzt werden sollen, sieht das Land für die neuen Standorte Zweibrücken, Birkenfeld und Remagen Studiengänge vor, die überwiegend über ein klassisches Profil verfügen, bzw. klassische Studiengänge, die um innovative Elemente angereichert werden sollen.

Für die Studiengangsplanung in Remagen will das Land ausdrücklich Doppelungen oder Überschneidungen mit Angeboten anderer Fachhochschulstandorte im näheren Einzugsbereich vermeiden. Das gilt insbesondere für die Abteilung Koblenz der Fachhochschule Rheinland-Pfalz, die Ingenieure in den Fachbereichen Architektur, Bauingenieurwesen, Maschinenbau und Elektrotechnik sowie Betriebswirte und Sozialarbeiter/Sozialpädagogen ausbildet. Außerdem hat eine Abstimmung mit dem Land Nordrhein-Westfalen im Hinblick auf die neue Fachhochschule im Rhein-Sieg-Kreis stattgefunden. Als Ergebnis hat Nordrhein-Westfalen darauf verzichtet, Studiengänge im Bereich Gesundheitswesen und Technische Betriebswirtschaftslehre anzubieten, während Rheinland-Pfalz den Schwerpunkt Informationsmanagement innerhalb des Studiengangs Technische Betriebswirtschaft nicht anbieten wird, da der Studiengang Angewandte Informatik/Kommunikationstechnik bereits an der Fachhochschule Rhein-Sieg vorgesehen ist. Außerdem will Rheinland-Pfalz mit Blick auf den Standort Rheinbach der Fachhochschule Rhein-Sieg keine Studienangebote im materialwissenschaftlichen Bereich in Remagen einrichten.

Das Land geht bei einem vollen Ausbau der 1000 Studienplätze des Fachhochschulstandortes ab dem Jahre 2002 von ca. 285 Studienanfängern pro Jahr aus. Damit sieht das Land – auch unter Berücksichtigung der neu errichteten Fachhochschule Rhein-Sieg – eine hinreichende Tragfähigkeit des Fachhochschulstandortes in Remagen. Das Land weist darauf hin, daß der Einzugsbereich dieses Standortes weit über das Kreisgebiet und die Region hinausgehe. Durch eine gute Verkehrsanbindung werde sich das Einzugsgebiet der Hochschule auch auf das rechtsrheinische Gebiet erstrecken und nördlich bzw. südlich den Bonner und Koblenzer Raum einbeziehen.

A. III. Geplante Studiengänge und Angebote zur Weiterbildung

III. 1. Geplante Studiengänge

Das Land sieht in dem inhaltlichen Entwicklungskonzept für die Fachhochschule Studiengänge vor, in denen eine solide, beruflich vielseitig verwendbare Ausbildung vermittelt werden soll. Im Sinne der möglichst breiten Verwendung der erworbenen Qualifikationen auf dem Arbeitsmarkt soll die interne Differenzierung der Studiengänge in Schwerpunkte und Vertiefungsgebiete maßvoll erfolgen. Darüber hinaus sollen sich die Studiengänge und Studienschwerpunkte an allgemeinen Prinzipien orientieren, wie einer fächerübergreifenden Zusammenarbeit, einer Internationalisierung des Studiums, der Vermittlung von fachübergreifenden Schlüsselqualifikationen sowie der Erprobung alternativer Formen des Studiums in enger Kooperation mit der Wirtschaft und den im Land vorhandenen Fernstudieneinrichtungen.

Der Standort Remagen ist auf 1000 flächenbezogene Studienplätze angelegt. Folgende vier Studiengänge sollen angeboten werden:

Studiengänge	flächenbezogene Studienplätze	Studienanfänger pro Jahr
Gesundheits- und Sozialwirtschaft	200	60
Technische Betriebswirtschaft	200	60
Physikalische Technik	350	100
Angewandte Mathematik	250	70

Ziel des Studiengangs *Gesundheits- und Sozialwirtschaft* ist die Ausbildung von Betriebswirten mit einer gesundheits- und sozialwirtschaftlichen Kompetenz. Die Absolventen sollen den Hochschulgrad „Diplom-Betriebswirt/in (FH)" erhalten. Sie sollen, neben der Bearbeitung rein betriebswirtschaftlicher Aufgaben, vor allem auch in der Lage sein, gemeinsam mit Fachkräften des ärztlichen und pflegerischen Dienstes zur Vermittlung von ökonomischen und sozialen Anforderungen in Gesundheitseinrichtungen beizutragen. Das Land hält eine möglichst breite Ausbildung für erforderlich. Der Studiengang soll sich insgesamt auf acht Semester mit 150 Semesterwochenstunden erstrecken.

Das Land weist darauf hin, daß es in der Region nördliches Rheinland-Pfalz/Bonn/Köln bislang keinen derartigen Studiengang gebe. Der an der Katholischen Fachhochule Köln zum Wintersemester 1994/1995 eingerichtete Studiengang „Pflegeleitung/Pflegemanagement“ richte sich an berufserfahrene Pflegekräfte und sei mit dem hier vorgeschlagenen Studiengang nicht vergleichbar. Der in Remagen geplante Studiengang zielt nicht nur – wie an der Abteilung Mainz II – auf den Krankenhausbetrieb, sondern auch auf die Tätigkeit in Heimen, Rehabilitations-, Alten- und Behinderteneinrichtungen sowie Kranken- und Pflegekassen.

Aufgrund der Vielzahl von Gesundheits- und Freizeiteinrichtungen in der Wirtschaftsregion Rhein-Ahr sieht das Land die Möglichkeit, mit der Einrichtung des Studiengangs typische Merkmale der Region mit einem überregionalen Ausbildungsbedarf zu verbinden. Darüber hinaus ist an eine Zusammenarbeit mit dem am Standort Koblenz der Fachhochschule geplanten Studiengang „Sozialarbeit im Gesundheitswesen“ gedacht, der als nichtbetriebswirtschaftlicher Studiengang komplementäre Berufsgruppen und Segmente des Arbeitsfeldes Gesundheitswesen einbezieht.

Ziel des Studiengangs *Technische Betriebswirtschaft* ist die Ausbildung von Betriebswirten mit einer besonderen wirtschaftlich-technischen Kompetenz. Die Absolventen erhalten den Titel „Diplom-Betriebswirt/in (FH)“. Das Studium soll sich über acht Semester mit insgesamt 150 Semesterwochenstunden erstrecken.

Mit der Integration technischer und betriebswirtschaftlicher Ausbildungsinhalte soll den Absolventen eine wichtige Kompetenzergänzung für die Übernahme spezieller Fach- und allgemeiner Führungsfunktionen in Betrieben unterschiedlicher Branchen vermittelt werden. Im Vergleich zu den bisher vorhandenen Studiengängen der Technischen Betriebswirtschaft sieht das Konzept vor, daß betriebswirtschaftliche und technische Ausbildungsanteile integrativ im Rahmen von anwendungsorientierten Vertiefungsfächern zusammengeführt werden. Außerdem soll die Ausbildung weniger auf das produzierende Gewerbe, denn auf den Dienstleistungsbereich zielen. Diese Orientierung entspricht nach Ansicht des Landes den erkennbaren Bedarfsentwicklungen, auch in der Region. Als Wahlpflichtfächer können innerhalb des Studiums Logistik/Verkehrswirtschaft sowie die Umweltwirtschaft belegt werden. Das Land erwägt gegenwärtig, Teile der verkehrswirtschaftlichen Ausbildung der Bundesbahn-Fachhochschule in Mainz, die 1996 aufgegeben wird, einzubeziehen.

Ziel des Studiengangs *Angewandte Mathematik* ist die Vermittlung von Grundkenntnissen in Mathematik und praktischer Informatik, praxisbezogene mathematische Methoden sowie Methoden und Verfahren in den Schwerpunktfächern Informatik, Technik und Wirtschaft. Insbesondere die geplanten Studienschwerpunkte Informatik, Technik und Wirtschaft bilden das praxisorientierte Ausbildungsprofil des Studiengangs, der sich in dieser Hinsicht wesentlich von den entsprechenden Studiengängen an einer Universität unterscheiden soll. Der Studiengang erstreckt sich über acht Semester mit insgesamt 156 Semesterwochenstunden. Nach erfolgreichem Abschluß soll der Hochschulgrad „Diplom-Mathematiker/in (FH)“ verliehen werden.

Bei den Überlegungen zur Einrichtung des Studiengangs hat das Land insbesondere das aktuelle Angebot an Studiengängen in Rheinland-Pfalz und der angrenzenden Region des Landes Nordrhein-Westfalen berücksichtigt. Während der Studiengang Mathematik an Fachhochschulen anderer Bundesländer bereits angeboten wird, verfügt das Land Rheinland-Pfalz gegenwärtig an keiner der acht Abteilungen seiner Fachhochschule über ein entsprechendes Angebot. Auch an den beiden Standorten Rheinbach und St. Augustin der Fachhochschule Rhein-Sieg in Nordrhein-Westfalen ist ein solcher Studiengang nicht geplant. Informatikstudiengänge existieren demgegenüber an den neuen Standorten der Fachhochschule Rheinland-Pfalz in Birkenfeld und Zweibrücken. Grundständige Informatikstudiengänge gibt es in Rheinland-Pfalz an den Universitäten in Kaiserslautern und Koblenz sowie an den Fachhochschulabteilungen in Trier und Worms.

Das Land geht davon aus, daß der Bedarf an Absolventen eines Studiengangs Angewandte Mathematik gegeben ist. Die Beherrschung komplexer mathematischer Methoden werde für die Lösung vieler Probleme in Industrie und Wirtschaft unerläßlich. Andererseits verfügten die Absolventen anderer Studienrichtungen an Fachhochschulen in der Regel nicht über diese Kompetenz, so daß der Bedarf für derart ausgebildete Mathematiker mit entsprechenden Vertiefungsrichtungen gegeben sei.

Ziel des Studiengangs *Physikalische Technik* ist es, den Ingenieurstudenten eine fachübergreifende Qualifikation zu vermitteln, die es ihnen ermöglicht, physikalische Kenntnisse in moderne Technologien, Geräte und Verfahren umzusetzen. Das Studium ist auf acht Semester und 176 Semesterwochenstunden angelegt; nach erfolgreichem Abschluß des Studiums soll der Hochschulgrad „Diplom-Ingenieur/in (FH)" verliehen werden.

Das Land geht davon aus, daß die Physikalische Technik im besonderen Maße geeignet sei, physikalisch orientierte Forschung und Entwicklung in angewandte Ingenieurwissenschaften umzusetzen. Der Bedarf an Ingenieuren in innovativen Technologiebereichen sei gegeben, da in fast allen Bereichen von Industrie und Wirtschaft die Suche nach neuen Verfahren und Methoden und deren technische Umsetzung sprunghaft angestiegen sei. Das Land erwartet, daß die Absolventen des Studiengangs vielfältige Aufgaben in der Wirtschaft und dem öffentlichen Dienst, z. B. in den Bereichen Forschung und Entwicklung, Projektierung und Fertigung, bei der Inbetriebnahme von Großgeräten und der Überwachung und Prüfung physikalischer/technischer Geräte finden werden.

Die inhaltliche Konzeption des Studiengangs wurde vom Land in enger Abstimmung mit den technischen Fachbereichen der Abteilung Koblenz der Fachhochschule Rheinland-Pfalz entwickelt. Folgende drei Studienschwerpunkte sind vorgesehen: Medizintechnik, Lasertechnik und Physikalische Meßtechnik. Das Land weist darauf hin, daß in der Umgebung der Hochschule lediglich die FH Aachen, die Universität-Gesamthochschule Siegen und die FH Wiesbaden einen Studiengang dieser Art, aber mit teilweise unterschiedlichen Schwerpunkten, anbieten.

III. 2. Angebote zur Weiterbildung

Das Land sieht vor, daß die Planung und Organisation der Weiterbildung am Fachhochschulstandort Remagen durch eine eigenständige Organisationseinheit für Weiterbildung wahrgenommen werden soll. Ein Bedarf für Weiterbildungsangebote sei insbesondere nach Gesprächen mit Experten aus Gesundheits- und Sozialeinrichtungen deutlich geworden. In der Folge der Ökonomisierung von Gesundheits- und Sozialdiensten sieht das Land für das dort tätige Fach- und Leitungspersonal insbesondere einen Bedarf an betriebswirtschaftlichen Weiterbildungsangeboten. Darüber hinaus hält der Gründungsausschuß Weiterbildungsangebote im Bereich der „Europäischen Betriebs- und Sozialwirtschaft" für sinnvoll. Diese sollen der Situation Rechnung tragen, daß die im Bereich der personalen Dienstleistungen tätigen Fach- und Leitungskräfte lediglich fachspezifisch ausgebildet sind und Wirtschaftswissenschaftler mit fehlender sozialwissenschaftlicher Ausbildung nur eingeschränkt Akzeptanz für die Übernahme von Leitungsfunktionen in diesem Bereich finden.

Schließlich hat der Gründungsausschuß zusätzliche Weiterbildungsangebote im Bereich des „Managements technischer Großprojekte" vorgeschlagen, die integrierte technikwissenschaftliche und betriebswirtschaftliche Kompetenzen vermitteln sollen. Die bislang übliche Ausbildung von Ingenieuren des Maschinenbaus, der Elektrotechnik und des Bauingenieurwesens erfülle die mit dem Management technischer Großprojekte verbundenen Anforderungen nur unzureichend.

A. IV. Angewandte Forschung und Entwicklung

Das Land betont, daß der angewandten Forschung an der Fachhochschule Rheinland-Pfalz eine große Bedeutung zukommt. Dementsprechend sei vorgesehen, in der geplanten Fachhochschulgesetzesnovelle die angewandte Forschung stärker zu gewichten. Außerdem seien in Zusammenhang mit Technologie-Transferbemühungen neue Modelle erprobt worden. So sei zusammen mit Unternehmen der Wirtschaft in Bingen ein Innovations- und Transferinstitut als GmbH errichtet worden, das im wesentlichen einen auf die Region bezogenen Wissenstransfer von der Beratung über die Auftragsforschung bis zur Organisation von Weiterbildungsangeboten sicherstellen soll. Das Land mißt diesem Institut Modellcharakter für andere Hochschulstandorte zu. Für den Standort Remagen plant das Land, 2000 m^2 allein für Forschung und Innovation vorzusehen. Der Aufbau von Forschungs- und Entwicklungsaktivitäten an der Hochschule soll in engem Zusammenhang mit dem von der Landesregierung im Rahmen der Wirtschaftsstrukturförderung und des Bonn/Berlin-Ausgleichs geplanten Technologiezentrum in Sinzig erfolgen. Dieses Technologiezentrum soll die Perspektive für die angewandte Forschung in Remagen verbessern und technologieorientierte Unternehmensgründungen initiieren. Angewandte Forschungsprojekte können aus zentralen Forschungsmitteln des Landes und z.B. durch die „Stiftung Rheinland-Pfalz für Innovation" zusätzlich gefördert werden. Die inhaltliche Konkretisierung von Forschungsschwerpunkten und Forschungsprojekten soll den erstberufenen Professoren der Hochschule überlassen bleiben. Das Fachhochschulgesetz des Landes Rheinland-Pfalz gibt den Professoren die Möglichkeit, für die Durchführung von Entwicklungsvorhaben im Rahmen angewandter Forschung von ihren Lehr- und Prüfungsverpflichtungen freigestellt zu werden. Gespräche mit Firmen, die an einer Kooperation in Forschung und Lehre interessiert sind, werden geführt.

A. V. Finanzierung, räumliche Unterbringung und geplanter Ausbau

Für den Fachhochschulstandort im Kreis Ahrweiler sind bis zum Jahre 2004 185 Millionen DM für Investitionen und Betriebsmittel vorgesehen, deren Bereitstellung der Bund in der Vereinbarung über die Ausgleichsmaßnahmen für die Region Bonn zugesichert hat. Davon entfallen rund 94 Millionen DM auf die Investitionskosten (Preisbasis 1993).

Dem zugrunde liegt ein vom Land für die Hochschule angemeldeter Bedarf an 11400 m^2 Gesamtnutzfläche für die Errichtung von 1000 flächenbezogenen Studienplätzen in Remagen. Darin einbezogen sind 7800 m^2 Hauptnutzfläche, 2000 m^2 Innovationsfläche für angewandte Forschungs- und Kooperationsprojekte sowie rund 1600 m^2 Fläche für Infrastruktureinrichtungen. Darüber hinaus geht das Land von der Einrichtung von 49 Professorenstellen aus, die sich wie folgt auf die Studiengänge verteilen sollen: Gesundheits- und Sozialwirtschaft (9), Technische Betriebswirtschaft (9), Angewandte Mathematik (13) und Physikalische Technik (18). Das Land legt ferner eine Relation der Professoren zum unterstützenden Bereich, einschließlich der Verwaltung, von 1:1 zu Grunde, so daß die Einrichtung weiterer 49 Stellen geplant ist.

Es ist vorgesehen, daß der Studienbetrieb am Standort Remagen im Wintersemester 1998/1999 mit den Studiengängen Gesundheits- und Sozialwirtschaft sowie Physikalische Technik mit jeweils 30 bzw. 50 Studienanfängern in einem dann fertiggestellten ersten Gebäudekomplex beginnen soll. Ein Jahr später soll auch der Lehrbetrieb in den beiden anderen Studiengängen aufgenommen werden. Bei einem vollen Ausbau im Jahre 2002 sollen jährlich ca. 285 Studienanfänger aufgenommen werden. Gegen einen früheren Studienbeginn spricht nach Ansicht des Landes, daß eine vorübergehende Anmietung von Hochschulflächen einen zu großen Teil der Gesamtfinanzierungssumme beanspruchen würde und – auch aufgrund der demographisch bedingt zurückgehenden Studienanfängerzahlen – der Aufbau für die drei neuen Standorte in Zweibrücken, im Kreis Birkenfeld und im Kreis Ahrweiler zeitlich entzerrt werden soll.

Der Standort für den zu errichtenden Neubau der Fachhochschule liegt am südöstlichen Ende der Stadt Remagen, ca. 3 km nördlich von Sinzig. Eine gute verkehrsmäßige Anbindung durch den öffentlichen Nahverkehr ist gegeben. Das Land geht von einem Baubeginn in 1997, der Fertigstellung des 1. Bauabschnittes 1998 und der vollständigen Fertigstellung im Jahr 2002 aus.

B. Stellungnahme

B. I. Allgemeines

Die Errichtung eines neuen Standortes der Fachhochschule Rheinland-Pfalz im Landkreis Ahrweiler ist Bestandteil der wissenschaftsbezogenen Ausgleichsmaßnahmen für die Region Bonn. Der Wissenschaftsrat hatte bereits in einer früheren Stellungnahme zur Gründung des Standorts Zweibrücken der Fachhochschule die im Rahmen des Berlin/Bonn-Ausgleichs geplanten Ausbaumaßnahmen für den Fachhochschulbereich, zu denen auch die Errichtung eines neuen Standorts im Kreis Ahrweiler gehört, grundsätzlich begrüßt.[2]) Er hat darüber hinaus das Land gebeten, die Planungen für diesen neuen Hochschulstandort als Teil des Gesamtausbaukonzepts für die Fachhochschule Rheinland-Pfalz vorzulegen. Der Wissenschaftsrat geht davon aus, daß die notwendigen Investitions- und Betriebskosten für den Standort, wie in der Vereinbarung über die Ausgleichsmaßnahmen für die Region Bonn festgelegt, bis zum Jahre 2004 vom Bund bereitgestellt werden.[3]) Er erwartet deshalb, daß das Land bis zum Jahre 2004 keine Investionsmittel aus der Gemeinschaftsaufgabe Hochschulbau für den Auf- und Ausbau des Standortes Remagen der Fachhochschule Rheinland-Pfalz beansprucht.

Der Aufbau des neuen Standortes Remagen der Fachhochschule steht in engem Zusammenhang mit den zuletzt neu errichteten Standorten in Birkenfeld und Zweibrücken, zu denen der Wissenschaftsrat bereits Stellung genommen hat. Das Land will seine Ausbauplanungen mit zusätzlichen Studienplätzen im Fachhochschulbereich vor allem auf diese drei neuen Standorte konzentrieren. Unabhängig davon, daß der Wissenschaftsrat einen weiteren Ausbau der Fachhochschulen im Land grundsätzlich für wünschenswert erachtet, ist für den geplanten Standort Remagen zu prüfen, ob die Tragfähigkeit dieser Einrichtung für die Region gegeben und das fachliche Konzept hinreichend attraktiv ist, um Professoren, Studenten und Wirtschaftsunternehmen für den Standort zu

---

2) Wissenschaftsrat: Stellungnahme zu den Planungen des Landes Rheinland-Pfalz für die Gründung eines neuen Standortes der Fachhochschule Rheinland-Pfalz in Zweibrücken, in: Empfehlungen und Stellungnahmen 1994, Bd. I, Köln 1995, Seite 223 f.

3) Vgl. Artikel 5 der Vereinbarung über die Ausgleichsmaßnahmen für die Region Bonn zwischen der Bundesrepublik Deutschland, den Ländern Nordrhein-Westfalen und Rheinland-Pfalz und der Region Bonn (Bundesstadt Bonn, Rhein-Sieg-Kreis, Kreis Ahrweiler) vom 29. Juni 1994.

interessieren. Die Planungen für die einzelnen Studiengänge der Gesundheits- und Sozialwirtschaft, Technischen Betriebswirtschaft, Physikalischen Technik und Angewandten Mathematik sind vom Land bereits relativ weit vorangetrieben worden. Der Studienbetrieb in den einzelnen Studiengängen soll aber erst zum Wintersemester 1998/99 gestuft bis zum Jahre 2002/2003 aufgenommen werden. Der Wissenschaftsrat nimmt im folgenden auf der Grundlage seiner Empfehlungen zur Entwicklung der Fachhochschulen in den 90er Jahren und der Einzelempfehlungen zu den Standorten Birkenfeld und Zweibrücken der Fachhochschule Rheinland-Pfalz zu den Ausbauplanungen am Standort Remagen Stellung und bewertet in diesem Zusammenhang das inhaltliche Konzept, einschließlich der geplanten Aktivitäten auf den Gebieten der Angewandten Forschung und Entwicklung sowie des Technologietransfers.

B. II. Zur Bedeutung des Standorts für die allgemeinen Ausbauplanungen des Landes im Fachhochschulbereich

Das Land Rheinland-Pfalz hat die Grundzüge seiner Ausbauplanungen zum Fachhochschulbereich bereits zu den Beratungen mit dem Wissenschaftsrat über die Gründung von neuen Standorten in Birkenfeld und Zweibrücken vorgelegt und sie nunmehr um die Zahl der flächenbezogenen Studienplätze für den weiteren Standort Remagen erweitert und konkretisiert. Der Wissenschaftsrat hatte sich insbesondere im Zusammenhang mit der Standortneugründung in Zweibrücken zustimmend zu den Zielzahlen der Fachhochschulentwicklung geäußert, ohne damit eine inhaltliche Stellungnahme zu den Überlegungen des Landes für einen weiteren Standort in Remagen zu verbinden.[4]) Er begrüßte insbesondere, daß das Land mit seinen Anmeldungen zum 25. Rahmenplan für den Hochschulbau den Fachhochschulen einen Anteil von 47 % des gesamten Investitionsvolumens einräumt und damit seinen politischen Willen unterstreicht, diesen Bereich des Hochschulsystems im Sinne der Strukturempfehlungen des Wissenschaftsrates und entsprechend der Nachfrage der Studieninteressenten und des Arbeitsmarktes zu fördern. Das Ziel des Landes, für 40 % der Studienanfänger Studienmöglichkeiten an Fachhochschulen bereitzustellen, wird vom Wissenschaftsrat nachhaltig unterstützt.[5])

Ein wesentliches Kriterium für die Errichtung eines Fachhochschulstandortes ist nach Auffassung des Wissenschaftsrates die Tragfähigkeit der Region für eine Hochschule mit wenigstens drei unterschiedlichen Studiengängen und einer daraus resultierenden Anzahl von mindestens

4) Wissenschaftsrat: Stellungnahme zu den Planungen des Landes Rheinland-Pfalz für die Gründung eines neuen Standortes der Fachhochschule Rheinland-Pfalz in Zweibrücken, a.a.O., S. 223 f.
5) Wissenschaftsrat: 10 Thesen zur Hochschulpolitik, in: Empfehlungen und Stellungnahmen 1993, Köln 1994, S. 22-29.

1000 flächenbezogenen Studienplätzen.[6]) Diesem Kriterium wird das Land gerecht, indem es für den geplanten Hochschulstandort vier Studiengänge und 1000 flächenbezogene Studienplätze vorsieht. Damit müßten jährlich rund 285 Studienanfänger ihr Studium an diesem Standort beginnen. Der Wissenschaftsrat teilt die Einschätzung des Landes, daß angesichts der allgemeinen Nachfrage nach Fachhochschulstudienplätzen und der verkehrstechnisch günstigen Lage des Standorts zwischen Bonn und Koblenz die für Remagen vorgesehenen Studienplätze eine ausreichende Nachfrage erfahren werden.

Zusätzlich zur regionalen Tragfähigkeit des Hochschulstandorts geht das Land davon aus, daß die geplanten Studiengänge in Remagen auf eine überregionale Nachfrage treffen werden. Voraussetzung dafür ist, daß ein attraktives Studienangebot bereitgestellt wird, das Doppelungen oder Überschneidungen mit Angeboten anderer Fachhochschulstandorte im näheren Einzugsbereich vermeidet. Dieses gilt insbesondere für die Abteilung Koblenz der Fachhochschule Rheinland-Pfalz, die Ingenieure in den Fachbereichen Architektur, Bauingenieurwesen, Maschinenbau und Elektrotechnik sowie Betriebswirte mit mehreren klassischen Vertiefungsrichtungen ausbildet. Es ist deshalb zu begrüßen, daß das Land insbesondere eine Abgrenzung zu den Studienangeboten der Abteilung Koblenz vorgenommen hat. Der Verzicht auf einen Studiengang Informatik am Standort Remagen wird ebenfalls unterstützt, da er bereits mehrfach innerhalb und außerhalb des Landes vorhanden ist. Obwohl kein gemeinsamer Planungsbeirat der Länder Nordrhein-Westfalen und Rheinland-Pfalz für die neu errichteten Fachhochschuleinrichtungen im Rhein-Sieg-Kreis und im Kreis Ahrweiler gebildet wurde, hat eine ausreichende Abstimmung beider Länder bei der Studiengangsplanung stattgefunden. Die Entscheidung, die Studiengänge für Gesundheits- und Sozialwirtschaft bzw. Technische Betriebswirtschaftslehre nur am Standort Remagen aufzubauen, erscheint ebenso sinnvoll wie der Verzicht des Landes Rheinland-Pfalz zugunsten Nordrhein-Westfalens auf Studienangebote im Bereich Informationsmanagement und in den Materialwissenschaften.

Aufgrund der erreichten Größe und der fachlichen Breite der Fachhochschule Rheinland-Pfalz unterstützt der Wissenschaftsrat das Land in der Absicht, die Fachhochschule zum 1. September 1996 neu zu strukturieren und in mehrere regional zusammenhängende und fachlich aufeinander abgestimmte Fachhochschulen neu zu gliedern. Es ist geplant, die bisher einheitliche Fachhochschule Rheinland-Pfalz in sieben selbständige Fachhochschulen aufzuteilen. Angesichts der räumlichen Nähe und der geplanten Betreuung durch eine gemeinsame Verwaltung sowie einer Kooperation bei den Studienangeboten in der Lehre und bei der angewandten Forschung erscheint es plausibel, den Standort Remagen zukünftig der selbständigen Fachhochschule Koblenz zuzuordnen. Gute Voraussetzungen für eine solche Zuordnungsentscheidung sind auch in-

6) Wissenschaftsrat: Empfehlung zur Entwicklung der Fachhochschulen in den 90er Jahren, Köln 1991, S. 74.

sofern gegeben, als der Gründungsbeauftragte des Standortes Remagen sowie mehrere Vertreter des Gründungsausschusses für Remagen der bisherigen Abteilung Koblenz der Fachhochschule Rheinland-Pfalz angehören.

Um überregionale Aspekte in die Gestaltung des Ausbildungsprofils einzubringen, wird dem Land empfohlen, auch weiterhin Vertreter der Wirtschaft und Wissenschaft von außerhalb der Region in die weiteren Aufbauplanungen für den Standort einzubeziehen. Trotz der grundsätzlichen Zustimmung zur Bildung selbständiger Fachhochschulen in Rheinland-Pfalz betont der Wissenschaftsrat, wie schon in seiner Empfehlung zu den Ausbauplanungen für den Standort Zweibrücken, daß über einen langen Zeitraum gewachsene fachliche Austauschbeziehungen zwischen den einzelnen Abteilungsstandorten gewahrt bleiben und nicht neue Abgrenzungen eingeführt werden sollten, die sich auf die weitere Entwicklung der Fachhochschuleinrichtungen negativ auswirken können. Das Land wird gebeten, der Frage der Kooperation der selbständigen Fachhochschulen untereinander in Zukunft besondere Aufmerksamkeit zu widmen.

B. III. Zu den Studiengängen und Angeboten der Weiterbildung

Der Wissenschaftsrat begrüßt, daß vor der Festlegung der Studiengänge eine intensive Abstimmung mit den Planungen des Landes Nordrhein-Westfalen für die Fachhochschule Rhein-Sieg vorgenommen wurde. Die hierbei getroffene Absprache, wonach sich Rheinland-Pfalz stärker auf den Bereich des Gesundheitswesens konzentriert und dafür auf Angebote in den Ingenieurwissenschaften – insbesondere den Werkstoffwissenschaften – zugunsten Rhein-Siegs verzichtet, wird für richtig erachtet. Da Rheinland-Pfalz bereits über 37 % Studienanfänger an Fachhochschulen verfügt, Nordrhein-Westfalen aber erst über 25 %, erscheint es sinnvoll, daß für Remagen Studiengänge vorgesehen sind, die eine behutsame Weitererweiterung des Fächerspektrums bedeuten.

Mit der geplanten Errichtung von Studiengängen im Bereich der Gesundheits- und Sozialwirtschaft, der Technischen Betriebswirtschaftslehre, der Physikalischen Technik und der Angewandten Mathematik ist das Land bestrebt, traditionelle und neue Fachhochschulstudiengänge zusammenzuführen. Es greift damit die Empfehlungen des Wissenschaftsrates auf, die quantitative Weiterentwicklung der Fächerstruktur an den Rändern des bisherigen Fächerspektrums vorzunehmen. Dabei sollte jedoch darauf geachtet werden, daß die Spezialisierungen nicht zu weit gehen. Im Interesse der Absolventen muß eine ausreichende Grundausbildung gewährleistet werden, um ihren beruflichen Einsatz nicht auf zu eng definierte Aufgabenbereiche zu beschränken.[7])

---

7) ebd., S. 74 ff.

Die Mischung aus wirtschaftlichen und technischen Studiengängen eröffnet außerdem die Möglichkeit zu einer engen Zusammenarbeit der Fächer in Lehre und Forschung. Das Land sollte deshalb seine Absicht, möglichst breit geschnittene Fachbereiche zu bilden, konsequent realisieren und die Studiengänge für Gesundheits- und Sozialwirtschaft und Technische Betriebswirtschaft sowie die Studiengänge für Angewandte Mathematik und Physikalische Technik jeweils in einem gemeinsamen Fachbereich zusammenführen.

Die vorgesehenen Studiengänge sind darüber hinaus auf eine enge curriculare Verzahnung angewiesen. Das Land sieht deshalb vor, daß etwa im Studiengang Technische Betriebswirtschaft auch technikwissenschaftliche Fächer oder im Studiengang Angewandte Mathematik mit den Schwerpunkten Technik und Wirtschaft betriebswirtschaftliche und technische Fächer gelehrt werden. Weitere notwendige Maßnahmen, um die interdisziplinäre Orientierung der Studiengänge zu gewährleisten, sind vom Land vorgesehen und sollten entsprechend realisiert werden. Dazu gehört vor allem die Integration von fachübergreifenden Veranstaltungen und Studienprojekten in die Studienpläne sowie eine im Rahmen der Ausschreibung von Professorenstellen sowie der Anstellungsverträge festgelegte Verpflichtung zur Mitarbeit in anderen Studiengängen und bei der Entwicklung alternativer Studienformen. Der Wissenschaftsrat sieht insbesondere in der Absicht des Landes, in der Anfangsphase gezielt Persönlichkeiten zu suchen und zu berufen, die Erfahrungen mit einem integrativen und interdisziplinären Arbeitsansatz haben, einen interessanten Versuch, der hinsichtlich seines Erfolgs beobachtet werden sollte.

Über diese vom Land selbst vorgeschlagenen Maßnahmen zu einer stärkeren Zusammenarbeit der Studiengänge hinaus wird empfohlen, einen möglichst breiten Anteil an gemeinsamen Veranstaltungen im Grundstudium der einzelnen Fächer vorzusehen. Der Aufbau der Studiengänge, wie er durch die vom Land vorgelegten Curricula deutlich wird, folgt im übrigen vor allem hinsichtlich der Zahl der vorgesehenen Semesterwochenstunden und der zentralen Stellung eines Fachpraktikums im Hauptstudium den Empfehlungen des Wissenschaftsrates, wie sie zuletzt zum Fachhochschulstandort in Zweibrücken abgegeben wurden.[8]) Daß die Studiengänge am Standort Remagen darüber hinaus internationale Bezüge aufweisen sollen, die sich nicht nur auf ein entsprechendes Fremdsprachenangebot beschränken, wird ausdrücklich begrüßt.

Zu den einzelnen Studiengängen gibt der Wissenschaftsrat folgende ergänzende Empfehlungen:

Der Studiengang *Gesundheits- und Sozialwirtschaft* sollte konsequent auf die Managementaufgaben in diesem Bereich hin profiliert und auf

8) Wissenschaftsrat: Stellungnahme zu den Planungen des Landes Rheinland-Pfalz für die Gründung eines neuen Standortes der Fachhochschule Rheinland-Pfalz in Zweibrücken, a.a.O., S. 227 ff.

alle Betriebe und Einrichtungen des Gesundheitswesens ausgerichtet werden. Hierdurch kann erwartet werden, daß der Studiengang das notwendige regionale und überregionale Interesse findet und die Beschäftigungsmöglichkeiten der Diplomanden sich auf die verschiedensten Tätigkeitsfelder der Gesundheits- und Sozialwirtschaft erstrecken, in denen Managementkenntnisse erforderlich sind. Der Aufbau des Studiengangs sollte zwar in Abstimmung mit dem Studiengang "Sozialarbeit im Gesundheitswesen" erfolgen, der am Standort Koblenz eingerichtet werden soll, im übrigen aber seine Profilierung im Gesundheitsmanagement suchen.

Der Studiengang *Technische Betriebswirtschaftslehre* wurde in enger Abstimmung mit der regionalen und überregionalen Wirtschaft entwickelt. Die Profilierung dieses Studiengangs auf die Anforderungen des Dienstleistungssektors, wie Verkehr und Logistik bzw. Umwelt- und Abfallwirtschaft, wird vor dem Hintergrund der Strukturveränderungen im produzierenden Bereich für richtig erachtet. Es darf erwartet werden, daß eine so orientierte technisch ausgerichtete Betriebswirtschaftslehre auf eine ausreichende studentische Nachfrage trifft. Auch bei diesem Studiengang sollte darauf geachtet werden, daß die Schwerpunktsetzung sehr behutsam erfolgt und in erster Linie auf eine breite Grundqualifizierung geachtet wird. Um eine institutionelle Verzahnung zwischen den Studiengängen der Gesundheits- und Sozialwirtschaft und der Technischen Betriebswirtschaftslehre herzustellen, empfiehlt der Wissenschaftsrat, gemeinsame Veranstaltungen im Grundstudium vorzusehen.

Der Studiengang *Angewandte Mathematik* soll nach den Planungen des Landes eine Lücke im Studienangebot der Fachhochschule Rheinland-Pfalz schließen, da im Land ein solcher Studiengang bisher nicht angeboten wird. Der Wissenschaftsrat empfiehlt dem Land, die Schwerpunktsetzung noch einmal dahingehend zu überprüfen, ob nicht anstelle der vorgesehenen drei Studienschwerpunkte Informatik, Technik und Wirtschaft der Studiengang stärker auf die Anwendung in der Medizininformatik ausgerichtet werden sollte, ohne deshalb die breite Grundausbildung zu vernachlässigen. Eine Konzentration auf die Medizininformatik würde möglicherweise eine größere studentische Nachfrage erfahren als der ursprünglich vorgesehene Studiengang Angewandte Mathematik.

Mit dem Studiengang *Physikalische Technik* bietet das Land in Remagen eine Studienmöglichkeit an, die bislang in Rheinland-Pfalz nicht existiert, und die in der weiteren Umgebung der Region lediglich an drei Hochschulen (FH Aachen, Universität-Gesamthochschule Siegen und FH Wiesbaden) angeboten wird. Die vorgesehenen drei Studienschwerpunkte stellen nach Auffassung des Wissenschaftsrates jedoch eine zu weitgehende Spezialisierung dar. Das Land sollte deshalb neben einer breiten Ausbildung im Grundstudium primär eine Profilbildung in der „Medizintechnik“ vorsehen. Eine solche Konzentration böte außerdem Möglichkeiten der fachlichen Zusammenarbeit mit den Studiengängen für Gesundheits- und Sozialwirtschaft, der Technischen Betriebswirtschaftslehre und der Angewandten Mathematik/Medizininformatik. Die vorgesehene Zahl von 100 Studienanfängern sollte vor diesem Empfehlungshintergrund noch einmal überprüft werden.

Im Hinblick auf die geplanten Angebote zur Weiterbildung unterstützt der Wissenschaftsrat das Land darin, die Weiterbildungsangebote den Bedarfsentwicklungen anzupassen und thematisch aus den grundständigen Studiengängen heraus zu entwickeln. Die vom Gründungsausschuß des Standorts Remagen der Fachhochschule Rheinland-Pfalz vorgeschlagenen Weiterbildungsvorhaben „Europäische Betriebs- und Sozialwirtschaft" und „Management technischer Großprojekte" stellen aus heutiger Sicht mögliche Weiterbildungsschwerpunkte dar. Um ein flexibles, an der Nachfrage orientiertes Weiterbildungsangebot bereitzuhalten, sollten die Planungsgremien der Hochschulen die inhaltliche Ausgestaltung entsprechender Angebote zu einem späteren Zeitpunkt noch einmal überprüfen und weiter konkretisieren. Außerdem muß die erforderliche personelle und sachliche Infrastruktur zur Durchführung von Weiterbildungsangeboten planerisch festgelegt werden. Bis zur Errichtung der ersten Studiengänge am Standort Remagen sollte diese Aufgabe im wesentlichen vom Gründungsausschuß und damit vorrangig von Professoren der Abteilung Koblenz der Fachhochschule geleistet werden. Dabei sollten Praktiker der Region aus Wirtschaft und Verwaltung einbezogen werden. Ob hinsichtlich der organisatorischen Form eine zentrale Betriebseinheit für Weiterbildung an der Hochschule oder aber eine Weiterbildungseinrichtung in externer Trägerschaft (Verein, GmbH etc.) gebildet wird, sollte weiteren Überlegungen der Planungsgremien der Hochschule überlassen bleiben. Bei einer externen Trägerschaft muß aber in jedem Fall gewährleistet sein, daß der bestimmende Einfluß der Hochschule gesichert ist.

B. IV. Zur Angewandten Forschung und Entwicklung

Entsprechend seinen Empfehlungen zur Entwicklung der Fachhochschulen in den 90er Jahren unterstützt der Wissenschaftsrat die Planungen des Landes, innerhalb des geplanten Neubaus des Standorts Remagen ca. 2000 m^2 Hauptnutzfläche für Forschung und Innovation vorzusehen. Eine Spezifizierung der verfügbaren Fläche für bestimmte Fächer und konkrete Forschungsschwerpunkte ist bislang nicht erfolgt. Die Argumentation des Landes, daß man dieses den erstberufenen Professoren überlassen und nicht im Detail vorplanen wolle, darf nicht dazu führen, daß der Bereich der Angewandten Forschung und Entwicklung in den weiteren Planungsphasen der Hochschule bis zur Errichtung der Studiengänge ausgeklammert bleibt. Es wird deshalb empfohlen, im weiteren Planungsverlauf ein Nutzungskonzept zu entwickeln, das Grundlage einer durch die Hochschule erlassenen Nutzungsordnung sein kann. Dem Land wird weiterhin empfohlen, sowohl innerhalb der Planungsgremien für die Hochschule als auch durch Kontakte zu anderen Hochschulen und zu interessierten Firmen der Region rechtzeitig die Voraussetzungen dafür zu schaffen, daß sich der Standort Remagen auch im Bereich der

Forschung profilieren kann. Als institutioneller Ort für eine dauerhafte Kooperation zwischen Wirtschaft und Hochschule kann zusätzlich zu einem späteren Zeitpunkt auch das in Sinzig geplante Technologiezentrum genutzt werden. Für die Integration sozialwissenschaftlicher Anteile in die technischen Fachstudien sollten die Möglichkeiten zu einer Zusammenarbeit mit dem in Bad Neuenahr/Ahrweiler gegründeten Institut für Technikfolgenabschätzung geprüft werden.

B. V. Zu Finanzierung, räumlicher Unterbringung und Ausbau

Da der Bund für Aufbau und Betrieb des Standorts bis zum Jahre 2004 aus den Mitteln für den Berlin/Bonn-Ausgleich 185 Millionen DM bereitstellt, geht der Wissenschaftsrat davon aus, daß Land und Hochschule bis zu diesem Zeitpunkt keine weiteren Hochschulbaumittel beanspruchen werden. Der bereitgestellte Betrag scheint, auch verglichen mit den Investitions- und Betriebskosten vergleichbarer Fachhochschulen, ausreichend, um den personellen und räumlichen Aufbau des Standorts mit 1000 flächenbezogenen Studienplätzen in den nächsten 10 Jahren zu gewährleisten. Zur Unterbringung der Studiengänge ist ein Neubau mit insgesamt 11400 m^2 Gesamtnutzfläche, einschließlich 2000 m^2 für Vorhaben angewandter Forschung und technologische Kooperationsprojekte vorgesehen. Bei 1000 flächenbezogenen Studienplätzen und angesichts der geplanten Fächerstruktur sowie einer teilweisen Mitnutzung der zentralen Einrichtungen in Koblenz erscheint dieser Wert plausibel.

Der Wissenschaftsrat unterstützt die Entscheidung des Landes, den Studienbetrieb erst zu einem Zeitpunkt aufzunehmen, zu dem ein Neubau zur Unterbringung der Fächer errichtet sein wird. Der stufenweise Aufbau, beginnend mit den Studiengängen Gesundheits- und Sozialwirtschaft und Physikalische Technik zum Wintersemester 1998/99, erscheint sinnvoll und geboten, um auf mögliche Veränderungen der studentischen Nachfrage reagieren zu können. In quantitativer Hinsicht wird das personelle Aufbaukonzept mit insgesamt 49 Professorenstellen sowie 49 Stellen im unterstützenden Bereich zunächst als tragfähig angesehen. Nach der Aufbauphase sollte das Land vor allem prüfen, ob die vorgesehenen 49 Stellen im Mitarbeiterbereich ausreichen, um die notwendigen Unterstützungsleistungen insbesondere in der Forschung und Entwicklung zu gewährleisten.

C. Zusammenfassende Empfehlung

Der Wissenschaftsrat nimmt zustimmend zur Kenntnis, daß im Rahmen der vom Bund beschlossenen Ausgleichsmaßnahmen, die Bonn als Wissenschaftsstandort stärken sollen, auch die Errichtung eines neuen Fachhochschulstandortes der Fachhochschule Rheinland-Pfalz in Remagen vorgesehen ist. Mit diesen zusätzlichen 1000 flächenbezogenen Studienplätzen erhöht sich das Ausbauziel für die Fachhochschule Rheinland-Pfalz auf insgesamt 18600 flächenbezogene Studienplätze, so daß bis zum Jahre 2000 rund 40% aller Studienanfänger ein Studium an der Fachhochschule beginnen können. Aufgrund der verkehrstechnisch günstigen Lage des Standorts Remagen zwischen Bonn und Koblenz und der allgemeinen Nachfrage nach Fachhochschulstudienplätzen kann davon ausgegangen werden, daß dieser Standort eine ausreichende Nachfrage erfahren wird.

Die vorgesehenen Studiengänge im Bereich der Gesundheits- und Sozialwirtschaft, der Physikalischen Technik, der Angewandten Mathematik sowie der Technischen Betriebswirtschaftslehre sind – auch im Hinblick auf die Nachfrage auf dem Arbeitsmarkt – hinreichend attraktiv, um eine ausreichende regionale und überregionale studentische Nachfrage zu erfahren. Bei den Studiengängen für Angewandte Mathematik und Physikalische Technik sollte das Land aber die bislang vorgesehenen Schwerpunktsetzungen überdenken und die geplanten Studienanfängerzahlen überprüfen. Positiv ist zu bewerten, daß Dopplungen oder Überschneidungen mit Angeboten anderer Fachhochschulstandorte im näheren Einzugsbereich ausdrücklich vermieden wurden. Dieses gilt insbesondere für die Abteilung Koblenz der Fachhochschule Rheinland-Pfalz als auch für die ebenfalls im Rahmen des Berlin/Bonn-Ausgleichs geplante Fachhochschule im Rhein-Sieg-Kreis.

Der Wissenschaftsrat unterstützt die Absicht des Landes, die Fachhochschule Rheinland-Pfalz zum 1. September 1996 neu zu strukturieren und in mehrere regional zusammenhängende und fachlich aufeinander abgestimmte Fachhochschulen neu zu gliedern. In diesem Zusammenhang erscheint es sinnvoll, den Standort Remagen zukünftig der Fachhochschule Koblenz zuzuordnen. Der Wissenschaftsrat wird sich zur Neustrukturierung der Fachhochschule in Rheinland-Pfalz eine gesonderte Stellungnahme vorbehalten.

Es wird davon ausgegangen, daß die notwendigen Investitions- und Betriebskosten für den Standort Remagen, wie in der Vereinbarung über die Ausgleichsmaßnahmen für die Region Bonn festgelegt, bis zum Jahre 2004 vom Bund bereitgestellt werden. Der Wissenschaftsrat erwartet, daß das Land bis zu diesem Zeitpunkt keine Investitionsmittel aus der Gemeinschaftsaufgabe Hochschulbau für den Auf- und Ausbau des Standortes Remagen der Fachhochschule Rheinland-Pfalz beanspruchen wird. Im Hinblick auf die Finanzierung und die räumliche Unterbringung am Standort Remagen erscheinen die Aufbauplanungen des Landes plausibel. In personeller Hinsicht sollte aber das angestrebte Verhältnis von Professoren- zu Mitarbeiterstellen von 1:1 nach der Aufbauphase nochmals überprüft werden, wenn erkennbar ist, inwieweit bereits vorhandenes Personal im Bereich der zentralen Einrichtungen am Standort Koblenz zur Entlastung des Standorts Remagen beitragen kann.

Stellungnahme zur Aufnahme der Fachhochschule Rhein-Sieg in das Hochschulverzeichnis des Hochschulbauförderungsgesetzes

vom Januar 1996

Inhalt

Vorbemerkung

Mit Schreiben vom 30. Juni 1995 hat die Ministerin für Wissenschaft und Forschung des Landes Nordrhein-Westfalen den Wissenschaftsrat gebeten, zur Aufnahme der neugegründeten Fachhochschule Rhein-Sieg in die Anlage des Hochschulbauförderungsgesetzes Stellung zu nehmen. Die Gründungsentscheidung ist eine Folge der strukturellen Ausgleichsmaßnahmen des Bundes für die von der Verlagerung des Parlaments und des Regierungssitzes nach Berlin betroffene Region Bonn. Das Land hat sich in diesem Zusammenhang für einen Hauptstandort der Hochschule in St. Augustin mit einer Abteilung in Rheinbach entschieden.

Die Arbeitsgruppe Fachhochschulgründungen des Wissenschaftsrates hat die Aufbauplanungen zunächst am 19. Oktober 1995 mit Vertretern des Landes erörtert. Weitere Beratungstermine fanden am 21. November 1995 am Standort St. Augustin der Hochschule und am 14. Dezember 1995 in Köln statt.

Der Arbeitsgruppe gehörten auch Sachverständige an, die nicht Mitglieder des Wissenschaftsrates sind. Ihnen ist der Wissenschaftsrat zu besonderem Dank verpflichtet.

Der Wissenschaftsrat hat die Stellungnahme am 19. Januar 1996 verabschiedet.

A. Ausgangslage

A. I. Entstehung und rechtliche Grundlage

Die Fachhochschule Rhein-Sieg wurde mit Gesetz vom 22. November 1994 zum 1. Januar 1995 errichtet. Sie hat ihren Sitz in St. Augustin und eine Abteilung in Rheinbach. Die Errichtung der Hochschule ist Bestandteil der "Vereinbarung über die Ausgleichsmaßnahmen für die Region Bonn", die vom Bund, den Ländern Nordrhein-Westfalen und Rheinland-Pfalz, dem Rhein-Sieg-Kreis und dem Kreis Ahrweiler am 29. Juni 1994 unterzeichnet worden ist. Die Ausgleichsmaßnahmen dienen der Konkretisierung der im „Gesetz zur Umsetzung des Beschlusses des Deutschen Bundestages vom 20. Juni 1991 zur Vollendung der Einheit Deutschlands (Berlin/Bonn-Gesetz)“ vom 26. April 1994 (BGBL. I S. 918) vorgegebenen Ausgleichsziele.

Zweck der Vereinbarung ist es, die Folgen des Verlustes des Sitzes von Parlament und Regierung für die Region Bonn auszugleichen. Neben verschiedenen Maßnahmen, wie der Errichtung eines Center of Advanced European Studies and Research (CAESAR) oder der Errichtung eines Zentrums für Europäische Integrationsforschung (ZEI) soll die Bedeutung der Region als Wissenschaftsstandort auch durch die Errichtung einer Fachhochschule im Rhein-Sieg-Kreis gestärkt werden. Die Errichtung der Hochschule soll dazu beitragen, der Region ein überregional bedeutsames Profil in den Bereichen Wissenschaft und Forschung zu geben. In diesem Zusammenhang soll die Hochschule insbesondere Ausbildungsbereiche und Felder der angewandten Forschung und Entwicklung besetzen, die bislang in der Region nicht vertreten sind. Darüber hinaus sollen ihre Aktivitäten zu einem Technologie- und Wissenstransfer beitragen, der vor allem für kleinere und mittlere Unternehmen wirksam wird.

Um die angestrebte Ausrichtung der Hochschule auf die gesamte Region zu erreichen, hat sich das Land für einen rechtsrheinischen Hauptstandort in St. Augustin und einen linksrheinischen Standort in Rheinbach entschieden.

Für die Errichtung und den Betrieb der Fachhochschule Rhein-Sieg stellt der Bund aus den Ausgleichsleistungen für die Dauer von zehn Jahren (1. 1. 1995 – 31. 12. 2004) 515 Millionen DM bereit. Daraus will das Land sowohl die Investitionen (Grundstückserwerb, Bau, Ersteinrichtung) wie auch die Betriebskosten im genannten Zeitraum finanzieren.

Bereits Anfang 1995 hat das Land Beauftragte für die Wahrnehmung der Aufgaben des Gründungsrektors und des Kanzlers benannt. Die Hochschule ist gegenwärtig auf angemieteten Flächen in dem Gebäude der Gesellschaft für Mathematik und Datenverarbeitung (GMD) – Forschungszentrum Informationstechnik mbH in St. Augustin und in einem ehemaligen Bundeswehrgebäude in Rheinbach untergebracht.

A. II. Bedeutung für die Hochschulstruktur des Landes

Zusätzlich zu den bereits vorhandenen 3900 flächenbezogenen Studienplätzen an Fachhochschulen strebt das Land im Rahmen des Ausbaus der bestehenden Fachhochschulstandorte die Errichtung von 12000 weiteren flächenbezogenen Studienplätzen an Fachhochschulen an. Davon sind gegenwärtig mit den Anmeldungen zum 25. Rahmenplan rund 10800 im Bau oder in der konkreten Planung. Für die neu zu errichtende Fachhochschule Rhein-Sieg sind zusätzlich 2500 flächenbezogene Studienplätze vorgesehen, davon 1500 in St. Augustin und 1000 in Rheinbach. Damit soll die Region Nordrhein-Westfalens südlich von Köln, die bisher über kein eigenes Studienangebot im Fachhochschulbereich verfügt, eine wissenschaftspolitische Verstärkung erfahren.

Hinsichtlich der studentischen Nachfrage geht das Land davon aus, daß bei rund 4555 Schulabgängern mit Hochschulzugangsberechtigung im Jahr 2000, einer unveränderten Fachhochschulübergangsquote und unter Berücksichtigung der Tatsache, daß das Fächerspektrum der Fachhochschule Rhein-Sieg nicht für alle potentiellen Studienanfänger in Frage kommt, mit rund 800 Studienanfängern im engeren Einzugsbereich zu rechnen sei. Zu dem weiter gefaßten Einzugsbereich der Hochschule gehören der Erftkreis, der Kreis Euskirchen, der Rheinisch-Bergische

Kreis, der Oberbergische Kreis sowie der nördliche Teil von Rheinland-Pfalz. Diese Kreise stellen gleichzeitig das Einzugsgebiet anderer Fachhochschulen dar: der Fachhochschule Aachen, der Standorte Gummersbach und Köln der Fachhochschule Köln sowie der Fachhochabteilung Koblenz. Insbesondere die Fachhochschule Köln besitzt nachweislich eine große Attraktivität für Studieninteressenten aus den anderen Kreisen und dem Großraum Bonn. Der Anteil der Studienanfänger an der Fachhochschule Köln, die aus der Region stammen, betrug im Wintersemester 1991/92 45 %. Das Land erwartet, daß die neue Fachhochschule Rhein-Sieg zur Entlastung des Hauptstandortes Köln der Fachhochschule Köln beitragen wird, an dem im Wintersemester 1994/1995 16559 Studenten eingeschrieben waren.

Hinsichtlich des Studienangebots hat sich das Land für ein im Kern konventionelles Fächerspektrum entschieden, das allerdings neue fachliche Schwerpunkte erhalten soll. Ein Beispiel gibt der Studiengang Maschinenbau mit der Studienrichtung Mechatronik sowie der Studiengang Chemieingenieurwesen mit den Schwerpunkten Pharmazietechnik und Pharmazeutische Analytik. Das Konzept des Landes zum Ausbau der Fachhochschulen verläuft mittelfristig auf zwei Ebenen. Zum einen wird die Notwendigkeit gesehen, zunächst das klassische Fächerspektrum weiter auszubauen. Dazu soll die Fachhochschule Rhein-Sieg einen Beitrag leisten.

Die Erweiterung des Fächerspektrums als Voraussetzung einer mittelfristig geplanten Erhöhung des Fachhochschulanteils auf 35 – 40 % aller Studienanfänger soll nach den Vorstellungen des Landes hingegen an den bestehenden Fachhochschulen erfolgen. Zu diesem Zweck hat das Land eine Arbeitsgruppe eingesetzt, die entsprechende Umsetzungsvorschläge entwickeln soll. Als neue Studiengänge wurden z. B. bereits Pflegemanagement und Pflegepädagogik an den Fachhochschulen Münster und Bielefeld sowie Wirtschaftsrecht an der Fachhochschule Gelsenkirchen eingerichtet.

Konzeption und Ausgestaltung der Studiengänge wurden vom Land dahingehend vorgenommen, daß Überschneidungen zu Nachbarfachhochschulen soweit wie möglich vermieden werden sollen. So sei zwar vorgesehen, die Fächer Elektrotechnik, Maschinenbau und Informatik, die an der Abteilung Gummersbach der Fachhochschule Köln angeboten werden, auch an der Fachhochschule Rhein-Sieg einzurichten. Das Profil der Fächer unterscheide sich aber grundlegend. Die Studiengänge Chemieingenieurwesen und Werkstofftechnik, die die Fachhochschule Rhein-Sieg anbieten werde, seien zudem in der Region singulär. Lediglich einzelne Studienschwerpunkte würden auch an der Fachhochschule Aachen und der Fachhochschule Niederrhein angeboten.

Außerdem habe eine kontinuierliche Abstimmung mit den Planungen des Landes Rheinland-Pfalz stattgefunden. Als Ergebnis habe Nordrhein-Westfalen auf Studiengänge im Bereich des Gesundheitswesens verzichtet, obwohl der Arbeitsmarkt der Region dem durchaus entsprochen hätte. Das gleiche gelte für den Studiengang Technische Betriebswirtschaft, der ebenfalls an der Fachhochschule Rheinland-Pfalz angeboten wird, bzw. am neu zu errichtenden Fachhochschulstandort Remagen angeboten werden soll.

A. III. Das Profil der Hochschule, geplante Studiengänge und Angebote zur Weiterbildung

1. Das Profil der Hochschule

Der Studiengangsplanung liegt ein Gesamtkonzept des Landes für die Fachhochschule zugrunde, das von den folgenden Leitzielen ausgeht:

a) einer gezielten Förderung von Frauen,

b) der interdisziplinären Ausrichtung der Studiengänge und

c) der Etablierung internationaler Kooperationen und

d) der Angewandten Forschung und Entwicklung.

Das Land will die Errichtung der Hochschule dazu nutzen, Wissenschaftlerinnen, Studentinnen und Mitarbeiterinnen gezielt zu fördern. Die Fachhochschule strebt beim wissenschaftlichen Personal und beim Verwaltungspersonal eine gleichberechtigte Besetzung von Stellen an. Dieses soll u. a. erreicht werden durch breit angelegte Informationen über die Fachhochschule Rhein-Sieg, die frühzeitige Unterrichtung potentieller Bewerberinnen über beabsichtigte Stellenausschreibungen mit Hilfe bestehender „Frauennetzwerke" in Hochschulen und Unternehmerinnenverbänden sowie die gezielte Ansprache von Frauen insbesondere als Gründungsdekanin und für leitende Funktionen in Verwaltung und Bibliothek. Bei der curricularen Planung sind z. B. Frauentutorien begleitend zu den regulären Lehrveranstaltungen geplant. Ferner soll eine intensive Kontaktpflege zu den Betrieben dazu beitragen, möglicherweise bestehende Vorbehalte in den Unternehmen insbesondere gegen Absolventinnen ingenieurwissenschaftlicher Studiengänge abzubauen. Außerdem sind Maßnahmen für Kinderbetreuung und die Schaffung von Wohnraum für alleinerziehende Studentinnen und studentische Familien vorgesehen.

Das Ziel der Interdisziplinarität will das Land in einem umfassenden Sinne verstanden wissen. Die Planung der Fächer und der Studienrichtungen soll eine weitgehende Verknüpfung und übergreifende Zusammenarbeit zwischen den Studiengängen herstellen. Das gilt sowohl für die Lehre als auch für die Schwerpunkte der Forschung und Entwicklung. In personeller Hinsicht wird das Land darauf achten, daß im Zuge der Berufungen, beginnend mit den Stellenausschreibungen, insbesondere aber durch die studiengangsübergreifende Zusammensetzung von Berufungskommissionen, die Bereitschaft zu interdisziplärer Arbeit einen hohen Stellenwert erhält. In inhaltlicher Hinsicht wurden die Studienrichtungen der technischen Fächer so gewählt, daß sie überwiegend auf den Schnittstellen der klassischen Fächer liegen, wie z. B. im Fall der Studienrichtung Mechatronik, die die Elektrotechnik, den Maschinenbau und die Informatik zusammenführt. In institutioneller Hinsicht soll durch die Zusammenlegung der Studiengänge Elektrotechnik und Maschinenbau bzw. Chemieingenieurwesen und Werkstofftechnik zu jeweils einem Fachbereich der Rahmen für eine fachübergreifende Zusammenarbeit geschaffen werden.

Da die Region Bonn/Rhein-Sieg geographisch durch eine auf den europäischen Markt bezogene zentrale Lage gekennzeichnet ist, wird dem Leitziel der Internationalität eine hohe Bedeutung beigemessen. In diesem Zusammenhang sollen zunächst die personellen Voraussetzungen in Lehre und Forschung geschaffen werden, um die für ein späteres Aufbaustadium der Fachhochschule einzuleitenden Kooperationen mit Hochschulen und Forschungseinrichtungen im europäischen und außereuropäischen Ausland realisieren zu können. In den anstehenden Berufungsverfahren sollen deshalb nicht nur die Bereitschaft zu internationaler Zusammenarbeit thematisiert, sondern auch bereits bestehende internationale Kontakte der Bewerber erörtert werden. Außerdem ist vorgesehen, in allen Studiengängen eine fachsprachliche Fremdsprachenausbildung als obligatorischen Studienbestandteil einzubeziehen.

Das Land hat sich bei der Festlegung des Fächerspektrums für die Hochschule von der regionalen Wirtschaftsstruktur des Raumes Bonn/Rhein-Sieg leiten lassen und will auf diese Weise der strukturpolitischen Zielsetzung der Ausgleichsmaßnahmen entsprechen. Aufgrund der Hauptstadtfunktion Bonns ist der öffentliche Dienstleistungsbereich in der Gesamtregion überrepräsentiert, so daß das Land die Notwendigkeit einer Stärkung des Entwicklungspotentials der gewerblichen Wirtschaft sieht. Die vorhandenen Branchen Chemie, Maschinenbau, Fahrzeugbau, Elektrotechnik, Kunststoffverarbeitung und in den letzten Jahren auch Informations- und Kommunikationstechnik bildeten den Rahmen für die Konzipierung der Studiengänge, die gemeinsam mit Vertretern der regionalen Wirtschaft erfolgt ist. Das Studienangebot der Universität Bonn spielte insofern eine Rolle, als dort die Ingenieurwissenschaften und die Betriebswirtschaft nicht vertreten sind, so daß das Land die Möglichkeit sieht, mit diesem Fächerspektrum an der Fachhochschule Rhein-Sieg eine regionale Lücke zu schließen.

III. 2. Studiengänge am Standort St. Augustin

Für den Standort St. Augustin der Fachhochschule sind 1 500 flächenbezogene Studienplätze vorgesehen, die sich auf die folgenden Studiengänge verteilen:

Übersicht 1: St. Augustin

Studiengänge	Studienplätze	Studien-anfänger	Prof. Stellen	Studienbeginn
Wirtschaft	400	114	17	1995
Informatik	300	86	15	1996
Elektrotechnik	300	86	15	1997
Maschinenbau	300	86	15	1998
insgesamt:	1 300	372	62	

Aus Gründen der Kostensicherheit geht die Planung des Landes zunächst von 1300 flächenbezogenen Studienplätzen aus. Sobald Klarheit über die weitere Kostenentwicklung erreicht sein wird, wird das Land weitere 200 flächenbezogene Studienplätze am Standort St. Augustin errichten.

Die Konzeption des Studiengangs *Wirtschaft* soll der Bedarfslage mittelständischer Unternehmen der gewerblichen Wirtschaft entsprechen, in denen sich betriebswirtschaftliche Aufgaben auf wenige Personen konzentrieren und die Fähigkeit erwartet wird, verschiedene Funktionen auszuüben und Detailwissen zu verknüpfen. Das inhaltliche Konzept des Studiengangs strebt die Qualifikation für eine ganzheitliche Unternehmensführung an, wobei im Hauptstudium keine Wahlmöglichkeit zwischen verschiedenen Studienrichtungen, sondern lediglich zwischen den Studienschwerpunkten Finanzwirtschaft und Finanzdienstleistung, Controlling, Marketing und Kommunikation vorgesehen ist. Darüber hinaus soll der Studiengang grundlegende Technologiekenntnisse und Fragen der Technologiefolgenabschätzung vermitteln.

In der mittleren Entwicklungsperspektive des Studiengangs ist vorgesehen, daß sich der Fachbereich zusammen mit den technischen Fächern des Standorts St. Augustin an dem Verbundstudiengang Technische Betriebswirtschaft beteiligt, der zur Zeit, koordiniert vom Institut für Verbundstudien in Hagen, gemeinsam von der Märkischen Fachhochschule und Fachhochschule Bochum aufgebaut wird. Damit ergäben sich zusätzliche Ausbildungsmöglichkeiten für bereits Berufstätige.

Der Studiengang Angewandte *Informatik/Kommunikationstechnik* orientiert sich in seinem Ausbildungsprofil an den beruflichen Aufgaben von Informatikern, die in der Planung, Entwicklung und Realisierung anwendungsorientierter Informationsverarbeitungssysteme in Unternehmen und Verwaltungen nachgefragt werden. Er knüpft damit an eine Branche der regionalen Wirtschaft an, die in den letzten Jahren stark gewachsen ist und sowohl wissenschaftliche als auch unternehmerische Entwicklungspotentiale bietet. Der Studiengang fügt sich in ein Umfeld von wissenschaftlichen Einrichtungen ein, mit denen, wie im Fall der

GMD – Forschungszentrum Informationstechnik mbH, zum Teil bereits eine Zusammenarbeit besteht.

Im Hauptstudium ist vorgesehen, daß eine Wahlmöglichkeit zwischen den beiden Studienrichtungen Telekommunikation und Medieninformatik bestehen soll. Beide Studienrichtungen stellen, so das Land, ein für Fachhochschulen neues Studienangebot dar, das die Weiterentwicklung und Ausdifferenzierung technischer Möglichkeiten aufgreife und in die anwendungsbezogene Lehre umsetze. Das Land erwartet, daß die Nachfrage nach derart qualifizierten Absolventen in den nächsten Jahren deutlich über den heute schon vorhandenen Bedarf hinaus ansteigen wird.

Für den Studiengang *Elektrotechnik* sieht das Land die Studienrichtungen Mikroelektronik und Kommunikationstechnik vor. Das Qualifikationsprofil der Studienrichtung Mikroelektronik zielt auf Aufgaben in den Elektronikentwicklungsabteilungen von Unternehmen, von denen erwartet wird, daß sie zunehmend auch in der mittelständischen Wirtschaft eingerichtet werden. Die Studienrichtung Kommunikationstechnik soll in enger Verbindung mit dem Studiengang Informatik aufgebaut werden. Beide Studienrichtungen sollen sich in enger wechselseitiger Beziehung zum Studiengang Maschinenbau der Fachhochschule entwickeln. Curricular werden deshalb sowohl informationsverarbeitende wie maschinenbauliche Kompetenzen in den Studienplan einbezogen. Der Studiengang Elektrotechnik soll mit dem Maschinenbau organisatorisch in einem Fachbereich zusammengefaßt werden. Außerdem prüft das Land gegenwärtig die Einführung einer Studienrichtung Automatisierungstechnik.

Bei der Konzeption des Studiengangs *Maschinenbau* hat das Land die Besonderheiten der Kunststoffmaschinenindustrie, die in der Region mit mehreren Herstellern vertreten ist, berücksichtigt. Das Land sieht einen eigenen Studienschwerpunkt hierzu jedoch nicht vor, da die technischen Besonderheiten dieses Wirtschaftszweiges einer solchen Differenzierung nicht bedürften.

Der Studiengang Maschinenbau soll als vorerst einzige Studienrichtung die Mechatronik anbieten, die ein intelligentes, fachübergreifendes Arbeiten, Vernetzen und Denken in Systemen ermöglicht. Die Studierenden sollen darüber hinaus befähigt werden, in multidisziplinären Bereichen zu arbeiten, in denen eine enge Verbindung von Elementen aus dem Maschinenbau, der Informatik und der Elektrotechnik erwartet wird.

III. 3. Studiengänge am Standort Rheinbach

Für den Standort Rheinbach der Fachhochschule sind 1 000 flächenbezogene Studienplätze vorgesehen, die sich wie folgt auf die Studiengänge verteilen:

Übersicht 2: Rheinbach

Studiengänge	Studienplätze	Studien-anfänger	Prof. Stellen	Studienbeginn
Wirtschaft	400	114	17	1995
Chemie-ingenieurwesen	300	86	15	1997
Werkstofftechnik	300	86	15	1998
insgesamt:	1 000	286	47	

Der Studiengang *Wirtschaft* in Rheinbach soll in enger Parallelität zum Studiengang Wirtschaft in St. Augustin aufgebaut werden. Er soll die Studienschwerpunkte Betriebswirtschaftslehre des Handels, Unternehmensberatung und -entwicklung, Internationales Management und Marketing anbieten. Darüber hinaus zielt der Studiengang ebenfalls auf das Konzept der ganzheitlichen Unternehmensführung, das deshalb in funktionaler Hinsicht auch in den branchenbezogenen Schwerpunkten die Felder Marketing, Controlling und Internationales Management curricular berücksichtigt. Das Land erwartet, daß Absolventen des Schwerpunkts Betriebswirtschaftslehre des Handels ein berufliches Tätigkeitsfeld in den Handelsunternehmen der Region vorfinden werden. Hinsichtlich des Studienschwerpunkts Unternehmensberatung und -entwicklung geht das Land davon aus, daß die Einsatzmöglichkeiten dieser Absolventen nicht nur in der Wachstumsbranche der Beratungsunternehmen, sondern auch in anderen Wirtschaftsunternehmen liegen, die zunehmend Beratungskompetenzen bei ihren Mitarbeitern voraussetzen. Der Schwerpunkt Marketing wurde vom Land deshalb eingerichtet, weil er nach wie vor eine hohe Nachfrage erfährt und das Land sicherstellen will, daß beide Standorte der Hochschule annähernd gleich ausgelastet sind.

Der Studiengang *Chemieingenieurwesen* soll die Studierenden in den Studienrichtungen Chemische Technologie und Angewandte Analytik sowohl auf eine Beschäftigung in einem Wirtschaftsunternehmen als auch in öffentlichen Einrichtungen vorbereiten. Als Schwerpunkte der Studienrichtung Chemische Technologie sind die Polymertechnik und die Pharmazietechnik vorgesehen. Chemieingenieure der Angewandten Analytik sollen ihr berufliches Tätigkeitsfeld im Bereich der Einrichtung, Betreuung, Wartung und Weiterentwicklung von automatischen Analysesystemen und Laborinformationssystemen sowie in der Beratung finden. Innerhalb dieser Studienrichtung sollen die drei Schwerpunkte Werkstoffanalytik, Umweltanalytik und Pharmazeutische Analytik angeboten werden.

Das Land geht davon aus, daß für die Schwerpunkte beider Studienrichtungen Anknüpfungspunkte in der regionalen Industrie vorhanden sind.

Für die Pharmazietechnik und die Pharmazeutische Analytik sieht das Land darüber hinaus einen überregionalen Bedarf, der bislang an Fachhochschulen kaum vertreten sei. Aufgrund der engen Bezüge zur Werkstofftechnik und im Hinblick auf die gemeinsam zu nutzende Infrastruktur sieht das Land vor, daß die Studiengänge Chemieingenieurwesen und Werkstofftechnik in einem Fachbereich zusammengefaßt werden.

Der Studiengang *Werkstofftechnik*, der 1998 als letzter Studiengang der Fachhochschule aufgenommen werden soll, verbindet natur- und ingenieurwissenschaftliche Komponenten. Er soll in seiner Ausrichtung dem Bedarf der werkstoffverarbeitenden und werkstoffeinsetzenden regionalen Industrie entsprechen. Das Land erwartet darüber hinaus eine überregionale Ausstrahlung, da in der benachbarten Region kein werkstofforientierter Fachhochschulstudiengang in dieser Ausprägung vorhanden sei.

Bei der curricularen Gestaltung des Studiengangs wird davon ausgegangen, daß in der werkstofforientierten Industrie ein Strukturwandel stattfindet, in dessen Verlauf sich die heimische Industrie weniger auf die Primärproduktion und mehr auf die Phasen Weiterverarbeitung, Veredelung und Neue Anwendungen konzentrieren wird. Insbesondere die Technologie der Wiederverwertung der Werkstoffe werde an Bedeutung gewinnen, um den Werkstoffkreislauf ökologisch, ökonomisch und technologisch tragfähig zu machen. Es wird erwartet, daß sich die mittelständische Industrie in diesem Zusammenhang als kompetenter Systemlieferant bewähren muß, so daß auf dem Arbeitsmarkt ein verfahrensorientierter Werkstoffingenieur für die Weiterverarbeitung und Veredelung der Werkstoffe nachgefragt werde, der in der Lage sein müsse, über den richtigen Einsatz eines Werkstoffes in Konstruktion und Funktion zu entscheiden.

III. 4. Angebote zur Weiterbildung

Das Land geht davon aus, daß der regionale Bedarf an problemorientierter Weiterbildung innerhalb der Tätigkeitsfelder der Fachhochschule groß ist und bei wachsender Innovationsgeschwindigkeit weiter zunehmen wird. Die Fachhochschule Rhein-Sieg soll hier ein weiteres Aufgabenfeld übernehmen und Organisationsformen entwickeln, in denen die fachliche Kompetenz der Hochschule als auch das persönliche Engagement der Lehrenden eingebracht werden. Obwohl der Raum Bonn/Rhein-Sieg bereits ein auf verschiedenen Qualitätsstufen angesiedeltes Weiterbildungsangebot bereitstellt, erzeugt der notwendige Strukturwandel in den Schwerpunkten Wirtschaft, Wissenschaft und Verwaltung nach Auffassung des Landes neue Bedarfe, aus denen neue Inhalte und Angebote der Weiterbildung resultieren müssen. Von der Hochschule wird deshalb erwartet, daß sie sich in das vorhandene Weiterbildungsangebot einpaßt und sich auf hochschulspezifische Inhalte und Personen mit qualifizierter Aufgabenstellung konzentriert.

A. IV. Angewandte Forschung und Entwicklung

Angewandte Forschung und Entwicklung sowie deren Ausrichtung auf den Technologie- und Wissenstransfer sollen zu den integralen Bestandteilen des Gesamtkonzeptes der Fachhochschule Rhein-Sieg gehören. Sie sollen sich, orientiert an der Intensivierung der Innovationsfähigkeit der Region, auf aktuelle Problemstellungen und Projekte zur Anwendung von Ergebnissen der Grundlagenforschung konzentrieren. Dieses wird auch insofern notwendig sein, als die Aktivitäten der mittelständisch geprägten Wirtschaft der Region trotz zunehmender Anstrengungen als unbefriedigend im Hinblick auf die zukünftige Wettbewerbsfähigkeit angesehen werden. Die Unternehmen seien bislang darauf angewiesen, innovative Technologien und Beratungen extern zu beziehen. Die Fachhochschule soll deshalb das Forschungspotential der Region in fachlicher Hinsicht wie in seiner unmittelbaren Anwendungsbezogenheit ergänzen. Das Land erwartet, daß es in dieser Hinsicht eine fruchtbare Zusammenarbeit mit den Forschungseinrichtungen der Region, wie der GMD – Forschungszentrum Informationstechnik mbH, der DLR, dem Center of Advanced European Studies and Research (CAESAR) und der Universität Bonn mit ihren Fächern Chemie, Informatik und Kommunikationswissenschaften geben wird. Gemeinsame Projekte mit der GMD seien bereits in Vorbereitung. Zur Realisierung dieser Ziele ist geplant, eine Transferstelle an der Hochschule einzurichten, die Hochschule bei der Einrichtung von Drittmittelprojekten zu unterstützen sowie mittelfristig angelegte Forschungsschwerpunkte zu initiieren.

A. V. Finanzierung, Ausstattung und geplanter Ausbau

Da weder für den Standort St. Augustin noch für den Standort Rheinbach der Hochschule derzeit Gebäude existieren, ist für beide Standorte ein Ausbaukonzept zur Unterbringung der Fachhochschuleinrichtungen zu entwickeln. Zu diesem Zweck hat das Land für beide Standorte Arbeitsgruppen unter Beteiligung der Fachhochschule, der betroffenen Gemeinden sowie der zuständigen Ämter und Ministerien initiiert. Für beide Standorte sind Neubauten für die verschiedenen Fachbereiche vorgesehen, die um die notwendigen Infrastruktureinrichtungen wie Verwaltung, Bibliothek und Mensa ergänzt werden sollen.

Für den Standort St. Augustin sieht das Land 12400 m^2 Hauptnutzfläche vor. Hinzu kommen 3200 m^2 Fläche für die notwendigen Infrastruktureinrichtungen. Die Stadt St. Augustin hat der Fachhochschule für den Neubau ein Gelände in unmittelbarer Nähe des GMD-Forschungszentrums Informationstechnik mbH angeboten. Das Gelände ist an das Schienen- und Busnetz angebunden; für den Individualverkehr ist der Standort durch drei Autobahnen und zwei Bundesstraßen gut zu erreichen. Das vorhandene Gelände wird derzeit noch landwirtschaftlich genutzt, das Land erwartet keine Altlasten.

Für den Standort Rheinbach der Hochschule sind insgesamt 8800 m^2 Hauptnutzfläche vorgesehen. Die Gesamtfläche für die Infrastruktureinrichtungen soll 1600 m^2 betragen. Das für die Fachhochschule vorgesehene Baugelände liegt rund 10 Minuten vom historischen Stadtzentrum entfernt. Die Verkehrsanbindung des Standortes ist durch die Nähe des Bahnhofs und eines Busbahnhofes gegeben. Die mit der Stadt abgestimmten Bauplanungen wurden bereits eingeleitet, als Baubeginn ist 1996 vorgesehen. Das Gelände wird zur Zeit nach Angaben des Landes landwirtschaftlich genutzt, Altlasten seien nicht zu erwarten.

Die Fachhochschule Rhein-Sieg soll bis zum Wintersemester 1999/2000 im Neubau bezugsfertig sein. Entsprechend der vorgesehenen zeitversetzten Aufnahme des Studienbetriebs in den einzelnen Fachbereichen sollen spätestens zum Wintersemester 1999/2000 die notwendigen Laborflächen für die technischen Fachbereiche zur Verfügung stehen. Dringlichkeit ist nach Angaben des Landes auch dadurch gegeben, daß Räume dieser Ausstattung und Größe weder anzumieten noch als Provisorium mit wirtschaftlich vertretbaren Kosten zu installieren sind. Als Übergangslösung werden in den anderen Fachbereichen am Standort St. Augustin Flächen im Gebäude der GMD – Forschungszentrum Informationstechnik mbH – angemietet. Am Standort Rheinbach soll für eine Übergangszeit eine ehemalige Liegenschaft der Bundeswehr genutzt werden.

Die Investitionskosten für die Fachhochschule Rhein-Sieg werden vom Land derzeit auf 294 Millionen DM geschätzt. Davon werden 159 Millionen DM für den Standort St. Augustin und 135 Millionen DM für den Standort Rheinbach veranschlagt. Darin enthalten sind der Grunderwerb, die Baumaßnahmen einschließlich der Infrastrukturmaßnahmen sowie die erforderlichen Ersteinrichtungen. Für Betriebskosten verbleiben im Zeitraum 1995 bis 2004 rund 221 Millionen DM.

B. Stellungnahme

B. I. Allgemeines

Die Errichtung der Fachhochschule Rhein-Sieg zum 1. Januar 1995 mit zwei Standorten in St. Augustin und Rheinbach ist Teil der wissenschaftsbezogenen Ausgleichsmaßnahme für die Region Bonn. Der Wissenschaftsrat hatte bereits in einer früheren Stellungnahme die im Rahmen des Berlin/Bonn-Ausgleichs geplanten Ausbaumaßnahmen für den Fachhochschulbereich grundsätzlich begrüßt.[1]) Er geht davon aus, daß die für Rhein-Sieg geplanten neuen Fachhochschulkapazitäten zusätz-

1) Wissenschaftsrat: Stellungnahme zur Abteilung Recklinghausen der Fachhochschule Gelsenkirchen. In: Empfehlungen und Stellungnahmen 1994, Bd. I, S. 241.

lich zu dem bisherigen Ausbauziel von weiteren 12000 flächenbezogenen Studienplätzen an Fachhochschulen in Nordrhein-Westfalen errichtet werden. Er geht weiterhin davon aus, daß der Bund die notwendigen Investitions- und Betriebskosten für die Hochschule, wie in der Vereinbarung über die Ausgleichsmaßnahmen für die Region Bonn festgelegt, bis zum Jahre 2004 bereitstellt.[2]) Unabhängig von der Aufnahme der Hochschule in das Hochschulverzeichnis des Hochschulbauförderungsgesetzes wird erwartet, daß das Land bis zum Jahre 2005 keine Investitionsmittel aus der Gemeinschaftsaufgabe Hochschulbau für den Auf- und Ausbau der Fachhochschule Rhein-Sieg beansprucht.

Neben den Ausgleichsmaßnahmen für die Stadt Bonn, wie die Errichtung eines „Centers für Advanced European Studies and Research (CAESAR)“, soll durch die Gründung der Fachhochschule Rhein-Sieg ausdrücklich ein wissenschaftspolitischer Impuls für die breitere Region gegeben werden.

Die geplante inhaltliche Ausgestaltung der Studiengänge soll dazu beitragen, durch Qualifikation, Forschung und Technologie die Entwicklung des Wirtschaftsraumes zu fördern. Vor dem Hintergrund dieser Zielsetzung ist deshalb vor allem zu prüfen, ob die Hochschule hinsichtlich der in der Region vorhandenen Wirtschaftsstruktur sowie der voraussichtlichen studentischen Nachfrage regional tragfähig sein wird.

Die Planungen für die einzelnen Studiengänge sind vom Land bereits relativ weit vorangetrieben worden; im Studiengang Wirtschaft wurde der Studienbetrieb zum Wintersemester 1995/96 an beiden Standorten mit je 30 Studienanfängern aufgenommen. Für den Standort St. Augustin sind als weitere Studiengänge Informatik, Elektrotechnik und Maschinenbau sowie für den Standort Rheinbach Chemieingenieurwesen und Werkstofftechnik vorgesehen. Der Wissenschaftsrat wird, entsprechend den Empfehlungen zur Entwicklung der Fachhochschulen in den 90er Jahren, grundsätzlich zur Fächerstruktur der Hochschule Stellung nehmen.[3]) Außerdem wird zu prüfen sein, ob die Hochschule auf dem Gebiet der angewandten Forschung, der Entwicklung und des Technologietransfers die beabsichtigten Impulse für eine Weiterentwicklung der Region zu geben vermag.

B. II. Zur Bedeutung der Hochschule für die allgemeinen Ausbauplanungen des Landes im Fachhochschulbereich

Der Wissenschaftsrat begrüßt, daß das Land weiterhin an seinen Planungen festhält, zusätzlich zu den bereits vorhandenen 39900 flächen-

2) Vgl. Art. 5 der Vereinbarung über die Ausgleichmaßnahmen für die Region Bonn zwischen der Bundesrepublik Deutschland, den Ländern Nordrhein-Westfalen und Rheinland-Pfalz und der Region Bonn (Bundesstadt Bonn, Rhein-Sieg-Kreis, Kreis Ahrweiler) vom 29. Juni 1994.

3) Wissenschaftsrat: Empfehlungen zur Entwicklung der Fachhochschulen in den 90er Jahren, Köln 1991, S. 74 ff.

bezogenen Studienplätzen an Fachhochschulen weitere 12000 flächenbezogene Studienplätze zu errichten. Daß gegenwärtig mit den Anmeldungen zum 25. Rahmenplan bereits 10800 dieser Studienplätze in Bau oder in der konkreten Planung sind, kann als Anzeichen dafür gewertet werden, daß das Land seine Ausbaupläne im Fachhochschulbereich konsequent verfolgt. Allerdings bedeutet das Erreichen des Ausbauziels von 52000 flächenbezogenen Studienplätzen an Fachhochschulen bei insgesamt vorgesehenen 228 000 Hochschulstudienplätzen einen Fachhochschulanteil von lediglich 22 %, der damit unter dem vom Wissenschaftsrat empfohlenen Anteil von rund 30 % flächenbezogenen Studienplätzen an Fachhochschulen bleibt. Es ist aber anzuerkennen, daß das Land in den letzten Jahren seine Investitionsmittel für die Fachhochschulen deutlich erhöht hat. Die für die Fachhochschule Rhein-Sieg vorgesehenen zusätzlichen 2500 flächenbezogenen Studienplätze werden dazu beitragen, den Fachhochschulanteil auf rund 25 % der insgesamt vorgesehenen Hochschulstudienplätze in Nordrhein-Westfalen zu erhöhen.

Außerdem kann erwartet werden, daß der Aufbau von Fachhochschulkapazitäten in der Region Rhein-Sieg zur Entlastung anderer Fachhochschulstandorte im Land führen wird. Dies gilt insbesondere für die Fachhochschule Köln, die landesweit zu den Hochschulen mit einer besonders hohen Raumauslastung gehört. Da der überwiegende Anteil der Studienanfänger an Fachhochschulen aus der Region Rhein-Sieg bislang sein Studium an der Fachhochschule Köln aufnimmt, erscheint die Annahme durchaus plausibel, daß ein Teil der Studieninteressenten aus der Region zukünftig alternativ das Studienangebot an der Fachhochschule Rhein-Sieg nutzen wird.

Im Hinblick auf die studentische Nachfrage in der Region geht das Land von einem Potential von rund 800 Studienanfängern jährlich im engeren Einzugsbereich der Fachhochschule Rhein-Sieg aus. Eine solche Ausnahme erscheint realistisch. Weiter kann davon ausgegangen werden, daß die Hochschule, wie andere Fachhochschulen des Landes auch, eine überregionale Studienplatznachfrage aus anderen Landesteilen sowie dem übrigen Bundesgebiet erfahren wird.

Im übrigen zeigt sich mit Blick auf die für die Hochschule geplanten Studiengänge ein differenziertes Bild der studentischen Nachfrage. Während gegenwärtig die Studiengänge des Chemieingenieurwesens und der Wirtschaft landesweit eine hohe Auslastung aufweisen, ist in Fächern wie Elektrotechnik und Maschinenbau ein deutlicher Rückgang der Studienanfänger zu verzeichnen. Inwieweit bei diesen Entwicklungen, die wesentlich konjunkturell bedingt sind, mit einer Trendwende zu rechnen ist, läßt sich zum gegenwärtigen Zeitpunkt kaum vorhersagen. Der Wissenschaftsrat empfiehlt dem Land jedoch, die konjunkturelle Entwicklung in den nächsten Jahren zu beobachten und das Ausbildungsprofil der Hochschule für nachfragebedingte Veränderungen offenzuhalten. Dies gilt umso mehr, als die zum gegenwärtigen Zeitpunkt nachfragekritischen Studiengänge Elektrotechnik und Maschinenbau frühestens 1997 bzw. 1998 die ersten Studenten aufnehmen werden.

Einen wichtigen Hinweis für die regionale Tragfähigkeit der Hochschule gibt ihre Einpassung in die Wirtschaftsstruktur der Region Bonn/Rhein-Sieg. In dieser Region, in der einschließlich der Stadt Bonn 830000 Einwohner leben, dominiert der öffentliche Dienstleistungssektor, für den weiterhin Beschäftigungszuwächse zu verzeichnen sind. Das produzierende Gewerbe ist demgegenüber unterrepräsentiert. Es ist zu begrüßen, daß sich das Land bei der fachlichen Planung der Hochschule an der regionalen Wirtschafts- und Arbeitsmarktstruktur orientiert, wie es auch die Empfehlung des Wissenschaftsrates zur Entwicklung der Fachhochschulen in den 90er Jahren vorsieht.[4]) Dies betrifft insbesondere die ausgeprägte mittelständische Betriebsgrößenstruktur im produzierenden Gewerbe, auf die die Studienangebote ausgerichtet sind. Darüber hinaus erscheint es sinnvoll, die Errichtung einer Fachhochschule mit einem entsprechenden Studienangebot dazu zu nutzen, den Bereich der unternehmensorientierten Dienstleistungen, der bislang in der Region unterproportional vertreten ist, gezielt zu fördern. Ferner ist positiv zu bewerten, daß das Land bereits in einer frühen Planungsphase Unternehmen der Region für eine Zusammenarbeit im Planungsbeirat der Hochschule gewinnen konnte. Die auf diese Weise geknüpften Kontakte sollten dauerhaft für die Arbeit der Hochschule genutzt und insbesondere im Rahmen der Bereitstellung von Praxissemesterplätzen, der Anfertigung von Diplomarbeiten, der Einbindung von Forschungsprojekten in das Studium sowie für Transferaktivitäten in konkrete Kooperationen münden.

Die Ansiedlung der Fachhochschule an zwei Standorten in St. Augustin und Rheinbach begründet das Land mit der angestrebten Ausrichtung auf die gesamte Region, wobei insbesondere ein Technologie- und Wissenstransfer zwischen der Hochschule und kleineren und mittleren Unternehmen beabsichtigt ist. Der Wissenschaftsrat ist demgegenüber wie schon in seiner Stellungnahme zur Fachhochschule in Amberg-Weiden[5]) der Auffassung, daß die Aufteilung der Hochschule auf zwei Standorte, wobei der zweite Standort Rheinbach lediglich für die Mindestgröße von 1000 flächenbezogenen Studienplätzen geplant ist, wissenschaftspolitisch eine suboptimale Lösung darstellt. Auf diese Weise werden nicht nur mögliche und wünschenswerte Kooperationen zwischen den Studiengängen beider Standorte erschwert, sondern auch durch die doppelte Errichtung zentraler Infrastruktureinrichtungen erhöhte Kosten anfallen. Die vom Land getroffene Entscheidung für den zweiten Standort Rheinbach der Hochschule erfordert deshalb zwingend, daß neben gemeinsamen Leitungs- und Verwaltungsstrukturen für beide Standorte eine Reihe von Vernetzungsvorkehrungen getroffen werden, die eine öko-

4) ebd., S. 72 ff.

5) Wissenschaftsrat: Stellungnahme zu den Planungen des Landes Bayern für die Gründung neuer Fachhochschuleinrichtungen in Amberg-Weiden, Ansbach, Aschaffenburg, Deggendorf, Hof, Ingolstadt und Neu-Ulm. In: Empfehlungen und Stellungnahmen 1994, Bd. I, S. 159–167.

nomische Nutzung gemeinsamer Ressourcen und eine institutionell abgesicherte Kooperation der Studiengänge beider Standorte ermöglichen. Dazu gehört auch die gemeinsame Nutzung von Laboren durch Professoren aus St. Augustin und Rheinbach sowie die Schaffung gemeinsamer Einrichtungen für anwendungsnahe Forschungs- und Entwicklungsvorhaben, die in Zusammenarbeit mit der regionalen Wirtschaft durchgeführt werden.

B. III. Zum angestrebten Profil der Hochschule, zu den Studiengängen und Angeboten der Weiterbildung

Das Gründungskonzept der Hochschule sieht folgende Leitziele vor:

a) eine gezielte Förderung von Frauen,

b) eine interdisziplinäre Ausrichtung der Studiengänge,

c) eine internationale Einbindung der Hochschule durch geeignete Kooperationen und

d) die Stärkung der Angewandten Forschung und Entwicklung.

Diese Leitziele sollen sowohl im personellen und räumlichen Aufbau der Hochschule als auch bei der Ausgestaltung der Studiengänge Berücksichtigung finden. Mit diesen Zielsetzungen greift das Land Entwicklungen auf, wie sie auch an anderen Hochschulen verfolgt und vom Wissenschaftsrat nachhaltig unterstützt werden. Zur Realisierung der Ziele hat das Land Maßnahmenkataloge vorgelegt, die für den weiteren Ausbau der Hochschule Berücksichtigung finden sollten.

Insbesondere die vorgesehenen institutionellen Maßnahmen, wie eine aktive Rekrutierungspolitik, um den Anteil von Professorinnen in den naturwissenschaftlich-technischen Fächern zu erhöhen, die Planung von Auslandskooperationen und die Errichtung eines akademischen Auslandsamtes der Hochschule sowie die Zusammenlegung von Studiengängen zu gemeinsamen Fachbereichen, sollten konsequent realisiert werden. Darüber hinaus sollte die Umsetzung der Leitziele in die curriculare Planung der einzelnen Fächer vorangetrieben werden. Unabhängig von der studentischen Nachfrage und der regionalen Tragfähigkeit der für die Hochschule vorgesehenen Studiengänge und Studienschwerpunkte hätte die Errichtung einer neuen Fachhochschule in der Region Rhein-Sieg, deren Finanzierung für zehn Jahre durch Bundesmittel gesichert ist, auch dazu genutzt werden können, durch die Konzipierung neuer Studiengänge zu einer Weiterentwicklung der Fächerstruktur an den Fachhochschulen beizutragen. Der Wissenschaftsrat hatte bereits in seinen Empfehlungen zur Entwicklung der Fachhochschulen in den 90er Jahren darauf hingewiesen, daß bei einem Ausbau des Fachhochschulsektors proportionale Aufstockungen der Kapazitäten aller bisherigen Fächer vermieden werden sollen. Im Rahmen der Weiterentwicklung der Fächerstruktur regte er an, neue fachliche Schwerpunkte in den traditionellen Fachgebieten zu etablieren, fachliche Erweiterungen an den

Rändern des bisherigen Fächerspektrums vorzunehmen, vermehrt integrierte Auslandsstudiengänge einzurichten sowie neue berufsorientierte Studiengänge mit sprach-, kultur- und sozialwissenschaftlichen Inhalten aufzubauen. Der Wissenschaftsrat bedauert, daß diese Anregungen in den bisherigen Planungen des Landes zur Fachhochschule Rhein-Sieg nur zum Teil aufgegriffen werden und stattdessen im Kern eine konventionelle Grundstruktur der angebotenen Fächer beabsichtigt ist. Er erkennt aber an, daß an anderen Fachhochschulen des Landes neue Studiengänge erprobt werden und das Land eine Arbeitsgruppe eingesetzt hat, die weitere Umsetzungsvorschläge dazu erarbeiten soll.

Hinsichtlich der fachlichen Struktur ist außerdem positiv zu werten, daß das Land in der curricularen Ausgestaltung der Fächer in der Fachhochschule Rhein-Sieg Schwerpunktsetzungen vornehmen will, die sich an modernen Schlüsselqualifikationen und innovativen Technologien orientieren. Die Einrichtung einer Studienrichtung Mechatronik innerhalb des Studiengangs Maschinenbau, die Konzentration der Informatik auf die Studienrichtung Telekommunikation und Medieninformatik, die Schwerpunktbildung Pharmazietechnik und Pharmazeutische Analytik im Studiengang Chemieingenieurwesen sowie die Planung für einen Studiengang Wissenschaftsvermittlung/Technischer Redakteur/Öffentlichkeitsarbeit geben beispielhaft diese Zielsetzung wieder. Von einer zu weit vorangetriebenen Spezialisierung der Studiengänge ist jedoch abzuraten, da an einer kleinen Hochschule, wie der geplanten Fachhochschule Rhein-Sieg, in einem solchen Fall schnell eine nachfragekritische Situation entstehen kann. Der Wissenschaftsrat bekräftigt an dieser Stelle den Grundsatz, daß spezialisierte Studiengänge, für die aufgrund der Nachfrage nur kleine Kapazitäten vorgehalten werden, in der Regel an größeren Fachhochschulen mit einem breiten Fächerspektrum angesiedelt werden sollten.[6]) Darüber hinaus sollten Überlegungen zur Zusammenlegung verschiedener Studiengänge zu einem Fachbereich verstärkt werden, so wie es das Land bereits vorsieht, um eine studiengangsübergreifende Zusammenarbeit zu ermöglichen.

Die geplante Errichtung der Studiengänge Wirtschaft, Informatik, Elektrotechnik und Maschinenbau am Standort St. Augustin sowie der Studiengänge Wirtschaft, Chemieingenieurwesen und Werkstofftechnik am Standort Rheinbach der Hochschule stellt in fachlicher Hinsicht ein Lehrangebot bereit, das an der Wirtschaftsstruktur der Region orientiert ist. In der fachlichen Ausgestaltung der Studiengänge hat eine Abstimmung mit dem Land Rheinland-Pfalz, und hier insbesondere mit dessen Planungen zur Errichtung eines Fachhochschulstandortes im Kreis Ahrweiler, stattgefunden. Daß auf diese Weise eine Dopplung von Studiengängen und Ausbildungsinhalten vermieden werden konnte, ist ausdrücklich zu begrüßen. Hinsichtlich der Studiengänge Elektrotechnik, Maschinenbau und Informatik sowie Chemieingenieurwesen und Werkstofftechnik macht das Land geltend, daß diese Studiengänge zwar an

6) Wissenschaftsrat: Empfehlungen zur Entwicklung der Fachhochschulen in den 90er Jahren, a. a. o., S. 74.

der Abteilung Gummersbach der Fachhochschule Köln bzw. der Fachhochschule Aachen und der Fachhochschule Niederrhein angeboten werden, sich das Profil der Fächer an den verschiedenen Standorten aber grundlegend unterscheidet. Da insbesondere die benachbarten Fachhochschulen nach wie vor hohe räumliche Überlastquoten aufweisen, ist ein Angebot derartiger Fächer auch an der neu errichteten Fachhochschule Rhein-Sieg zu vertreten. Entlastungseffekte können insbesondere für die Fachhochschule Köln erwartet werden.

B. IV. Zur Angewandten Forschung und Entwicklung

Eine Verstärkung der Angewandten Forschung und Entwicklung sowie des Technologie- und Wissenstransfers gehört zu den Gründungszielen der Hochschule. Die Konzentration auf eine Zusammenarbeit mit der mittelständisch geprägten Wirtschaft der Region entspricht dabei der Empfehlung des Wissenschaftsrates, das innovative Entwicklungspotential der Fachhochschulen bei der Lösung aktueller Probleme der betrieblichen Praxis zu nutzen.[7]) Das Land sollte im weiteren Aufbau der Hochschule darauf achten, daß darüber hinaus auch die personellen und infrastrukturellen Voraussetzungen gegeben sind, um die Hochschule als eine impulsgebende Einrichtung für die angewandte Forschung und Entwicklung in der Region zu etablieren. Dabei sollte sowohl auf eine enge Kooperation der beiden Standorte St. Augustin und Rheinbach der Hochschule als auch auf die Kooperation mit den benachbarten Hochschulen hingewirkt werden. Im Bereich Angewandte Informatik/Kommunikationstechnik sollte eine Kooperation mit der GMD – wie vorgesehen – auch in Form gemeinsamer Forschungsprojekte angestrebt werden.

Kooperationen mit der regionalen Wirtschaft sollten dadurch intensiviert werden, daß die Fachhochschule mittelfristig auch ein problemlösungsorientiertes Weiterbildungsangebot bereitstellt, das sich gezielt an Praktiker in Wirtschaft und Verwaltung wendet.

B. V. Zu Finanzierung, Ausstattung und geplantem Ausbau

Da der Bund für Aufbau und Betrieb der Hochschule bis zum Jahre 2004 aus den Mitteln für den Berlin/Bonn-Ausgleich rund 515 Millionen DM bereitstellt, ist davon auszugehen, daß Land und Hochschule bis zu diesem Zeitpunkt keine weiteren Hochschulbaumittel beanspruchen werden. Der bereitgestellte Betrag erscheint, auch verglichen mit den Investitions- und Betriebskosten vergleichbarer Fachhochschulen, ausreichend, um den personellen und räumlichen Aufbau der Hochschule in den nächsten zehn Jahren zu gewährleisten. Für beide Standorte der Hochschule, die gegenwärtig in Übergangslösungen untergebracht sind, ist ein Neubau vorgesehen. Die für den Standort St. Augustin vorgesehenen 12400 m^2 Hauptnutzfläche (zuzüglich 3200 m^2 für Infrastruktur-

7) ebd., S. 100 ff.

einrichtungen) bei 1300 flächenbezogenen Studienplätzen erscheinen ebenso wie die für den Standort Rheinbach vorgesehenen 8800 m^2 Hauptnutzfläche (zuzüglich 1600 m^2 für Infrastruktureinrichtungen) bei 1000 vorgesehenen flächenbezogenen Studienplätzen als angemessen.

Das Aufbaukonzept des Landes sieht eine rasche Aufnahme des Studienbetriebs in den vorgesehenen Studiengängen vor. An beiden Standorten wurde deshalb bereits zum Wintersemester 1995/96 der Studienbetrieb im Fach Wirtschaft aufgenommen. Der Wissenschaftsrat empfiehlt dem Land, den Aufbau der weiteren Studiengänge nicht übereilt vorzunehmen. Im Hinblick auf die weitere fachliche Entwicklung und Konkretisierung der Studiengangsplanungen und eine begleitende Erfolgskontrolle der anspruchsvollen Gründungsziele der Hochschule sollte sich das Land vielmehr einen Spielraum für fachliche Umsteuerungen offenhalten. In quantitativer Hinsicht erscheint das personelle Aufbaukonzept mit insgesamt 62 Professorenstellen für den Standort St. Augustin und 47 Professorenstellen für den Standort Rheinbach in der Aufbauphase ausreichend tragfähig zu sein, um die erforderlichen Ausbildungsleistungen in den einzelnen Studiengängen zu gewährleisten. Nach Abschluß der Aufbauphase sollte die Angemessenheit der Personalausstattung einschließlich der vorgesehenen Mitarbeiterstellen noch einmal überprüft werden.

C. Zusammenfassende Empfehlung

Der Wissenschaftsrat unterstützt die Absicht des Landes, als Teil der wissenschaftsbezogenen Ausgleichsmaßnahmen für die Region Bonn eine Fachhochschule Rhein-Sieg zu errichten. Er geht davon aus, daß die vorgesehenen 2500 flächenbezogenen Studienplätze zusätzlich zu dem bisherigen Ausbauziel von 12000 weiteren flächenbezogenen Studienplätzen an Fachhochschulen in Nordrhein-Westfalen errichtet werden und das Land mittelfristig seinen Fachhochschulanteil auf rund 25 % der insgesamt vorgesehenen Hochschulstudienplätze erhöhen kann. Es kann erwartet werden, daß der Aufbau von Fachhochschulkapazitäten in der Region Rhein-Sieg auch zur Entlastung anderer Fachhochschulstandorte im Land, wie des Hauptstandorts der Fachhochschule Köln, führen wird.

Mit den Leitzielen einer gezielten Förderung von Frauen, der Interdisziplinarität und Internationalität sowie der angewandten Forschung und Entwicklung greift das Land Entwicklungen auf, wie sie auch an anderen Hochschulen verfolgt und vom Wissenschaftsrat nachhaltig unterstützt werden. Der Umsetzung dieser Zielsetzungen ist beim organisatorischen Aufbau sowie der curricularen Planung der Fächer Aufmerksamkeit zu widmen, um insbesondere die beabsichtigte Nachfrage von Frauen zu wecken.

Im Hinblick auf die regionale und überregionale Nachfrage nach Fachhochschulstudienplätzen scheinen die Erwartungen des Landes realistisch zu sein. Im Gegensatz zu den Studiengängen Chemieingenieurwesen und Wirtschaft ist jedoch in Fächern wie Elektrotechnik und Maschinenbau ein deutlicher Rückgang der Studienanfänger landesweit zu verzeichnen. Dem Land wird empfohlen, die allgemeine Nachfragesituation in diesen Fächern in den nächsten Jahren zu beobachten, um eine mögliche Umschichtung der Studienplatzkapazitäten bzw. eine Veränderung des Ausbildungsprofils ins Auge zu fassen. Derartige Überlegungen sollten in engem Kontakt mit Unternehmen der Region getroffen werden, wie das Land seine fachlichen Aufbauplanungen bereits an der regionalen Wirtschafts- und Arbeitsmarktstruktur orientiert hat.

Die Aufteilung der Hochschule auf die beiden Standorte in St. Augustin und Rheinbach stellt keine überzeugende wissenschaftspolitische Lösung dar. Da das Land aus regionalpolitischen Überlegungen an der Standortentscheidung festhält, sollten neben gemeinsamen Leitungs- und Verwaltungsstrukturen eine Reihe von Vernetzungsvorkehrungen getroffen werden, die eine ökonomische Nutzung gemeinsamer Ressourcen und eine institutionell abgesicherte Kooperation der Studiengänge beider Standorte ermöglichen.

Hinsichtlich des Fächerspektrums hat sich das Land entschieden, ein konventionelles Studienangebot bereitzustellen, das um neuartige Schwerpunkte angereichert werden soll, die an den Schnittstellen etablierter Fächer liegen. Es sind dies beispielsweise die Mechatronik im Studiengang Maschinenbau oder die Telekommunikationstechnik im Studiengang Angewandte Informatik/Kommunikationstechnik. Die Entscheidung kann unter der Voraussetzung akzeptiert werden, daß das Land an den übrigen Fachhochschulen eine breiter angelegte Erweiterung des Fächerspektrums anstrebt.

Es wird davon ausgegangen, daß die notwendigen Investitions- und Betriebskosten für die Fachhochschule Rhein-Sieg, wie in der Vereinbarung über die Ausgleichsmaßnahmen für die Region Bonn festgelegt, bis zum Jahre 2004 vom Bund bereitgestellt werden. Der Wissenschaftsrat erwartet, daß das Land bis zu diesem Zeitpunkt keine Investitionsmittel aus der Gemeinschaftsaufgabe Hochschulbau für den Auf- und Ausbau der Hochschule beanspruchen wird. Im Hinblick auf die Finanzierung und die räumliche Unterbringung erscheint die Aufbauplanung des Landes plausibel. In personeller Hinsicht sollte aber die Zahl der Professorenstellen sowie das Verhältnis von Professoren- zu Mitarbeiterstellen nach der Aufbauphase nochmals überprüft werden.

Der Wissenschaftsrat empfiehlt die Aufnahme der Fachhochschule Rhein-Sieg in die Anlage des Hochschulbauförderungsgesetzes zum 1. Januar 1996.

Stellungnahme zur Aufnahme der Fachhochschule Altmark in Stendal in das Hochschulverzeichnis des Hochschulbauförderungsgesetzes

vom Januar 1996

Inhalt

Vorbemerkung

Mit Schreiben vom 13. Oktober 1993 hat der Minister für Wissenschaft und Forschung des Landes Sachsen-Anhalt den Wissenschaftsrat um eine Stellungnahme zum Antrag auf Aufnahme einer Fachhochschule Altmark in Stendal in die Anlage zum Hochschulbauförderungsgesetz (HBFG) gebeten. Im Laufe der Beratungen mit dem Wissenschaftsrat haben die Länder Sachsen-Anhalt und Brandenburg erwogen, den vorgesehenen Standort Stendal mit einer grenznahen Fachhochschul-Neugründung in Brandenburg – Region Prignitz – strukturell, inhaltlich und organisatorisch zu verknüpfen. Auf Bitten des Ministers für Wissenschaft und Forschung des Landes Brandenburg (Schreiben vom 6. September 1994) und mit Zustimmung des Landes Sachsen-Anhalt sollte der Wissenschaftsrat diese Überlegungen in die Stellungnahme einbeziehen. Brandenburg hat jedoch nach Abschluß der landesinternen Beratungen zur Festlegung von Ausbauzielen im Fachhochschulbereich entschieden, mittelfristig keine neuen Kapazitäten in der Region Prignitz zu errichten, so daß der Wissenschaftsrat die vorliegende Empfehlung unter Einbeziehung dieser Prämisse auf die Planungen Sachsen-Anhalts für den Standort Stendal konzentriert hat.

Die Arbeitsgruppe Fachhochschulgründungen des Wissenschaftsrates hat Stendal am 14./15. Februar 1994 besucht und die vorgelegten Landesplanungen mit Vertretern der Arbeitsgruppe des Ministeriums für Wissenschaft und Forschung zur Errichtung einer Fachhochschule am Standort Stendal und des Landes beraten. Der Arbeitsgruppe gehörten auch Sachverständige an, die nicht Mitglieder des Wissenschaftsrates sind. Ihnen ist der Wissenschaftsrat zu besonderem Dank verpflichtet.

Der Wissenschaftsrat hat die Stellungnahme am 19. Januar 1996 verabschiedet.

A. Ausgangslage

A. I. Die Auslastung der bestehenden Fachhochschulen und weitere Ausbauplanungen des Landes

I. 1. Allgemeine Ziele der sachsen-anhaltinischen Hochschulpolitik

Zum Zeitpunkt der Neugründung des Landes bestanden in Sachsen-Anhalt neun Hochschulen, nämlich eine Universität, eine künstlerische und eine Pädagogische Hochschule in Halle, eine Technische Universität, eine Medizinische Akademie und eine Pädagogische Hochschule in Magdeburg sowie eine Landwirtschaftliche Hochschule in Bernburg und zwei Technische Hochschulen in Köthen und Leuna-Merseburg. Die Hochschulen waren auf die Industriestandorte und Ballungszentren im Süden und Osten des Landes konzentriert. Im Oktober 1990 waren dort rund 20500 Studierende eingeschrieben, von denen 6300 zu den ingenieurwissenschaftlichen Fachbereichen und 3800 zu den mathematisch-naturwissenschaftlichen Fachbereichen gehörten.

Der Wissenschaftsrat hat mit seinen Empfehlungen zur künftigen Struktur der Hochschullandschaft im Jahre 1991 neben einer Stärkung der TU Magdeburg sowie der Zusammenführung von Teilen der TH Merseburg mit der Universität Halle-Wittenberg auch den Aufbau von vier Fachhochschulen befürwortet: in Anhalt (mit den Standorten Köthen, Bernburg und Dessau) sowie in Halle-Merseburg, Wernigerode und Magdeburg. Sie sollten über eine Gesamtkapazität von rund 10000 flächenbezogenen Studienplätzen verfügen.[1]) Nach Auffassung des Wissenschaftsrates sollte ein Studienplatzangebot geschaffen werden, das der längerfristig anwachsenden Studienplatznachfrage gerecht werden und die absehbaren qualitativen und quantitativen Veränderungen im Qualifikationsbedarf des Beschäftigungssystems moderner Industriegesellschaften angemessen berücksichtigen würde. Die für die Fachhochschule typische Kooperation mit der beruflichen Praxis auch in Form anwendungsbezogener Forschung, Entwicklung und Weiterbildung sollte Impulse für die wirtschaftliche und gesellschaftliche Entwicklung in der jeweiligen Region geben.[2])

Die Hochschulstrukturkommission des Landes Sachsen-Anhalt hat diese Empfehlungen aufgenommen und ein dreistufiges Entwicklungskonzept für alle Hochschulen des Landes erarbeitet.[3]) Es geht davon aus, daß sich das Bildungsverhalten an das in den alten Ländern annähern und sich damit die Zahl der Studierenden entsprechend erhöhen wird. Bei einem erwarteten Anteil von rund 40% Studienberechtigten an einem Altersjahrgang wird die Hochschule nach Ansicht der Kommission immer mehr zu einer Stätte berufsbefähigender Erstausbildung. Diese Funktion könne von Fachhochschulen besonders wirkungsvoll wahrgenommen werden. Aus diesem Grund soll der Fachhochschulbereich in Sachsen-Anhalt mit besonderer Intensität entwickelt werden, so daß um die Jahrtausendwende für rund 50% aller Studienanfänger ein Studienplatz an einer Fachhochschule bereitsteht. Deshalb geht sie in ihrer Empfehlung quantitativ über den Wissenschaftsrat hinaus und spricht sich für den Aufbau von 11750 Studienplätzen an Fachhochschulen in einer ersten

1) Wissenschaftsrat: Empfehlungen zur Errichtung von Fachhochschulen in den neuen Ländern, in: Empfehlungen zur künftigen Struktur der Hochschullandschaft in den neuen Ländern und im Ostteil von Berlin – Teil II, Köln 1992, S. 121-128; Empfehlungen zu den Ingenieurwissenschaften an den Universitäten und Technischen Hochschulen in den neuen Ländern, a. a. o., S. 180-188.
2) Vgl. auch Wissenschaftsrat: Empfehlungen zur Entwicklung der Fachhochschulen in den 90er Jahren, Köln 1991, S. 67-71. Ders.: 10 Thesen zur Hochschulpolitik, in: Empfehlungen und Stellungnahmen 1993, Köln 1994, S. 26-29.
3) Empfehlungen der Hochschulstrukturkommission zur Hochschul- und Wissenschaftsentwicklung des Landes Sachsen-Anhalt (vom 31. 3. 1992), S. 17, 22.

Ausbaustufe bis Ende 1995 und 16800 nach 1998 aus. Diese Empfehlung der Hochschulstrukturkommission hat sich das Land in seinen Strukturplanungen zu eigen gemacht.[4]) Bis zum Jahr 2000 sahen die Planungen des Landes ursprünglich den Aufbau von 16800 und nach der Jahrtausendwende von weiteren 2400 Fachhochschulstudienplätzen vor, bezogen auf ein Gesamtausbauziel für die Hochschulen in Sachsen-Anhalt von rund 44000 flächenbezogenen Studienplätzen. Teil dieser Überlegungen war auch die Gründung einer weiteren Fachhochschule in der Altmark. Hier sollten ab 1995 bis 1998 2100 flächenbezogene Studienplätze errichtet werden.

Für die Realisierung dieser Planungen geht das Land von einem Finanzbedarf von rund 5,28 Milliarden DM zunächst bis 2005 aus, davon rund 2,9 Milliarden DM für den Zeitraum 2000 bis 2005. Sachsen-Anhalt hat zum 25. Rahmenplan 1996 bis 1999 Vorhaben mit einem Investitionsvolumen von insgesamt 3 Milliarden DM angemeldet. Davon entfallen 515 Millionen DM auf Vorhaben im Fachhochschulbereich. Im Landeshaushalt 1995 bis 1997 sollen 1,1 Milliarden DM für den Hochschulbau bereitgestellt werden. Die Landesregierung verfolgt das erklärte Ziel, die notwendigen Raten mittelfristig auch in den folgenden Haushalten bereitzustellen und die notwendigen administrativen Voraussetzungen für einen zügigen Abfluß der Mittel zu schaffen.

4) Ministerium für Wissenschaft und Forschung des Landes Sachsen-Anhalt: Beantwortung des Fragenkatalogs der Geschäftsstelle des Wissenschaftsrates, Januar 1994, S. 1.

Übersicht 1

Die Fachhochschulen in Sachsen-Anhalt mit ihren angestrebten Studienplatzkapazitäten und ihrer derzeitigen Auslastung

Standort	Wissenschaftsrat: Empfehlung flächenbez. Studienplätze	LHK: Empfehlung flächenbez. Studienplätze (l. Ausbaustufe 1992-1995)	Ist-Stand (WS 94/95):		
			flächenbez. Studienplätze	Raumauslastung[1]	
				Studienanfänger in %	Studenten in %
FH Anhalt:	3 500	4 200	1 999		
Köthen	(1 500)	(1 700)	(892)	118	81
Bernburg	(1 000)	(1 250)	(878)	113	125
Dessau	(1 000)	(1 250)	(229)	388	287
FH Merseburg	2 000	2 600	1 564	97	74
FH Harz	1 500	1 500	671	100	80
FH Magdeburg	3 000	3 450	475	410	344
Gesamt	10 000	11 750	4 709	151	123

1) Vgl. Wissenschaftsrat: Empfehlungen zum 25. Rahmenplan (1996-1999), Bd. 5.

I. 2. Ausbauplanungen des Landes

Die seit 1990 eingetretene wirtschaftliche Entwicklung hat auch die bisherige Entwicklung der Fachhochschulen beeinflußt, wie das Land ausgeführt hat:

Die derzeitigen auf den Arbeitsmarkt wirkenden strukturellen und konjunkturellen Probleme in den Wirtschaftsbereichen Maschinenbau, Elektrotechnik und Chemie in der Bundesrepublik Deutschland sind in Sachsen-Anhalt besonders spürbar, da hier die ehemals starken Industriezweige Maschinenbau und Chemie beinahe vollständig abgebaut worden sind. Dies beeinträchtigt unmittelbar die Nachfrage nach Studienplätzen, die unter besonderer Berücksichtigung dieser Bereiche errichtet worden waren. Davon betroffen sind in erster Linie die Standorte Köthen (FH Anhalt) und Merseburg, wo auf die genannten Studiengänge z.T. über 50 % der Studienplätze entfallen. Starker Nachfrage erfreuen sich demgegenüber die Studiengänge Betriebswirtschaft, Wirtschaftsingenieurwesen, Bauwesen und Sozialwesen.

Das Land hat sich deshalb entschlossen, das Fächerspektrum der bestehenden Standorte zu überprüfen und unterausgelastete Studiengänge durch innovative Schwerpunktsetzungen zu ergänzen. Diese Überlegungen werden vom Land in der folgenden Übersicht 2 zusammengefaßt.

Aufgrund des eingetretenen Geburtenrückgangs ist nach gegenwärtigem Kenntnisstand ab etwa 2005 von einer deutlich verminderten Zahl von Studienberechtigten auszugehen. Der zu erwartende Studienplatzbedarf an Fachhochschulen in Sachsen-Anhalt wird nach heutigem Kenntnisstand in dem gesamten Prognosezeitraum bis 2015 nicht wesentlich über die vom Land als Ziel der 1. Ausbaustufe festgelegten 11 750 flächenbezogenen Studienplätze hinausgehen.

Obwohl das Land grundsätzlich an seinen langfristigen Ausbauplänen im Fachhochschulbereich festhält, hat es diese Planungen zeitlich entsprechend den veränderten Rahmenbedingungen modifiziert. Nunmehr ist u.a. vorgesehen, bis 1998/99 an den Fachhochschulen Anhalt, Merseburg und Magdeburg insgesamt 800 Studienplätze aus der 1. Ausbaustufe herauszunehmen. Diese Veränderung der Ausbauphasen hat keine Auswirkung auf die in Übersicht 2 genannten Planungen zur fachlichen Weiterentwicklung der bestehenden Standorte. Statt dessen soll die Errichtung der Fachhochschule Altmark in Stendal in dieser Ausbaustufe mit Vorrang betrieben werden. Der weitere Ausbau der bestehenden Fachhochschulen soll sich nach Maßgabe der dann aktuellen Entwicklungen ab 1998/99 daran anschließen, wie die folgende Übersicht 3 zeigt.

Übersicht 2

Fachliche Weiterentwicklung der Standorte

Fachhochschule	Studiengang	Studienrichtung/-schwerpunkt	Kommentar
1. Neue Studienrichtungen und -schwerpunkte in herkömmlichen Studiengängen			
Anhalt	Elektrotechnik	Automatisierungstechnik, Informationsverarbeitung	begonnen
	Informatik	Umweltinformatik	begonnen
	Maschinenbau	Kunststoffverarbeitung, Komm. Versorgungstechnik	begonnen
	Landwirtschaft	Agrarhandel und -vermarktung, Agrarmanagement, Ökologischer Landbau	begonnen
	Biotechnologie	Biotechnologische Produktionsverfahren	begonnen
Magdeburg	Technische Chemie	Analytische Chemie, Pharmatechnik	begonnen in Planung
Harz	Betriebswirtschaft	Fremdenverkehr/Tourismus	begonnen
	Elektrotechnik	Automatisierungs- und Antriebstechnik	begonnen
2. Neue Studiengänge innerhalb bzw. an den Rändern des bisherigen Fächerspektrums			
Harz	Ingenieurinformatik		begonnen
	Öffentliche Wirtschaft		Beginn WS 95/96
Magdeburg	Wasserwirtschaft	Siedlungswasserwirtschaft/ Wasserbau, Abfallwirtschaft	begonnen
Merseburg	Mechatronik		Beginn WS 95/96
	Technische Informatik		begonnen

noch Übersicht 2

Fachliche Weiterentwicklung der Standorte

Fachhochschule	Studiengang	Studienrichtung/-schwerpunkt	Kommentar
3. Studienangebote über das bisherige Spektrum hinaus			
Magdeburg	Gesundheitsförderung/ -management		BLK-Modellversuch
	Heilpädagogik	Logopädie/ Ergotherapie/ Spieltherapie	teilweise begonnen
	Pflegedienst		in Planung
	Musiktherapie		in Planung
	Fachkommunikation	Fachübersetzen/Fachdolmetschen	begonnen
Merseburg	Technische Dokumentation		Beginn WS 95/96
4. Ausbau integrierter Auslandsstudiengänge			
Anhalt	Internationale Betriebswirtschaft		begonnen
5. Neue Studiengangsmodelle/Aufbau- und Ergänzungsstudiengänge			
Magdeburg	Wirtschaftsingenieurwesen (Zusatzstudium, berufsbegleitend)		begonnen
Merseburg	Sozialwesen (Zusatzstudium, berufsbegleitend)		begonnen

Übersicht 3

Aktuelle Ausbauplanung für die Fachhochschulen in Sachsen-Anhalt

Standort	Studienanfänger				flächenbez. Studienplätze[2]				Personalbedarf[3] (davon Prof.)	
	LHK[1]	Landesplanung[2]			1996	1998	2000	nach 2000		
		1996	1998	2000					1996	1998
FH Anhalt	1 210	1 170	1 300	1 650	3 900	4 600	5 700	5 700	534 (210)	550 (245)
FH Harz	425	430	500	600	1 500	1 750	2 100	2 100	168 (80)	180 (85)
FH Magdeburg	980	910	1 050	1 200	3 000	3 650	4 300	4 300	420 (200)	445 (210)
FH Merseburg	745	740	850	900	2 550	3 000	3 200	3 200	290 (115)	315 (145)
FH Altmark		190	290	450	800	1 000	1 500	1 500		109 (52)
Erweiterung								2 400		
Insgesamt		3 440	3 990	4 800	11 750	14 000	16 800	19 200		

Quellen: 1) Empfehlungen der Hochschulstrukturkommission zur Hochschul- und Wissenschaftsentwicklung des Landes Sachsen-Anhalt (vom 31. 3. 1992), S. 22. – 2) Angaben des Landes an den Wissenschaftsrat – November 1994 und August 1995. – 3) Ministerium für Wissenschaft und Forschung des Landes Sachsen-Anhalt: Beantwortung des Fragenkatalogs der Geschäftsstelle des Wissenschaftsrates. – Januar 1994, Anlage I/1.2.

A. II. Planungen für die Neugründung einer Fachhochschule Altmark in Stendal

II. 1. Standort

Die Altmark (0,3 Mio. Einwohner) als engere Region bezeichnet eine historische Landschaft im Norden Sachsen-Anhalts und erstreckt sich über einen Teil des Regierungsbezirks Magdeburg. Sie grenzt an die Länder Brandenburg, Niedersachsen und Mecklenburg-Vorpommern an. Mit einer niedrigsten Dichte von 39 (Landkreis Havelberg) und einer höchsten Dichte von 96 (Landkreis Stendal) Einwohnern pro km^2 in den sechs zugehörigen Landkreisen liegt die Altmark erheblich unter dem Landesdurchschnitt von 137 Einwohnern pro km^2.[5]) Bevölkerungsdichte und -entwicklung finden ihre Entsprechung in der regionalen Wirtschaftsstruktur, die noch weitgehend landwirtschaftlich geprägt ist und erst langsam beginnt, klein- und mittelständische Unternehmensstrukturen vorwiegend im Dienstleistungssektor zu entwickeln. Es ist derzeit noch nicht abschließend zu erkennen, welche Wirtschaftssektoren die Gesamtstruktur mittel- und langfristig prägen werden. Gleichwohl wird der Aufbau einer Fachhochschule vom Land als eine Maßnahme zur Stärkung und wirtschaftlichen Entwicklung der Region angesehen.

Nach der Wiedervereinigung haben sich die Zahl der allgemeinbildenden höheren Schulen und ihre Ausbildungskapazitäten in der Altmark erhöht. In ihren sechs Landkreisen bestehen nunmehr 16 Gymnasien sowie zwei Fachoberschulen und drei Fachgymnasien, die den größten Teil der Studienberechtigten hervorbringen. Der Anteil der Bevölkerung unter 20 Jahren lag 1992 mit 25 % überdurchschnittlich hoch. Im Landkreis Stendal betrug im gleichen Jahr der Anteil der Gymnasiasten an den Altersjahrgängen zwischen 10 und 17 Jahren bereits 35 bis 40 %. Die Region verfügt jedoch bisher über keine Bildungsinstitution des Tertiären Sektors.

Von diesen Daten und dem allgemeinen dramatischen Geburtenrückgang in den neuen Ländern seit 1988 ausgehend, legt das Land für die Entwicklung des Studienanfängeraufkommens in der Altmark und der potentiellen Studienanfänger an einer Fachhochschule Altmark nunmehr Prognosedaten zugrunde, die im Laufe der Beratungen mit dem Wissenschaftsrat zu dem Ergebnis führten, von dem ursprünglichen Ausbauziel von 2100 flächenbezogenen Studienplätzen abzurücken und den Aufbau von 1000 flächenbezogenen Studienplätzen am Standort Stendal (d. h. rund 300 Studienanfängerplätze pro Jahr) vorzusehen. Diese Perspektive wird nach Auffassung des Landes durch den Verzicht Brandenburgs auf Errichtung eines Fachhochschulstandortes in der benachbarten Region Prignitz, die eine ähnliche wirtschaftliche Grundstruktur wie die Alt-

5) Bildungsentwicklung und Studiennachfrage in Sachsen-Anhalt: Grund- und Strukturdaten für die Hochschulplanung, Hannover 1994 (= Materialien des Instituts für Entwicklungsplanung und Strukturforschung, 159).

mark aufweist, unterstützt. Die Tragfähigkeit des Standortes soll darüber hinaus durch ein auch überregional attraktives Fächerspektrum dauerhaft abgesichert werden.

Innerhalb des 1. Aufbauabschnitts für den Fachhochschulbereich sollen für die Fächergruppen Wirtschaft, Technik und Sozialwesen zunächst 800 flächenbezogene Studienplätze errichtet werden. Für die 2. Aufbaustufe sind ab 1998 mindestens 200 weitere flächenbezogene Studienplätze vorgesehen.

II. 2. Studiengänge und Studienschwerpunkte

Während der Beratungen mit dem Wissenschaftsrat hat das Land seine ursprünglichen Studienangebotsplanungen überprüft und auf vier Studiengänge konzentriert, von denen zunächst drei verwirklicht werden sollen. Die Fachhochschule Altmark soll beginnend mit dem Wintersemester 1995/96 – im Studiengang Betriebswirtschaftslehre mit zunächst 50 Studienanfängern ihren Betrieb aufnehmen. Die Aufnahmekapazität in diesem Studiengang soll vom Wintersemester 1996/97 an auf 100 Studienanfänger erweitert werden. Gleichzeitig sollen dann zwei weitere Studiengänge mit zunächst jeweils 30 Studienanfängern aufgebaut werden: Sozialwesen (ab 1997/98 mit 60 Studienanfängern) sowie Bauingenieurwesen (ab 1997/98 mit 70 Studienanfängern). Für die 2. Ausbaustufe mit Beginn des Wintersemesters 1998/99 soll das fachliche Spektrum durch einen Studiengang Versorgungstechnik/Technische Gebäudeausrüstung abgerundet werden.

Als besonderes Element für den Standort soll eine integrierte Sprachausbildung mit entsprechenden landeskundlichen Elementen in allen Studiengängen werden. Es sollen sowohl Lehrveranstaltungen und Prüfungen in Fremdsprachen abgehalten werden als auch die Möglichkeit bestehen, ein praktisches Studiensemester im Ausland zu absolvieren. Derzeit ist Sprachunterricht im Umfang von insgesamt 16 Semesterwochenstunden in allen Studiengängen vorgesehen. Angeboten werden sollen Englisch, Französisch und Spanisch.

Für alle Studiengänge ist das fünfte Semester als Praxissemester konzipiert, während im achten Semester die Anfertigung der Diplomarbeit und die Diplomprüfungen erfolgen.

Die weitere inhaltliche Ausgestaltung der einzelnen Studiengänge soll den Gründungskommissionen der Fachbereiche vorbehalten bleiben.

a) Studiengang Betriebswirtschaftslehre

An allen Fachhochschulen des Landes werden wirtschaftswissenschaftliche Studiengänge angeboten (Betriebswirtschaftslehre und/oder Wirtschaftsingenieurwesen). Für Stendal sieht das Land vor, einen grundständigen Studiengang Betriebswirtschaftslehre aus einem Fernstudienbrückenkurs „Betriebswirtschaft“ zu entwickeln, den die Fachhochschule Magdeburg in ihrer derzeitigen Außenstelle in Stendal zur Nachqualifizierung von Ingenieur- und Fachschulabsolventen der DDR seit dem Wintersemester 1992/93 durchführt (z. Zt. 150 Studierende).

Die inhaltlichen Schwerpunktsetzungen sollen besonders die Anforderungen der vorwiegend mittelständisch geprägten Wirtschaft und die Belange des Dienstleistungssektors berücksichtigen.

Innerhalb des dreisemestrigen Grundstudiums soll ein breites Grundlagenwissen vermittelt werden. In einem Umfang von 84 Semesterwochenstunden werden die Bereiche Betriebswirtschaftslehre, Volkswirtschaftslehre, Rechnungswesen und betriebliche Steuerlehre, Informatik, Wirtschaftsrecht, Mathematik, Statistik sowie Sprachen und ein weiterer Wahlbereich angeboten.

Das Hauptstudium mit 66 Semesterwochenstunden, das einschließlich der Diplomphase auf fünf Semester angelegt ist, dient der Vermittlung vertiefter Handlungskompetenz und orientiert sich an betrieblichen Abläufen. Es führt zwei Schwerpunktstudien ein. Im Schwerpunktstudium I sollen sich die Studierenden zwei Bereiche aus Rechnungswesen, Marketing, Personalwesen oder Finanzwirtschaft wählen, in denen sie insgesamt 32 Semesterwochenstunden belegen. Die Wahlfächer des Schwerpunktstudiums II sind Psychologie, Soziologie oder Rhetorik. Auf sie entfallen 12 Semesterwochenstunden. Im Rahmen von insgesamt 18 Semesterwochenstunden werden außerdem noch Bereiche der allgemeinen Betriebswirtschaftslehre (Controlling, Informationsmanagement, Führungstechniken) und der allgemeinen Volkswirtschaftslehre (aktuelle wirtschaftspolitische Fragestellungen) berücksichtigt. Vier Semesterwochenstunden entfallen auf praxisbegleitende Lehrveranstaltungen.

b) Studiengang Sozialpädagogik

Sozialpädagogik wird derzeit für Studieninteressenten aus der weiteren Region an zwei Fachhochschulstandorten in Sachsen-Anhalt (Magdeburg und Merseburg) sowie in Brandenburg an der Fachhochschule Potsdam als Studiengang angeboten. Zur Versorgung des ländlichen Raumes sollen an der Fachhochschule Altmark weitere Ausbildungskapazitäten mit den Schwerpunkten Elementarerziehung und Familienpädagogik unter besonderer Berücksichtigung der Integrationspädagogik für Behinderte bereitgestellt werden. Die Gestaltung der Schwerpunkte orientiert sich an den vielfältigen Anforderungen, die das neue Kinder- und Jugendhilfegesetz an die soziale Arbeit stellt. Trotz dieser Schwerpunktsetzung sollen die Absolventen in der Lage sein, auch in anderen Bereichen der Sozialpädagogik tätig zu werden.

Das Grundstudium umfaßt drei Semester mit 72 Semesterwochenstunden, in denen in den Fächern Soziologie, Pädagogik und Psychologie allgemeine Grundlagen der Sozialpädagogik vermittelt werden. Daneben werden Veranstaltungen aus den Bereichen Recht, Bewegungserziehung, Medien, Methoden, Politik sowie Fremdsprachenunterricht und ein Wahlbereich verpflichtend angeboten.

Im Hauptstudium (72 Semesterwochenstunden) erfolgt die Vertiefung auf die angesprochene Klientengruppe. Die Projektarbeit, die insgesamt 30 Semesterwochenstunden umfassen soll, wird sich thematisch mit Sozialmanagement bzw. Personal- oder Haushaltsmanagement beschäftigen.

Während des Grundstudiums und des Hauptstudiums muß je ein Blockpraktikum absolviert werden.

c) Studiengang Bauingenieurwesen

Ebenso wie die Sozialpädagogik wird auch das Bauingenieurwesen an zwei Standorten in Sachsen-Anhalt (Dessau und Magdeburg) und in Potsdam angeboten. Da die Absolventen nach Darlegung des Landes hauptsächlich in der Region ihrer Ausbildung bleiben, bestünde für die Altmark eine Nachfrage, die von den bestehenden Standorten nicht abgedeckt wird.

Entsprechend dem Anforderungsprofil der Wirtschaft soll an der Fachhochschule Altmark nicht rein konstruktiv orientiertes Bauingenieurwesen gelehrt werden; vielmehr werden in größerem Umfang prozeßtechnische (baubetriebliche und baustellenorientierte) sowie managementbezogene Kenntnisse vermittelt.

Das dreisemestrige Grundstudium (84 Semesterwochenstunden) wird durch Vermittlung von naturwissenschaftlichen und ingenieurtechnischen Grundkenntnissen bestimmt. Daneben spielen Umweltschutz sowie im Wahlbereich auch Psychologie, Soziologie oder Baurecht eine Rolle.

Im Hauptstudium (78 Semesterwochenstunden) soll der Studierende im Rahmen des Grundfachstudiums in die Pflichtfächer Baukonstruktion/Tragwerksplanung/Erd- und Grundbau, Wasserwesen, Verkehrswesen sowie Baubetrieb eingeführt werden (56 Semesterwochenstunden). Aus den fünf Angeboten für einen Studienschwerpunkt (Baubetrieb, Baumanagement, Infrastrukturplanung, konstruktiver Ingenieurbau, rechnergestützte Planung und Konstruktion) kann er zwei Bereiche auswählen, auf die 18 Semesterwochenstunden entfallen. Vier Semesterwochenstunden sollen für praxisbegleitende Lehrveranstaltungen verwandt werden.

d) Studiengang Versorgungstechnik/Technische Gebäudeausrüstung

Anknüpfend an die wirtschaftlichen Perspektiven und die differenzierten Anforderungen der Bauwirtschaft plant das Land einen weiteren baubezogenen Studiengang. Der Anteil des technischen Ausbaus am Gebäudewert reicht von ca. 15 % (Einfamilienhaus) bis zu 60 % (z. B. Krankenhaus). Auch der Energieverbrauch hängt ganz wesentlich von der baulichen Ausstattung ab, so daß zunehmend die Notwendigkeit für eine integrierte Bauplanung besteht, die sowohl die technischen Gebäudesysteme als auch das Gebäudemanagement und computergestützte Gebäudesimulationssysteme u. a. m. berücksichtigt. Diesem Anforderungsprofil soll durch die Kombination von Studienelementen aus den Bereichen Bautechnik sowie Klima-, Lüftungs- und Heizungstechnik sowie Gas- und Wassertechnik Rechnung getragen werden. In dieser Verbindung unterscheidet sich das Studienangebot nach Auffassung des Landes vom Studiengang Ver- und Entsorgungstechnik in Merseburg.

Das dreisemestrige Grundstudium (84 Semesterwochenstunden) ist naturwissenschaftlich (Mathematik, Physik, Chemie, Thermodynamik) und ingenieurtechnisch (Technische Mechanik, Elektrotechnik/Meß- und Regelungstechnik, Werkstoffkunde/Baukunde) dominiert. Außerdem wird ein Wahlbereich angeboten, der u. a. Umweltschutz, Wirtschaftsrecht und Soziologie/Psychologie beinhaltet.

Das Hauptstudium (78 Semesterwochenstunden) umfaßt als Pflichtangebot (56 Semesterwochenstunden) die Schwerpunkte Heizungs-, Klima-, Gas- und Wassertechnik und enthält Bezüge zum Umweltschutz. Im Rahmen des Wahlpflichtstudiums ist neben dem vertieften Studium der Technischen Gebäudeausrüstung (Schwerpunkt I: Digitale Regelung, Steuerungstechnik, Kältetechnik, Elektrische Energieversorgung, Sicherheitstechnik) auch das Studium spezieller Fächer aus dem Bauingenieurwesen (Schwerpunkt II: Baustoffkunde, Baukonstruktion, Gebäudesanierung, Städtebau/Siedlungsbau) möglich.

II. 3. Personelle und räumliche Ausstattung

Auf die flächenbezogenen Studienplätze in den einzelnen Studiengängen sollen folgende Professorenstellen entfallen:

Studiengänge	Studienplätze/ Anfänger	Professuren
Betriebswirtschaft	350/100	16
Sozialpädagogik	210/ 60	11
Bauingenieurwesen	245/ 70	13
(Versorgungstechnik	210/ 60	12)

Rund 15 % der Lehrleistung soll von Lehrbeauftragten erbracht werden. Für Verwaltungs- und sonstiges Personal sind 56 weitere Stellen geplant.

Zur Unterbringung der Fachhochschule ist die ehemalige Tauentzien-Kaserne am nördlichen Stadtrand Stendals vorgesehen. Sie wurde im August 1993 von den Streitkräften der GUS geräumt. Die Anbindung des Standortes an das öffentliche Verkehrssystem ist bereits gesichert.

Eine Prüfung von Grundstück und Bauten durch das Land hat ergeben, daß die Gebäudesubstanz (vorwiegend aus den 30er Jahren) erhaltenswert ist und nur relativ geringe Aufwendungen für die Beseitigung von Altlasten notwendig sein werden.

Bei der Unterbringungsplanung wird davon ausgegangen, daß für die Zentralverwaltung mit 740 m^2 Hauptnutzfläche und für die Fachbereiche mit einer Hauptnutzfläche von 7700 m^2 die ehemaligen Kasernengebäude genutzt werden sollen, die insgesamt eine Hauptnutzfläche von 8700 m^2 enthalten.

Eine Flächen- und Kostenschätzung auf der Grundlage der Flächen- und Kostenrichtwerte der Rahmenplanung hat ergeben, daß für einen Neubau der Fachbereichsgebäude und der Verwaltung rund 60,2 Millionen DM angesetzt werden müßten. Für die Sanierung der bestehenden Flächen geht das Land von 60% vergleichbarer Neubaukosten aus, d. h. rund 38,2 Millionen DM. Die Ersteinrichtung für beide Bereiche wird mit 5,2 Millionen DM beziffert.

Für Mensa und Bibliothek sollen auch wegen des erforderlichen Raumzuschnitts Neubauten erstellt werden. Sie werden mit 1580 m^2 Hauptnutzfläche veranschlagt, die Neubaukosten im Umfang von rund 11,5 Millionen DM und Ersteinrichtungskosten in Höhe von rund 0,5 Millionen DM verursachen würden.

Das Land setzt außerdem 6 Millionen DM für die Beschaffung eines Büchergrundbestandes an.

Das Land sieht vor, erste Teilvorhaben zum 26. Rahmenplan anzumelden. Für den Aufbau der Fachhochschule sollen unabhängig davon ergänzend Mittel des Europäischen Fonds für Regionale Entwicklung eingesetzt werden.

B. Stellungnahme

B. I. Zu den Ausbauplänen des Landes im Fachhochschulbereich

Der Wissenschaftsrat begrüßt die grundsätzliche Prioritätensetzung des Landes zugunsten des Auf- und Ausbaus eines leistungsfähigen Hochschulsystems. Dabei sollte es sich quantitativ an der nach heutigem Kenntnisstand zu erwartenden Entwicklung der Studienanfängerzahlen und strukturell an den Studienwünschen der Studienanfänger wie auch den Qualifikationserfordernissen der Praxis orientieren. Innerhalb dieses Rahmens unterstützt der Wissenschaftsrat das Land bei seinem erklärten Ziel, die Bedingungen für Lehre und Forschung an den bestehenden Hochschulen durch umfangreiche Sanierungs- und Neuvorhaben nachhaltig zu verbessern. Angesichts dieser Aufgabenstellung, deren Erfüllung in den nächsten Jahren erhebliche Investitionsmittel erfordern wird, ist die in den Beratungen mit dem Wissenschaftsrat getroffene Entscheidung wissenschaftspolitisch richtig, besonderes Gewicht auf den Fachhochschulausbau zu legen.

Das Land Sachsen-Anhalt hat sich mit seinen Planungen im Fachhochschulbereich, zur Schaffung von insgesamt 16800 flächenbezogenen Studienplätzen bis zum Jahr 2000 ein ehrgeiziges Ziel gesteckt. In einer ersten Ausbaustufe sieht es die Errichtung von insgesamt 12000 flächenbezogenen Fachhochschulstudienplätzen vor. Dabei geht es für die zukünftige Nachfrage nach Studienplätzen an Fachhochschulen davon aus, daß 50 % der Studieninteressenten ein Fachhochschulstudium aufnehmen wollen.

Unter Berücksichtigung der vorliegenden Prognosen über die voraussichtliche Zahl der Studienberechtigten, die den Zeitraum bis einschließlich 2015 abdecken, hält der Wissenschaftsrat den Ausbau von insgesamt 12000 flächenbezogenen Studienplätzen für vernünftig. Zum jetzigen Zeitpunkt sieht er jedoch keinen darüber hinausgehenden Bedarf, so daß er sich eine gesonderte Stellungnahme für den Fall vorbehält, daß das Land über dieses erste Ausbauziel hinaus Vorhaben zum Ausbau von Fachhochschulen zum Rahmenplan anmeldet. Außerdem ist es nach Ansicht des Wissenschaftsrates notwendig, den Aufbau der Fachhochschule Altmark innerhalb dieses Gesamtausbaurahmens zu vollziehen. Dies bedeutet, daß das Land die für diesen Standort vorgesehenen 1000 flächenbezogenen Studienplätze durch Aussetzung des Ausbaus von 800 flächenbezogenen Studienplätzen an bestehenden Fachhochschulen und weiteren 200 Studienplätzen in anderen Teilen des Hochschulsystems erwirtschaften muß. Diese Streckung sollte jedoch folgende Richtlinien berücksichtigen: Keiner der betroffenen Standorte darf durch die Streckung unterhalb der kritischen Grenze von 1000 flächenbezogenen Studienplätzen im Endausbau fallen. Außerdem muß die Streckung innerhalb der „klassischen" Studiengänge vorgenommen werden, so daß eine fachliche Entwicklung nicht behindert wird.

Bereits im Zuge der Planungen zur Erweiterung der Zahl der Studienplätze an Fachhochschulen auf insgesamt 12000 verdienen nach Ansicht des Wissenschaftsrates folgende Überlegungen besondere Aufmerksamkeit:

Für ein Studium an den Fachhochschulen haben sich in Sachsen-Anhalt gegenwärtig 43 % aller Studienanfänger entschieden. In seinen Empfehlungen zur Entwicklung der Fachhochschulen in den 90er Jahren hat der Wissenschaftsrat auf die Notwendigkeit hingewiesen, daß ein weiterer kapazitärer Zuwachs der Fachhochschulen mit einer Erweiterung des Fächerspektrums einhergehen müsse, um sowohl die Attraktivität für Studierende zu erhöhen als auch neue und weitergefächerte Einsatzmöglichkeiten der Absolventen auf dem Arbeitsmarkt sicherzustellen.[6]) Das Land sollte deshalb den eingeschlagenen Weg fortsetzen und seine Bemühungen um die Entwicklung innovativer und moderner Studienangebote mit Bezug zu aktuellen Entwicklungen der regionalen und überregionalen Wirtschaft sowie im Öffentlichen Dienst intensivieren. Es sollte sowohl neue Schwerpunkte als auch kapazitätswirksame Studiengänge in neuen Feldern erschließen. In diesem Zusammenhang begrüßt der Wissenschaftsrat die im Hochschulgesetz des Landes eröffnete Möglichkeit, für die Ausbildung von Beamten in der öffentlichen Verwaltung besondere Fachbereiche an allgemeinen staatlichen Hochschulen zu errichten.[7])

Für die Realisierung der Ausbauplanungen im Hochschulbereich hat sich das Land zum Ziel gesetzt, bis zum Jahr 2005 etwa 4 Milliarden DM unter Einbeziehung der Großgeräte knapp 5,3 Milliarden DM in den Hochschulbau zu investieren. Mit 954 Millionen DM sollen auf den Fachhochschulbereich rund 22% entfallen. Hiervon sollen nach der Finanzplanung 426 Millionen DM bis 1999 investiert werden. Die Bereitstellung dieser Investitionsmittel ist die Voraussetzung, um die angestrebten Ausbauziele, die sowohl im Rahmen von Neubaumaßnahmen als auch von kostengünstigeren Sanierungsmaßnahmen der Gebäude von Vorgängereinrichtungen sowie Kasernenanlagen realisiert werden sollen, tatsächlich zu erreichen, wobei nach Klärung offener Eigentumsfragen die planenden und durchführenden Stellen für eine zügige Umsetzung der Vorhaben sorgen sollten. Das Land sollte prüfen, durch welche Verfahrenserleichterungen zur Beschleunigung der Realisierung von Investitionsvorhaben beigetragen werden kann.

B. II. Zu den Planungen für die Neugründung einer Fachhochschule Altmark in Stendal

II. 1. Zum Standort

Die vom Land als Standort einer neuen Fachhochschule vorgesehene Region Altmark weist ein seit der Wende deutlich verändertes Bildungsverhalten im schulischen Bereich auf, dem im Tertiären Sektor kein entsprechendes Bildungsangebot gegenübersteht, da die Hochschulen aus historischen Gründen im südlicheren Teil des Landes konzentriert sind. Dieses Strukturdefizit im Hochschulsystem des Landes zu beseitigen, ist ein berechtigtes bildungspolitisches Anliegen des Landes. Nach Auffassung des Wissenschaftsrates kann die Region Altmark eine eigenständi-

6) Wissenschaftsrat: Empfehlungen zur Entwicklung der Fachhochschulen in den 90er Jahren, a. a. o., S. 74-80.
7) Der Wissenschaftsrat hat auf Bitten der Länder Schleswig-Holstein, Nordrhein-Westfalen und Niedersachsen eine Stellungnahme zu weiteren Entwicklung der verwaltungsinternen Fachhochschulen und ihrer Ausbildung für den gehobenen Dienst abgegeben, siehe Bd. I, S. 105.

ge Fachhochschuleinrichtung mit 1000 flächenbezogenen Studienplätzen und einem abgerundeten Studiengangsangebot tragen. Er erachtet außerdem Stendal als geeigneten Standort für eine solche Einrichtung.

Zwar ist ebenso wie die wirtschaftliche auch die demographische Entwicklung der Region noch nicht hinreichend deutlich zu erkennen. Gleichwohl erlauben die Berechnungen des Landes zum künftigen potentiellen Studentenaufkommen den Schluß, daß der Standort eine Fachhochschuleinrichtung mit rund 300 Studienanfängern und 1000 flächenbezogenen Studienplätzen unter Nachfrageaspekten auf Dauer tragen dürfte. Angesichts des im Landesvergleich überdurchschnittlich hohen Anteils der Altersgruppe jünger als 20 Jahre an der Gesamtbevölkerung der Region und des ebenfalls starken Anteils der Schüler, die die allgemeine bzw. gebundene Hochschulreife anstreben, erscheinen die Berechnungen, die das Land zu den Übergangsquoten zu einer regionalen Fachhochschule vorgelegt hat, plausibel.

Hinzu käme, daß sich das potentielle Studierendenaufkommen vergrößern würde, wenn in die Berechnungen die südlichen Teile Mecklenburg-Vorpommerns und die Prignitz in Brandenburg einbezogen würden, die zusammen mit der Altmark eine historische Landschaft bilden, wirtschaftlich vergleichbar strukturiert sind und über keine Fachhochschuleinrichtung verfügen. Da Brandenburg auf die Errichtung eines eigenen Fachhochschulstandortes in der Prignitz verzichtet hat und auch Mecklenburg-Vorpommern keine Pläne zum Aufbau einer Fachhochschuleinrichtung in seinen südlichen Landesteilen verfolgt, käme Stendal die Aufgabe zu, über die Ländergrenzen hinweg eine regionale Versorgungsfunktion im tertiären Bildungsbereich zu übernehmen.

Über dieses Studienplatzangebot hinaus wird es jedoch nach Ansicht des Wissenschaftsrates in absehbarer Zeit keinen Raum mehr für eine weitere Fachhochschuleinrichtung in den an die Altmark angrenzenden Regionen Brandenburgs und Mecklenburg-Vorpommerns geben.

II. 2. Zu den Studiengängen und Studienschwerpunkten

Das Land Sachsen-Anhalt plant mit den drei Studiengängen Betriebswirtschaftslehre, Sozialpädagogik und Bauingenieurwesen in einem ersten Schritt ein solides und eher herkömmlich ausgerichtetes Studienangebot für den Standort Stendal. Da die weitere wirtschaftliche Entwicklung der Region noch nicht eindeutig abzusehen ist, ist eine Ausrichtung auf die Berufsfelder Betriebswirtschaft, Sozialwesen und Bauwirtschaft, die als ein dominierender Wirtschaftszweig anzusehen ist, grundsätzlich sinnvoll.

Der Wissenschaftsrat empfiehlt dem Land jedoch, zunächst den Aufbau mit einem Studiengang zu beginnen und hierfür die Organisationsform einer Außenstelle der Fachhochschule Magdeburg zu wählen. Mit Blick auf die derzeitige regionale Strukturschwäche, die noch keine deutlichen wirtschaftlichen Entwicklungsschwerpunkte für die Zukunft erkennen läßt, erscheint der Vollausbau eines Studiengangs Betriebswirtschaftslehre in der Risikoabwägung auch deshalb für diesen ersten Aufbauschritt am ehesten geeignet, weil in Stendal bereits seit dem Wintersemester 1992/93 Fernstudienbrückenkurse Betriebswirtschaftslehre zur Nachqualifizierung von Ingenieur- und Fachschulabsolventen der DDR als Außenstelle der Fachhochschule Magdeburg durchgeführt werden. Beratungen mit dem Wissenschaftsrat in den zurückliegenden eineinhalb Jahren haben das Land bewogen, entgegen seiner ursprünglichen Absicht an der Fachhochschule Magdeburg, aufbauend auf dem bereits angebotenen Zusatzstudiengang Wirtschaftsingenieurwesen, ein grundständiges betriebswirtschaftliches Studienangebot einzurichten, das eine technisch orientierte Schwerpunktsetzung verfolgen soll. Bei der ursprünglichen Studiengangsplanung zeichnete sich ein klar differenziertes Fächerangebot zwischen den beiden Standorten Magdeburg und Stendal ab. Der Wissenschaftsrat bittet das Land, durch geeignete Schwerpunktsetzungen dafür Sorge zu tragen, daß trotz des Aufbaus der Betriebswirtschaftslehre in Stendal und Magdeburg dem Differenzierungsgebot auch bei der weiteren Planung ausreichend Rechnung getragen wird.

Zur Weiterentwicklung der Studiengangsplanungen für Stendal wird empfohlen, die vorgesehenen Studienanteile für Betriebswirtschaftslehre und Wirtschaftsrecht im Sinne einer Verstärkung zu überprüfen. Der Wissenschaftsrat begrüßt, daß dem Schwerpunktbereich I des Hauptstudiums, der der fachlichen Ausbildung im engeren Sinne gewidmet und durch exemplarisches Lernen charakterisiert ist, ein stärkeres Gewicht gegenüber dem Schwerpunktstudium II beigemessen wird, in dessen Mittelpunkt die Vermittlung fachübergreifender Kompetenzen steht. Es sollte außerdem auf die Bereitstellung von Wahlfächern geachtet werden, die die Betriebswirtschaftslehre sinnvoll ergänzen. Vor allem sollten solche Fächer vorgesehen werden, die Anschlußmöglichkeiten für die zunächst zurückzustellenden Studiengänge in den technischen Disziplinen und im Sozialwesen bieten.

Das Land sollte die erste Aufbauphase in Stendal als Außenstelle der Fachhochschule Magdeburg zur sorgfältigen Beobachtung der wirtschaftsstrukturellen und weiteren demographischen Entwicklung nutzen, um für den Fall einer Ausweitung des Studiengangsspektrums sachadäquate Planungen einleiten zu können. Bei der Aufnahme des Studienbetriebs im Hauptstudium sollte von Anfang an angestrebt werden, das Wahlpflichtangebot Rechnungswesen, Marketing, Personalwesen und Finanzwirtschaft permanent anzubieten und damit den Studierenden ständig entsprechende Wahlmöglichkeiten offenzuhalten, mit denen sie auf Anforderungen der klein- und mittelbetrieblichen Wirtschaftsstruktur der Region eingehen können. Beim Personalwesen sollten Aspekte des Arbeitsrechts in das Studienangebot integriert werden.

Der Wissenschaftsrat weist auf seine Stellungnahme zum Ausbau der Fachhochschulen in Baden-Württemberg hin, in der er sich auch zur Einrichtung von Außenstellen geäußert hat.[8]) Er empfahl damals nur solche Einrichtungen aufzubauen, für die aus aktueller Sicht begründete Aussichten bestehen, daß sie von der personellen und sächlichen Ausstattung und vom angebotenen Fächerspektrum her längerfristig lebensfähig sind, d.h. sich aus eigener Kraft im Wettbewerb der Hochschulen behaupten können und für Studenten, Professoren und für die regionale Wirtschaft attraktiv bleiben. Nur von leistungsfähigen Einrichtungen können auf Dauer die strukturpolitischen Effekte ausgehen, die für die Entwicklung einer Region erhofft werden. Ausreichendes Bewerberaufkommen, wirtschaftliches Umfeld und die Ausstattung einer weiter entfernten Außenstelle mit den notwendigen Infrastruktureinrichtungen wie Bibliothek, Rechenzentrum und Mensa wurden als Kriterien herangezogen. In Anbetracht der weiter oben erläuterten Prämissen sieht der Wissenschaftsrat diese Kriterien im Falle einer Außenstellenlösung für Stendal erfüllt.

II. 3. Zur geplanten personellen und räumlichen Ausstattung

Die ursprünglich vom Land vorgesehene personelle Ausstattung der Fachhochschule Altmark orientierte sich an einer durchschnittlichen Relation von 18,5 wissenschaftlichen Stellen zu 100 Studienanfängern. Hinzu sollten weitere 15 % Lehrleistungen kommen, die an Lehrbeauftragte vergeben werden sollen. Nach Ansicht des Wissenschaftsrates ist diese Relation noch immer angemessen. Bei der Personalplanung für den Studiengang Betriebswirtschaftslehre sollte auf eine hinreichende fachliche Differenzierung der Professuren besonderer Wert gelegt werden.

Nach einem Besuch vor Ort ist der Wissenschaftsrat zu dem Ergebnis gelangt, daß die vom Land gewählte ehemalige Tauentzien-Kaserne für die Unterbringung einer Fachhochschule grundsätzlich geeignet ist. Diese Eignungsfeststellung geht von der Voraussetzung aus, daß ihre Herrichtung im Rahmen des HBFG die Kosten vergleichbarer Neubauten nicht überschreitet. Sollte dies nicht gewährleistet werden können, weist der Wissenschaftsrat vorsorglich darauf hin, daß dann die Unterbringung erneut überprüft werden müßte. Der Wissenschaftsrat befürwortet in diesem Zusammenhang einen räumlichen Vollausbau für den vorgesehenen Studiengang Betriebswirtschaftslehre und der zur Aufrechterhaltung des Studienbetriebs notwendigen Infrastruktureinrichtungen.

Angesichts der Anforderungen an moderne EDV-Einrichtungen für die Lehre erscheint es zweifelhaft, ob die Orientierungshilfen der Rahmenplanung für eine Berechnung der Ersteinrichtungskosten zur Befriedi-

8) Wissenschaftsrat: Stellungnahme zum Ausbau der Fachhochschulen in Baden-Württemberg, in: Empfehlungen uns Stellungnahmen 1989, Köln 1990, bes. S. 104-106.

gung des fachlich begründeten Bedarfs, vor allem im Studiengang Betriebswirtschaft, ausreichend sind, so daß der Wissenschaftsrat eine bedarfsgerechte Anhebung des Ansatzes in der Landesplanung empfiehlt.

Der Wissenschaftsrat geht davon aus, daß die für den Aufbau des Studiengangs Betriebswirtschaftslehre notwendigen Investitionsmittel in der mittel- und langfristigen Finanzplanung des Landes abgesichert sind. Er unterstützt die Initiative des Landes, für Maßnahmen des Hochschulbaus Mittel des Europäischen Fonds für Regionale Entwicklung für den Ausbau der Fachhochschule Altmark zu nutzen. Ein Einsatz dieser Mittel im Hochschulbau erscheint auch aus regionalpolitischen Gründen als sinnvoll. Außerdem würde dadurch die Einleitung einzelner Ausbaumaßnahmen bereits im Jahr 1996 ermöglicht.

C. Zusammenfassende Empfehlung

Der Wissenschaftsrat begrüßt das erklärte Ziel des Landes, die Fachhochschulen mit besonderem Nachdruck auszubauen. Die Auslastung der in Sachsen-Anhalt bereits verfügbaren Studienplatzkapazität zeigt, daß Fachhochschulstudienangebote auf weiter wachsendes Interesse stoßen. Die festgelegten Ausbauziele für die bestehenden Fachhochschulen sollten unter längerfristigen Bedarfsgesichtspunkten überprüft werden. Zu ihrer Erreichung sind erhebliche finanzielle Anstrengungen notwendig, die das Land auf sich zu nehmen beabsichtigt. Das Zurückbleiben der Nachfrage an einzelnen Standorten nach eher traditionellen Technikangeboten erfordert es, die Studienangebotsplanungen sich ändernden wirtschaftlichen und sozialen Bedingungen anzupassen. Auf der Grundlage der vorliegenden Prognosen über die Entwicklung der Studienberechtigtenzahlen bis zum Jahr 2015 hält der Wissenschaftsrat mittelfristig ein Ausbauziel von insgesamt 12000 flächenbezogenen Studienplätzen an Fachhochschulen für ausreichend. Er behält sich zu weitergehenden Ausbauplanungen des Landes eine Stellungnahme vor.

Mit den Planungen für die Neugründung einer Fachhochschuleinrichtung in Stendal will das Land aus bildungspolitischen Gründen eine regionale Versorgungslücke in seinem Hochschulsystem schließen und zugleich der Region strukturpolitische Impulse verleihen. Der Wissenschaftsrat empfiehlt demgegenüber, zunächst vom Aufbau einer eigenständigen Fachhochschule in Stendal abzusehen und mit dem Ausbau des Studiengangs Betriebswirtschaftslehre in der Organisationsform einer Außenstelle der Fachhochschule Magdeburg zu beginnen. Der Wissenschaftsrat weist auf seine Stellungnahme zum Ausbau der Fachhochschulen in Baden-Württemberg hin, in der er sich auch zur Einrichtung von Außenstellen geäußert hat. Er sieht die dort genannten Kriterien im Falle einer Außenstellenlösung für Stendal als erfüllt an.

Zur Unterbringung der Fachhochschuleinrichtungen in Stendal ist die vom Land ins Auge gefaßte Tauentzien-Kaserne grundsätzlich geeignet. Die vom Land in Ansatz gebrachten Ersteinrichtungsmittel für den Studiengang Betriebswirtschaft erlauben kaum eine angemessene EDV-Ausstattung und sollten deshalb vom Land erhöht werden. Zudem muß offenbleiben, ob sich die Annahme als realistisch erweist, daß Umbau und Sanierung der Kasernengebäude mit etwa 60 % vergleichbarer Neubaukosten zu realisieren sein werden. Die notwendige Überprüfung der Bauplanung sollte mit einer Aktualisierung des Finanzbedarfs einhergehen.

Für eine abschließende Beurteilung der finanziellen Rahmenbedingungen geht der Wissenschaftsrat davon aus, daß die Ausbauziele des Landes Sachsen-Anhalt nur realisiert werden können, wenn die finanzpolitische Zielsetzung erreicht wird, bis zum Jahre 2005 vier Milliarden DM für den Hochschulbau bereitzustellen. Er unterstützt die Absicht des Landes, in diesem Zusammenhang für Maßnahmen im Hochschulbau Mittel des Europäischen Fonds für Regionale Entwicklung einzusetzen.

Zur Frage der Aufnahme einer Fachhochschule Altmark in Stendal in die Anlage zum HBFG, die eine Verselbständigung der Außenstelle der Fachhochschule Magdeburg in Stendal mit einem dann zu erweiternden Fächerspektrum beinhalten würde, wird der Wissenschaftsrat bis zum 28. Rahmenplan eine Stellungnahme abgeben. Das Land wird gebeten, im Zusammenhang mit Anmeldungen von Vorhaben zur Rahmenplanung über die räumliche, personelle und fachliche Entwicklung der Außenstelle Stendal zu berichten und dem Wissenschaftsrat zu gegebener Zeit weitere Unterlagen für eine Erweiterung bzw. Modifizierung dieser Stellungnahme vorzulegen.

Stellungnahme zu den Planungen des Landes Bayern zur Gründung einer neuen Fachhochschule in Ansbach

vom Januar 1996

Inhalt

Vorbemerkung

Mit Schreiben vom 8. Februar 1993 hat der Bayerische Staatsminister für Unterricht, Kultus, Wissenschaft und Kunst den Wissenschaftsrat um Begutachtung der Planungen für den Aufbau neuer Fachhochschuleinrichtungen in Amberg-Weiden, Ansbach, Aschaffenburg, Deggendorf, Hof, Ingolstadt und Neu-Ulm gebeten. Der Wissenschaftsrat hat am 21. Januar 1994 eine Stellungnahme zu den genannten Landesplanungen abgegeben.[1]) Darin stellt er eine Entscheidung zum Standort Ansbach zurück.[2]) Das Land hat daraufhin seine Bitte um Begutachtung der Landesplanungen für Ansbach erneuert (Schreiben vom 22.5.1995) und überarbeitete Unterlagen vorgelegt.

Die Arbeitsgruppe Fachhochschulgründungen hat den Standort am 14. Juni 1993 besucht und die Planungen mit Vertretern des Strukturbeirates und des Landes erörtert. Der Arbeitsgruppe gehörten auch Sachverständige an, die nicht Mitglieder des Wissenschaftsrates sind. Ihnen ist der Wissenschaftsrat zu besonderem Dank verpflichtet.

Der Wissenschaftsrat hat die Stellungnahme am 19. Januar 1996 verabschiedet.

1) Wissenschaftsrat: Stellungnahme zu den Planungen des Landes Bayern für die Gründung neuer Fachhochschuleinrichtungen in Amberg-Weiden, Ansbach, Aschaffenburg, Deggendorf, Hof, Ingolstadt und Neu-Ulm, in: Empfehlungen und Stellungnahmen 1994, Bd. I, Köln 1994, S. 139-211.
2) Ebd., S. 169 ff.

A. Ausgangslage

A. I. Entwicklung und Ausbau der Fachhochschulen in Bayern

Als Ausgangslage für die Stellungnahme zur Gründung der genannten Fachhochschuleinrichtungen in Amberg-Weiden, Ansbach, Aschaffenburg, Deggendorf, Hof, Ingolstadt und Neu-Ulm legte das Land dem Wissenschaftsrat ein zweistufiges Ausbaukonzept im Fachhochschulbereich vor. Den Bayerischen Hochschulgesamtplänen der Jahre 1985 und 1992 zufolge sollten an den bestehenden Fachhochschulen 29700 flächenbezogene Studienplätze zur Verfügung gestellt werden. An diesem Ausbauziel fehlten zum Wintersemester 1994/95 rund 7100 Studienplätze.[3]) Darüber hinaus ging das Land ursprünglich von der Schaffung weiterer 5000 flächenbezogener Studienplätze an den sieben neu zu gründenden Fachhochschuleinrichtungen aus. Der Wissenschaftsrat hat dem Land im Einklang mit seinen Empfehlungen zur Entwicklung der Fachhochschulen in den 90er Jahren empfohlen, Standorte mit abgerundetem Fächerspektrum und einer Mindestzahl von 1000 flächenbezogenen Studienplätzen zu errichten. Deshalb erhöhte das Land das Ausbauziel für die Neugründungen auf 7500 flächenbezogene Studienplätze.[4]) Es hat dem Wissenschaftsrat nunmehr einen Bericht über die Umsetzung dieser Empfehlungen vorgelegt.[5])

Nachdem der Bayerische Landtag am 28. April 1994 das Gesetz zur Errichtung der neuen Fachhochschulen verabschiedet hatte, wurde im Oktober desselben Jahres der Studienbetrieb in Deggendorf, Hof, Ingolstadt und Neu-Ulm mit jeweils einem Studiengang aufgenommen. Amberg-Weiden und Aschaffenburg folgten im Herbst 1995; ferner wurde in Deggendorf, Hof und Neu-Ulm jeweils mit einem zweiten Studiengang begonnen. Für den Aufbau der neuen Fachhochschuleinrichtungen stehen nach Angaben des Landes bis einschließlich 1996 228 neugeschaffene Stellen sowie 15,5 Millionen DM Investitionsmittel in einem Sammelansatz des Haushaltes zur Verfügung. Für Baumaßnahmen sind als Basisfinanzierung im Doppelhaushalt 1995/96 ca. 20 Millionen DM veranschlagt. Weitere 300 Millionen DM aus der ersten Tranche der Veräußerungserlöse aus Staatsbeteiligungen des Landes sind hierfür zusätzlich reserviert. Außerdem haben sich die Kommunen aller neuen Standorte vertraglich verpflichtet, zweckgebunden einen finanziellen Zuschuß für die jeweilige Hochschule zu gewähren.

Im Durchschnitt der Jahre 1985 bis 1993 hat das Land 14,5 % aller Investitionen im Hochschulbau im Fachhochschulbereich getätigt. Bei den

3) Wissenschaftsrat: Empfehlungen zum 25. Rahmenplan für den Hochschulbau 1996–1999, Bd. 2, S. BY 127.
4) Wissenschaftsrat: Stellungnahme zu den Planungen Bayerns ..., a.a.O., S. 210: Übersicht über die empfohlenen Ausbauziele und -stufen.
5) Schreiben des Bayerischen Staatsministeriums für Unterricht, Kultus, Wissenschaft und Kunst vom 18.7.1995.

Neuanmeldungen des Landes für den Ausbau der Fachhochschulen zum 25. Rahmenplan wurden 11 % des gesamten angemeldeten Investitionsvolumens (211 Mio. DM von 1,9 Mrd. DM) erreicht. Zur Fertigstellung begonnener Vorhaben im Fachhochschulbereich sind rund 244 Millionen DM erforderlich. Dies entspricht einem Anteil von 24 % der notwendigen Investitionsmittel für begonnene Vorhaben.

A. II. Planungen des Landes Bayern zur Gründung einer Fachhochschule in Ansbach

Ansbach liegt in der Region Westmittelfranken, deren Wirtschaftsstruktur mittelständisch geprägt ist. 56 % der regionalen Arbeitsplätze sind im produzierenden Gewerbe und 43 % im Dienstleistungsbereich angesiedelt. Im mittelfränkischen Raum – mit stärkerer Konzentration in der engeren „Industrieregion Mittelfranken" – sind folgende Wirtschaftsbranchen vertreten: Elektrotechnik, Maschinenbau, Kunststoffverarbeitung, Metallwaren, Holzverarbeitung, Nahrungsmittel, Druckindustrie, Fahrzeugbau, Feinmechanik, Optik und Feinkeramik. Daraus haben sich spezielle Technologieschwerpunkte in den Bereichen Mikroelektronik, Lasertechnik, Produktionstechnik, Umwelt- und Energietechnik, Werkstofftechnik sowie Verkehrstechnik entwickelt. Von besonderer Bedeutung in der insgesamt strukturschwächeren ländlichen Region Westmittelfranken ist darüber hinaus das Baugewerbe, das rund ein Drittel aller Arbeitnehmer der Region beschäftigt.

Die ersten Planungen des Landes sahen für Ansbach den Aufbau von 490 flächenbezogenen Studienplätzen in wirtschaftswissenschaftlichen Studiengängen unter dem organisatorischen Dach der Fachhochschule Nürnberg vor. Ziel war vor allem die Entlastung des Standortes Nürnberg. Der Wissenschaftsrat sprach sich in seiner Stellungnahme für ein dezentralisiertes Fachhochschulnetz in Bayern aus. Zur Entwicklung der mittelständisch strukturierten Wirtschaft Westmittelfrankens könne eine eigenständige Fachhochschuleinrichtung mit einem abgerundeten Studiengangsangebot im Sinne des Innovationstransfers wesentlich mehr beitragen als eine auch fachlich unselbständige Abteilung einer Großstadthochschule. Die Region sei grundsätzlich für den Aufbau einer eigenständigen Fachhochschule unter Einbeziehung der Abteilung Triesdorf der Fachhochschule Weihenstephan mit einer Mindestgröße von 1000 flächenbezogenen Studienplätzen geeignet. Neben dem Bereich Wirtschaft sollten eine informatikorientierte Technik sowie umweltorientierte Studiengänge für die weitere Planung des Landes erwogen werden.[6])

Das Land hat im Juli 1994 einen Strukturbeirat eingesetzt, der im März 1995 eine qualitativ und quantitativ neue Konzeption für eine Fach-

6) Wissenschaftsrat: Stellungnahme zu den Planungen Bayerns ..., a.a.O., S. 169 ff.

hochschule in Ansbach vorgelegt hat.[7]) Das Land hat sich diese Konzeption zu eigen gemacht.

Auf der Grundlage einer Berechnung des potentiellen Studentenaufkommens aus der Region von rund 760 Studierenden geht der Beirat über die regionale Verankerung der Fachhochschule hinaus und empfiehlt, auch die überregionale Attraktivität des Standortes mit entsprechenden Studienangeboten zu sichern und über modularisierte Studiengänge Weiterbildungskapazitäten zu schaffen.

Da sich zwischen den Studiengängen der Abteilung Triesdorf der Fachhochschule Weihenstephan[8]) und der Fachhochschule Ansbach nach Ansicht des Landes nur geringe Kooperationsmöglichkeiten ergeben, wird die Zusammenfassung dieser beiden Standorte unter einem organisatorischen Dach als nicht aussichtsreich erachtet. Es könne hingegen zu einem fallweisen funktionalen Zusammenwirken besonders im Bereich der naturwissenschaftlichen und umweltbezogenen Studiengänge kommen.

II. 1. Studiengangsangebote

Das Land sieht die Errichtung von vier grundständigen Studiengängen und zwei weiteren modular vernetzten Studiengängen aus dem Bereich Informationsmanagement mit insgesamt 1000 flächenbezogenen Studienplätzen vor. Für die Studiengänge Betriebswirtschaftslehre und möglicherweise Fachkommunikation Technik sowie Information und Dokumentation wird ein Studienbeginn für das Wintersemester 1996/97 angestrebt. Für die Studiengänge mit hohen technischen Anteilen – Wirtschaftsingenieur- und Bauingenieurwesen sowie Energie- und Umweltsystemtechnik – ist aufgrund der erforderlichen Neu- und Umbauten ein späterer Studienbeginn vorgesehen. Alle Studiengänge enthalten Fremdsprachenanteile.

– Studiengang Betriebswirtschaftslehre

Ein Studiengang Betriebswirtschaftlehre am Standort Ansbach mit einem Ausbauziel von 290 flächenbezogenen Studienplätzen soll auch zur Entlastung der Ausbildungskapazitäten in Nürnberg dienen. Er soll entsprechend der Rahmenstudienordnung konzipiert werden und insge-

---

7) Strukturbeirat der Fachhochschule Ansbach: Empfehlungen zum Aufbau der Fachhochschule Ansbach, März 1995.

8) An der Abteilung Triesdorf der Fachhochschule Weihenstephan werden derzeit die Studiengänge Landwirtschaft und Umweltsicherung (Boden und Wasser) sowie im internationalen Ergänzungsstudiengang Agrarmanagement angeboten. Zum Wintersemester 1994/95 waren dort 478 Studierende (159 Studienanfänger) auf 161 flächenbezogenen Studienplätzen eingeschrieben. (Vgl. Wissenschaftsrat: Empfehlungen zum 25. Rahmenplan, a.a.O., S. BY 129) Die Entfernung zwischen Ansbach und Triesdorf beträgt rund 10 km, während zwischen Weihenstephan und Triesdorf rund 80 km liegen.

samt acht Studiensemester umfassen, von denen zwei Praxissemester sind. Innerhalb der viersemestrigen Grundstudien müssen die Studierenden 84 Semesterwochenstunden belegen. Die Studienschwerpunkte werden im Haupstudium, das insgesamt 74 Semesterwochenstunden umfassen soll, mit jeweils 20 Semesterwochenstunden berücksichtigt.

Drei bewährte Studienschwerpunkte – *Rechnungswesen und Controlling; Finanz-, Bank- und Investitionswirtschaft; Organisation und Wirtschaftsinformatik* –, die nach Ansicht des Landes besonders auf den Absolventenbedarf der Region abgestimmt sind, sollen durch zwei weitere Studienschwerpunkte ergänzt werden, die in dieser Form in Bayern noch nicht existieren und damit auch überregionale Attraktivität erlangen könnten: *Management im Gesundheitswesen* sowie *Immobilienwirtschaft*. Für die Ausbildung Management im Gesundheitswesen geht das Land von einer ausreichenden Zahl von Praktikumsplätzen in regionalen kirchlichen und öffentlichen Einrichtungen aus, aus denen auch qualifizierte Lehrbeauftragte gewonnen werden könnten. Die Berufschancen für Absolventen seien im Gesundheitsmanagement ebenso groß wie in der Immobilienwirtschaft. Öffentliche wie private Unternehmungen seien zunehmend auf fundiert ausgebildete Betriebswirte mit diesen zusätzlichen Spezialkenntnissen angewiesen. Eine endgültige Konzeption der Studienschwerpunkte hänge jedoch von der Nachfrage der Studienbewerber ab.

– Studiengang Wirtschaftsingenieurwesen

Im Studiengang Wirtschaftsingenieurwesen, der an keiner anderen Fachhochschule der weiteren Region angeboten wird, sollen 140 flächenbezogene Studienplätze errichtet werden. Dieser Studiengang setzt sich aus zweisemestrigen Grundstudien mit insgesamt 60 Semesterwochenstunden und einem sechssemestrigen Hauptstudium mit insgesamt 120 Semesterwochenstunden zusammen. Das dritte Semester ist als Praxissemester im technischen Bereich und das sechste Semester als Praxissemester im Aufgabengebiet des Wirtschaftsingenieurs abzuleisten. Es soll sich um angeleitete Praktika handeln, die durch praxisergänzende Lehrveranstaltungen an der Hochschule begleitet werden.

Die Studiengangsplanung, die sich grundsätzlich an der Rahmenstudienordnung des Jahres 1981 orientiert, wurde in einigen Punkten weiterentwickelt und aktualisiert. Besonders hervorzuheben ist in diesem Zusammenhang die verstärkte Berücksichtigung der Elektrotechnik und Elektronik sowie der anwendungsbezogenen Datenverarbeitung. Desweiteren sollen nunmehr ein Studienprojekt sowie weitere Fächer (Prozeßorganisation, Technologie- und Innovationsmanagement, Umwelttechnik, Qualitätsmanagement, Automatisierungstechnik sowie Beschaffung und Logistik) eingeführt werden. Das Studium soll in drei Blöcke – Angewandte Technik, Angewandte Betriebswirtschaft und Integrationsgebiete – gegliedert werden. Aus diesen Blöcken müssen die Studierenden jeweils zwei Wahlpflichtfächer auswählen. Aufgrund der

Wahlmöglichkeiten soll der Studiengang inhaltlich flexibler gestaltet werden.

Derzeit sind keine Studienschwerpunkte im Wirtschaftsingenieurwesen vorgesehen. Statt dessen sollen die Absolventen auf der Grundlage einer möglichst umfassenden Ausbildung für den Einsatz in weitgefächerten Tätigkeitsfeldern in den verschiedensten Bereichen der Wirtschaft befähigt werden. Besonders in der mittelständisch und handwerklich strukturierten Wirtschaftsregion „Westliches Mittelfranken" sieht das Land gute Berufschancen für die Absolventen dieses Studiengangs.

– Studiengang Bauingenieurwesen

Ausbauziel für den Studiengang Bauingenieurwesen sind 220 flächenbezogene Studienplätze. Innerhalb der Rahmenstudienordnung für diesen Studiengang sind zwei Studienrichtungen vorgesehen: *Allgemeines Bauingenieurwesen* und *Bauabwicklung/Baubetrieb*.

Beide Studienrichtungen verfügen über gemeinsame zweisemestrige Grundstudien mit insgesamt 60 Semesterwochenstunden. Davon entfallen 8 Semesterwochenstunden auf allgemeinwissenschaftliche Wahlpflichtfächer und Verfügungsstunden zur Verstärkung der Pflichtfächer. Praxissemester sind jeweils für das dritte und sechste Semester der Hauptstudien vorgesehen.

Die Studienrichtung Allgemeines Bauingenieurwesen basiert auf einer breiten Ausbildung mit relativ geringer Spezialisierung durch Studienschwerpunkte oder technische Wahlpflichtfächer. Für diesen Bereich sind im sechssemestrigen Hauptstudium 28 bzw. 30 von insgesamt 130 Semesterwochenstunden reserviert. Im siebten und achten Studiensemester können die Studierenden daraus zwischen den Schwerpunkten Bausanierung/Bauunterhalt (16 Semesterwochenstunden) und Stadt- und Verkehrsplanung (18 Semesterwochenstunden) wählen.

Das Hauptstudium der Studienrichtung Bauabwicklung/Baubetrieb umfaßt insgesamt 132 bis 136 Semesterwochenstunden, von denen zehn Semesterwochenstunden auf fachbezogene und allgemeinwissenschaftliche Wahlpflichtfächer entfallen.

– Studiengang Energie- und Umweltsystemtechnik

In diesem Studiengang sind 250 flächenbezogene Studienplätze mit den Studienschwerpunkten *Energie- und Umwelttechnik, Logistik und Systemtechnik* sowie *Bio- und Umweltverfahrenstechnik* geplant. Das Land ist der Ansicht, daß nur ein grundständiger Studiengang in der Lage ist, die Komplexität der Materie und den innewohnenden Grundsatz der Prävention vollständig zu berücksichtigen.

Die zweisemestrigen Grundstudien sollen 60 Semesterwochenstunden und das sechssemestrige Hauptstudium 106 Semesterwochenstunden umfassen. Die Praxissemester fallen auf das dritte und sechste Semester.

Der Studiengang ist in seiner Hauptkomponente ingenieurmäßig ausgerichtet. Diese Ausrichtung wird durch mathematisch-naturwissenschaftliches Grundlagenwissen (22 Semesterwochenstunden im Grundstudium) und Kenntnisse aus den Bereichen Betriebswirtschaftslehre und Recht (mit jeweils 4 Semesterwochenstunden) ergänzt. Die Absolventen sollen über Kompetenzen in der Planung, Entwicklung und Koordinierung eines umwelt- und energieoptimierten Produktzyklus', im Umwelt- und Energiemanagement, in der Abschätzung der Technologie- und Technikfolgen, in der Planung und Koordinierung des betrieblichen Umweltschutzes sowie energietechnischer Problemlösungen verfügen. Die Studienschwerpunkte werden mit insgesamt 24 Semesterwochenstunden im siebten und achten Semester eingeführt.

- Modulare Studiengänge „Fachkommunikation Technik“ und „Information und Dokumentation“

Der Strukturbeirat empfiehlt diese beiden neuartigen Studiengänge, da sie der Fachhochschule Ansbach ein eigenes Profil verleihen und ihr starke, weit überregionale Attraktivität für Studieninteressierte sichern sollen. Auch die regionale Wirtschaft hat nach Auskunft des Landes ihr Interesse an diesen auf ein Ausbauziel von insgesamt 100 flächenbezogenen Studienplätzen konzipierten Studiengängen bekundet, indem sie bereits jetzt Lehrbeauftragte und Praktikumsplätze in ausreichender Zahl anbietet. Ebenso seien Zusagen überregionaler Medien eingegangen, die die Einrichtung eines solchen Studiengangs seit geraumer Zeit im eigenen Interesse betrieben. Diese befürworteten sowohl seine Etablierung im Rahmen einer Fachhochschule als auch am zukünftigen Standort Ansbach.

Es liegen bereits Vorschläge zur Lehrplangestaltung dieser Studiengänge vor. In den jeweils zweisemestrigen Grundstudien sollen schwerpunktmäßig die erforderlichen technischen Grundkenntnisse sowie betriebswirtschaftliche Grundlagen vermittelt werden, während die Hauptstudien den fachspezifischen Inhalten gewidmet werden. Um den bestehenden Bedarf auf dem Arbeitsmarkt so schnell wie möglich zu befriedigen, sieht das Land vor, zunächst Ergänzungsstudiengänge dieser Ausrichtung anzubieten. Der Ergänzungsstudiengang „Information und Dokumentation“, dessen Planung bisher zwei Semester an der Hochschule mit 60 Semesterwochenstunden, ein zwischengeschaltetes Praxissemester und eine Abschlußarbeit beinhaltet, soll von Beginn an für Absolventen aller Fachrichtungen geöffnet werden. Der formal gleich strukturierte Ergänzungsstudiengang „Fachkommunikation“ soll dagegen zunächst auf Absolventen naturwissenschaftlicher oder technischer Studiengänge beschränkt bleiben.

Die Ausbildung des Studiengangs *Information und Dokumentation* hat ihren Schwerpunkt im Bereich Auffinden, Auswählen, Erschließen, Speichern, Auswerten und Präsentieren von technisch orientierten Dokumenten und ihres Informationsgehalts. Dazu sind auch technische Grundkenntnisse und ein Überblick über technisch-wirtschaftliche Zusammenhänge notwendig. Als akademischer Grad wird vorgeschlagen „Dipl. Dokumentar/in (FH)".

Im Studiengang *Fachkommunikation Technik* sollen technisches Grundwissen und Einblick in technische Zusammenhänge ebenso vermittelt werden wie betriebswirtschaftliche und journalistische Grundkenntnisse. Letztere sollen dem Umgang von Unternehmen mit der allgemeinen und fachlichen Öffentlichkeit sowie einer technisch orientierten Medien- und Öffentlichkeitsarbeit dienen. Als Abschlußbezeichnung empfiehlt der Strukturbeirat den akademischen Grad „Dipl. Fachjournalist/in (FH)" oder „Dipl. Fachkommunikationswirt/in (FH)". Die Befähigung zu journalistischer Arbeit sollte nach seiner Ansicht von der Hochschule in einer Eignungsprüfung festgestellt werden.

Zwischen diesen beiden Studiengängen sollten auch durch gemeinsames Lehrpersonal und gemeinsame Nutzung von Laboreinrichtungen Verknüpfungen geschaffen werden.

II. 2. Angebote der Fort- und Weiterbildung, Technologietransfer

Wie im Bayerischen Hochschulgesetz verankert, soll die Fachhochschule Angebote zur Fort- und Weiterbildung entwickeln. Dabei sollten mit den Trägern vorhandener Bildungseinrichtungen der Fachhochschule Nürnberg und der Abteilung Triesdorf der Fachhochschule Weihenstephan sowie den örtlichen Kammern zusammen Weiterbildungsmodule konzipiert werden. Diese Zusammenarbeit kann nach Ansicht des Strukturbeirates auch die Entwicklung eines Fernlehrkonzeptes zur Fort- und Weiterbildung einschließen.

Für den Technologietransfer soll eine Kooperation mit der in Nürnberg angesiedelten Technologie-Transfer-Agentur „Bayern Innovativ – Bayerische Gesellschaft für Innovation und Wissenstransfer mbH" durchgeführt werden. Im Präsidium dieser Gesellschaft, die aus Verkaufserlösen von Staatsbeteiligungen des Landes finanziert wird, sind auch die Fachhochschulen mit einem Vertreter präsent. In diesem Zusammenhang wird auch an die Durchführung anwendungsbezogener Forschungs- und Entwicklungsaufträge sowie externe Diplomarbeiten gedacht.

II. 3. Personelle und räumliche Ausstattung

Der personelle Bedarf der Fachhochschule Ansbach soll für die Anfangsphase aus dem im Sammelansatz des Haushaltes bis 1996 neu ausgebrachten Pool von 228 Stellen für die neuen Fachhochschulen gedeckt werden. Darüber hinaus ist zur Besetzung des Gründungsrektorats eine B2-Stelle im Haushalt verankert. Folgende Personalausstattung ist vorgesehen:

	Professuren
Betriebswirtschaftslehre	16
Wirtschaftsingenieurwesen	8
Bauingenieurwesen	17
Energie- u. Umweltsystemtechnik	19
Fachkommunikation Technik, IuD	6
	66

Dazu kommen 66 nichtwissenschaftliche Stellen für die Fachbereiche und die zentralen Einrichtungen.

Das Land geht für die Realisierung der 1000 flächenbezogenen Studienplätze von einer erforderlichen Hauptnutzfläche von rund 12000 m^2 aus. Zur Realisierung dieser Flächen werden auf der Grundlage der Kostenrichtwerte der Rahmenplanung 77,6 Millionen DM Baukosten und 7,7 Millionen DM Ersteinrichtungskosten angesetzt. Als Standort für die Fachhochschule ist das Gelände der ehemaligen Hindenburgkaserne mit 3,9 ha Areal in unmittelbarer Nähe zur Innenstadt vorgesehen. Einige der vorhandenen Gebäude sollen saniert und für Hochschulzwecke umgebaut werden. Die Gebäudesubstanz sei zu diesem Zweck geeignet. Auf den vorhandenen Freiflächen können Neubauten, die im umfangreichen Maße für den Lehr- und Laborbetrieb der Ingenieurstudiengänge notwendig sind, errichtet werden. Falls eine Sanierung zum Studienbeginn im Wintersemester 1996/97 nicht möglich sei, stelle die Stadt geeignete Provisorien zur Verfügung.

B. Stellungnahme

B. I. Zu Entwicklung und Ausbau der Fachhochschulen in Bayern

Da sich die Gesamtplanungen des Landes Bayern im Fachhochschulbereich seit der Stellungnahme des Wissenschaftsrates zur Neugründung von Fachhochschuleinrichtungen in AmbergWeiden, Ansbach, Aschaffenburg, Deggendorf, Hof, Ingolstadt und Neu-Ulm unverändert darstellen, verweist der Wissenschaftsrat auf diese Empfehlungen.[9]) Er hat aufgrund der sichtbaren Anstrengungen, die das Land nunmehr zum Ausbau des Fachhochschulbereichs unternehmen will – dies manifestiert sich auch in der Erhöhung der Ausbauzielzahlen an den sieben neuen Standorten von 5000 auf 7500 flächenbezogene Studienplätze – der Errichtung mehrerer kleiner, regionaler Einrichtungen zugestimmt. Er gibt jedoch nochmals zu bedenken, daß er grundsätzlich 1000 flächenbezogene Studienplätze je Standort als untere Kapazitätsgrenze von Fachhochschulen ansieht und deshalb vom Land erwartet, daß es nach Abschluß der ersten Aufbauphase darüber hinausgehende Ausbauplanungen für einzelne Standorte vorlegt und diese nutzt, um weitere innovative Studiengänge einzurichten.

Vor dem Hintergrund der nunmehr für den Standort Ansbach vorgelegten Studiengangsplanungen, die bereits einen gewissen Spielraum zur Gestaltung der Studiengänge durch die zu berufenden Professoren beinhalten, erneuert der Wissenschaftsrat seine Bitte an das Land, eine Flexibilisierung der im Bayerischen Hochschulgesetz verankerten Rahmenstudienordnungen vorzunehmen. Dies würde es den einzelnen Fachhochschulen erleichtern, mit ihren Studiengängen und -schwerpunkten in einen inhaltlichen Wettbewerb um Studieninteressenten einzutreten und eine Kooperation mit der regionalen Wirtschaft zu vertiefen. Darüber hinaus sollten die Rahmenstudienordnungen auf Studierbarkeit der verankerten Inhalte innerhalb der Regelstudienzeiten und den Gebrauch einer aktuellen Begrifflichkeit überprüft werden. Eine Vereinheitlichung der Studienverläufe, dies betrifft hauptsächlich die Dauer der Grundstudien, wird als eine Voraussetzung für eine modulare Verzahnung der Studiengänge angesehen.

B. II. Zu den Planungen des Landes Bayern zur Gründung einer Fachhochschule in Ansbach

Der Wissenschaftsrat hat bereits im Rahmen der genannten Stellungnahme zum Ausdruck gebracht, daß die Region Westmittelfranken geeignet sei, eine eigenständige Fachhochschuleinrichtung mit 1000 flächenbezogenen Studienplätzen und einem abgerundeten Studiengangsspektrum zu tragen.[10]) Aufgrund der aus der engeren Region zu erwartenden Nachfrage nach Studienplätzen, die die zur Verfügung stehenden Studienplätze zu rund 75 % auslasten dürfte, und aufgrund der im Vergleich zum übrigen Mittelfranken etwas schwächeren wirtschaftlichen Struktur Westmittelfrankens sollten in Ansbach neben den eher auf die Region bezogenen Studiengängen auch solche Studiengänge angeboten werden, die überregionale und teilweise landesweite Attraktivität entfalten können. Die Studiengangsplanungen des Landes berück-

9) Wissenschaftsrat: Stellungnahme zu den Planungen des Landes Bayern ..., a.a.O., S. 154–159.
10) Ebd., S. 170.

sichtigen diese Anforderungen und sind sinnvoll auf die unterschiedlichen Nachfragesituationen abgestimmt.

Die vom Wissenschaftsrat empfohlene organisatorische Vereinigung der Fachhochschule Ansbach mit der Abteilung Triesdorf der Fachhochschule Weihenstephan erscheint unter dem Bedarfs- und Tragfähigkeitsaspekt nicht mehr von grundsätzlicher Bedeutung. Dennoch hält er an seiner Empfehlung fest. Er erwartet von einer solchen Lösung, die sich auch wegen der wesentlich geringeren Entfernung zwischen Triesdorf und Ansbach als zwischen Triesdorf und Weihenstephan aufdrängt, eine verstärkte wechselseitige Bereicherung. Das Studienangebot von Ansbach würde durch weitere überregional attraktive Studiengänge erweitert. Ausbaufähige Berührungspunkte sind in den Umweltstudiengängen und in der Betriebswirtschaftslehre angelegt. Eine weitere Zusammenarbeit mit der Fachhochschule Weihenstephan vor allem in den landwirtschaftlichen Studiengängen bleibt von einer solchen Integration unberührt. Der Wissenschaftsrat hält es darüber hinaus nicht für nachteilig, wenn in Bayern künftig zwei Hochschulen „grüne" Schwerpunkte im Studienangebot haben. Er bittet das Land deshalb, die am Standort Triesdorf angebotenen Studiengänge in Form eines oder zweier Fachbereiche in die Fachhochschule Ansbach zu integrieren und darüber im Zusammenhang mit Anmeldungen zur Rahmenplanung zu berichten.

II. 1. Zum Studiengangsangebot

Das Land hat im Hinblick auf die oben genannten Aspekte sinnvolle Studiengangsplanungen vorgelegt. Während die Betriebswirtschaftslehre, das Wirtschaftsingenieurwesen und das Bauingenieurwesen hauptsächlich Studienberechtigte der Region ansprechen sollen, zielen die Studiengänge Energie- und Umweltsystemtechnik, Fachkommunikation Technik sowie Information und Dokumentation auf landesweites Interesse. Diese Planungen sind bei der vorgesehenen Kapazität von 1000 flächenbezogenen Studienplätzen jedoch nur dann abbildbar, wenn alle Studiengänge mit einer ausreichenden Grundausstattung versehen werden und, von dieser Basis ausgehend, eine vorsichtige Modularisierung und Verzahnung angestrebt wird. Der Wissenschaftsrat hält es in diesem Zusammenhang für sinnvoll, wenn auf der Grundlage der angesprochenen Modularisierung möglichst nur drei Fachbereiche gebildet werden. Eine solche Organisationsstruktur erscheint am ehesten geeignet, eine studiengangsübergreifende Kooperation zu fördern.

Der Wissenschaftsrat gibt außerdem zu bedenken, daß die Planungen besonders von einzelnen Studienschwerpunkten innerhalb der klassischen Studiengänge nochmals daraufhin überprüft werden sollten, daß sie sich nicht nur von den Angeboten der Fachhochschule Nürnberg unterscheiden und abgrenzen; sie sollten vielmehr gemeinsam ein für die weitere Region Mittelfranken sinnvolles Gesamtkonzept bereitstellen und dabei die am jeweiligen Ort befindlichen Ressourcen optimal nutzen. In diesem

Sinne ist es begrüßenswert, daß das Land der künftigen Fachhochschule Ansbach die notwendigen Freiräume eröffnet, Studienschwerpunkte entsprechend den aktuellen Bedürfnissen der Wirtschaft und der Region zu gestalten.

Die *Betriebswirtschaftslehre* soll nach dem Willen des Landes kapazitiv den Kernbereich der Fachhochschule Ansbach bilden. Es werden fünf Schwerpunkte zur Einrichtung vorgesehen, von denen drei auf den Bedarf der engeren Region und zwei auf den überregionalen Bedarf ausgerichtet sind. Sie weisen keine Überschneidungen mit den am Standort Nürnberg angebotenen Schwerpunkten auf. Die drei klassischen Schwerpunkte „Rechnungswesen und Controlling", „Finanz-, Bank- und Investitionswirtschaft" sowie „Organisation und Wirtschaftsinformatik" beziehen sich einheitlich auf den Bereich „Finanz/Controlling" der Betriebswirtschaftlehre. Dies erscheint zwar in sich schlüssig, sollte jedoch im Sinne eines für die Gesamtregion optimalen Schwerpunktangebotes von den Fachhochschulen Ansbach und Nürnberg überdacht werden. Der Wissenschaftsrat bittet das Land außerdem, die Studiengangsplanungen mit dem Ziel zu überprüfen, dem Standardbereich Marketing/Wirtschaftskommunikation einen größeren Stellenwert einzuräumen. Dies muß nicht notwendigerweise in Form eines Schwerpunktes geschehen. Der weitere Aufbau von Schwerpunkten sollte zu gegebener Zeit nochmals überprüft werden. Vor dem Hintergrund der Integration der in Triesdorf angebotenen Studiengänge in die Fachhochschule Ansbach sollte überlegt werden, ob ein Schwerpunkt „landwirtschaftliche Betriebswirtschaftslehre" eine sinnvolle Ergänzung bedeuten könnte. Ein Schwerpunkt „Gesundheitswesen" scheint grundsätzlich geeignet, das Studiengangsspektrum an bayerischen Fachhochschulen zu bereichern. Er könnte dazu beitragen, daß auch Studierende aus der überfüllten Fachhochschule Nürnberg und einem weiteren Umkreis einen Studienplatz an der Fachhochschule Ansbach annehmen. Dies gilt ebenso für den geplanten Schwerpunkt „Immobilienwirtschaft". Es müßte jedoch geprüft werden, ob ein solches Angebot im Rahmen der vorgesehenen 16 Professuren angemessen verwirklicht werden kann. Der Anteil an Lehrbeauftragten sollte 20 % nicht überschreiten.

Die Studiengangsplanungen im *Wirtschaftsingenieurwesen* sollten auf der Grundlage neuer fachlicher Entwicklungen und mit Blick auf eine Reduktion der Semesterwochenstunden besonders im Grundstudium überarbeitet werden. Der Wissenschaftsrat empfiehlt der Hochschule, in der Phase der Erprobung der Studiengänge Fachkommunikation Technik sowie Information und Dokumentation in Form von Ergänzungsstudiengängen die Möglichkeiten zu einer behutsamen modularen Verzahnung der technischen Anteile der Grundstudien mit dem Wirtschaftsingenieurwesen zu überprüfen, um damit die relativ geringen kapazitiven Möglichkeiten der drei Studiengänge optimal zu nutzen. Ebenso könnte eine modulare Verzahnung mit dem Studiengang Betriebswirtschaftslehre angestrebt werden.

Der Studiengang *Bauingenieurwesen* hat einen besonders ausgeprägt regionalen Bezug. Aus diesem Grund sollte überdacht werden, ob die geplante Studienrichtung „Bauabwicklung/Baubetrieb“, die in der bayerischen Rahmenstudienordnung beinahe wie ein eigenständiger Studiengang angelegt ist, inhaltlich notwendig und kapazitiv abbildbar ist. Sinnvoller erscheint vielmehr, sie in die Form eines Studienschwerpunktes zu überführen und neben dem Schwerpunkt „Allgemeiner Ingenieurbau“ anzubieten. Es sollten außerdem für alle Studierenden im Grundstudium Elemente der Bausanierung/unterhaltung angeboten werden. Ein Schwerpunkt „Stadt- und Regionalplanung“ erscheint dagegen entbehrlich, da ihm auf dem Arbeitsmarkt keine nennenswerte Nachfrage entspricht. Verkehrsplanerische Anteile gehören hingegen zum Standard in der Bauingenieurausbildung. Eine interessante Bereicherung der Ausbildung könnte durch eine Verbindung zum Schwerpunkt „Immobilienwirtschaft“ der Betriebswirtschaftslehre entstehen. Der Wissenschaftsrat hält es jedoch für bedenklich, wenn, wie in der vorliegenden Planung, Managementelemente die konstruktiven Elemente des Studiengangs überlagern und damit die Konturen gegenüber dem Wirtschaftsingenieurwesen verwischt werden. Er plädiert nachdrücklich für den Erhalt eines einheitlichen Bauingenieurwesens, das jedoch in angemessener Zeit studierbar bleiben muß.

Vor diesem Hintergrund und angesichts der schwer einschätzbaren mittelfristigen Entwicklungschancen des Baugewerbes erscheint es dem Wissenschaftsrat gerechtfertigt, die auf 220 flächenbezogene Studienplätze und 17 Professuren ausgelegte Kapazität des Studiengangs Bauingenieurwesen zugunsten der innovativen und überregional attraktiven Studiengänge Fachkommunikation Technik sowie Information und Dokumentation auf 170 flächenbezogene Studienplätze und 12 bis 13 Professuren zu reduzieren.

Die angestrebte Breite des Studiengangs *Energie- und Umweltsystemtechnik* sollte zugunsten von Schwerpunktbildungen stärker strukturiert werden. Es ist nach Ansicht des Wissenschaftsrates nicht möglich, die beiden in der Studiengangsplanung verankerten Ansätze der System- und Umweltorientierung in der Produkt- und Organisationsplanung sowie der Verfahrenstechnik einschließlich des Apparatebaus sinnvoll abzubilden. Auch in diesem Falle sollten die Fachhochschulen Ansbach und Nürnberg Freiräume für einen Abgleich ihrer Schwerpunkte mit dem Ziel der regionalen Optimierung des Angebotes erhalten. Verfahrenstechnische Studienanteile sind weit überproportional in der Studiengangsanlage vertreten. Bei einer Überprüfung dieser Studienanteile sollte jedoch darauf geachtet werden, daß die Affinität der Energie- und Umweltsystemtechnik zum Studiengang Umweltsicherung (Boden und Wasser) in Triesdorf durch entsprechende Lehrangebote auf beiden Seiten fachlich untermauert wird.

Die modularen Studiengänge *Fachkommunikation Technik* sowie *Information und Dokumentation* stellen nach Ansicht des Wissenschaftsrates einen ersten Schritt zu einem innovativen Fächerprofil dar, das die überregionale Attraktivität der Fachhochschule Ansbach erhöhen dürfte. Aus diesem Grund befürwortet er die Verschiebung von 50 flächenbezogenen Studienplätzen und vier bis fünf Professuren aus dem Bereich des Bauingenieurwesens in diese Studiengänge. Somit würde auch eine ausreichende Basis für die notwendige Breite der Studiengänge mit internationalen Bezügen hergestellt und die Probleme, die sich bei einer überzogenen modularen Verzahnung z. B. mit dem Wirtschaftsingenieurwesen ergeben würden, gemindert werden. Da die Gestaltung beider Studiengänge ein Experiment darstellt, sollte ihre vollständige Modularisierung nicht von Beginn an aus Kapazitätsgründen festgeschrieben werden müssen. Vielmehr wird eine angemessene Grundausstattung wie für alle anderen Studiengänge als erforderlich angesehen.

Die Einführung von Fachkommunikation Technik sowie Information und Dokumentation in Form von Ergänzungsstudiengängen wird positiv bewertet, da sich in dieser Phase sowohl die inhaltlichen Anforderungen der Medienwirtschaft an die Studiengänge deutlicher ausprägen dürften als auch erste Erfahrungen mit der quantitativen Aufnahmebereitschaft des Arbeitsmarktes für Praktikanten und Absolventen gemacht werden. Das Land wird gebeten, die Erfahrungen, die in anderen Ländern mit vergleichbaren Modellstudiengängen gemacht wurden, bei seinen Planungen zu berücksichtigen.

II. 2. Zu den Angeboten der Fort- und Weiterbildung, Technologietransfer

Da die Planungen des Landes für die Fachhochschule Ansbach in diesen Bereichen keine über die bisherigen Überlegungen hinausgehenden Aspekte aufweisen, erinnert der Wissenschaftsrat an seine im Zusammenhang mit den Neugründungen gemachten Empfehlungen.[11])

II. 3. Zur personellen und räumlichen Ausstattung

Auf der Grundlage der inhaltlichen Anforderungen, die sich aus der vorgesehenen Kombination von Studiengängen und der Gestaltung der einzelnen Studiengänge ergeben, beurteilt der Wissenschaftsrat die vom Land vorgesehene Personalausstattung im wissenschaftlichen Bereich als angemessen. Dagegen hält er die vorgesehene Stellenzahl für nichtwissenschaftliche Mitarbeiter wegen des starken Anteils technischer Studiengänge für zu gering.

Der Wissenschaftsrat, der die vom Land zur Unterbringung der Fachhochschule vorgesehene Hindenburg-Kaserne als grundsätzlich geeignet einstuft, weist das Land darauf hin, daß bei der Herrichtung und Sanie-

11) Ebd., S. 156 ff.

rung der bestehenden und teilweise denkmalgeschützten Gebäude die auf der Grundlage der Richtwerte der Hochschulrahmenplanung anzusetzenden vergleichbaren Neubaukosten nicht überschritten werden dürfen. Die vom Land zum jetzigen Zeitpunkt vorgelegten Kostenschätzungen für Baumaßnahmen und Ersteinrichtung entsprechen diesen Richtwerten.

Aus den genannten Gründen behält sich der Wissenschaftsrat eine Stellungnahme zu den notwendigen Baumaßnahmen für den Zeitpunkt vor, zu dem das Land Einzelvorhaben zur Rahmenplanung anmeldet. In diesem Zusammenhang wird es gebeten, über die fachliche und kapazitive Entwicklung der Fachhochschule zu berichten.

C. Zusammenfassende Empfehlung

Auf der Grundlage seiner Stellungnahme zu den Planungen des Landes Bayern für die Gründung neuer Fachhochschuleinrichtungen aus dem Jahre 1994 hält der Wissenschaftsrat an seiner damals getroffenen Feststellung fest, daß die Region Westmittelfranken grundsätzlich eine tragfähige Basis für die Errichtung einer weiteren selbständigen Fachhochschuleinrichtung mit 1000 flächenbezogenen Studienplätzen und einem abgerundeten Studiengangsspektrum darstellt. Das Land sieht nunmehr über die auf die engere Region bezogenen Studiengangsplanungen hinaus auch überregional attraktive und innovative Studienangebote vor, die zur Sicherung des Standortes maßgeblich beitragen dürften. Zur Gestaltung der Studiengänge werden einige Hinweise in der vorliegenden Stellungnahme gegeben.

Der Wissenschaftsrat nimmt diese Empfehlung zum Anlaß, das Land zu bitten, die Integration der Abteilung Triesdorf der Fachhochschule Weihenstephan in die Fachhochschule Ansbach durchzuführen und damit die gegebenen fachlichen Anknüpfungspunkte sowie die enge räumliche Verbindung beider Standorte zum gemeinsamen Vorteil zu nutzen. Es sollte überprüft werden, wie die jeweiligen Studiengänge z. B. durch die Konzeption spezieller Schwerpunkte enger aufeinander bezogen werden können.

Zum Aufbau der Fachhochschule Ansbach hält er die vom Land vorgesehene Hindenburg-Kaserne grundsätzlich für geeignet. Die notwendigen Bau- und Sanierungskosten sollten jedoch nicht die an den Richtwerten der Rahmenplanung orientierten Kosten für einen entsprechenden Neubau überschreiten. Die Zahl der Stellen im wissenschaftlichen Bereich erscheint aufgrund der inhaltlichen Anforderungen der Studiengänge angemessen, während die Stellen im nichtwissenschaftlichen Bereich zu knapp bemessen sind.

Das Land sollte im Zusammenhang mit der Anmeldung von Vorhaben zur Rahmenplanung über die fachliche, personelle und räumliche Entwicklung der Fachhochschule Ansbach sowie über die Integration der Studiengänge der Abteilung Triesdorf berichten.

Der Wissenschaftsrat empfiehlt die Aufnahme der Fachhochschule Ansbach in die Anlage zum Hochschulbauförderungsgesetz mit Wirkung zum 1. Januar 1996.

Stellungnahme zur Aufnahme der Nordakademie Pinneberg in das Hochschulverzeichnis des Hochschulbauförderungsgesetzes

vom Juli 1996

Inhalt

Vorbemerkung

Mit Schreiben vom 15. November 1995 hat das Ministerium für Wissenschaft, Forschung und Kultur des Landes Schleswig-Holstein den Wissenschaftsrat um eine Stellungnahme zur Aufnahme der zunächst befristet staatlich anerkannten Nordakademie Pinneberg in die Anlage zum Hochschulbauförderungsgesetz gebeten. Bereits am 12. April 1995 hat eine Arbeitsgruppe des Wissenschaftsrates, die die gleichzeitig vorgelegten „Empfehlungen zur weiteren Differenzierung des Tertiären Bereichs durch duale Fachhochschul-Studiengänge" vorbereitet hat, die Nordakademie besucht, um das dortige Studiengangmodell kennenzulernen. Dabei wurde auch die bereits im Oktober 1993 geäußerte Bitte des Landes um eine Stellungnahme zur geplanten unbefristeten Erteilung der staatlichen Anerkennung geprüft.

Der Wissenschaftsrat hat zur Vorbereitung seiner Stellungnahme zur Nordakademie, die beide Anliegen des Landes berücksichtigt, eine weitere Arbeitsgruppe eingesetzt, die sich ausschließlich mit der Aufnahme der Nordakademie in das Hochschulbauförderungsgesetz befaßt hat. Deren Einschätzung wurde zusammen mit den Ergebnissen der Arbeitsgruppe „Differenzierung im Tertiären Bereich" zum spezifischen Studiengangkonzept verflochten und abschließend übergreifend von beiden Arbeitsgruppen beraten. Den Arbeitsgruppen gehörten auch Sachverständige an, die nicht Mitglieder des Wissenschaftsrates sind. Ihnen ist der Wissenschaftsrat zu besonderem Dank verpflichtet.

Der Wissenschaftsrat hat die Stellungnahme am 12. Juli 1996 verabschiedet.

A. Ausgangslage

A. I. Entstehung, Rechtsstellung und Organisation der Hochschule

Die Nordakademie ist eine – derzeit befristet bis Ende 1996 – staatlich anerkannte private Fachhochschule mit Sitz in Pinneberg, die ausschließlich duale Studiengänge im Kooperationsverbund von Hochschule und Wirtschaft anbietet. Träger ist die „Nordakademie gemeinnützige GmbH", die im Februar 1992 unter Federführung der NORDMETALL als Trägergesellschaft mit dem Zweck der Errichtung und des Betriebs einer staatlich anerkannten Fachhochschule im Sinne des schleswig-holsteinischen Hochschulgesetzes gegründet wurde.

Der Gründung der Nordakademie ging in den 80er Jahren eine Debatte um die Angleichung der schleswig-holsteinischen Berufsakademie und der Wirtschaftsakademie Hamburg an das baden-württembergische Berufsakademie-Modell und eine damit verbundene Ausweitung des Theorieanteils der dortigen Ausbildung sowie die Vergabe eines Diploms voraus. Nachdem eine entsprechende Angleichung nicht zuletzt aufgrund der fehlenden überregionalen Anerkennung der Abschlüsse der Berufsakademie abgelehnt wurde, ergab sich jedoch bei denjenigen Unternehmen, die an der – für Berufsakademien atypisch – auf vier Jahre angelegten Ausbildung zum Wirtschaftsingenieur/in (BA) mitwirkten, eine klare Mehrheit für eine Umwandlung der Berufsakademie in eine private Fachhochschule. Nach Erklärung des Trägers der Berufsakademie, die Gründung einer privaten Fachhochschule nicht vornehmen zu wollen, haben sich unter Federführung des Arbeitgeberverbandes der Metall- und Elektroindustrie e.V. NORDMETALL zunächst 23, später 28 Gesellschafter zur Gründung einer Trägergesellschaft für die geplante Fachhochschule bereitgefunden.

Im Oktober 1992 wurde der Nordakademie vom Ministerium für Wissenschaft, Forschung und Kultur des Landes Schleswig-Holstein gemäß § 106 des Gesetzes über die Hochschulen im Lande Schleswig-Holstein (HSG) die befristete staatliche Anerkennung als Fachhochschule erteilt.[1]) Dabei wurden Auflagen und Nebenbedingungen formuliert. In diesem Zusammenhang galten wesentliche Punkte der Sicherung

- von Zulassungsvoraussetzungen, wie sie denjenigen für ein Studium an einer Fachhochschule des Landes Schleswig-Holstein entsprechen (§ 73 HSG);

- einer Gesamtstundenzahl der Hochschulveranstaltungen von mindestens 2450 (ohne die in jedem Semester stattfindenden Praktikumsphasen in den Betrieben), bei einer Regelstudienzeit, die derjenigen vergleichbarer Studiengänge an staatlichen Fachhochschulen entspricht;

- einer inhaltlichen und zeitnahen Verzahnung der Theorieveranstaltungen mit den betrieblichen Praktikumsphasen;

- der wissenschaftlichen Neutralität der Diplomarbeitsthemen. Diese dürfen sich nicht zwingend auf betriebliche Fragestellungen des Betriebes beziehen, in dem die Studierenden als Praktikant tätig sind;

- der Ausrichtung von Studien- und Prüfungsordnungen und der Hochschulverfassung an den allgemeinen Richtlinien des HSG;

- der Festlegung der Qualifikationsanforderungen an hauptamtliche Dozenten entsprechend den Erfordernissen, wie sie für andere Fachhochschulen des Landes gelten (§ 97 HSG) sowie eines überwiegenden Einsatzes hauptamtlicher Dozenten (70 % des Lehrangebots);

1) Anerkennungsbescheid der Ministerin für Bildung, Wissenschaft, Kultur und Sport des Landes Schleswig-Holstein vom 22.10.1992.

- der Mitwirkung der Hochschulangehörigen an der Gestaltung des Studiums (sinngemäße Anwendung der Grundsätze des HSG) und der Unabhängigkeit der Hochschule von Weisungen der Trägergesellschaft in Studienangelegenheiten;

- der Finanzierung der Hochschule durch Mittel der Trägergesellschaft und durch vertraglich mit den Kooperationsbetrieben vereinbarte Studiengebühren. Gleichzeitig schloß das Land im Anerkennungsbescheid von 1992 eine Mitfinanzierung aus.

Die Aufnahme des Studienbetriebs erfolgte im April 1993 mit 198 Studierenden in der Fachrichtung Wirtschaftsingenieurwesen.2) Anfang 1994 wurden zwei weitere Studiengänge Betriebswirtschaft und Wirtschaftsinformatik – ebenfalls nach dem dualen Prinzip eingerichtet.

Die innere Organisation der Hochschule ist analog § 12 HSG durch Satzung geregelt. Neben den darin festgelegten Organen Senat, Rektorat3) und Studentenvertretung umfaßt die Hochschule als Gremien mit beratender Funktion einen Betrieblichen und einen Wissenschaftlichen Beirat, eine Ausbildungskonferenz und einen Arbeitskreis Wirtschaftsinformatik.

Neben seiner Aufgabe, über Studien- und Prüfungsordnungen zu beschließen, entwickelt der Senat die Grundlagen der Personal- und Investitionsplanung, die mit der Gesellschafterversammlung abgestimmt werden müssen. Der Wissenschaftliche Beirat besteht aus externen Professoren von Universitäten und Fachhochschulen und berät die Nordakademie in allen Fragen der Gestaltung des Studiums. Der drei- bis viermal jährlich zusammenkommende Betriebliche Beirat, der sich aus Bildungsfachleuten und Vertretern der kooperierenden Unternehmen zusammensetzt, berät Hochschulsenat und Geschäftsführung sowie Aufsichtsrat der Trägergesellschaft bei Fachfragen und Entwicklungen, die Auswirkungen auf die Verknüpfung von Studium und Praxisausbildung haben. Ihm obliegt besonders die Entwicklung von Musterausbildungsplänen sowie die Sicherstellung einer curricularen Verbindung von Praxisausbildung und Theoriestudium. In der jährlich stattfindenden Ausbildungskonferenz, in der die koopererierenden Betriebe vertreten sind, werden allgemeine, das duale Ausbildungsmodell betreffende Fragen diskutiert, Erfahrungen ausgetauscht und der kommende Ausbildungsjahrgang hinsichtlich der Reservierung von Studienplätzen vorbereitet.

2) 52 Erstsemester und 146 Studierende, die zunächst eine Ausbildung an der schleswig-holsteinischen Berufsakademie begonnen, dort 2, 4 oder 6 Semester absolviert hatten und die nach einer Einstufungsprüfung gem. § 73a des schleswig-holsteinischen Hochschulgesetzes in entsprechende Studienabschnitte des Fachhochschulstudiums zugelassen worden waren.

3) In Senat und Rektorat sind weder Gesellschafter noch Aufsichtsratsmitglieder vertreten.

Die Ablauforganisation der Nordakademie ist in der Grundstruktur derjenigen staatlicher Fachhochschulen vergleichbar. Sie weist jedoch aufgrund der privaten Trägerschaft und der Konzeption des Studienangebots als duale Studiengänge einige Besonderheiten auf. So z. B. die Tatsache, daß der Rektor von der Trägergesellschaft ernannt[4]) und gleichzeitig Geschäftsführer ist. Zudem sind der Hochschulleitung Bereiche wie Akquisition, Firmenbetreuung und Öffentlichkeitsarbeit angelagert. Der weiteren Binnenstrukturierung dienen die Fachgebietsleiter, die als hauptamtliche Dozenten für die fachliche Leitung der zentralen Fachgebiete[5]) der Studiengänge vorgesehen sind. Sie sind neben der konzeptionellen Tätigkeit auch für die Einarbeitung und Betreuung der Lehrbeauftragten zuständig.

A. II. Bedeutung für die Hochschulstruktur des Landes

Studiengänge im Bereich Wirtschaftsinformatik werden in Schleswig-Holstein neben der Nordakademie an den Fachhochschulen Flensburg und an der staatlich anerkannten privaten Fachhochschule Wedel angeboten. Betriebswirtschaft wird an drei weiteren Fachhochschulen angeboten (Flensburg, Heide und Kiel) und Wirtschaftsingenieurwesen neben der Nordakademie als grundständiger Studiengang auch an den Fachhochschulen Lübeck und Wedel sowie als Aufbaustudiengang an den Fachhochschulen Kiel und Wedel. Alle drei Studiengänge sind auch Bestandteil des Studienangebots an der Fachhochschule Hamburg.[6]) Dabei handelt es sich jedoch jeweils um herkömmliche Studiengänge, bei denen der Praxisbezug im Rahmen der theoretischen Veranstaltungen an der Hochschule und zweier Praxissemester gewährleistet wird. Duale Studiengänge mit einem blockweisen Wechsel und einer inhaltlichen Abstimmung von Theorie- und Praxisphasen werden in Schleswig Holstein bislang ausschließlich von der Nordakademie angeboten.[7]) Sie hält in den Studiengängen Wirtschaftsingenieurwesen und Betriebswirtschaftslehre jeweils 60 und im Studiengang Wirtschaftsinformatik 25 Studienplätze bereit. Aufgrund der Studiengangkonzeption ist es möglich, die Studienplätze zweimal im Jahr zu besetzen.

Das Land mißt besonders dem Studienangebot der Nordakademie zum Wirtschaftsingenieurwesen und zur Betriebswirtschaftslehre eine hohe Bedeutung zu, da die diesbezügliche Studiennachfrage im Lande seit

4) Der Prorektor hingegen wird aus dem Professorenkreis (ohne Beteiligung der Studierenden) gewählt.

5) Konstruktion, Maschinenlehre; Meß-, Steuerungs- und Regeltechnik; praktische Informatik; allgemeine BWL, Rechnungswesen; Industriebetriebslehre, Logistik; Unternehmensführung, Controlling.

6) Technische Informatik mit Studienschwerpunkt Elektrotechnik und technische BWL.

7) Die FH Heide beabsichtigt im Herbst 1996 mit einem „trialen Studiengang“ Betriebswirtschaft zu starten, bei dem in einer insgesamt fünfjährigen Ausbildungszeit die Berufsausbildung zum Bankkaufmann/-kauffrau mit dem Studium der Betriebswirtschaft verknüpft werden soll.

1990 kontinuierlich gestiegen ist und die an den staatlichen Fachhochschulen bestehenden Aufnahmekapazitäten übersteigt, so daß in Wirtschaftsingenieurwesen an den Fachhochschulen Kiel (Aufbaustudium) und Lübeck (grundständig) und in Betriebswirtschaftslehre in Flensburg, Heide und Kiel eine Zulassungsbeschränkung besteht.

Im Wirtschaftsingenieurwesen stellt das Studienangebot der Nordakademie mit rund 33 % aller Studienanfänger in den grundständigen Studiengängen eine für die landesweite Bedarfsbefriedigung nicht zu vernachlässigende Größe dar. Ähnliches gilt für das Studienangebot in der Betriebswirtschaftslehre, wo rund 10 % aller Studienanfänger auf die Nordakademie entfallen. Das Land gibt an, daß es auch diese Entlastung als unentbehrlich erachtet. Die Nachfrage in der Wirtschaftsinformatik ist hingegen seit 1990 um rund 38 % rückläufig und hat sich deutlich entspannt. Daher wird rein aus Bedarfsgesichtspunkten dem Studiengang an der Nordakademie ein geringeres Gewicht beigemessen. Jedoch wird hier – ebenso wie bei den anderen Studienangeboten der Nordakademie – durch die duale Ausgestaltung eine wesentliche Ergänzung des herkömmlichen Studienangebots gesehen.

Zum Zeitpunkt der Aufstellung des Landeshochschulplanes 1990/91, der das maßgebliche Planungsinstrument für die Weiterentwicklung des Hochschulwesens in Schleswig-Holstein bildet, waren die Schritte zur Gründung der Nordakademie noch nicht bekannt und haben daher noch keine Berücksichtigung finden können. Gegenwärtig erwägt das Land eine Verstärkung der wirtschaftswissenschaftlichen Elemente an den staatlichen Fachhochschulen durch die Einführung eines Studienganges Betriebswirtschaft an der Fachochschule Lübeck. Darüber hinaus plant die Fachhochschule Flensburg, einen Studiengang mit der Ausrichtung Wirtschaftsingenieurwesen einzurichten, über den jedoch von Seiten des Landes noch nicht entschieden ist. Im übrigen schreitet der Ausbau der Fachhochschule Westküste im Bereich Betriebswirtschaftslehre planmäßig voran. Nach Meinung des Landes ist aufgrund der andersartigen dualen Studiengangkonzeption an der Nordakademie nicht mit einer gegenseitigen negativen Beeinflussung dieser landesseitigen Ausbauplanung mit derjenigen der Nordakademie zu rechnen.

A. III. Studienangebot

III. 1. Zulassungsbedingungen und Bewerberzahlen

Neben der allgemeinen Zulassungsvoraussetzung (allgemeine Hochschulreife oder Fachhochschulreife) muß der Studienbewerber einen Praktikantenvertrag mit einem Betrieb nachweisen. Darüber hinaus muß der Ausbildungsbetrieb einen Kooperationsvertrag mit der Nordakademie abschließen. Die Nordakademie stellt für Studieninteressenten rund ein Jahr vor dem nächsten Aufnahmetermin Firmenlisten zusammen, in denen Betriebe verzeichnet sind, die Ausbildungsplätze für den Praxisteil zur Verfügung stellen.

Der Praktikantenvertrag wird für die gesamte Studien- und Ausbildungszeit von vier Jahren geschlossen. Er enthält die Vereinbarung, daß im Betrieb eine auf die Studienrichtung abgestimmte Praxisausbildung durchgeführt wird, wobei die Nordakademie einen Musterpraktikantenvertrag zur Verfügung stellt. Er regelt auch die Ausbildungsvergütung, die den Studierenden – i.d.R. angelehnt an die tarifliche Vergütung für Auszubildende – durchgängig während der vierjährigen Studien- und Ausbildungszeit gezahlt wird.

Mit dem Kooperationsvertrag verpflichten sich die Betriebe zur Einhaltung der seitens der Nordakademie mit den Rahmenplänen (Musterausbildungsplänen) für den Praxisteil der Studiengänge vorgegebenen Ausbildungsstandards. Dadurch werden die in Bezug auf Branche, Betriebsgröße und -organisation recht heterogenen Betriebe auf einheitliche Kooperationsstandards verpflichtet. Für Unternehmen, die einzelne der vorgeschriebenen Ausbildungsabschnitte nicht im eigenen Unternehmen durchführen können, besteht die Möglichkeit einer Verbundausbildung (Poolbildung) in Partnerschaft mit anderen Unternehmen oder überbetrieblichen Ausbildungszentren. Hinsichtlich der Ausgestaltung der praktischen Ausbildung werden die Betriebe individuell beraten.

In der überwiegenden Zahl der Fälle erfolgt die Auswahl der Studieninteressenten ausschließlich durch den Ausbildungsbetrieb. Auf Anforderung wirkt die Nordakademie bei den Bewerbungsgesprächen beratend mit. Darüber hinaus schließt der Studierende einen Studienvertrag mit der Nordakademie. Eine Immatrikulation erfolgt erst mit Nachweis der Studienqualifikation und Abschluß dieser beiden Verträge.

Das Land weist im Zusammenhang mit der abweichenden Zulassungspraxis darauf hin, daß die Nordakademie hinsichtlich der von ihr angebotenen Studienfächer keine Monopolstellung im Lande inne habe, da Studieninteressenten, die aufgrund der zu geringen Anzahl von Unternehmen vor Ort nicht zu einem Studium an der Nordakademie zugelassen werden, die Möglichkeit haben, das gewünschte Studienfach an einer anderen Fachhochschule des Landes zu belegen. Hinzu komme, daß aufgrund des Status als private Fachhochschule andere Aufnahmekriterien als an staatlichen Einrichtungen vertretbar seien, wie z.B. ein Abhängigmachen von der Zahlung von Studiengebühren.

Für das Wintersemester 1994/95 bewarben sich bei den kooperierenden Ausbildungsbetrieben im Studiengang Wirtschaftsingenieurwesen rund 800, im Studiengang Betriebswirtschaft rund 450 und im Studiengang Wirtschaftsinformatik rund 150 Studieninteressenten. Davon wurden 60 bzw. 52 und 19 Studieninteressenten zugelassen.

III. 2. Studiengänge und Studentenzahlen

Die insgesamt 4jährige Studiendauer umfaßt in allen drei Studiengängen ein Fachhochschulstudium mit ca. 2500 Stunden zuzüglich einer mit dem Theorieteil an der Hochschule zeitlich und inhaltlich verzahnten betrieblichen Ausbildung von insgesamt 95 bis 100 Ausbildungswochen. Jedes Halbjahr widmet sich der Studierende 14 Wochen der praktischen Studienphase im Betrieb. Neun Wochen des Studiums sind an der Fachhochschule vorgesehen. Die Ausbildung beginnt jeweils zum ersten Oktober mit dem Praxisteil. Der erste Theorieblock schließt sich im Januar des Folgejahres an. Das mit dem Vordiplom abschließende Grundstudium umfaßt vier Semester. Im Verlauf des Grundstudiums sind je nach Studiengang bis zu zehn, im Verlauf des Hauptstudiums bis zu zwölf Prüfungen studienbegleitend abzulegen.

Zur inhaltlichen Schwerpunktbildung steht für das siebte und achte Semester ein Katalog von Wahlpflichtfächern zur Auswahl, aus dem zwei gewählt werden müssen. Ebenfalls im siebten und achten Semester ist ein praxisbezogenes Forschungsprojekt vorgesehen, dessen inhaltlicher Schwerpunkt sowohl seitens des Studenten als auch seitens des Unternehmens initiiert werden kann. Mit der Erstellung der Diplomarbeit[8]), für die ein Zeitraum von zwölf Wochen vorgesehen ist, und einem anschließenden Kolloquium im achten Semester wird das Studium abgeschlossen. Aufgrund der abgeschlossenen Praktikantenverträge besteht für die Studierenden Anwesenheitspflicht bei den Lehrveranstaltungen der Nordakademie.

Seit kurzem können die Studierenden auch wahlweise das fünfte Semester an einer Partnerhochschule im Ausland absolvieren. Zur Auswahl stehen dabei zehn – meist private – Einrichtungen in England, Spanien, den USA und Skandinavien.[9]) Mit diesen Hochschulen, die ebenfalls im ökonomischen Bereich ausbilden, sind entsprechende Kooperationsvereinbarungen abgeschlossen, ohne daß eine Abstimmung der Studieninhalte erfolgt.

Etwa die Hälfte der Praxisphasen dient der Vermittlung von Basiswissen. Im Anschluß daran erfolgt in längeren Abschnitten die Mitarbeit in einzelnen Abteilungen/Bereichen des Betriebs sowie die Mitarbeit an Projekten. Die Rahmenpläne für den Praxisteil der Studiengänge sind auf die Curricula der Hochschule abgestimmt. Eine obligatorische Prüfung vor der IHK, wie dies in einigen dualen Studiengangmodellen anderer

8) Das Thema der Diplomarbeit wird i.d.R. aus einer betrieblich relevanten Fragestellung abgeleitet. Der Ausbildungsbetrieb ist vertraglich verpflichtet, dem Studierenden die Möglichkeit zur Anfertigung der Diplomarbeit zu gewähren.

9) England: London Guildhall University und University of Westminster und University of Portsmouth; Finnland: Finnish Collage for Business Administration; Schweden: Mid Schweden University und University of Karlstad und Linköpings Universitet; Spanien: Universidad de Almeria; USA: Daniel Webster College und North Eastern University.

Fachhochschulen der Fall ist, ist nicht vorgesehen. Gleichwohl legen rund 5% der Studierenden – ohne spezifische Vorbereitung durch die Nordakademie – diese eine entsprechende Berufsausbildung im dualen System abschließende Prüfung als „Externe“ ab.

Die Zahl der Studierenden stieg im Studiengang Wirtschaftsingenieurwesen von 189 (1992/93) auf 197 (1995/96), im Studiengang Betriebswirtschaft von 36 (1993/94) auf 150 (1995/96) und im Studiengang Wirtschaftsinformatik von 29 (1993/94) auf 75 (1995/96). Somit studierten im WS 1995/96 insgesamt 422 Personen an der Nordakademie.

III. 3. Zusätzliches Studienangebot

Neben den Lehrveranstaltungen des Grund- und Hauptstudiums, die Pflichtveranstaltungen darstellen und Gegenstand des Prüfungsverfahrens sind, bietet die Hochschule eine Auswahl an Zusatzkursen. Hierzu gehören neben Fremdsprachenlehrgängen verschiedene Seminare. Nach einem Punktesystem muß jeder Student im Durchschnitt drei Semesterwochenstunden für eine zusätzliche Fremdsprache und/oder Seminarveranstaltungen belegen. Während Englisch für die Gesamtdauer des Studiums Pflichtfach ist, können die weiteren gewählten Sprachen (Französisch, Spanisch, Russisch) mit gesonderten Zertifikaten abgeschlossen werden.

Darüber hinaus werden Seminare zu Lern- und Arbeitstechniken, Persönlichkeitstraining (z. B. Rhetorik, Diskussionstraining, Verhandlungstraining, Kreativitätstraining) und einer Auswahl aktueller wirtschaftswissenschaftlicher, ingenieurwissenschaftlicher, juristischer (z. B. Umwelt- und Naturschutzrecht) und interdisziplinärer Themen (z. B. Psychologie, Philosopie, Soziologie) in Abstimmung mit den Wünschen der Studierenden angeboten.

Sofern entsprechende Plätze frei sind, kann das Seminarangebot von Mitarbeitern der kooperierenden Betriebe zur Weiterbildung genutzt werden. Eine bereits seit zwei Jahren durchgeführte Weiterbildungsmaßnahme bietet Absolventen der schleswig-holsteinischen Berufsakademie und der Wirtschaftsakademie Hamburg die Möglichkeit, nach Feststellung des individuellen Leistungsstandes durch eine Einstufungsprüfung gem. § 73a des schleswig-holsteinischen Hochschulgesetzes ein Aufbaustudium zur Erlangung der Abschlüsse Diplom-Betriebswirt/in (FH) und Diplom-Wirtschaftsingenieur/in (FH) durchzuführen.

A. IV. Personalstruktur und Personalausstattung

Der Stellenplan der Fachhochschule umfaßt derzeit 8 hauptamtliche Dozentenstellen, 3 wissenschaftliche Mitarbeiter, 2 Lehrkräfte für besondere Aufgaben sowie weitere rund 30 Lehrbeauftragte, überwiegend aus anderen Hochschulen und aus der Wirtschaft. Die hauptamtlichen Dozenten müssen die in § 94 des HSG vorgesehenen Einstellungsvoraussetzungen für Professoren an Fachhochschulen erfüllen. Sie bedürfen zur Aufnahme ihrer Tätigkeit der vorherigen Genehmigung durch das Land (Billigungsrecht). Ihre wöchentliche Lehrverpflichtung beträgt 18 Vorlesungsstunden bei insgesamt 36 Vorlesungswochen je Jahr. Seit 1994/95 ist für die haupt- und nebenberuflichen Dozenten ein „Hochschuldidaktisches Seminar" eingerichtet worden, wobei im Rahmen monatlich stattfindender Veranstaltungen vornehmlich konkrete Maßnahmen für die methodische Verbesserung der Lehre entwickelt und umgesetzt werden sollen.

Die Nordakademie strebt eine Betreuungsrelation von 1:30 für die hauptamtlichen Dozenten an. Hierbei ist zu berücksichtigen, daß aufgrund der dualen Konzeption jeweils nur die Hälfte der eingeschriebenen Studierenden an der Hochschule anwesend sind.

A. V. Praxisorientierte Forschung und Kooperation mit anderen Hochschulen und mit Wirtschaftsunternehmen der Region

Die Nordakademie kooperiert in Form der Vergabe von Lehraufträgen mit der Fachhochschule Hamburg (derzeit 7 Lehraufträge), mit der Universität Hamburg (derzeit 5 Lehraufträge) und mit der Fachhochschule Kiel (derzeit 2 Lehrbeauftragte). Darüber hinaus wirken vier Professoren anderer Hochschulen im Wissenschaftlichen Beirat der Nordakademie mit. Der Vorsitzende des Prüfungsausschusses ist Hochschullehrer an der Fachhochschule Lübeck. Zu Kooperationsvereinbarungen mit den ausländischen Hochschulen, durch die den Studierenden die Möglichkeit eines einsemestrigen Auslandsstudiums eingeräumt wird, ist in Kapitel III. 2. eingegangen worden.

Die Kooperation mit Unternehmen der Wirtschaft erfolgt überwiegend auf der Basis der Kooperationsverträge zwischen Nordakademie und Ausbildungsunternehmen. 1993 waren 55 Kooperationsbetriebe an den dualen Studiengängen der Nordakademie beteiligt. Deren Zahl erhöhte sich bis März 1996 auf rund 240. Von den kooperierenden Unternehmen können rund 60 % dem Segment Mittel- und Großbetriebe mit über 1000 Mitarbeitern zugeordnet werden. Dabei dominieren Industriebetriebe mit einem Anteil von 60 %. Dies kann nicht zuletzt durch die Tatsache erklärt werden, daß die Fachrichtung Wirtschaftsingenieurwesen am stärksten belegt ist.[10])

Durch den Kooperationsvertrag mit der Nordakademie verpflichtet sich der Betrieb, die betrieblichen Ausbildungsphasen in Abstimmung mit

10) Aufteilung der Kooperationspartner nach Branchen (1995): Metallindustrie 36 %, Handel 14 %, Dienstleistungsunternehmen 11 %, Elektroindustrie 10 %, Bauindustrie 6 %, Chemie- und Pharmaindustrie 5 %, EDV 5 %, Sonstige 13 %.

der Nordakademie (Berücksichtigung von Studien- und Prüfungsordnung, Musterausbildungsplänen) durchzuführen und einen qualifizierten Mitarbeiter für die Betreuung der Studierenden während der Praxisphase bereitzustellen.

Den Studierenden wird – vorzugsweise im Hauptstudium – die Möglichkeit eröffnet, an praxisorientierten Projekten mitzuarbeiten. Die überwiegend interdisziplinär angelegten Themen orientieren sich meist an aktuellen Problemstellungen der Kooperationsbetriebe. Den Dozenten wird jährlich die Möglichkeit gegeben, sich drei Wochen in Unternehmen über neueste Entwicklungen in der Praxis zu informieren. Gleichzeitig soll ihnen damit die Möglichkeit zur praxisorientierten Forschung in Projekten gegeben werden.

In der noch nicht abgeschlossenen Aufbauphase stand die Entwicklung der Curricula, die Organisation des Lehrbetriebes und die Einarbeitung des Lehrkörpers (u. a. Erstellung von Skripten) im Vordergrund. Gleichwohl hat die Nordakademie von Anfang an praxisnahe Forschungs- und Projektaufgaben wahrgenommen. Die Nordakademie weist besonders auf die Beteiligung an „Tisch 2“ (Teleinformationssystem Schleswig-Holstein) hin, eines vom Land Schleswig-Holstein und der Europäischen Union geförderten Projekts, in dessen Rahmen sie einen Forschungsauftrag zur Entwicklung einer Unternehmensdatenbank mit Technologieprofilen erhalten hat.

Die Ergebnisse bereits abgeschlossener Projekte liegen bisher nur in nicht für die Veröffentlichung bestimmten Unterlagen vor. Hingegen sind bei den derzeit laufenden Vorhaben Veröffentlichungen vorgesehen.

A. VI. Finanzierung, räumliche Unterbringung, Ausstattung und geplanter Ausbau

Entsprechend ihrer Rechtsform als gemeinnützige GmbH umfaßt die Trägergesellschaft als Gremien die Gesellschafterversammlung, Geschäftsführung und Aufsichtsrat. Sie ist Träger der Vermögenswerte der Fachhochschule und für die finanziellen Grundsatzentscheidungen (Verabschiedung der Budgets und der Jahresabschlüsse, Studiengebühren) zuständig. Auf darüber hinausgehende Hochschulangelegenheiten übt die Trägergesellschaft keinen Einfluß aus.

Die finanzielle Beteiligung der Wirtschaft an den Kosten des Hochschulbetriebs erfolgt neben dem Stiftungskapital in Form von Studiengebühren, Stiftungsprofessuren und Spenden. Das Stammkapital der Trägergesellschaft betrug zunächst 500 000 DM und wurde inzwischen auf 2 Millionen DM erhöht. Hiermit wurden vorwiegend die Investitionen sowie der Umbau des gemieteten Schulungsgebäudes, der Aufbau der Labor- und EDV-Einrichtung sowie die Erstausstattung der Bibliothek finanziert.

Zur Deckung der laufenden Kosten des Hochschulbetriebs werden Studiengebühren erhoben, die – durch Festlegung im Kooperationsvertrag zwischen der Nordakademie und den jeweiligen Ausbildungsbetrieben – von den beteiligten Unternehmen in kostendeckender Höhe entrichtet werden. Von einigen Firmen wird in den Praktikantenvertrag mit dem Studierenden eine Bindungsklausel aufgenommen, die bei Nichterfüllung die Rückzahlung der Studiengebühren vorsieht. Die Studiengebühren belaufen sich, je nach Zahl der Praktikanten in einem Betrieb, auf rund 3000 DM pro Halbjahr in den Studiengängen Betriebswirtschaft und Wirtschaftsinformatik und auf rund 3450 DM pro Halbjahr im Studiengang Wirtschaftsingenieurwesen. Die Kosten für die Ausbildung je Absolvent werden auf rund 120000 DM in den Studiengängen Wirtschaftsingenieurwesen und Wirtschaftsinformatik und auf rund 100000 DM im Studiengang Betriebswirtschaftslehre geschätzt. Diese Kosten setzen sich zusammen aus den Aufwendungen für die Hochschule und der Vergütung der Studierenden für die während der Praxisphasen erbrachten Leistungen im Betrieb.

Für das Geschäftsjahr von Oktober 1994 bis Oktober 1995 beliefen sich die Ausgaben der Nordakademie für Personal auf rund 1,5 Millionen DM, diejenigen für Sachmittel auf rund 1,2 Millionen DM und die Investitionen (Akademiegebäude, Labor- und EDV-Ausstattung, Bibliothek) auf rund 9 Millionen DM.

Das Land hat im Anerkennungsbescheid vom 22. Oktober 1992 besondere Auflagen erteilt, wonach die finanziellen Verhältnisse der Trägerin der Nordakademie erwarten lassen müssen, daß die notwendigen Mittel zum Betrieb der Hochschule bereitgestellt werden. Es hat darin gleichzeitig ausgeführt, daß eine Mitfinanzierung gemäß § 110 HSG ausscheide. Die Nordakademie hat bereits in der Aufbauphase (1992–1995) eine vollständige Deckung der Kosten durch Studiengebühren und Spenden erreicht. Staatliche Zuschüsse wurden bisher gemäß den Auflagen im Anerkennungsbescheid nicht gewährt. Die mittel- und langfristige Budgetplanung geht davon aus, daß auch künftig eine Kostendeckung ohne Landeszuschüsse erreicht werden kann, sofern der vorgesehene Ausbau auf rund 600 Studienplätze realisiert und die Finanzierung eines Akademiegebäudes am Standort Elmshorn durch Eigenmittel und den beantragten Zuschuß aus Bundesmitteln gelingt.[11])

Die Nordakademie nutzt derzeit ein angemietetes Gebäude in Pinneberg. Dort stehen rund 1000 m^2 Nutzfläche zur Verfügung, die in zehn Seminar- und Laborräume sowie Verwaltungsräume und eine Bibliothek aufgeteilt sind. Die Laborausstattung dient ausschließlich der Durchführung von Laborübungen im Rahmen des Studiengangs Wirtschaftsingenieurwesen. Darüber hinaus gibt es zwei EDV-Räume mit 30 Rechnern, die den Studierenden ohne zeitliche Begrenzung zur Verfügung stehen. Der Bücherbestand der Bibliothek beträgt rund 4500 Fachbücher und rund 100 Pe-

11) Vgl. Kapitel A.VII. und B.VI.

riodika. Bis auf eine geringe Zahl von Präsenzexemplaren können alle Bücher von den Studierenden entliehen werden. In diesem Zusammenhang weist die Nordakademie darauf hin, daß die Bibliothek in den derzeitigen Räumlichkeiten aus Platzgründen keinen umfangreicheren Bücherbestand aufnehmen kann und daß die Studierenden uneingeschränkten Zugriff auf die Hamburger Staats- und Universitätsbibliotheken haben.

Die Nordakademie nutzt im Rahmen der engen Zusammenarbeit mit den Kooperationsbetrieben auch deren Einrichtungen zu Lehr- oder Forschungszwecken. So sind z. B. ausgewählte Labor- und Fertigungseinrichtungen einiger Betriebe in das Laborkonzept der Nordakademie integriert, indem vor Ort unter Leitung eines Dozenten in Kooperation mit Fachleuten des jeweiligen Unternehmens Lehrveranstaltungen durchgeführt werden, durch die den Studierenden Einblick in aktuelle Anlagenkonzeptionen und Entwicklungen, z. B. in den Bereichen Fertigungstechnik oder Qualitätswesen, gegeben werden soll.

A. VII. Weitere Entwicklungsziele

Hinsichtlich der Struktur des Lehrkörpers strebt die Nordakademie an, künftig 75 bis 80 % der Lehrveranstaltungen durch hauptamtlich an der Hochschule beschäftigte Dozenten abzusichern. Als Ausbauziel wird eine Erhöhung von derzeit 428 auf 600 von der Wirtschaft finanzierten Studienplätzen im überwiegend kaufmännisch-organisatorischen Bereich angestrebt. Dabei soll dem Studiengang Wirtschaftsingenieurwesen mit künftig 260 Studienplätzen die quantitativ größte Bedeutung zukommen, gefolgt von Betriebswirtschaftslehre mit 220 und Wirtschaftsinformatik mit 120 Studienplätzen. Der Ausbau soll ausschließlich duale Studiengänge umfassen, wobei weiterhin jährlich an die Einrichtung jeweils zweier Studentengruppen für Wirtschaftsingenieurwesen und Wirtschaftsinformatik und einer Gruppe für Betriebswirtschaftslehre gedacht ist. Damit einher geht eine beabsichtigte Ausweitung auf bis zu 250 Kooperationsbetriebe bis 1997/98. Die Einrichtung weiterer dualer Studiengänge ist nicht geplant, da die Nordakademie davon ausgeht, daß in den spezialisierten Studiengängen der Ingenieurwissenschaften (z. B. Maschinenbau, Elektrotechnik) oder der Informatik (z. B. Technische Informatik) duale Studiengänge zumindest derzeit nicht auf einen ausreichenden Bedarf stoßen.

Mit einem weiteren Wachstum der Fachhochschule auf rund 600 Studienplätze, was einer durchschnittlichen Belegung mit rund 300 Studierenden entspricht, ist das bisher genutzte Gebäude nicht mehr ausreichend. Daher ist beabsichtigt, im Verlauf des Jahres 1996 ein anderes Gebäude mit einer Nutzfläche von 2473 m^2 (12 Vorlesungs-, 3 Labor-, 3 EDV-Räume sowie 3 Räume für Gruppenarbeit, 1 großer Hörsaal/Aula, Bibliothek, Sozialräume und Büros) zu erwerben. In dem geplanten Gebäude soll zudem eine rund 100 m^2 große Bibliothek mit angeschlossenem Lese- und Arbeitsraum zur Verfügung stehen. Gleichzeitig ist beabsichtigt, den Bücherbestand in den nächsten drei bis vier Jahren auf rund 8000 bis 10000 Bände zu erweitern.

B. Stellungnahme

B. I. Allgemeines

Die Gemeinschaftsaufgabe Hochschulbau soll nach Artikel 91a des Grundgesetzes zur Verbesserung der Lebensverhältnisse durch Ausbau und Neubau von Hochschulen beitragen. Nach den allgemeinen Grundsätzen des Hochschulbauförderungsgesetzes sollen Bund und Länder darauf hinwirken, daß die Hochschulen nach Aufgabenstellung, Fachrichtung, Zahl, Größe und Standort ein zusammenhängendes System bilden, durch das ein ausreichendes und ausgeglichenes Angebot an Ausbildungs- und Forschungsplätzen gewährleistet wird. Bei der Aufnahme von Hochschulen in die Anlage zum Hochschulbauförderungsgesetz gilt es deshalb, sowohl diesen allgemeinen Grundsätzen als auch der Voraussetzung Rechnung zu tragen, daß die Einbeziehung in die Gemeinschaftsaufgabe wegen der Bedeutung für die Gesamtheit hochschulpolitisch erforderlich ist.

Mit Blick auf nichtstaatliche Hochschulen hat der Wissenschaftsrat aus den Vorgaben des HBFG eine Reihe von Kriterien entwickelt, die bei der Prüfung eines Aufnahmeantrags maßgeblich berücksichtigt werden. Sie sind im vorliegenden Fall um Aspekte der mit der privaten Trägerschaft einhergehenden Verflechtung mit der Wirtschaft zu ergänzen.

Um in die Gemeinschaftsaufgabe Hochschulbau einbezogen werden zu können, müssen die Zugangsvoraussetzungen zu einem Studium den für staatliche Hochschulen geltenden Bedingungen gleichwertig sein, was nicht ausschließt, daß zusätzliche Zugangsvoraussetzungen akzeptabel sein können, sofern sie nach Ziel und Inhalt des jeweiligen Studiengangs als sachgerecht anerkannt werden können. Es muß ferner gewährleistet sein, daß die Qualifikationsvoraussetzungen des Lehrkörpers und die Studienanforderungen als gleichwertig anzusehen sind; dies findet u. a. in der staatlichen Anerkennung der Abschlüsse Ausdruck. Weitere Voraussetzung für die Aufnahme ins Hochschulbauförderungsgesetz ist, daß Ausbildungsleistungen erbracht werden, die ansonsten von einer staatlichen Fachhochschule übernommen werden müßten. Dies gilt insbesondere, wenn im Rahmen der Hochschulstruktur und ihrer Ausbauplanung das Land der Fachhochschule die Aufgabe überträgt, den regionalen Ausbildungsbedarf sicherzustellen, da ansonsten die Studienplatznachfrage den Aufbau einer staatlichen Fachhochschuleinrichtung erforderlich machte.

Zu Struktur und Größe einer Fachhochschule ist der Wissenschaftsrat grundsätzlich der Auffassung, daß sie ein Mindestmaß an fachlicher Breite und Vielfalt aufweisen sollte, um im interdisziplinären Diskurs neue Ideen zu generieren und innovative Lehrangebote zu entwickeln. Er sieht darin zugleich eine wesentliche Voraussetzung, um im Wettbewerb der Hochschulen bestehen zu können und für Studenten, Professoren und das regionale Praxisfeld attraktiv zu sein. Dies bedingt das Angebot von mindestens drei Studiengängen, die mit der Bereitstellung von rund 1000 flächenbezogenen Studienplätzen korrespondieren. Bisweilen erreichen Fachhochschulen diese Größenordnung nicht und weisen im Vergleich zu dieser Empfehlung ein eingeschränktes Studiengangsangebot auf. Diesem Nachteil kann als Vorteil gegenüberstehen, daß die Studienangebote über die enge Verbindung mit Unternehmen einen besonders engen und intensiven Praxisbezug aufweisen; die begrenzte Größe einer solchen Fachhochschule bietet die Möglichkeit zur Herausbildung besonders intensiver Kommunikations- und Betreuungsstrukturen. Allerdings ist es erforderlich, die Begrenzung des fachlichen Spektrums durch intensive Kooperationsbeziehungen zu benachbarten Hochschulen zumindest teilweise auszugleichen. Von besonderem Gewicht sind zudem modellhafte Elemente einer Einrichtung, ihrer Studiengangstruktur und Studiengänge.

B. II. Zu den rechtlichen Grundlagen der Nordakademie Pinneberg und ihrer Bedeutung für die Hochschulstruktur des Landes Schleswig-Holstein

Auf der Grundlage des schleswig-holsteinischen Hochschulgesetzes (§ 109) unterliegt die Nordakademie der Aufsicht des Ministeriums für Wissenschaft, Forschung und Kultur des Landes. Gegenwärtig wird diese Aufsicht vor allem über die Genehmigung der Prüfungsordnungen sowie der übrigen Hochschulsatzungen und über die Erteilung von Lehrgenehmigungen ausgeübt. Ferner legt die Nordakademie jährlich die geprüften Jahresabschlüsse vor, so daß die Information über die finanzielle Absicherung der Einrichtung angemessen gewährleistet ist. Das Land hat darüber hinaus jederzeit die Möglichkeit, sowohl generell als auch konkret die Einhaltung der Vorschriften des Hochschulgesetzes sowie der im Anerkennungsbescheid gemachten Auflagen zu überprüfen. Auch wenn sich das Land in seinem Engagement für die Nordakademie auf Lizenzierungsbemühungen beschränkt, so wird doch die Entwicklung der Hochschule genau verfolgt.

Die Selbstverwaltung der Nordakademie erfolgt in Gremien und über Verfahren in Anlehnung an diejenigen staatlicher Hochschulen. Die Autonomie der Nordakademie gegenüber dem Staat ist damit gegeben; eine gewisse Einflußnahme der Wirtschaft ist im Rahmen der Dualität des Studienangebots als modellimmanente Komponente durchaus gewünscht. Dies kommt darin zum Ausdruck, daß beispielsweise die im Senat beschlossenen Studien- und Prüfungsordnungen und die entwickelten Grundlagen der Personal- und Investitionsplanung mit der Gesellschafterversammlung abgestimmt werden müssen. Der Wissenschaftsrat erwartet, daß von den Gremien ‚Betrieblicher Beirat' und ‚Wissenschaftlicher Beirat' eine Pufferfunktion hinsichtlich der Einflußnahme der Unternehmen oder der Trägergesellschaft auf die Fachhochschule wahrgenommen wird, wie sie als entsprechende Aufgaben in der Hochschulverfassung der Nordakademie hinreichend geklärt sind. Als weitere „Schutzfunktion" gegenüber möglichen Partikularinteressen einzelner kooperierender Unternehmen kann die große Zahl der Gesellschafter angeführt werden. Zudem kann davon ausgegangen werden, daß die Wirtschaft ein genuines Interesse daran hat, daß im Rahmen der von ihr finanzierten Studiengänge an der Nordakademie eine qualitativ hochwertige Ausbildung angeboten und möglichst gute Absolventen ausgebildet werden. Der Wissenschaftsrat verweist in diesem Zusammenhang auf die Empfehlungen zur Ausgestaltung des Kooperationsverbundes, um sowohl dem Autonomieanspruch der Hochschule als auch den berechtigten Anliegen der Betriebe Rechnung zu tragen.[12)]

Mit Blick auf den regionalen Ausbildungsbedarf und den Beitrag der Nordakademie zum Gesamtstudienplatzangebot des Landes hat der Wissenschaftsrat geprüft, ob die Hochschule ein ansonsten durch das Land neu zu schaffendes Angebot abdeckt, ob sie durch die Nachfrage in der Region getragen wird und ob gegebenenfalls Entwicklungsmöglichkeiten anderer Einrichtungen beeinträchtigt werden. Der Landeshochschulplan aus dem Jahre 1990/91 enthält noch keine Teilüberlegung zur Frage, ob die Westküstenregion neben der Fachhochschule in Heide und das Einzugsgebiet um Hamburg sowie der Fachhochschule Wedel eine weitere Hochschule tragen kann, da die Gründung der Nordakademie seinerzeit noch nicht erfolgt war. Jedoch gibt das Land an, daß sich das Nebeneinander der Fachhochschulen in Pinneberg, Heide und Wedel bislang bewährt habe. Insofern könne im nachhinein die eingetretene Entwicklung befürwortet werden. Das Land betrachtet die Nordakademie heute aufgrund der allgemeinen Entwicklung der studentischen Nachfrage besonders in den Studiengängen Wirtschaftsingenieurwesen und Betriebswirtschaftslehre als integralen Bestandteil der Hochschulstruktur. Die Nordakademie entspricht besonders in diesen Studiengängen einem staatlichen Versorgungsauftrag mit Studienplätzen und kann somit als integraler Bestandteil des Hochschulsystems in Schleswig-Holstein angesehen werden.

Dennoch ist unter Berücksichtigung der regionalen Verteilung des Studienangebots gerade im wirtschaftswissenschaftlichen Bereich durch fachgleiche Studiengänge an den Fachhochschulen Westküste und Wedel in Schleswig-Holstein und weitere Angebote in Hamburg und Niedersachsen eine gewisse Konzentration augenfällig. In diesem Zusammenhang ist allerdings besonders auf die neue Form des Studiengangmodells im

12) Vgl. Wissenschaftsrat: Empfehlungen zur weiteren Differenzierung des Tertiären Bereichs durch duale Fachhochschul-Studiengänge, Bielefeld 1997, S. 33 ff.

Kooperationsverbund zwischen Hochschule und Wirtschaft hinzuweisen, die bislang an keiner der genannten Fachhochschulen angeboten wird.[13]) Dieses Studiengangmodell mit einer besonderen Form des Praxisbezugs wird vom Land begrüßt.

Für eine Beurteilung im Rahmen der regionalen Hochschullandschaft ist es nach Auffassung des Wissenschaftsrates sowohl von Bedeutung, das Bildungsangebot der gesamten Region aufeinander abzustimmen als auch die Tatsache zu berücksichtigen, daß das regionale Einzugsgebiet einer Fachhochschule i.d.R. zwischen 50 und 100 km liegt. Auch wenn wegen der gegenüber den staatlichen Fachhochschulen andersartigen, dualen Studienform mit einer nur geringen negativen Wirkung hinsichtlich der Kapazitätsauslastung an anderen Fachhochschulen zu rechnen ist, erwartet der Wissenschaftsrat von den norddeutschen Ländern, daß sie die Nordakademie in ihre länderübergreifenden Planungen mit Hamburg, Niedersachsen und Mecklenburg-Vorpommern einbeziehen.

Vor diesem Hintergrund ist der Wissenschaftsrat der Auffassung, daß die seitens der Nordakademie bestehenden Pläne zur Aufstockung der Studienplatzkapazitäten auf 600 bedarfsgerecht sind und sich in die Gesamtplanung des Landes für diesen fachspezifischen Bereich einpassen lassen. Die Entwicklung der Bewerber- und Studienanfängerzahlen unterstreichen dies ebenso wie die Tatsache, daß es sich hier aufgrund der Dualität um ein andersartiges Studienangebot handelt. Darüber hinaus kann die Entstehung der Nordakademie und ihre Einordnung in die Hochschullandschaft des Landes als Ausdruck eines neuartigen Zusammenwirkens zwischen Staat und Wirtschaft im Hochschulbereich angesehen werden.

B. III. Zu Ausbildungskonzeption, Studienangebot und Fächerspektrum

III. 1. Ausbildungskonzeption

Bei den von der Nordakademie angebotenen dualen Studiengängen handelt es sich ohne Zweifel um ein innovatives Lehrangebot auf Fachhochschulniveau. Im Vergleich zu anderen dualen Studiengangmodellen zeigt sich an der Nordakademie auf beeindruckende Weise sowohl modelltheoretisch als auch in der praktischen Umsetzung eine intensive Form der Verzahnung von Theorie und Praxis. Der durch institutionelle Mechanismen geregelte enge Kontakt zu den kooperierenden Unternehmen wird durch großes Engagement auf informeller und persönlicher Ebene abgerundet, welcher zu einem guten Vertrauensverhältnis und zu einer offenen Kooperation führt. Hier ist das überdurchschnittliche Engagement des Rektors und der Hochschullehrer zu erwähnen. Zwar kann das

13) Lediglich in Heide wird ab Herbst 1996 ein ähnliches Studienkonzept für Auszubildende im Kreditgewerbe in Kombination mit dem herkömmlichen Studiengang Betriebswirtschaft angeboten werden.

überdurchschnittliche Engagement bei allen Beteiligten (Hochschullehrer, Studierende und kooperierende Betriebe) zum Teil auf die noch bestehende „Gründungseuphorie" zurückgeführt werden, jedoch steht nicht zu befürchten, daß dieses für eine optimale Verzahnung als Katalysator wirkende Element mit der Zeit gänzlich verloren geht.

Das Verfahren zur Zulassung weicht insofern von der herkömmlichen Zulassungspraxis an staatlichen Fachhochschulen ab, als an der Nordakademie eine Aufnahme von Studieninteressenten nur erfolgen kann, wenn vorab die Zustimmung eines Dritten – des kooperierenden Betriebes – erfolgt. Dies ist auch bei dualen Studienangeboten an staatlichen Fachhochschulen der Fall. Die Betriebe sehen dabei den eigenen Einfluß auf die Bewerberauswahl als wesentlichen Faktor für ihre Entscheidung zur Beteiligung an entsprechenden Konzepten. Denn sie übernehmen die erheblichen Kosten des Studiums, bieten den Studierenden schon während ihrer Ausbildung ein Beschäftigungsverhältnis und gewähren Einblicke in übergeordnete betriebliche Zusammenhänge und Marktstrategien. Der Wissenschaftsrat erkennt an, daß die Unternehmen aufgrund des dualen Studienkonzeptes und des hohen finanziellen Engagements ein besonderes Interesse an der Auswahl der Studierenden haben. Da es sich aber um ein Hochschulstudium mit einem international anerkannten Hochschulgrad als Abschluß handelt, muß die Letztverantwortung sowohl hinsichtlich der Zulassung als auch hinsichtlich der Studienganggestaltung bei der Hochschule liegen, wie es im Hochschulrahmengesetz und im Hochschulgesetz des Landes Schleswig-Holstein vorgesehen ist und durch das Wissenschaftsministerium des Landes gesichert wird. Zu Zugangs- und Zulassungsvoraussetzungen und Bewerberauswahl bei dualen Studiengängen hat sich der Wissenschaftsrat detailliert geäußert.[14]) Auf diese Aussagen wird hier verwiesen.

Durch den Einsatz von Lehrbeauftragten aus der Wirtschaft sowie die durch Einbeziehung von meist hochwertig ausgestatteten Industrielabors wird der Praxisbezug der Hochschulveranstaltungen unterstützt. Positiv hervorzuheben ist die Möglichkeit der projektgebundenen Arbeit in der sich an das Vordiplom anschließenden Praxisphase. Diese bietet den Studierenden die Möglichkeit, auf der Basis der im Studium vermittelten theoretischen Grundlagen, einen kreativen und produktiven Beitrag für das Unternehmen zu leisten. In diesem Zusammenhang ist auch der Ausbildungsverbund hervorzuheben, welcher Praktikanten in kleineren Betrieben ermöglicht, alle wichtigen Unternehmensbereiche kennenzulernen, auch wenn diese im eigenen Betrieb nicht vorhanden sind. Die Projektseminare und die Möglichkeit der betriebsübergreifenden Inanspruchnahme von Industrielabors gehören ebenfalls zu den positiven Elementen. Diese Elemente der Ausbildungskonzeption verleihen der Hochschule Aliud-Charakter.

14) Vgl. Wissenschaftsrat: Empfehlungen zur Differenzierung, a.a.O., S. 34 ff.

Mit der Bearbeitung konkreter betrieblicher Problemstellungen kann jedoch auch die Gefahr einhergehen, daß bisweilen Diplomarbeiten in ihrem wissenschaftlichen Anspruch und der methodischen Fundierung nicht hochschulgemäß gestaltet werden könnten. Der Wissenschaftsrat appelliert daher an die Nordakademie ebenso wie an die kooperierenden Betriebe, der Sicherung des qualitativen Anspruchs der Diplomarbeiten ebensolches Gewicht beizumessen, wie dies bislang bei der Ausbildungskonzeption und den Lehrveranstaltungen an der Fachhochschule der Fall ist.

Möglicherweise könnte die Verflechtung von Studieninhalten und Praxisphasen noch intensiver gestaltet werden, wenn nicht – um der Erlangung der staatlichen Anerkennung willen – im Vordergrund stünde, alle staatlichen Anforderungen an eine „klassische" Fachhochschulausbildung zu erfüllen. Der von der möglichen Versagung der staatlichen Anerkennung ausgehende Druck ist offensichtlich auch der Grund für die eher traditionelle Gestaltung der Studienstruktur an der Nordakademie (2450 Lehrveranstaltungsstunden, 15% der Lehrveranstaltungen als Wahlpflichtfächer). Der theoretische Studienteil unterscheidet sich grundsätzlich nicht von dem an einer staatlichen Fachhochschule. Auch die Anforderungen an die Abschlüsse entsprechen den üblichen Qualitätskriterien vergleichbarer „herkömmlicher" Studiengänge an staatlichen Fachhochschulen; dies ist eine Voraussetzung für die staatliche Anerkennung der Nordakademie.

Zwar hat der Wissenschaftsrat den Eindruck gewinnen können, daß die gemeinsame Verantwortung von Hochschule und Unternehmen für die Ausbildung der Studierenden stärker ist als bislang gegenüber den staatlichen Stellen dargestellt, doch erscheint es sinnvoll, von der Maxime einer unbedingten Anpassung an die „normale" Ausbildungsstruktur staatlicher Fachhochschulen bewußt und zielgerichtet abzuweichen, so daß die der dualen Ausprägung der Studiengänge immanenten spezifischen Vorteile in vollem Umfang zum Tragen kommen können. Der Wissenschaftsrat empfiehlt daher sowohl dem Land als auch der Nordakademie und den kooperierenden Unternehmen, den in seiner gesonderten Empfehlung zu dualen Fachhochschul-Studiengängen aufgezeigten Rahmen für das Studium an den Lernorten Hochschule und Betrieb auszufüllen und die dort beschriebenen Prinzipien und Kriterien anzuwenden.[15]) In diesem Zusammenahng sollten Hochschule und Betrieb prüfen, ob die Beibehaltung der Trennung aus Wissenschaftlichem und Betrieblichem Beirat sachgerecht ist oder nicht vielmehr ihre Zusammenführung im Sinne einer Intensivierung der Verzahnung wünschenswert ist.

Der Wissenschaftsrat hat sich in seinen Empfehlungen zur Differenzierung im Tertiären Bereich durch duale Fachhochschul-Studienangebote aufgrund der Verschränkung und gegenseitigen Ergänzung der Ausbil-

15) Vgl. ebd., S. 31–43.

dung an den beiden Lernorten Hochschule und Betrieb für eine straffe Studienorganisation ausgesprochen.[16]) Aufgrund der durch die Kombination der beiden Lernorte möglichen Synergieeffekte wird darin eine Substitution von Studienzeiten an den beiden Lernorten als möglich und wünschenswert angesehen. Auf dieser Grundlage wird auch für das Studium an der Nordakademie die Möglichkeit gesehen, die bisher konzipierte Studiendauer zu verkürzen, ohne daß damit Einbußen bei der Qualität der Ausbildung einhergehen.

Da die Nordakademie ausschließlich Studiengänge im Kooperationsverbund mit Unternehmen anbietet, können konjunkturelle Schwankungen über eine möglicherweise rückgängige Beteiligung der Kooperationspartner die Entwicklung der Fachhochschule empfindlich beeinträchtigen. Deshalb unterstützt der Wissenschaftsrat die Nordakademie darin, in Zukunft eine stärkere Diversifizierung und Ausgewogenheit nicht nur hinsichtlich der Zahl der kooperierenden Unternehmen, sondern auch hinschtlich der beteiligten Branchen zu erreichen. Ebenso ist es denkbar, dieses Studienmodell auch als berufsintegrierten Studiengang anzubieten.

III. 2. Studienangebot und Fächerspektrum

Insgesamt muß bei der Beurteilung der Einrichtung und des Studienangebotes neben dem besonderen Studiengangkonzept berücksichtigt werden, daß die Nordakademie erst seit rund drei Jahren besteht. Bemerkenswert ist dabei, daß die Studiengänge aus eigener Kraft, d.h. völlig ohne staatliche Zuschüsse, eingerichtet wurden. Die gute Akzeptanz bei den Studierenden schlägt sich in einer wachsenden Studentenzahl nieder.

Hinsichtlich der fachlichen Breite ist augenfällig, daß das gesamte Studienangebot dem wirtschaftswissenschaftlichen Bereich zuzuordnen ist und die drei angebotenen Studiengänge zudem in ihrer Ausgestaltung ein hohes Maß an Schnittstellen aufweisen. Besonders der Studiengang Wirtschaftsingenieurwesen ist eng an die Betriebswirtschaft angelehnt. Auch wenn im Hauptstudium ausreichend Auswahlmöglichkeiten gegeben sind, empfiehlt der Wissenschaftsrat, darauf zu achten, daß die Ausrichtung des Studienangebots fachlich nicht in allzu eng begrenzten Bahnen verharrt. Dies ist nicht zuletzt auch deswegen von Bedeutung, weil eine Ausdehnung des Angebots auf andere Studiengänge und Fächer nicht beabsichtigt ist.

Der Wissenschaftsrat würdigt das Konzept der dualen Studiengänge als innovatives Element und berücksichtigt, daß der Betreuungsaufwand ein anderen Fachhochschulen vergleichbares quantitatives und breitgefächertes Angebot schwerlich zuläßt. In diesem Zusammenhang wird die

16) Vgl. ebd., S. 37 f.

Ergänzung des Fachstudiums durch das Angebot des sogenannten „studium generale" und die Fremdsprachenausbildung positiv bewertet. Darüber hinaus ist zu berücksichtigen, daß in diesem begrenzten Studienangebot auch eine spezifische Attraktivität für die privatwirtschaftliche Trägerschaft liegen kann und das Organisationsform und Trägerschaft gleichzeitig einen bedeutenden Einfluß auf das Gelingen des Hochschul- bzw. Studiengangkonzepts haben. Im Vergleich zu anderen Einrichtungen mit dualen Fachhochschulangeboten hat sich gezeigt, daß an der Nordakademie das Engagement und die Identifikation der Wirtschaft besonders ausgeprägt sind, was sich positiv auf die Gestaltung des Lernortes Betrieb auswirkt.

Insgesamt kommt besonders mit Blick auf die privatwirtschaftliche Trägerschaft der Fachhochschule, das duale Studiengangkonzept und die starke Belastung der Professoren (zwei Studienstränge je Jahr) einer dauerhaften fachlichen Qualitätssicherung des Studienangebotes durch das Land eine besondere Bedeutung zu. Der Wissenschaftsrat begrüßt daher die Erklärung des Landes, auch künftig auf die Qualität des Studienangebotes zu achten. Dazu sollten regelmäßige Evaluationsverfahren durchgeführt werden, wie er sie für alle Hochschulen empfohlen hat.[17])

B. IV. Zur personellen Ausstattung

Für die Berufung an der Nordakademie gelten die gleichen Einstellungsvoraussetzungen, die für entsprechnde Tätigkeiten an staatlichen Fachhochschulen gefordert werden. Die fachliche Qualifikation der Dozenten kann daher als derjenigen an staatlichen Fachhochschulen gleichwertig bezeichnet werden.

Auch die Rekrutierung erfolgt in Anlehnung an diejenige bei staatlichen Fachhochschulen. Ein formalisiertes Berufungsverfahren gibt es hingegen nicht. Die Entscheidung über die Einstellung wird von der Hochschulleitung getroffen und durch das Ministerium für Wissenschaft, Forschung und Kultur des Landes bestätigt. Im Sinne der besonderen Profilbildung der Hochschule scheint es dabei durchaus angemessen, daß der Praxiserfahrung eine besondere Bedeutung beigemessen wird und von den Professoren ein überdurchschnittliches Engagement nicht nur in der Lehre, sondern auch in der Pflege der Zusammenarbeit mit den kooperierenden Unternehmen erwartet wird. Die übertarifliche Dotierung mag hierfür ein unterstützender Leistungsanreiz sein.

Der in der Endstufe (600 Studienplätze) mit 11 hauptamtlichen Professoren, 6 wissenschaftlichen Mitarbeitern und 2 Lehrkräften für besondere Aufgaben vorgesehene Personalaufbau der Nordakademie ist weit vorangeschritten. Lediglich drei Professorenstellen und zwei Stellen für

17) Vgl. Wissenschaftsrat: Empfehlungen zur Stärkung der Lehre in den Hochschulen durch Evalution, Bd. I, S. 55.

wissenschaftliche Mitarbeiter sind noch nicht besetzt. Von den derzeitigen Dozenten sind rund 60 % längerfristig, die restlichen befristet beschäftigt. Entsprechend den Empfehlungen des Wissenschaftsrates zur Differenzierung des Tertiären Bereichs durch duale Fachhochschul-Studiengänge soll auch die Lehre an der Nordakademie zu mindestens 60 % durch hauptamtlich an der Einrichtung beschäftigte Professoren abgedeckt werden. Hinsichtlich der personellen Ausstattung fordert der Wissenschaftsrat, auch mit Blick auf den angestrebten Ausbau die Zahl der Professoren entsprechend aufzustocken.

B. V. Zu Forschung und Entwicklung

Nach dem schleswig-holsteinischen Landeshochschulgesetz ist den Fachhochschulen als Institution die Möglichkeit zum praxisnahen Forschen gegeben. Die derzeit von der Nordakademie bearbeiteten Vorhaben praxisorientierter Forschung und Entwicklung reichen dabei jedoch in weiten Teilen nicht an diejenigen anderer Fachhochschulen heran. Untergliedert man die einzelnen Vorhaben, so überwiegen Projektarbeiten unter Mitwirkung von Studierenden des Hauptstudiums und Vorhaben im Rahmen des Technologietransfers gegenüber Forschungsaufgaben im eigentlichen Sinn. Die Projektdauer umfaßt dabei meist ein bis drei Semester.

Von den beiden wichtigen Funktionen, die die praxisbezogene Forschung und Entwicklung an Fachhochschulen ausübt, kommt somit der Unterstützung der Lehre – besonders durch die Einbindung der Studierenden in Projektarbeiten – eine im Verhältnis größere Rolle zu als der Umsetzung von Ergebnissen der Grundlagenforschung in die Anwendung. Dabei ist jedoch zu berücksichtigen, daß während der Aufbauphase der Entwicklung von Curricula und der Organisation des Lehrbetriebes Priorität eingeräumt wurde. Gleichzeitig wirkt das duale Konzept der Hochschule auch hier prägend. So ist offensichtlich aufgrund des eingeschränkten Zeitbudgets der Professoren (zwei Studienstränge im Jahr; intensive Betreuung von Studenten und Unternehmen) eine praxisorientierte Forschung und Entwicklung in nur geringem Umfange möglich, auch wenn für konkrete Vorhaben bis zu vier SWS auf das Lehrdeputat von 18 SWS angerechnet werden können und die Möglichkeit der Freistellung für Forschungstätigkeit im Umfang von jährlich drei Wochen in Anspruch genommen werden kann.[18]) Der Wissenschaftsrat empfiehlt, die durch das Gesetz gegebenen Möglichkeiten künftig in stärkerem Maße auch an der privaten Fachhochschule zu nutzen.

---

18) Vgl. Kapitel B. IV.

B. VI. Zu Finanzierung, Ausstattung und geplantem Ausbau

Das Land hat wiederholt bekräftigt, daß die Nordakademie auch in Zukunft landesseitig keine finanzielle Unterstützung erfahren soll. Es beabsichtigt nicht, über eine staatliche Anerkennung der Fachhochschule hinaus weitere Leistungen zu erbringen. Der Betrieb der Hochschule soll auch künftig ausschließlich von der Wirtschaft getragen werden, wobei das Land jährlich Einblick in die wirtschaftlichen Abschlüsse der Hochschule erhält.

Die mittel- und langfristige Budgetplanung geht dementsprechend davon aus, daß auch künftig eine Kostendeckung ohne Landeszuschüsse erreicht werden kann, sofern der vorgesehene Ausbau von derzeit 428 auf künftig 600 Studienplätze gelingt.[19]) Das Land gibt an, daß die Zahl der Studierenden bereits zum 1. Januar 1997 auf 520 ansteigen kann. Von den angestrebten 600 Studierenden sind dabei wegen des dualen Aufbaus des Studiums nur jeweils 300 an der Hochschule, da die übrigen 300 jeweils eine Praxisphase im Betrieb absolvieren.

Für einen entsprechenden Ausbau der Nordakademie sind die bisherigen Räumlichkeiten in Pinneberg nicht mehr hinlänglich. Das Land hat in diesem Zusammenhang für den Erwerb eines Geländes in Elmshorn, des darauf befindlichen Gebäudes und zur Errichtung eines Erweiterungsbaus für die künftige Unterbringung 9,1 Millionen DM zum 26. Rahmenplan angemeldet. Das Vorhaben wurde vom Wissenschaftsrat geprüft und vorbehaltlich der Aufnahme der Hochschule in die Anlage zum Hochschulbauförderungsgesetz zur vorbehaltlosen Aufnahme in den Rahmenplan empfohlen.[20])

Es ist beabsichtigt, daß die Nordakademie den Anteil des Landes vollständig über Spenden finanziert, die als Beiträge des privaten Trägers in den Haushalt des Landes eingestellt werden sollen. Die Bereitstellung dieser Landesmittel ist im Entwurf des Landeshaushaltes 1997/98 veranschlagt. Der Träger der Nordakademie gibt an, daß der Mitteltransfer gewährleistet ist, wenn die Komplementärmittel zur Verfügung gestellt werden. Eine Aufnahme von Darlehen zur Finanzierung des Landesanteils durch die Nordakademie ist nicht vorgesehen.

Das Land gibt an, daß durch die Eintragung einer erstrangigen Grundschuld die Zweckbindung der HBFG-Mittel für das neu zu erwerbende Gebäude in Elmshorn gesichert werde. Dies werde in einer Auflage im Zuwendungsbescheid nach § 44 BHO/LHO festgeschrieben, womit die Nutzung des Gebäudes für Hochschulzwecke langfristig gesichert sei. Das Land erklärt darüber hinaus die Bereitschaft, für den Fall der Ein-

19) Vgl. Kapitel B. II.
20) Vgl. Wissenschaftsrat: Empfehlungen zum 26. Rahmenplan für den Hochschulbau 1997–2000, Bd. 5, Schleswig-Holstein, Vorhaben Nr. 3001, Köln 1996, S. SH 33.

stellung des Betriebes der Nordakademie den Studierenden den Abschluß ihres Studiums in diesen Studiengängen zu sichern.

Die Frage nach einer gleichgelagerten Form der staatlichen Alimentierung einer privaten Hochschule für eine bauliche Investition hat bereits am Beispiel der staatlich anerkannten Fachhochschule Wedel, die seit 1976 ins Hochschulverzeichnis aufgenommen ist, eine Antwort erfahren. Die hier gefundene Regelung sieht vor, daß die Nutzung der Gebäude für Hochschulzwecke auf einen determinierten Zeitraum festgeschrieben ist und im Falle einer vorzeitigen Auflösung der Hochschule entsprechende Beträge zurückgezahlt werden müssen.

Die derzeitige Ausstattung der Bibliothek, besonders der Umfang des Bücherbestandes kann noch nicht als angemessen bezeichnet werden. Auch wenn berücksichtigt wird, daß die Studierenden teilweise mit finanzieller Unterstützung durch den Ausbildungsbetrieb über einen eigenen, privaten Büchergrundbestand – zumindest für die nach der Prüfungsordnung relevanten Fachgebiete – verfügen, ist dem Ausbau der Bibliothek Priorität beizumessen. Dies um so mehr, als die Studierenden der Studienrichtung Betriebswirtschaft und Wirtschaftsinformatik nunmehr mit dem Hauptstudium beginnen.

Aufgrund der staatlichen Beteiligung und dem künftigen Wegfall der Mietausgaben sollte eine Verbesserung der Ausstattung und eine damit verbundene Erweiterung des Hochschulmodells in Richtung Mecklenburg-Vorpommern (Erleichterung des Zugangs für Einrichtungen der dortigen Wirtschaft) angestrebt werden.

C. Zusammenfassende Empfehlung

Die Nordakademie in Pinneberg erfüllt die Voraussetzungen, die das Hochschulbauförderungsgesetz an die Aufnahme von Hochschulen ins Hochschulverzeichnis knüpft:

- Als Einrichtung in privater Trägerschaft unterliegt sie dem schleswig-holsteinischen Hochschulgesetz und erfüllt die im Anerkennungsbescheid vom 22. Oktober 1992 vom Lande formulierten Auflagen. Im Zusammenhang mit der weiteren Entwicklung soll ein regelmäßiges Evaluationsverfahren eingeführt werden, wie es der Wissenschaftsrat in seinen Empfehlungen zur Stärkung der Lehre in den Hochschulen durch Evaluation empfohlen hat.

- Sie schließt vornehmlich in den Fächern Betriebswirtschaft und Wirtschaftsingenieurwesen eine Lücke im Angebot an Hochschulplätzen des Landes. Auch wenn damit eine sichtliche Konzentration im südlichen Schleswig-Holstein geschaffen wird, so kann davon ausgegangen werden, daß aufgrund der andersartigen Studiengangkonzeption das regionale Einzugsgebiet größer ist als dasjenige von Fachhochschulen mit herkömmlichem Studienangebot.

- Die Gründung der Nordakademie und ihr geplanter Ausbau auf 600 Studienplätze entsprechen einer Nachfrage nach Studienplätzen, besonders auch aufgrund des spezifischen dualen Studiengangmodells. Dabei wird erwartet, daß die Nordakademie in länderübergreifende Planungen mit Hamburg, Niedersachsen und Mecklenburg-Vorpommern einbezogen wird.

- Das Studiengangspektrum der Hochschule ist schmal, aber nicht zuletzt mit Blick auf die besonderen Anforderungen im Zusammenhang mit der dualen Studiengangkonzeption aus reichend.

- Das Konzept der Fachhochschule stellt in mehrfacher Hinsicht ein wissenschaftspolitisches Novum dar. Einerseits ist es beispielgebend für eine neue Zusammenarbeit zwischen Wirtschaft und Hochschule, weil die von der Wirtschaft finanzierte Ausbildung auf Hochschulniveau und somit unter den Bedingungen des Hochschulrahmengesetzes durchgeführt wird. Andererseits bietet sie ausschließlich duale Studiengänge im Kooperationsverbund mit Betrieben der Wirtschaft an. Dies hat Modellcharakter.

Der Wissenschaftsrat erachtet die Entwicklung dualer Studiengänge unter bildungs- und hochschulpolitischen Aspekten als ein wichtiges Element der Differenzierung der Studienangebote. Er sieht sie als geeignet an, die Gesamtausbildungszeit im Vergleich zu einem sukzessiven Durchlaufen von praktischer Ausbildung und Studium deutlich zu verkürzen. Er hat daher die Anerkennung des Lernortes Betrieb als integralen Bestandteil eines dualen Studiums empfohlen und einen Rahmen zur Ausgestaltung entsprechender Studienangebote umrissen.[21])

Die Bedeutung der Nordakademie für die Gesamtheit der Hochschulen ist damit gegeben. Der von der Nordakademie und dem Engagement der Träger ausgehende innovative Impuls sollte unterstützt werden. Für ihre weitere Entwicklung empfiehlt der Wissenschaftsrat dem Land, der Fachhochschule und den kooperierenden Betrieben, sich an den Empfehlungen zur weiteren Differenzierung des Tertiären Bereichs durch duale Fachhochschulstudiengänge auszurichten.

Der Wissenschaftsrat empfiehlt auf der Grundlage dieser Stellungnahme und unter Einschluß der darin enthaltenen Anregungen und Einzelempfehlungen die Aufnahme der Nordakademie Pinneberg in die Anlage des Hochschulbauförderungsgesetzes rückwirkend zum 1. Januar 1996.

21) Vgl. Wissenschaftsrat: Empfehlungen zur Differenzierung, a.a.O., S. 31 ff.

Er empfiehlt weiterhin, die unbefristete staatliche Anerkennung der Nordakademie als Fachhochschule zu erteilen.

Stellungnahme zur bibliothekarischen Versorgung der Universität Erfurt und zum geplanten Neubau der Universitätsbibliothek

vom Juli 1996

Inhalt

Vorbemerkung

Die Aufnahme der Universität Erfurt in das Hochschulverzeichnis des Hochschulbauförderungsgesetzes wurde vom Wissenschaftsrat zum 1. Januar 1996 empfohlen.[1]) Da die neugegründete Universität als geisteswissenschaftlich orientierte Hochschule geplant wurde und damit einer leistungsfähigen Universitätsbibliothek besondere Bedeutung für die Aufnahme des Studienbetriebs zukommt, genießt die Bibliothek sowohl aus Sicht des Landes als auch des Wissenschaftsrates im Rahmen der für die Universität Erfurt erforderlichen Neubauten oberste Priorität. Eine abschließende Stellungnahme zur Universitätsbibliothek in Erfurt machte der Wissenschaftsrat abhängig vom Votum seiner Arbeitsgruppe Bibliotheken,[2]) wobei diese insbesondere um eine Prüfung des erforderlichen Büchergrundbestands und des daraus resultierenden Raumbedarfs gebeten wurde.

Der Freistaat Thüringen meldete erstmals zum 25. Rahmenplan für den Hochschulbau den 1. Bauabschnitt für den Neubau der Universitätsbibliothek an (57 Mio. DM, 9550 m^2, 1995–2001). Der Wissenschaftsrat sah angesichts des frühen Planungsstandes von einem Votum zur Aufnahme in den Rahmenplan ab (Kategorie P). Zugleich empfahl er die Freigabe von Planungskosten in Höhe von 2,5 Millionen DM.

Die Arbeitsgruppe „Bibliotheken" hat am 11. März 1996 die Universität Erfurt besucht und Gespräche mit dem Gründungsbeauftragten, der Bibliotheksleitung und Vertretern des Landes geführt. Der Arbeitsgruppe gehörten auch Sachverständige an, die nicht Mitglieder des Wissenschaftsrates sind. Ihnen ist der Wissenschaftsrat zu besonderem Dank verpflichtet.

Der Wissenschaftsrat hat die Stellungnahme am 12. Juli 1996 verabschiedet.

1) Wissenschaftsrat: Stellungnahme zur Aufnahme der Universität Erfurt in das Hochschulverzeichnis des Hochschulbauförderungsgesetzes, in: Empfehlungen und Stellungnahmen 1995, Köln 1996, Bd. 2, S. 55-100.
2) Ebd., S. 65.

A. Ausgangslage

A. I. Struktur und Organisation

I. 1. Prioritätensetzung im Bereich der Universitätsbibliotheken und Finanzplanung

Der geplante Neubau für die Bibliothek der Universität Erfurt ist im Kontext der gesamten Baumaßnahmen im Bereich der Universitätsbibliotheken in Thüringen zu betrachten. Dabei räumt das Land dem Wiederaufbau der Thüringer Universitäts- und Landesbibliothek Jena unter den Neubaumaßnahmen im Bereich der Universitätsbibliotheken aufgrund des schlechten baulichen Zustands und der starken Zergliederung höchste Priorität ein.[3]) Der Neubau wurde in den 25. Rahmenplan für den Hochschulbau aufgenommen; die Fertigstellung des Bibliotheksgebäudes wird für 1999 angestrebt.

Im 26. Rahmenplan sind folgende Finanzraten für den Neubau der Universitätsbibliothek Jena enthalten:

bis 1996 Mio. DM	1997 Mio. DM	1998 Mio. DM	1999 Mio. DM	2000 Mio. DM	ff. Mio. DM
3,5	10	25	30	20	5,8

Für die Bibliothek der Universität Erfurt hat das Land zum 26. Rahmenplan die folgenden Finanzraten angemeldet:

bis 1996 Mio. DM	1997 Mio. DM	1998 Mio. DM	1999 Mio. DM	2000 Mio. DM	ff. Mio. DM
0,5	5	15	18	15	3,5[4])

Neben den Bibliotheksvorhaben für die Friedrich-Schiller-Universität Jena und die Universität Erfurt wurden vom Wissenschaftsrat weitere Bauvorhaben im Bereich der Hochschulbibliotheken in Thüringen – insbesondere an Fachhochschulen – zur Aufnahme in den Rahmenplan empfohlen. Das Land erklärt, daß deren Realisierung haushaltsmäßig ebenso abgesichert sei wie die Bibliotheksvorhaben der Universitäten in Jena und Erfurt.[5])

3) Ministerium für Wissenschaft, Forschung und Kultur des Freistaates Thüringen: Landeshochschulplan (Erfurt 1996), S. 63.
4) Mit Schreiben vom 18. 6. 1996 betont das Land, daß es an den dargelegten Finanzierungsschritten festhalte.
5) Thüringer Ministerium für Wissenschaft, Forschung und Kultur: Schreiben an die Geschäftsstelle des Wissenschaftsrates vom 27. 6. 1996.

I. 2. Einschichtigkeit und Gliederung des Bibliothekssystems

Gemäß Thüringer Hochschulgesetz (§ 90) ist an der Universität Erfurt ein einschichtiges integriertes Bibliothekssystem vorgesehen. Das Land will – wie im Hochschulgesetz vorgesehen – einen Bibliotheksausschuß einrichten, der die Bibliotheksleitung in grundsätzlichen Fragen, insbesondere zu

- Struktur und Entwicklung des Bibliothekssystems sowie Bauplanung
- Richtlinien der Mittelverteilung
- Grundsätzen der Literaturauswahl
- Bibliotheksbenutzung

beraten soll.

Die Universitätsbibliothek soll als zentrale Einrichtung der Universität fungieren.

In der Bibliothek, die aus einem Gebäudekomplex bestehen soll, werden sowohl die Bearbeitungszentrale als auch sämtliche Buchbestände untergebracht. Da die Bibliothek im wesentlichen als Präsenzbibliothek konzipiert ist, soll der Magazinbestand auf wenig gebrauchte sowie besonders seltene, wertvolle, alte und daher sicherungsbedürftige Literatur beschränkt werden. Das Land sieht in der zentralen Literaturaufstellung – und damit in dem Verzicht auf einzelne Instituts- oder Fakultätsbibliotheken – auch eine Umsetzung des Prinzips der interdisziplinären Arbeit und auf diese Weise eine Stärkung des kulturwissenschaftlichen Profils der Universität.

I. 3. Bestandsaufbau

Nach den Ausführungen des Landes soll sich der zukünftige Buchbestand der Universitätsbibliothek Erfurt zusammensetzen aus:

- Büchergrundbestand
- laufenden Neuerwerbungen
- Bestand der Bibliothek der Pädagogischen Hochschule zum Zeitpunkt der Übernahme
- Bestand der Bibliothek der ehemaligen Kirchlichen Hochschule Naumburg
- Bestand des Philosophisch-Theologischen Studiums Erfurt (noch Gegenstand von Verhandlungen)
- Altbeständen im Besitz der Stadt Erfurt (noch Gegenstand von Verhandlungen).

Den Aufbau eines umfassenden Büchergrundbestands erachtet das Land als unabdingbare Voraussetzung für eine qualitativ hochstehende bibliothekarische Versorgung der Hochschule. Mit der Begründung, es handele sich bei der Universität Erfurt um eine Neugründung, erhöht das Land für einzelne Fächer den Ansatz für den Büchergrundbestand um 15 %. Andererseits soll der Ansatz für die folgenden Fächer reduziert werden:

- für das Fach Religion/Theologie auf 50 %, da die Bibliotheken der ehemaligen Kirchlichen Hochschule Naumburg und des Philosophisch-Theologischen Studiums übernommen werden;

- für die Fächer Bildende Kunst und Musik/Theater/Film auf 10 %, weil sie nur im Rahmen der Lehrerausbildung angeboten werden;

- für das Fach Geographie auf 50 %, da es an der Universität nicht voll ausgebaut werden soll.

Das Land betont, der Büchergrundbestand der Bibliothek der Pädagogischen Hochschule finde Berücksichtigung, indem die HBFG-Mittel der PH-Bibliothek (4,2 Mio. DM) von den Erwerbungsmitteln der Universitätsbibliothek für den Büchergrundbestand abgezogen würden. Ferner solle zwar auf den Aufbau eines eigenen Büchergrundbestands für „Naturwissenschaften allgemein" verzichtet werden; jedoch erforderten die geplanten Forschungsschwerpunkte des Max-Weber-Kollegs „Wissenschaftsforschung" und „Wechselwirkungen von Institutionen und Kulturen in Transformationsprozessen" sowie entsprechende Inhalte der Grundschullehrerausbildung einen Grundbestand an naturwissenschaftlicher Literatur.

Insgesamt errechnet das Land über einen Zeitraum von zwölf Jahren Büchergrundbestandsmittel in Höhe von ca. 31,1 Millionen DM. Daraus ergibt sich ein jährlicher Betrag von 2,6 Millionen DM.

Für laufende Neuerwerbungen veranschlagte das Land im Haushalt 1994 3,5 Millionen DM, im Haushalt 1995 ca. 4,2 Millionen DM. Von diesen Mitteln wurden insgesamt 117 000 Bände Monographien und Zeitschriften, ferner 100 000 Mikroformen und neue Medien beschafft.

Das Land weist darauf hin, daß erst mit Aufnahme des allgemeinen Studienbetriebs – voraussichtlich im Jahr 2000 – Mehrfachexemplare häufig genutzter Studienliteratur erworben und eine Lehrbuchsammlung eingerichtet werden sollen. Der Berechnung der laufenden Neuerscheinungen an Monographien und Zeitschriften legt das Land die Bayerischen Empfehlungen zur Sicherung der Literaturversorgung an den Landesuniversitäten vom 10. März 1989 zugrunde. Da Bildende Kunst, Musik, Theater, Film und Sport nur im Rahmen der Lehrerausbildung angeboten werden sollen, wird der laufende Bedarf in diesen Fächern gegenüber den Normzahlen auf 20 % reduziert.

Der jährliche Bedarf an laufenden Neuerwerbungen umfaßt mit Blick auf Monographien nach den Berechnungen des Bayerischen Etatmodells knapp 45 000 Bände, Zeitschriften betreffend 6700 Bände. Der jährliche Finanzbedarf beträgt damit insgesamt ca. 4,2 Millionen DM.[6])

Für die Dauer des Bezugs von Büchergrundbestandsmitteln (bis zum Jahr 2008) will das Land pro Jahr für die laufenden Erwerbungen ab 1997 1,5 Millionen DM bereitstellen, was ca. 40 % des nach dem Bayerischen Etatmodell ermittelten Bedarfs entspricht. Ab dem Jahr 2009 sollen die laufenden Neuerwerbungsmittel auf 2,5 Millionen DM pro Jahr aufgestockt werden; dies entspricht rund 60 % des ermittelten Bedarfs.

Den Bestand der Bibliothek der Pädagogischen Hochschule, den die Bibliothek übernehmen soll, schätzt das Land bis zum Jahr 2002 auf 376 000 Bände.

Der Umfang der Dauerleihgaben und Geschenke wird auf ca. 377 000 Bände berechnet. Zu ihnen zählen die in Aussicht gestellte Übergabe von Beständen, die derzeit Bestandteil der Wissenschaftlichen Allgemeinbibliothek in Erfurt sind, u. a.:

- die Bibliotheca Amploniana mit teilweise einzigartigen Handschriften der ehemaligen Erfurter UB (979 Codices vorwiegend aus dem 12. bis 15. Jahrhundert)

- die Boineburgische Büchersammlung (ca. 4500 Bände aus dem 17. Jahrhundert)

- Bestände vorwiegend aus Erfurter Klöstern (mehrere zehntausend Bände aus dem 16. bis 18. Jahrhundert).

Als mögliche Dauerleihgabe kommen ferner ca. 200 000 Bände des Erfurter Philosophisch-Theologischen Studiums, die sich im Besitz der Katholischen Kirche befinden, in Betracht. Die Übernahme der ca. 142 000 Bände der Bibliothek der ehemaligen Kirchlichen Hochschule in Naumburg, die der Evangelischen Kirche gehören, ist bereits erfolgt.

Das Land weist darauf hin, daß eine verwaltungsmäßige Übernahme für die Bibliotheken des Evangelischen Ministeriums und der Predigerschule im Umfang von 60 000 Bänden aus dem 16. bis 20. Jahrhundert erörtert werde. Diese Bestände sind derzeit im Augustinerkloster in Erfurt untergebracht und sollen voraussichtlich dort verbleiben.

Die Bestände der Bibliothek der Pädagogischen Hochschule, der Bibliothek der ehemaligen Kirchlichen Hochschule in Naumburg und der Bibliothek des Philosophisch-Theologischen Studiums sollen nach Übernahme in die Universitätsbibliothek Erfurt in deren fächerübergreifen-

6) Bei Monographien wird ein Durchschnittswert von 75 DM, bei Zeitschriften von 125 DM pro Band angesetzt.

den Bestand integriert werden. Mit der Konversion der Zettelkataloge zu diesen Beständen sollen Fremdfirmen beauftragt werden.

Darüber hinaus will das Land für die Erschließung von zu übernehmenden Beständen anderer Bibliotheken Projektmittel, auch auf EU-Ebene, beantragen. So ist etwa bei Übernahme von Sondersammlungen der Wissenschaftlichen Allgemeinbibliothek in Erfurt ein Projektantrag bei der Deutschen Forschungsgemeinschaft vorgesehen.

I. 4. Benutzung und EDV-Einsatz

Benutzung

Durch eine Freihandaufstellung von mindestens zwei Dritteln des Buchbestandes und die Einrichtung eines OPAC will das Land eine umfassende und leichte Benutzbarkeit der Bibliotheksbestände der Universität Erfurt erreichen. Jeder Wissenschaftler der Hochschule soll in die Lage versetzt werden, von seinem Arbeitsplatz aus eine Online-Katalog-Recherche durchzuführen.

Ferner sind als benutzerfreundliche Maßnahmen u. a. vorgesehen:

- großzügige Öffnungszeiten (7.00 bis 24.00 Uhr an Werktagen)
- EDV-gestützte Sofortausleihe aus dem Magazin (PICA)
- Beschleunigung von Fernleihbestellungen durch das Online-Fernleihsystem von PICA bzw. für Zeitschriften über kommerzielle Anbieter von Online-Datenbanken
- Informationsvermittlung durch CD-ROM und Zugriff auf nationale und internationale elektronische Literatur- und Faktendatenbanken.

Die angestrebte Betreuungsintensität, die das Studium an der Universität Erfurt auszeichnen soll, will die Bibliothek unterstützen durch gezielte Aktivitäten bei der Benutzerschulung und -beratung, wie etwa:

- Erarbeitung von Lern- und Übungsaufgaben zur Entwicklung von Fähigkeiten in der eigenständigen Informationsbeschaffung für Studierende, Lehrende und andere Bibliotheksbenutzer
- Zuarbeit für Lehrveranstaltungen im Bereich Literaturversorgung, Information und Kommunikation
- Angebote von Tutorien mit Studierenden
- Beratungen zur Literaturrecherche für spezielle Lehr- und Forschungsprojekte.

EDV-Einsatz

Der Geschäftsgang soll sich nicht so sehr an traditionellen Arbeitsbereichen, sondern an den Arbeitsabläufen orientieren, die durch den konsequenten Einsatz des PICA-Systems, das Erwerb, Katalogisierung, Aus-

und Fernleihe sowie Online-Publikumskatalog umfaßt, vorgegeben werden.

Auf überregionaler Ebene wird sich die Universitätsbibliothek Erfurt – wie alle wissenschaftlichen Bibliotheken Thüringens – an dem „Gemeinsamen Bibliotheksverbund (GBV)“ mit Sitz in Göttingen beteiligen.7) Darüber hinaus nimmt sie lesenden Zugriff auf den Bayerischen Verbund, um die Sacherschließungsdaten (Regensburger Aufstellungssystematik, verbale Sacherschließung) als Fremddaten zu nutzen.

Unter Federführung der Universitätsbibliothek Erfurt soll ein lokales Bibliothekssystem als Komponente des PICA-Verbundes aufgebaut werden. In einer ersten Phase sollen daran die Bibliotheken der Pädagogischen Hochschule und der Fachhochschule Erfurt sowie die Forschungs- und Landesbibliothek Gotha beteiligt sein.

Als weitere Informationsdienstleistungen soll die Universitätsbibliothek Erfurt nach den Vorstellungen des Landes anbieten:

- Aufbau eines Medienzentrums für die geisteswissenschaftlichen Fächer in Thüringen
- Aufbau eines elektronischen Publikationszentrums (Veröffentlichungen der Universität Erfurt sollen digital gespeichert werden)
- Erschließung der Literatur durch Einscannen von Indices und Abstracts (sofern diese nicht durch externe Quellen, wie z. B. Current Contents in PICA, abgedeckt sind).

Für die elektronischen Publikationen will das Land die erforderlichen technischen Voraussetzungen schaffen, damit die Datenspeicher der Bibliothek lokal, regional, überregional und international abgerufen werden können.

I. 5. Räumliche Situation der provisorischen Universitätsbibliothek

Zu Beginn des Jahres 1994 wurde für die Bibliothek ein ehemaliges Fabrikgebäude in räumlicher Nähe zur Geschäftsstelle der Universität Erfurt angemietet. Dort sind die Bibliotheksverwaltung, die Arbeitsbereiche für die Buchbearbeitung und der Buchbestand bis zum Bezug des Neubaus der Bibliothek und zum Beginn des allgemeinen Studienbetriebs untergebracht.

Durch die beengten räumlichen Verhältnisse in dem als Provisorium genutzten Gebäude ist nach Auskunft des Landes die Benutzbarkeit der Bestände stark eingeschränkt. Ein öffentlicher Benutzungsbereich mit

7) Außer Thüringen nehmen am GBV die Länder Bremen, Hamburg, Mecklenburg-Vorpommern, Niedersachsen, Sachsen-Anhalt und Schleswig-Holstein teil.

Ausleihe und Leseplätzen könne nicht eingerichtet werden. Nur eine Benutzung durch das Max-Weber-Kolleg sei vorübergehend möglich.

A. II. Raumbedarf für die Universitätsbibliothek

II. 1. Buchstellfläche

Bei der Ermittlung des Raumbedarfs für den Neubau der Universitätsbibliothek legt das Land einen Buchbestand von ca. 1,9 Millionen Bänden bis zum Jahr 2020 zugrunde. Da eine Freihandaufstellung von mindestens zwei Dritteln des Bestandes vorgesehen ist, geht das Land von folgendem Flächenbedarf aus:

Buchbestände	Anzahl der Bände	Hauptnutzfläche m²
Monographien im Lesesaal	1 308 500	7 851
Lehrbuchsammlung, Bibliographien, Zeitschriften und andere Medien	49 000	956
Freihandbereich insgesamt	1 357 500	8 807
Magazin	500 000	2 000
Sondermagazin	34 000	170
Magazinbereich insgesamt	534 000	2 170
Buchbestand insgesamt	1 891 500	10 977

II. 2. Benutzer- und Personalarbeitsplätze

Die Anzahl der Benutzerarbeitsplätze ist bezogen auf die vorgesehenen 4000 flächenbezogenen Studienplätze. Insgesamt will das Land 700 Lese- und Arbeitsplätze bereitstellen, was 17,5 % der anzurechnenden Benutzer entspricht. Daraus ergibt sich folgender Flächenbedarf:

Benutzerarbeitsplätze (x Fläche pro Arbeitsplatz)	Hauptnutzfläche (m²)
486 Leseplätze (x 3,5 m²)	1 701
174 PC-Arbeitsplätze (x 3,5 m²)	609
40 Carrels (x 4 m²)	160
58 Katalog- und Rechercheplätze (x 3 m²) (OPAC, Microfiche, CD-ROM)	173
5 Gruppenarbeitsräume (x 16 m²)	ca. 80
Insgesamt	2 724

Von den vom Land vorgesehenen 86 Personalstellen waren bis 1995 37 besetzt; 1996 soll die Stellenzahl auf 60 ansteigen.

Der geplante Personalbestand setzt sich – einschließlich der Übernahme der Stellen der Bibliothek der Pädagogischen Hochschule[8]) – wie folgt zusammen:

- 12 Stellen im höheren Dienst (14 %)
- 32 Stellen im gehobenen Dienst (37,2 %)
- 34 Stellen im mittleren Dienst (39,5 %)
- 8 Stellen im einfachen Dienst (9,3 %).

Bei der Berechnung des Raumbedarfs für Personalarbeitsplätze weicht das Land von den Richtwerten des DIN-Fachberichts 13 von 1988 ab, weil die erforderliche umfangreiche EDV-Ausstattung der Arbeitsplätze dort zu wenig berücksichtigt sei. Da sowohl die Mitarbeiter des gehobenen als auch des mittleren Dienstes EDV-gestützt arbeiteten, seien für ihre Arbeitsplätze die gleichen räumlichen Richtwerte anzusetzen. Darüber hinaus sei durch den hohen Buchzugang, bedingt durch den Neuaufbau des Büchergrundbestandes, ein erhöhter Bedarf an Buchstaufläche gegeben. Das Land geht daher von einem Mindestwert von 12 m^2 (mit Zuschlag für Bibliothekspersonal: 13,8 m^2) pro Mitarbeiter im gehobenen und im mittleren Dienst aus.

Aus Sicht des Landes stellt sich der Flächenbedarf für die Personalarbeitsplätze der Bibliothek wie folgt dar:

Einstufung	veranschlagte Fläche (m^2)	Anzahl Mitarbeiter	Hauptnutzfläche (m^2)
höherer Dienst	30	1	30
höherer Dienst	24	6	144
höherer Dienst	18	5	90
gehobener und mittlerer Dienst	13,8	66	910,8
einfacher Dienst	6,6	8	52,8
Insgesamt		86	1 227,6

Hinzu kommen Arbeitsflächen für Referendare, Auszubildende, ABM-Kräfte bzw. drittmittelfinanzierte Stellen im Umfang von 108 m^2. Insgesamt ergibt sich daher ein Raumbedarf für Personalflächen von 1 335,6 m^2.[9])

8) Von der Bibliothek der Pädagogischen Hochschule werden 18 Stellen übernommen, die sich wie folgt aufgliedern: 2 Stellen höherer, 8 Stellen gehobener, 7 Stellen mittlerer und 1 Stelle einfacher Dienst. Eine Zuordnung dieser Stellen zu konkreten Besoldungs- und Vergütungsgruppen soll im Zuge der späteren Eingliederung der Bibliothek der Pädagogischen Hochschule in die Universität Erfurt erfolgen.
9) Im Raumprogramm sind für Personalflächen der UB insgesamt 1334 m^2 ausgewiesen.

Darüber hinaus veranschlagt das Land für Verwaltungs- und Funktionsflächen für die Buchausleihe, Kataloge, Kopierstellen, Buchbinderei, Informationsvermittlungsstelle, Besprechungs- und Sozialräume, Ausstellungsraum, für Post- und Packstelle, für die zentrale EDV-Station etc. einen Flächenbedarf von 1329 m^2.

Bis zum Endausbau werden mithin folgende Hauptnutzflächen für die Bibliothek vorgesehen:

– Bücherstellfläche	10977 m^2
– Benutzerarbeitsfläche	2724 m^2
– Personalarbeitsfläche	1334 m^2
– Funktions- und Verwaltungsfläche	1329 m^2.

Insgesamt ergibt sich folglich eine Hauptnutzfläche von 16364 m^2.

A. III. Bauplanung für den Neubau der Universitätsbibliothek

Die für die Universität Erfurt vorgesehenen Neubauten sollen auf einem campusähnlichen Gelände im unmittelbaren Anschluß an das Gebäude der Pädagogischen Hochschule errichtet werden. Der Standort für den Neubau der Universitätsbibliothek wurde nach Aussage des Landes aufgrund folgender Kriterien ausgewählt:

- Funktion eines „Kristallisationspunktes" der künftigen Entwicklung der Universität
- Verknüpfung der Pädagogischen Hochschule mit den neuen Institutsbauten
- Verbindung zur Stadt.

Die Stadt Erfurt hat zwischenzeitlich für die gesamte Neubaufläche eine städtebauliche Entwicklungsmaßnahme ausgewiesen, so daß das Land für das Jahr 1997 mit der Erfüllung der baurechtlichen Voraussetzungen für den Neubau der Universitätsbibliothek rechnet.

Entsprechend der Empfehlung des Wissenschaftsrates wurde das Raumprogramm, das zunächst ca. 20000 m^2 Hauptnutzfläche umfaßte und in drei Bauabschnitte gegliedert war, überarbeitet. Es sieht nunmehr 16364 m^2 Hauptnutzfläche in zwei Bauabschnitten vor, davon 9484 m^2 im 1. Bauabschnitt. Für den Fall eines späteren Erweiterungsbedarfs will das Land die Erweiterbarkeit durch einen 3. Bauabschnitt vorsehen.

Die derzeitige Terminplanung zur Errichtung des Neubaus der Bibliothek gestaltet sich wie folgt:

- Aufstellung der Haushaltsunterlage Bau bis November 1996
- Antrag auf eine vorbehaltlose Aufnahme des Bauvorhabens (Kategorie I) zum 27. Rahmenplan (1.3.1997)

- Aufstellung der Ausführungsunterlage Bau bis Juni 1997
- Durchführung von bauvorbereitenden Maßnahmen (z. B. Erschließungs- und Abrißarbeiten) im Oktober 1997
- Vergabe der Bauleistungen nach EG-weiter Ausschreibung im Januar 1998
- Baubeginn im März 1998.

Die Baukosten für den 1. Bauabschnitt der Bibliothek werden auf ca. 57 Millionen DM geschätzt. Mit der Anmeldung für den 26. Rahmenplan hat das Land eine Höherstufung des in Kategorie P eingestuften Vorhabens zur grundsätzlichen Aufnahme in den Rahmenplan (Kategorie II) beantragt.

B. Stellungnahme

Der Wissenschaftsrat hat den 1. Bauabschnitt für die Bibliothek der Universität Erfurt, wie vom Land zum 26. Rahmenplan angemeldet, grundsätzlich zur Aufnahme in den Rahmenplan empfohlen. Die vorbehaltlose Aufnahme in den Rahmenplan ist an die folgenden Voraussetzungen geknüpft.

B. I. Zur Prioritätensetzung im Bereich der Universitätsbibliotheken und zur Finanzplanung

Der Wissenschaftsrat begrüßt, daß aus Sicht des Landes unter den Baumaßnahmen im Bibliotheksbereich der Wiederaufbau der Thüringer Universitäts- und Landesbibliothek Jena Vorrang vor anderen Bauvorhaben hat. Diese Prioritätensetzung korrespondiert mit der des Wissenschaftsrates, derzufolge der Aufbau der Hauptbibliothek der Universität Jena gegenüber dem Neubau der Universitätsbibliothek Erfurt vorrangig zu betreiben ist, ohne daß dessen Errichtung allerdings durch verfahrensbedingte Verzögerungen in Jena blockiert werden darf.[10])

Die vom Land angemeldeten Finanzraten für die Neubauvorhaben der Universitätsbibliotheken Jena und Erfurt wurden in den Rahmenplan für den Hochschulbau aufgenommen.

Ferner wird begrüßt, daß das Land erklärt hat, seine Prioritätensetzung nicht zu Lasten anderer bereits in den Rahmenplan für den Hochschulbau aufgenommener Vorhaben vornehmen zu wollen.

10) Wissenschaftsrat: Stellungnahme zum Bibliothekskonzept und zum Neubau der Thüringer Universitäts- und Landesbibliothek Jena, in: Empfehlungen und Stellungnahmen 1994, Köln 1994, Bd. I, S. 311-338.

B. II. Zur Struktur und Organisation der Universitätsbibliothek Erfurt

II. 1. Zur Bedeutung der Universitätsbibliothek für die Universität

Der Wissenschaftsrat unterstützt das Land in seinem Bestreben, den zukünftigen Studierenden der Universität Erfurt mit Aufnahme des Studienbetriebes eine funktionsfähige und mit einem adäquaten Bestand an Print- und elektronischen Medien ausgestattete Bibliothek zur Verfügung zu stellen. Sie ist die Voraussetzung, um die universitäre geisteswissenschaftliche Forschung als zentrales innovatives Anliegen der Universitätsgründung zu realisieren. Daß die Kulturwissenschaften an der Universität Erfurt im umfassenden Sinne gefördert werden sollen,[11]) muß seinen Niederschlag auf das Bibliothekskonzept finden. Dieses sollte insbesondere dazu beitragen, disziplinäre Abgrenzungen zu überwinden sowie inter- und transdisziplinäres Arbeiten in übergeordneten thematischen Zusammenhängen zu fördern. Dazu sind innovative bibliothekarische Strukturen – vor allem im Benutzungsbereich – zu erproben.

II. 2. Zur Einschichtigkeit und Gliederung des Bibliothekssystems

Das Land macht durch die vorgesehene Unterbringung der Buchbearbeitung und des gesamten Literaturbestandes in nur einem Gebäude in räumlicher Hinsicht optimalen Gebrauch von den Vorteilen einer Hochschulneugründung. Strukturelle Defizite, wie sie zwei- oder mehrschichtigen Bibliothekssystemen immanent und gelegentlich auch in einschichtigen Bibliothekssystemen anzutreffen sind, werden auf diese Weise vermieden. Zu Recht betrachtet das Land die zentrale Literaturaufstellung als formalen Ausdruck des integrativen Ansatzes, der die disziplinäre Abgrenzung in Forschung und Lehre überwinden und der Universität Erfurt zusammen mit anderen innovativen Ansätzen, zu denen auch die vom Wissenschaftsrat empfohlene Fakultätsstruktur gehört,[12]) ihr spezifisches Profil geben soll.

II. 3. Zum Bestandsaufbau

Um eine langfristige Unterfinanzierung im Erwerbungsbereich zu vermeiden - nach Planung des Landes sollen bis zum Jahr 2008 ca. 40 %, in den nachfolgenden Jahren ca. 60 % des nach dem der Planung zugrunde liegenden Bayerischen Etatmodell ermittelten Bedarfs an Neuerwerbungsmitteln bereitgestellt werden –, empfiehlt der Wissenschaftsrat die Erhöhung der Erwerbungsmittel für laufende Neuerwerbungen entsprechend dem Bayerischen Etatmodell.

---

11) Empfehlungen des Strukturausschusses der Gründungskommission der Universität Erfurt, Erfurt 1994, S. 40-42.

12) Wissenschaftsrat: Stellungnahme zur Aufnahme der Universität Erfurt in das Hochschulverzeichnis des Hochschulbauförderungsgesetzes, a. a. O., S. 66-75.

Neben den laufenden Neuerwerbungen mißt das Land vor allem dem Aufbau eines umfassenden Büchergrundbestandes und der Übernahme des Bestandes der Bibliothek der Pädagogischen Hochschule wie auch der Altbestände verschiedener Institutionen besondere Bedeutung zu.

Im Rahmen der retrospektiven Bestandsergänzung erhöht das Land für die Fächer

- Allgemeines
- Philosophie/Psychologie
- Philologie
- Geschichte
- Erziehung/Hochschulwesen
- Recht/Staat/Politik
- Wirtschaft/Gesellschaft/Statistik

den Ansatz um 15 %. Es beruft sich dabei auf die Empfehlungen der Bund-Länder-Arbeitsgruppe Bibliothekswesen zum „Aufbau von Büchergrundbeständen an den Universitäten und Hochschulen in den neuen Bundesländern“,[13]) die u. a. folgendes vorsehen: „Bei Neuaufbau einzelner Fächergruppen und bei Neugründungen sind die Ansätze für den Grundbestand im jeweiligen Fach um 15 % zu erhöhen.“[14]) Der Wissenschaftsrat stimmt dem zu.

Das Anliegen des Landes, der Erwerbung und Erschließung des Büchergrundbestandes Vorrang vor einer Erschließung und Bereitstellung der Altbestände zu geben, um einen ordnungsgemäßen Studienbetrieb gewährleisten zu können, nimmt der Wissenschaftsrat zustimmend zur Kenntnis.

Mit Blick auf die übernommenen und noch zu übernehmenden Bestände der Bibliotheken der ehemaligen Kirchlichen Hochschule in Naumburg und des Erfurter Philosophisch-Theologischen Studiums sowie einiger derzeit in der Wissenschaftlichen Allgemeinbibliothek in Erfurt untergebrachten Sammlungen regt der Wissenschaftsrat an, alle Altbestände in den fächerübergreifenden Bestand der Universität Erfurt zu integrieren, um ihre Benutzbarkeit zu verbessern. Daß die Zettelkataloge zu den Beständen der ehemaligen Kirchlichen Hochschule in Naumburg und des Philosophisch-Theologischen Studiums – ebenso wie zu denen der Pädagogischen Hochschule – konvertiert werden sollen, ist zu begrüßen. Diese Aufträge Fremdfirmen zu erteilen, wie vom Land vorgesehen, erscheint unter ökonomischen Gesichtspunkten sinnvoll.

Für dringlich erachtet der Wissenschaftsrat im Falle einer Übernahme die Erschließung der bislang noch unerschlossenen Bestände der Wissen-

13) Bund-Länder-Arbeitsgruppe Bibliothekswesen: Empfehlungen zur Förderung der Bibliotheken in den neuen Bundesländern (dbi-Materialien: Berlin 1991), S. 56-61.
14) Ebd., S. 57.

schaftlichen Allgemeinbibliothek am Ort und weist in diesem Zusammenhang auf die Förderungsmöglichkeiten durch die Deutsche Forschungsgemeinschaft insbesondere bei der Erschließung von Handschriften und Inkunabeln hin.

Im Zuge der Übernahme von Altbeständen anderer Institutionen ist nach Auffassung des Wissenschaftsrates eine *einheitliche Erschließung* aller Bestände aus Dauerleihgaben und Geschenken einerseits sowie der laufenden Neuerwerbungen und des Büchergrundbestandes andererseits unverzichtbar. Nur durch eine katalogtechnische Integration ist der Gefahr zu begegnen, daß die Bestände zwar räumlich zusammengeführt werden, de facto aber den Charakter verschiedener eigenständiger Bibliotheken aufweisen. Ferner spricht der Wissenschaftsrat sich für eine rasche Erschließung und Bereitstellung der Bestände aus, da nicht erschlossene Bestände für die wissenschaftliche Arbeit letztlich wertlos sind.

Im Rahmen der Übernahme von Altbeständen anderer Einrichtungen warnt der Wissenschaftsrat schließlich davor, daß die übernommene Literatur nicht in das Profil der neugegründeten Universität passen könnte. Dies wäre keinesfalls erwünscht.

Das Land wird gebeten, durch frühzeitige Abgleichung der als Dauerleihgaben oder Geschenke zu übernehmenden Bestände – die eine zügige Erschließung voraussetzt – wie auch durch Erwerbungskooperationen die Beschaffung von Dubletten zu vermeiden.

II. 4. Zur Benutzung und zum EDV-Einsatz

Bei einer Umsetzung der vorgelegten Planungen des Landes wird sich die Universitätsbibliothek Erfurt durch ein hohes Maß an Benutzerfreundlichkeit auszeichnen. Dies gilt sowohl für die vorgesehenen Aktivitäten zur Betreuung der Studierenden – einschließlich des Angebots von Tutorien und Beratungen zur Literaturrecherche für spezielle Lehr- und Forschungsprojekte – als auch für die Unterstützung von Lehrveranstaltungen durch gezielte Information.

Da sich die Bibliothek primär als Präsenzbibliothek versteht, ist es erforderlich, wie vom Land geplant, mindestens zwei Drittel des Buchbestandes freihand aufzustellen. Dies erhöht durch die Möglichkeit des raschen Zugriffs auf den Bestand zugleich die Akzeptanz bei denjenigen Benutzern, die eine Lektüre zu Hause der im Lesesaal vorziehen würden.

Vorbildlich und an deutschen Hochschulbibliotheken eher eine Ausnahme sind die geplanten Öffnungszeiten von 17 Stunden an Werktagen (7.00 bis 24.00 Uhr). Sollte sich dies nicht realisieren lassen, regt der Wissenschaftsrat an, die Bibliothek an Tagen mit Hochschulbetrieb von 8.30 bis 22.00 Uhr und an Samstagen von 9.00 bis 16.00 Uhr für die Benutzung offen zu halten. Großzügige Öffnungszeiten der Bibliothek sind gerade für eine Universität, die den Akzent auf geisteswissenschaftliche Fächer setzt, unverzichtbar und können darüber hinaus einen Beitrag zur Einlösung des vom Land für die Universität formulierten forschungsintensiven und innovativen Anspruchs leisten. Infolge der räumlichen Struktur der Bibliothek stellt es zudem keine Schwierigkeit dar, mit nur geringem Personaleinsatz den Benutzungsbereich zu überwachen.

Der Wissenschaftsrat begrüßt, daß bereits bei Aufnahme des Studienbetriebes ein OPAC zur Verfügung stehen soll. Ferner betrachtet er als weiteres Charakteristikum des benutzerfreundlichen Anspruchs wie auch als Dienstleistung, die einem wissenschaftlich effizienten Arbeiten zugute kommt, daß allen Professoren und wissenschaftlichen Mitarbeitern von ihren Arbeitsplätzen aus eine Online-Katalog-Recherche ermöglicht werden soll. Im Sinne des forschungsorientierten Profils der Universität empfiehlt der Wissenschaftsrat, daß von diesen Arbeitsplätzen des weiteren ein direkter Zugriff auf das CD-ROM-Netz der Bibliothek und auf Texte genommen werden kann, die elektronisch gespeichert sind.[15])

Neben diesen auf dem Campus der Universität Erfurt anzubietenden Dienstleistungen der Bibliothek soll sie nach den Vorstellungen des Landes federführend beim Aufbau eines Lokalen Bibliothekssystems (PICA/LBS 3) sein, das die Pädagogische Hochschule und Fachhochschule am Ort sowie die Forschungs- und Landesbibliothek Gotha einschließt. Daß die Universitätsbibliothek Erfurt bei der Einrichtung des lokalen Bibliothekssystems maßgebliche Aufgaben übernehmen soll, ist aufgrund ihrer Stellung als einziger beteiligter *Universitäts*bibliothek der vorgesehenen EDV-technischen wie auch der Personalausstattung angemessen. Begrüßt wird die Zuordnung der Forschungs- und Landesbibliothek Gotha zum LBS, da ihre universal orientierten und historisch gewachsenen Bestände – einschließlich 10000 abendländischer und orientalischer Handschriften sowie 1000 Wiegendrucke – von hohem Wert für Wissenschaftler und Studierende der geisteswissenschaftlich ausgerichteten Universität Erfurt sein dürften. Der Wissenschaftsrat bittet das Land zu prüfen, ob die gleichfalls für Erfurter Universitätsangehörige bedeutsamen Bestände der im städtischen Besitz befindlichen Museumsbibliothek in Gotha in das lokale Bibliothekssystem einbezogen werden können.

Die Entscheidungen des Landes, an allen Hochschulbibliotheken in Thüringen das EDV-gestützte Automatisierungssystem PICA einzuführen und sich dem „Gemeinsamen Bibliotheksverbund (GBV)“ in Göttingen anzuschließen, nimmt der Wissenschaftsrat zur Kenntnis. Das PICA-System hat sich mit seinen vielfältigen bibliothekarischen Funk-

15) Vgl. Hoffmann, Karl-Heinz: Die bibliothekarische Versorgung der Hochschulen im Zeitalter der elektronischen Medien, in: DBV-Jahrestagung 1995 – 27.-29. März 1995 in Nürnberg (DBV-Info Nr. 19: Berlin 1995), S. 8-12, hier S. 8.

tionen in anderen Ländern wie in den Niederlanden bewährt. Die Teilnahme am PICA-Bibliotheksverbundsystem ermöglicht eine umfangreiche Fremddatenübernahme von anderen am Verbund beteiligten Bibliotheken.

B. III. Zur Personalausstattung

Die geplante Personalausstattung der Universitätsbibliothek Erfurt mit insgesamt 86 Planstellen entspricht nicht der üblichen Verteilung der Stellen für den höheren Dienst, den gehobenen Dienst und den mittleren Dienst. Insbesondere erscheint die Anzahl der Stellen für den höheren (12) und mehr noch für den einfachen Dienst (8) überproportional hoch. Auf der Ebene der wissenschaftlichen Bibliothekare ist die vorgesehene Stellenzahl trotz des Verzichts auf natur- und ingenieurwissenschaftliche sowie medizinische Fächer insofern vertretbar, als die Bibliothek im Sinne des Qualitäts- und Reformanspruches der Universität Erfurt der individuellen Beratung der Bibliotheksbenutzer wie auch der Betreuung von Kleingruppen (Tutorien) einen hohen Stellenwert beimißt. Daß die Relation von höherem und gehobenem Dienst leicht zugunsten der wissenschaftlichen Bibliothekare ausfällt, spiegelt die Aufgabenverschiebung einer EDV-technisch gut ausgestatteten Hochschulbibliothek wider, in der infolge der möglich gewordenen Fremddatenübernahme die formale Erschließung des vorhandenen Literaturbestandes deutlich weniger Zeit als bei konventionell betriebenen Bibliotheken in Anspruch nimmt. Demgegenüber gewinnen angesichts des Einsatzes neuer Medien die Dienstleistungen im Benutzungsbereich, etwa die Literaturrecherche, die eine sinnvolle Auswahl der geeigneten Datenbanken, die Beherrschung der Retrievalsprache und eine fachlich kompetente Beratung bei der Festlegung der Suchbegriffe voraussetzt, zunehmend an Bedeutung. Darüber hinaus sollte neben der fachbezogenen Informations*vermittlung* auch die Benutzerschulung mit dem Ziel, den Hochschulangehörigen ein eigenständiges Navigieren im Netz zu ermöglichen, zu den Aufgaben der Bibliothekare gehören.

Da die Bibliothek Erfurt sowohl für die eigene Hochschule als auch innerhalb des lokalen Bibliothekssystems mannigfaltige EDV-technische Aufgaben übernehmen soll, empfiehlt der Wissenschaftsrat neben dem bibliothekarisch ausgebildeten Personal die Einstellung zweier Fachkräfte aus dem Bereich Datenverarbeitung – möglichst aus dem Pool der vorgesehenen 86 Stellen.

Anders als für den höheren Dienst ist die Anzahl der Stellen für den einfachen Dienst kaum zu rechtfertigen. Dies gilt um so mehr, als es sich um nur einen Gebäudekomplex und eine primär als Präsenzbibliothek geführte Einrichtung handelt. Der Wissenschaftsrat gibt zu bedenken, die Anzahl der Stellen für den einfachen Dienst zugunsten derjenigen für den mittleren Dienst zu reduzieren.

B. IV. Zu den Benutzerarbeitsplätzen und zur Bauplanung

Im Verlauf der Beratungen hat das Land die Anzahl der vorgesehenen Benutzerarbeitsplätze vermindert und will nunmehr insgesamt 700 Lese- und Arbeitsplätze bereitstellen. Dies entspricht 17,5 % der Ausbauzielzahl von 4000 flächenbezogenen Studienplätzen und liegt damit an der oberen Grenze. Angesichts des kulturwissenschaftlichen Profils der Universität und des Präsenzcharakters der Bibliothek hat der Wissenschaftsrat jedoch keine Einwände. Er begrüßt, daß ca. ein Viertel (174) der gesamten Benutzerarbeitsplätze als PC-Arbeitsplätze eingerichtet werden soll und für alle anderen Leseplätze (486) und Carrels (40) EDV-Anschlüsse gelegt werden sollen, um eine flexible Nutzung zu ermöglichen. Ferner unterstützt er, daß für alle Leseplätze nicht – wie noch üblich – eine Fläche von 2,5 m^2 pro Lese- und Arbeitsplatz, sondern von 3,5 m^2 angesetzt wird.[16]) Diese Erweiterung trägt der Möglichkeit Rechnung, über die 174 vorgesehenen PC-Arbeitsplätze hinaus weitere Leseplätze für die Arbeit mit PC oder Laptop zu nutzen.

Das auf Empfehlung des Wissenschaftsrates überarbeitete Raumprogramm von insgesamt 16364 m^2 Hauptnutzfläche ist angemessen.

C. Zusammenfassende Empfehlungen

Das Bibliothekskonzept soll einen Beitrag zur Förderung der interdisziplinären Struktur der Universität Erfurt in Forschung und Lehre leisten und in diesem Zusammenhang innovative bibliothekarische Strukturen, insbesondere im Benutzungsbereich, erproben.

Damit eine langfristige Unterfinanzierung im Erwerbungsbereich vermieden werden kann, empfiehlt der Wissenschaftsrat eine Erhöhung der Erwerbungsmittel für laufende Neuerwerbungen entsprechend dem Bayerischen Etatmodell.

Hinsichtlich der der Universität Erfurt in Aussicht gestellten Altbestände verschiedener Institutionen wird als benutzerfreundliche Maßnahme ihre Integration in den fächerübergreifenden Buchbestand empfohlen. Daß die Zettelkataloge zu den Altbeständen wie auch zu denen der Pädagogischen Hochschule konvertiert werden sollen, ist im Sinne einer verbesserten Benutzung zu begrüßen. Von besonderem Interesse für Forschung und Lehre ist ferner, daß im Falle einer Übernahme der Bestände der Wissenschaftlichen Allgemeinbibliothek in Erfurt diese rasch erschlossen und so der Benutzung zugänglich gemacht werden.

16) Der entsprechende Flächenrichtwert aus dem DIN-Fachbericht 13: Bau- und Nutzungsplanung von Wissenschaftlichen Bibliotheken (1. Aufl. 1988) wird derzeit aktualisiert.

Infolge des hohen Stellenwertes der Bibliothek für eine geisteswissenschaftliche Universität sollten – wie vom Land geplant – zumindest zwei Drittel des Buchbestandes im Freihandbereich aufgestellt und großzügige Öffnungszeiten vorgesehen werden.

Im Rahmen des forschungsorientierten Profils der Universität sollte von allen Arbeitsplätzen der Professoren und wissenschaftlichen Mitarbeiter aus nicht nur eine Online-Katalog-Recherche durchgeführt, sondern auch ein direkter Zugriff auf das CD-ROM-Netz der Bibliothek und auf Texte genommen werden können, die elektronisch gespeichert sind.

Mit Blick auf die Personalausstattung wird die Einstellung zweier Fachkräfte aus dem Bereich Datenverarbeitung empfohlen, weil die Bibliothek für die eigene Universität wie auch innerhalb des lokalen Bibliothekssystems (PICA/LBS 3) vielfältige EDV-technische Aufgaben übernehmen soll. Darüber hinaus wird angeregt, die überproportional hohe Anzahl der Stellen für den einfachen Dienst zugunsten derjenigen für den mittleren Dienst zu verringern.

Der Wissenschaftsrat begrüßt, daß von insgesamt 700 Lese- und Arbeitsplätzen für Bibliotheksbenutzer etwa ein Viertel als PC-Arbeitsplätze eingerichtet und alle anderen im Sinne flexibler Nutzungsmöglichkeiten mit EDV-Anschlüssen ausgestattet werden sollen.

Stellungnahme zur weiteren Entwicklung der Hochschulmedizin in Mecklenburg-Vorpommern

vom Januar 1996

Inhalt

Vorbemerkung

In seinen Empfehlungen zur Hochschulmedizin in den neuen Ländern und in Berlin[1]) vom September 1991 hat der Wissenschaftsrat neben allgemeinen Aussagen zur künftigen Entwicklung der Hochschulmedizin auch spezifische Empfehlungen zu den medizinischen Ausbildungsstätten in den neuen Ländern gegeben. Er hat sich darin ausführlich mit der Hochschulmedizin in Mecklenburg-Vorpommern befaßt und grundlegende Empfehlungen zur weiteren Entwicklung der Medizinischen Fakultäten des Landes ausgesprochen. Danach sollte eine Gesamtplanung für die beiden medizinischen Ausbildungsstätten in Rostock und Greifswald aufgestellt werden und eine Absprache zwischen beiden Standorten über jeweilige Schwerpunkte mit entsprechender Aufgabenteilung in möglichst vielen Bereichen erfolgen.[2])

Der Ausschuß Medizin hat die Medizinische Fakultät der Universität Rostock am 10. Februar 1994 besucht. Eine Visite der Greifswalder Fakultät fand am 11. Februar 1994 statt. Auf der Grundlage der Besuche sowie der vom Land Mecklenburg-Vorpommern und der Medizinischen Fakultäten vorgelegten, im April 1995 zuletzt überarbeiteten Konzeption wurde die vorliegende Stellungnahme vom Ausschuß Medizin vorbereitet. Der Wissenschaftsrat hat die Stellungnahme am 19. 1. 1996 verabschiedet.

1) Empfehlungen zur künftigen Struktur der Hochschullandschaft in den neuen Ländern und im Ostteil von Berlin, Teil III, Köln 1992.
2) A.a.O., S. 71–77.

A. Ausgangslage

A. I. Hochschulmedizin in Mecklenburg-Vorpommern

I. 1. Entwicklung und gegenwärtiger Stand

Die Medizinischen Fakultäten der Universitäten Rostock und Greifswald gehören zu den Gründungsfakultäten ihrer Universitäten, die jeweils auf eine über 500jährige Geschichte zurückblicken können. Sie sind auch heute von großer Bedeutung für beide Universitäten. Bei der Neustrukturierung der Hochschullandschaft in den neuen Ländern war allerdings zu bedenken, daß das strukturschwache Land Mecklenburg-Vorpommern unter denjenigen Ländern, die über zwei Universitätsklinika verfügen, dasjenige mit der geringsten Einwohnerzahl ist. Vor diesem Hintergrund schlug der Wissenschaftsrat vor, den Ausbau des Universitätsklinikums in Rostock auf eine Planbettenzahl von 1350 zu begrenzen. Für das Universitätsklinikum Greifswald wurde eine Planbettenzahl von 1050 zugrunde gelegt, wobei die geringere Bettenausstattung durch eine enge vertragliche Zusammenarbeit mit einem Bezirkskrankenhaus kompensiert werden sollte. Außerdem hielt es der Wissenschaftsrat für notwendig, den vergleichsweise hohen Anteil an Regelversorgung gezielt für Lehre und Forschung im Sinne eines bevölkerungsorientierten Konzeptes (Community Medicine) zu nutzen. Der Ausbau der Maximalversorgung sollte dementsprechend auf ein Minimum beschränkt bleiben.

Darüber hinaus empfahl der Wissenschaftsrat, ein Konzept für eine enge fachliche Abstimmung beider Universitätsklinika aufzustellen, in dem eine klare Schwerpunktbildung und eine Aufgabenteilung in möglichst vielen Bereichen erfolgen sollte. Ausdrücklich wies er auf den Studiengang Zahnmedizin hin, der nur an einem der beiden Standorte auszubauen sei.[3]) Mit dieser Zielvorstellung und vor dem Hintergrund der desolaten Bausubstanz der Zahnklinik „müßte insbesondere geprüft werden, ob der Studiengang Zahnmedizin in Greifswald aufgegeben werden“ müsse. Eine Empfehlung, an welchem der beiden Standorte die Zahnmedizin erhalten bleiben solle, sprach der Wissenschaftsrat in diesem Zusammenhang nicht aus.

Anläßlich seines Besuches im Februar 1994 stellte der Ausschuß Medizin des Wissenschaftsrates mit Erstaunen fest, „daß beide Medizinischen Fakultäten mittlerweile auf ein mehr oder minder vollständiges Leistungsspektrum“[4]) hinarbeiteten. Die erwartete Abstimmung des fachlichen Spektrums hatte „nach dem Eindruck des Ausschusses Medizin nur in sehr unzureichendem Maß stattgefunden“. Die Ausbauplanungen beider

3) Wissenschaftsrat: Empfehlungen zur künftigen Struktur der Hochschullandschaft in den neuen Ländern und im Ostteil von Berlin, Teil III, Köln 1992, S. 69.
4) Schreiben des Vorsitzenden des Ausschusses Medizin des Wissenschaftsrates vom 9. 3. 1994 an die Kultusministerin des Landes Mecklenburg-Vorpommern.

Fakultäten zielten auf ein geschätztes Gesamtvolumen von rund 1,9 Milliarden DM (Rostock: 792 Mio. DM; Greifswald 1068 Mio. DM)[5]) und „im Hinblick auf den zugrundegelegten Raumbedarf auf ein wünschbares Optimum". Auch im Vergleich mit den Ansprüchen der Medizinischen Fakultäten in den alten Bundesländern überstiegen diese Vorstellungen das vertretbare Maß nach Einschätzung des Ausschusses Medizin deutlich. Nach wie vor sah der Ausschuß Medizin „keinen Grund, zwei zahnmedizinische Schwerpunkte in Mecklenburg-Vorpommern aufzubauen". Dies gelte auch für andere Fächer, beispielsweise Arbeitsmedizin, aber auch klinische Teildisziplinen, unter anderem Kinder-, Neuro- und Herzchirurgie, bei denen denkbar sei, daß eine Fakultät die Lehraufgaben für beide Standorte wahrnehme. Erneut wurde auch die Frage nach den für Forschung und Lehre erforderlichen Planbetten gestellt. Es sei zu überlegen, „ob nicht ein bestimmtes Kontingent an „Landesbetten" zu identifizieren und über entsprechende Mittel zu finanzieren wäre."

Land und Fakultät leiteten daraufhin ein neues Abstimmungsverfahren ein, in das auch das Sozialministerium und weitere externe Experten eingebunden waren, mit dem Ziel, das Konzept für die beiden Medizinischen Fakultäten zu überarbeiten. Das neue Konzept wurde im Dezember 1994 vorgelegt und basierte auf den folgenden Eckdaten:

Absenkung der Zahl HBGF-finanzierter Planbetten

Die Zahl der über das HBFG finanzierten Betten soll am Standort Greifswald künftig auf 760 (bisher 1098 Betten) und am Standort Rostock auf 988 (bisher 1354 Betten) reduziert werden. Diese Bettenkapazitäten werden an den jeweiligen Standorten für den Bedarf der hochschulmedizinischen Aufgaben als ausreichend erachtet. Sie reichen jedoch nicht aus, um die den beiden Hochschulklinika obliegenden Verpflichtungen in der regionalen Krankenversorgung zu erfüllen. Hinzu kommen daher in Greifswald 45 und in Rostock 424 sogenannte Versorgungsbetten, die außerhalb des HBFG finanziert werden sollen. Insgesamt ergibt sich daraus für Greifswald eine Gesamtzahl von 805 und für Rostock von 1412 in universitärer Trägerschaft stehenden Planbetten. Eine entsprechende Regelung ist im Entwurf eines Gesetzes zur Änderung des Landeskrankenhausgesetzes für das Land Mecklenburg-Vorpommern vorgesehen, das im Jahr 1996 in Kraft treten soll. Der laufende Betrieb der Hochschulklinika wird in üblicher Weise über die Vergütung der Krankenversorgung und die Landeszuschüsse finanziert.

---

5) – Medizinische Fakultät der Universität Rostock; Materialien zum Besuch des Wissenschaftsrates am 10. Februar 1994, S. 146.
– Medizinische Fakultät der Ernst-Moritz-Arndt-Universität, Greifswald, November 1993, S. 182.

Überführung von Fachgebieten in andere Trägerschaft

Außerdem sind Trägerwechsel für das Fachgebiet Psychiatrie der Medizinischen Fakultät Greifswald vorgesehen. Die Übernahme der Erwachsenenpsychiatrie durch die Odebrecht-Stiftung sowie der Kinder- und Jugendpsychiatrie durch das Christophorus-Krankenhaus in Ückermünde wird derzeit vorbereitet. Auf den ursprünglich geplanten Trägerwechsel der Klinik für Nervenheilkunde in Rostock sowie der Klinik für Orthopädie in Greifswald wurde im Hinblick auf die gegenüber ursprünglichen Planungen erweiterte Versorgungsbettenregelung verzichtet. Das Konzept des Trägerwechsels soll „die Belange von Forschung und Lehre durch eine entsprechende Beteiligung des Landes" sicherstellen. Das für Forschung und Lehre notwendige Personal wird weiterhin der Universität angehören.[6])

Kooperation mit Krankenhäusern der Region

Eine weitreichende Kooperation mit regionalen Krankenhäusern ist für beide Standorte vorgesehen (vgl. A. II. 1. sowie A. III. 4.). Die anläßlich des Besuches des Ausschusses Medizin in Erwägung gezogene komplette Verlagerung einzelner Universitätskliniken und ihre Zusammenführung mit städtischen Krankenhäusern erwies sich als nicht durchführbar.

Komplementarität der klinischen Fächer und Schwerpunkte in der Forschung

Zwischen Land und Fakultät wurde ein Konzept der komplementären Schwerpunkte vereinbart, das für den Standort Greifswald insbesondere den Verzicht auf die ursprünglich geplanten Einrichtungen zur Knochenmarktransplantation mit sich brachte (vgl. A. II. 1., A. II. 3. sowie A. III. 3.). Entsprechend den Vereinbarungen für die klinischen Fächer wurde ein Konzept komplementärer Schwerpunkte für die Forschung vereinbart.

Reduktionen in der Zahnmedizin

Für die Überlegungen zur Zahnmedizin war von Bedeutung, daß die Community Dentistry, die zum Zeitpunkt der Empfehlungen des Wissenschaftsrates von 1991 noch nicht im Vordergrund stand, mittlerweile als wichtiger und unverzichtbarer Bestandteil des Konzeptes der Community Medicine erkannt wurde. Gleichwohl hält das Land am Fortbestehen der zahnmedizinischen Ausbildung am Standort Rostock fest. Im Rahmen der erneuten konzeptionellen Überlegungen schlug eine eigens zu

6) Schreiben der Kultusministerin des Landes Mecklenburg-Vorpommern vom 15. 12. 1994.

diesem Punkt einberufene Expertenkommission vor, beide zahnmedizinischen Standorte mit reduzierten Studentenzahlen (Rostock: 32 Studienanfänger pro Jahr, Greifswald: 25 Studienanfänger pro Jahr) und reduziertem Investitionsvolumen fortzuführen. Die Landesregierung hat daraufhin im Dezember 1994 den Erhalt beider zahnmedizinischer Standorte beschlossen.

Absenkung der Studentenzahlen

Im Hinblick auf die anstehende Reduzierung der HBFG-finanzierten Planbetten um insgesamt 704 Betten an beiden Standorten erwartet das Land eine Absenkung der jährlichen Aufnahmequoten für Humanmedizin auf künftig 120 Studienanfänger in Greifswald und 150 in Rostock.

Einsparungen im investiven und konsumptiven Bereich

Die neuen Planungen des Landes gehen von einem Investitionsbedarf von rund 1,5 Milliarden DM für beide Klinika innerhalb von 15 Jahren aus.[7]) Dies bedeutet nach Angaben des Landes gegenüber der Ausgangsplanung eine Reduktion um 872 Millionen DM. Einsparungen bei den Betriebskosten seien auch im personellen Bereich, beispielsweise durch Reduktionen bei C4- und C3-Stellen, möglich gewesen. Infolge der Bettenreduzierung werde mit einem sinkenden Gesamtaufwand der beiden Klinika gerechnet, der sich allerdings nicht unmittelbar auf die Landeszuschüsse für Forschung und Lehre niederschlage, da gleichzeitig Ertragsausfälle einzukalkulieren seien.

I. 2. Finanzierung

Der Landeszuschuß an Medizinische Fakultät und Klinikum der Universität Rostock betrug im Jahr 1993 52,6; im Jahr 1994 belief sich der Zuschuß zum Haushalt (316,7 Mio. DM) auf 72,1 Millionen DM. Für die Greifswalder hochschulmedizinischen Einrichtungen betrug der Landeszuschuß 36,0 Millionen DM im Jahre 1993 und 67,7 Millionen DM im Jahre 1994. Die Zahnmedizin der Universität Rostock verzeichnete im Jahr 1994 9,4 Millionen DM an Einnahmen (davon 6,2 Mio. DM in der MKG-Chirurgie), die der Universität Greifswald 5,5 Millionen DM (davon 4,0 Mio. DM in der MKG-Chirurgie). Dem standen 13,0 Millionen DM an Ausgaben für die Zahnmedizin (davon 5,7 Mio. DM für Personalkosten der MKG-Chirurgie) in Rostock und 7,1 Millionen DM (davon 1,8 Mio. DM für Personalkosten der MKG-Chirurgie) in Greifswald gegenüber. Die Ausgaben der Zahnkliniken wurden in Rostock zu 55,4 % und in Greifswald zu 33,4 % durch Einnahmen aus der Krankenversorgung

7) Weitere Reduktionen werden sich durch die anderweitige Finanzierung der Versorgungsbetten ergeben.

gedeckt. Die Einnahmen der MKG-Chirurgie deckten in Rostock 80% der Ausgaben. In Greifswald erwirtschaftete die MKG-Chirurgie einen Einnahmenüberschuß. Die Einnahmen entsprachen 160% der Ausgaben.[8])

Für Baumaßnahmen im Rahmen des HBFG zugunsten der Medizinischen Fakultäten in Mecklenburg-Vorpommern wurden seit 1990 insgesamt rund 119,7 Millionen DM aufgewandt. Davon trug das Land 72,5 Millionen DM (incl. Vorkosten). Hinzu kamen rund 33,1 Millionen DM für Großgeräte. Der Anteil der Medizin belief sich damit in diesen Jahren auf 50% aller HBFG-Aufwendungen für Mecklenburg-Vorpommern. Auf die Medizinische Fakultät Rostock entfielen von den Bauinvestitionen 61,3, auf die Medizinische Fakultät Greifswald 58,4 Millionen DM. Die Aufwendungen des Landes für Bauinvestitionen an den Medizinischen Fakultäten betrugen im Jahr 1994 insgesamt 32,0 Millionen DM. Für das Jahr 1995 werden insgesamt 98,3 Millionen DM (davon Landesanteil für Bauvorhaben: 42,3 Millionen DM) veranschlagt.

Für Bauunterhaltung standen der Universität Rostock aus Landesmitteln in den Haushaltsjahren 1991–1994 insgesamt 17,8 Millionen DM zur Verfügung, von denen insgesamt 8,6 Millionen DM auf den Bereich Medizin entfielen, sowie im Jahr 1994 4,4 Millionen DM aus Pflegesatzeinnahmen. Hinzu kamen im Zeitraum 1991-1994 rund 2,6 Millionen DM für kleine Baumaßnahmen im Bereich Medizin. Die Universität Greifswald verfügte im gleichen Zeitraum über insgesamt 14,6 Millionen DM, von denen 8,0 Millionen DM in den Bereich Medizin flossen sowie im Jahr 1994 3,3 Millionen DM aus Pflegesatzmitteln. Für kleine Baumaßnahmen im Bereich Medizin kamen 2,1 Millionen DM im Zeitraum 1991–1994 hinzu.

In Eigenverantwortung der Universitäten können Bauunterhaltungsmaßnahmen mit einer Kostenhöhe bis zu 10 TDM durchgeführt werden. Ein erster Entwurf zur Änderung des Landeshochschulgesetzes sah zur Vereinfachung des Planungsablaufes die Einrichtung eines zentralen Hochschulbauamtes beim Kultusministerium vor. Dieses sollte Aufgaben im Hochschulbau wahrnehmen, für die bisher das Finanzministerium, die Oberfinanzdirektion und die Landesbauämter zuständig sind. Diese Initiative wurde zwischenzeitlich allerdings wieder aufgegeben.

---

8) Anteil der MKG-Chirurgie an den Sachkosten entsprechend dem Anteil an den Personalkosten geschätzt.

Übersicht 1

Ist- und Soll-Ausgaben für den Hochschulbau und die Medizinischen Fakultäten in Mecklenburg-Vorpommern

Jahr	Bauvorhaben Medizinische Fakultät Rostock	Bauvorhaben Medizinische Fakultät Greifswald	Medizin gesamt (bis 1996 einschließl. Großgeräte)	Mecklenburg-Vorpommern gesamt
	Ist-Ausgaben (in TDM)			
1990	4,7	18,7	23,4	57,0
1991	11,2	17,4	30,0	48,0
1992	7,7	7,3	17,0	33,0
1993	6,8	3,2	22,0	54,0
1994	30,9	11,9	61,0	111,0
Summe	61,3	58,4	153,4	303,0
	Soll-Ausgaben (in TDM)			
1995	36,8	10,1	56,9	112,8
1996	46,3	31,9	87,6	243,2
1997	54,1	61,5	115,6*	303,5
1998	55,8	72,9	128,7*	301,3
1999	80,0	63,6	143,6*	307,3

* Angaben Medizin gesamt für 1997 bis 1999 ohne Großgeräte.

Quelle: Angaben des BMBF vom 20. September 1995 sowie Schreiben des Landes vom 6. November 1995

A. II. Medizinische Fakultät der Universität Rostock

II. 1. Entwicklung, Struktur und Personal

Die Medizinische Fakultät der Universität Rostock ist eine der Gründungsfakultäten der 1419 gegründeten Hochschule, die bis zum 18. Jahrhundert in Nordeuropa ein hohes Ansehen genoß. Seit Mitte der 50er Jahre dieses Jahrhunderts gewann die Fakultät erneut an Renommee. Besonders gepflegt wurden wissenschaftliche Kooperationsbeziehungen mit westlichen Hochschulen und Einrichtungen verschiedener Länder des Ostblocks. Nach der Wiedervereinigung Deutschlands hat auch die Medizinische Fakultät in Rostock einen grundlegenden Wandel durchgemacht: Insbesondere die durch ein hohes Durchschnittsalter und einen großen Anteil unbefristeter Stellen geprägte Personalstruktur wurde verbessert, die Zahl der Klinikumsbetten und damit die Belastung durch die regionale Krankenversorgung vermindert.

Heute besteht die Fakultät aus 13 Instituten und 19 Kliniken sowie vier Zentralen Einrichtungen: Elektronenmikroskopisches Zentrum, Experimentelles Forschungszentrum, Weiter- und Fortbildungszentrum für medizinisches Personal und Zentralapotheke. Neu geschaffen wurden seit 1991 die Klinik für Herzchirurgie, das Institut für Biomedizinische Technik, das Institut für Medizinische Informatik und Biometrie, das Institut für Gesundheitswissenschaften sowie das Experimentelle Forschungszentrum, das mit Verfügungsflächen für die Forschung ausgestattet wurde. 1995 wurde ferner das Zentrum für Nervenheilkunde gebildet, in dem die Kliniken für Psychiatrie und Psychotherapie, für Psychosomatik und für Kinder- und Jugendpsychiatrie bzw. -psychotherapie zusammengefaßt wurden. Dem Zentrum soll nach neueren Planungen auch das Institut für Medizinische Psychologie angeschlossen werden, das zunächst als Abteilung des Zentrums für Gesundheitswissenschaften vorgesehen war. Das Fächerspektrum soll ferner durch einen Stiftungslehrstuhl für Naturheilverfahren und Ernährungsmedizin erweitert werden. Einen Überblick über die Kliniken und die Institute gibt Übersicht 2.

Der Prozeß der Neustrukturierung ist noch nicht beendet. Die Fakultät plant

- die Bildung eines Zentrums für Zahn-, Mund und Kieferheilkunde mit vier eigenständigen Kliniken für MKG-Chirurgie, für Zahnärztliche Prothetik und Werkstoffkunde, für Zahnerhaltung und für Kieferorthopädie;

- die Einrichtung einer Abteilung Neurochirurgie in der Chirurgischen Klinik mit Ausrichtung auf Neurotraumatologie;

- die Ausgliederung der Abteilung für Transfusionsmedizin aus der Klinik für Innere Medizin und den Aufbau eines eigen ständigen Instituts; das Land schlägt die Eingliederung des Faches Transfusionsmedizin als selbständige Abteilung in das Institut für Immunologie vor;

- den Wegfall der Abteilung Medizinische Biologie des Instituts für Anatomie;

- die Aufteilung des Instituts für Biomedizinische Technik und Medizinische Informatik in zwei getrennte Institute;

- die Auflösung des Instituts für Gesundheitswissenschaften; der Bereich Hygiene soll dem zukünftigen Institut für Mikrobiologie und Hygiene angegliedert werden, die Bereiche Arbeits- und Sozialmedizin sollen als eigenständiges Institut zusammengefaßt werden.

Übersicht 2

Strukturplan der Medizinischen Fakultät der Universität Rostock

Struktur 1994/1995	Geplante Struktur

Institut für Anatomie
  Anatomie
  Medizinische Biologie
	Institut für Anatomie

Institut für Arbeitsmedizin	nach neuerer Planung: Institut für Arbeitsmedizin und Sozialmedizin

Institut für Biomedizinische Technik und Medizinische Informatik
  Biomedizinische Technik
  Medizinische Informatik
	Institut für Biomedizinische Technik

	Institut für Medizinische Informatik und Biometrie

Institut für Gesundheitswissenschaften
  Sozialmedizin
  Hygiene
	Institut für Gesundheitswissenschaften
	  Sozialmedizin
	  Hygiene
	  Arbeitsmedizin
	  Medizinische Psychologie
	Nach neuerer Planung: Auflösung des Instituts

Institut für Immunologie	Institut für Immunologie

Institut für Klinische Chemie und Pathobiochemie
  Klinische Chemie und Laboratoriumsdiagnostik
  Pathobiochemie
	Institut für Klinische Chemie und Pathobiochemie
	  Klinische Chemie und Laboratoriumsdiagnostik
	  Pathobiochemie

Institut für Medizinische Biochemie	Institut für Medizinische Biochemie

Institut für Medizinische Mikrobiologie
  Virologie
  Bakteriologie/Infektionsserologie
	Institut für Medizinische Mikrobiologie und Hygiene
	  Virologie
	  Bakteriologie/Infektionsserologie
	Nach neuerer Planung: Eingliederung des Bereichs Hygiene

Institut für Pathologie	Institut für Pathologie

Institut für Pharmakologie und Toxikologie
  Experimentelle Pharmakologie
  Klinische Pharmakologie
  Toxikologie
	Institut für Phamakologie und Toxikologie
	  Experimentelle Pharmakologie
	  Klinische Pharmakologie
	  Toxikologie

Institut für Physiologie	Institut für Physiologie
Institut für Rechtsmedizin	Institut für Rechtsmedizin

Quelle: Universität Rostock, Medizinische Fakultät/Klinikum: Fortschreibung zu den Materialien für den Wissenschaftsrat
Stand: 12. 12. 1994, ergänzt durch Schreiben der Kultusministerin des Landes Mecklenburg-Vorpommern vom 6. 11. 1995.

Fortsetzung Übersicht 2

Strukturplan der Medizinischen Fakultät der Universität Rostock

Struktur 1994/1995	Geplante Struktur
Klinik und Poliklinik für Anästhesiologie	Klinik und Poliklinik für Anästhesiologie
Augenklinik und Poliklinik	Augenklinik und Poliklinik
Chirurgische Klinik und Poliklinik Allgem. Chirurgie und Transplantationschirurgie Unfallchirurgie Kinderchirurgie	Zentrum für Chirurgie Klinik und Poliklinik für Allgemeine Chirurgie und Transplantationschirurgie Klinik für Unfall- und Neurochirurgie
Klinik für Herzchirurgie	Klinik für Herzchirurgie
Dermatologische Klinik und Poliklinik	Dermatologische Klinik und Poliklinik
Frauenklinik und Poliklinik	Frauenklinik und Poliklinik
Hals-Nasen-Ohren-Klinik	Hals-Nasen-Ohren-Klinik
Klinik und Poliklinik für Innere Medizin Kardiologie Nephrologie Gastroenterologie Tropenmedizin Endokrinologie Pulmologie Hämatologie/Onkologie Transfusionsmedizin	Klinik und Poliklinik für Innere Medizin Kardiologie Nephrologie Gastroenterologie Tropenmedizin Endokrinologie Pulmologie Hämatologie/Onkologie
	Institut für Transfusionsmedizin
Kinderklinik und Poliklinik Allgemeine Pädiatrie Neonatologie/Intensivmedizin Kinderkardiologie Kindernephrologie Kinderonkologie Humangenetik	Pädiatrisches Zentrum[1] Allgemeine Pädiatrie Neonatologie/Intensivmedizin Kinderkardiologie Kindernephrologie Kinderonkologie Kinderchirurgie Humangenetik
Nervenklinik und Poliklinik Neurologie Psychiatrie Kinder- und Jugendpsychiatrie Psychosomatik und Psychotherapeutische Medizin Medizinische Psychologie	Zentrum für Nervenheilkunde Klinik und Poliklinik für Neurologie Klinik und Poliklinik für Psychiatrie Klinik und Poliklinik für Kinder- und Jugendpsychiatrie Klinik und Poliklinik für Psychosomatik und Psychotherapeutische Medizin Nach neuerer Planung: Eingliederung des Instituts für Medizinische Psychologie
Orthopädische Klinik und Poliklinik	Orthopädische Klinik und Poliklinik
Radiologische Klinik und Poliklinik Strahlentherapie Nuklearmedizin Röntgendiagnostik	Zentrum für Radiologie Klinik und Poliklinik für Strahlentherapie Klinik und Poliklinik für Nuklearmedizin Klinik und Poliklinik für diagnostische Radiologie
Urologische Klinik und Poliklinik	Urologische Klinik und Poliklinik
Klinik und Poliklinik für Zahn-, Mund- und Kieferkrankheiten	Zentrum für Zahn-, Mund- und Kieferheikunde
Klinik und Poliklinik für Mund-, Kiefer- und Gesichtschirurgie	Klinik und Poliklinik für Mund-, Kiefer- und Gesichtschirurgie
Poliklinik für Zahnärztliche Prothetik und Werkstoffkunde	Poliklinik für Zahnärztliche Prothetik und Werkstoffkunde
Poliklinik für Zahnerhaltung Parodontologie Kariologie und Endodontologie	Poliklinik für Zahnerhaltung Parodontologie Kariologie und Endodontologie
Poliklinik für Kieferorthopädie	Poliklinik für Kieferorthopädie

1) Die Struktur dieses Zentrums ist zwischen Land und Fakultät strittig.

Die Fakultät plant darüber hinaus die Bildung eines Pädiatrischen Zentrums unter Einbeziehung der Kinderchirurgie, die aus der Chirurgischen Klinik ausgegliedert werden soll. In dem Zentrum sollen keine eigenständigen Kliniken, sondern insgesamt sieben Abteilungen einschließlich der Humangenetik zusammengefaßt werden; das Land widerspricht dieser Struktur, da die Unterstruktur eines Zentrums nach dem Landeshochschulgesetz eigenständige Kliniken sein müssen. Dies sei weder für die Kinderchirurgie noch für die Humangenetik geplant, da die entsprechenden Schwerpunkte für Greifswald bestimmt seien. Das Land favorisiert daher die Einrichtung einer Klinik für Kinder- und Jugendmedizin als Mehr-Fach-Klinik mit Abteilungen Allgemeine Pädiatrie,[9]) Kinderchirurgie und Humangenetik.

Zu den Besonderheiten des Rostocker Klinikums zählt die Struktur der Klinik für Innere Medizin mit bislang acht Abteilungen. Die vom Wissenschaftsrat in seiner Stellungnahme aus dem Jahre 1991 empfohlene Einschränkung der Abteilungszahl dieser Klinik ist nicht vorgesehen. Vielmehr plädieren Fakultät und Land für den Erhalt von sieben selbständigen Abteilungen, für deren Leitung C4- oder C3-Stellen vorgesehen sind. Die Abteilungsleiter – jeweils mit Liquidationsrecht – sollen analog eines Direktors einer Ein-Fach-Klinik eigenständige ärztliche und fachliche Verantwortung tragen. Als Vorzüge dieser Struktur führt das Land die folgenden Punkte an:

- gemeinsame Nutzung von Aufnahmestation, internistischer Intensivstation, Forschungslaboren, ärztlichem Dienst, Pflege- und Schreibdienst, Ambulanz- und Sozialräumen, der Verwaltung sowie Koordination bei der Beschaffung teurer Geräte;

- flexible Zuordnung von Personal und Räumen;

- gemeinsame Ausbildung von Studenten und Weiterbildung von Fachärzten.

Die nach 1991 erfolgte Schwerpunktfestlegung auf die Bereiche Gastroenterologie, Nephrologie und Kardiologie werde von der Abteilungszahl nicht berührt. Als Beleg für die Notwendigkeit dieser Struktur wird auf die Drittmittel der Klinik für Innere Medizin, die hohe Nachfrage nach AIP- und Assistenzarztstellen sowie die große Zahl von abgeschlossenen Promotionen verwiesen. Von Vorteil sei darüber hinaus die nach dem GSG bestehende Möglichkeit, sieben spezifische Abteilungspflegesätze auszuhandeln.

Gemäß den Empfehlungen des Wissenschaftsrates aus dem Jahre 1991 wurde die Stellenzahl gesenkt; unbefristete Assistentenstellen wurden in befristete umgewandelt. Die 4246 Planstellen des Jahres 1990 wurden

---

9) Die von der Fakultät hierunter vorgesehenen Abteilungen sollen nach der Vorstellung des Landes Funktionsbereiche sein.

bis 1995 auf 3176 Stellen (davon 572 Wissenschaftler) reduziert. Von den 576 Stellen für Wissenschaftler im Jahre 1994 sind 38 für C4-Professoren, 44 für C3-Professoren (vgl. Übersicht 3). Besetzt waren im Jahre 1994 29 C4- und 33 C3-Professuren, 16 Dozenturen alten Rechts[10]) sowie 217 Stellen für unbefristet und 254 Stellen für befristet eingestellte wissenschaftliche Mitarbeiter.

Der Anteil der befristeten Stellen für wissenschaftliche Mitarbeiter (254) an der Gesamtzahl der besetzten Stellen für wissenschaftliche Assistenten (549) betrug im Jahre 1994 rund 45 % und ist somit gegenüber 1990 (18 %) stark gestiegen. Freiwerdende unbefristete Stellen für wissenschaftliche Mitarbeiter sollen künftig für befristete Arbeitsverhältnisse genutzt werden.

Bei einer Gesamtzahl von 3177 Stellen (davon 576 Wissenschaftlerstellen) und 1354 Planbetten ergibt sich für das Jahr 1994 eine Relation von 2,3 Stellen pro Planbett (Durchschnitt West: 2,8; Durchschnitt Ost 2,9) sowie von 0,4 Wissenschaftlerstellen pro Planbett (Durchschnitt West: 0,5; Durchschnitt Ost: 0,7).[11])

Der Austausch eines Drittels der Professorenschaft aus Altersgründen steht in den nächsten fünf Jahren bevor. 11 von 29 C4- und 12 von 33 C3-Professoren hatten im Jahre 1994 das 60. Lebensjahr überschritten. Von den insgesamt 233 unbefristet angestellten wissenschaftlichen Mitarbeitern und Dozenten alten Rechts haben 99 das 50. Lebensjahr (rund 42 %) überschritten, von den 254 befristet angestellten Mitarbeitern waren es 42 (rund 17 %). Damit hat sich die Altersstruktur der unbefristet beschäftigten Assistenten gegenüber 1991 nicht gebessert (damals waren 25 % der unbefristet angestellten Assistenten über 50 Jahre alt).

Im Zuge einer inhaltlichen Abstimmung zwischen den Medizinischen Fakultäten in Rostock und Greifswald sieht das Land folgende personelle Veränderungen vor:[12])

- Abbau von sechs C3-Stellen für Unfallchirurgie, Strahlentherapie, Toxikologie, Virologie, Neuropathologie und Medizinische Biologie;

- Wegfall der C4-Professur für Hygiene;

- Neueinrichtung einer C4-Professur für Virologie;

- Umwidmung der C3-Stelle für Bakteriologie in eine C3-Stelle für Bakteriologie und Krankenhaushygiene;

---

10) Die Dozentenstellen alten Rechts sollen nach Ausscheiden der Stelleninhaber in befristete Stellen umgewandelt werden.
11) Die Stellen für die Zentralapotheke und die Sonstigen Einrichtungen sind dabei herausgerechnet.
12) Schreiben der Kultusministerin des Landes Mecklenburg-Vorpommern vom 15. Dezember 1995

Übersicht 3

Personalstruktur der Medizinischen Fakultät Rostock (Stand: 1994)

Vorklinische u. klinisch-theoretische Medizin	C-Stellen			wiss. Mitarbeiter	nichtwiss. Personal	Gesamt
	C4	C3	C2			
Anatomie	1	2	3	8,0	12,0	26,0
Medizinische Biochemie	1	1	1	7,0	6,0	16,0
Medizinische Mikrobiologie	1	2	2	7,0	33,25	45,25
Physiologie	1	1	1	7,0	7,0	17,0
Arbeitsmedizin	1	0	0	8,0	4,75	13,75
Biomedizinische Technik und medizinische Informatik	1	1	1	5,0	7,0	15,0
Gesundheitswissenschaften	1	1	3	3,0	1,75	9,75
Immunologie	1	0	1	4,0	6,75	12,75
Klin. Chemie und Pathobiochemie	1	1	0	10,0	39,0	51,0
Pathologie	1	3	2	7,0	27,0	40,0
Pharmakologie und Toxikologie	1	3	1	8,0	12,5	25,5
Rechtsmedizin	1	0	1	7,0	12,0	21,0
Summe	12	15	16	81,0	169,0	293,0
Kliniken						
Anästhesiologie und Intensivtherapie	1	1	1	36,0	73,0	112,0
Augenheilkunde	1	1	1	11,75	60,5	75,25
Chirurgie	4	4	3	34,0	267,25	312,25
Dermatologie	1	1	2	8,5	59,0	71,5
Frauenheilkunde	2	1	2	21,0	123,5	149,5
HNO-Heilkunde	1	1	2	14,5	61,75	80,25
Innere Medizin	4	5	11	64,0	301,75	385,75
Kinderheilkunde	1	5	3	31,25	177,25	217,5
Neurologie	3	3	3	35,0	177,5	221,5
Orthopädie	1	1	1	11,0	68,0	82,0
Radiologie	2	3	1	37,0	121,75	164,75
Urologie	1	1	1	9,0	56,5	68,5
Zahn-, Mund-, Kieferheilkunde	4	2	5	35,0	91,75	137,75
Summe	26	29	36	348,0	1 639,5	2 078,5
Sonstige Einrichtungen						
Zentralapotheke				10,0	23,75	33,75
Experimentelles Forschungszentrum				2,0	8,0	10,0
Sonstige Einrichtungen				1,0	543,75	544,75
Nachwuchskräfte				50,0	167,0	217,0
Summe				63,0	742,5	805,5
Summe aller Einrichtungen	38	44	52	492,0	2 551,0	3 177,0

Quelle: Medizinische Fakultät der Universität Rostock, Stand: 1994

- Wegfall der zweiten C4-Professur für Gynäkologie und Geburtshilfe;
- Umwidmung der C4-Professur für Kinderchirurgie in eine C3-Stelle;
- Umwidmung der C3-Professur für Biomedizinische Technik in eine C4-Stelle;
- Umwidmung der C3-Stelle für Hals-, Nasen- und Ohrenheilkunde in eine C3-Stelle für Phoniatrie und Pädaudiologie.

Ferner soll über das weitere Schicksal der C4-Professur für Tropenmedizin und Infektionskrankheiten nach Ausscheiden des Stelleninhabers aus Altersgründen neu entschieden werden.

In Abstimmung mit der Medizinischen Fakultät Greifswald ist darüber hinaus an eine Aufgabenteilung auf den Gebieten Urologie (Rostock: Nierentransplantationen und Andrologie bzw. Reproduktionsmedizin; Greifswald: Neuro-Urologie), HNO-Heilkunde (Rostock: Mittelohr-, Tumor- und Parotischirurgie; Greifswald: Schwerpunkt Innenohr mit Cochleaimplantationen), Dermatologie (Rostock: Umweltnoxen und Melanomforschung; Greifswald: Allergologie und Onkologie) gedacht.

Da die Fachgebiete Rheumatologie, Geriatrie und Angiologie in der Medizinischen Fakultät Rostock nicht mit eigenen Abteilungen vertreten sind, hat die Universität einen Kooperationsvertrag mit dem Südstadt-Klinikum in Rostock geschlossen, das die Aufgaben der Lehre und Krankenversorgung in diesen Fachgebieten übernommen hat. Dagegen gibt das Klinikum in der Südstadt seine urologischen Betten zugunsten der Universität auf.

II. 2. Lehre und Studium

An der Medizinischen Fakultät der Universität Rostock waren im Studienjahr 1994/95 im Fach Humanmedizin 1032 Studenten (davon 50% Frauen) immatrikuliert. In der Zahnmedizin betrug die Gesamtzahl der Studenten 241 (davon 47% Frauen). An der Universität Rostock wird einmal jährlich zum Wintersemeser immatrikuliert. Als Studienanfänger schrieben sich zum Wintersemester 1994/95 in der Humanmedizin 190 Studenten (davon 56% Frauen) und in der Zahnmedizin 58 Studenten (davon 43% Frauen) ein. Für das Jahr 1995 hat das Land für die Medizinische Fakultät Rostock die Zahl der Studienanfänger im Fach Humanmedizin auf 198 und im Fach Zahnmedizin auf 49 Studenten festgeschrieben. Die Zahl der Absolventen betrug 1994 in der Humanmedizin 154 (Frauenanteil 49%), in der Zahnmedizin 35 (davon 51% Frauen).

Die Organisation des Studien- und Prüfungsablaufes obliegt dem Prodekan für Studienangelegenheiten. In fünf als Lehrkrankenhäuser anerkannten Krankenhäusern der näheren und weiteren Region stehen 3050 Betten und eine ausreichende Zahl an PJ-Plätzen zur Verfügung.

In fakultätsübergreifender Zusammenarbeit der Medizinischen mit der Ingenieurwissenschaftlichen Fakultät der Universität Rostock wird eine Vertiefungsrichtung „Angewandte Biomechanik“ im Studiengang Maschinenbau angeboten. Ferner übernimmt die Medizinische Fakultät für die Ingenieurwissenschaftliche Fakultät die medizinische Ausbildung der Nautischen Offiziere und ist an der Ausbildung im Studiengang Betriebswirtschaftslehre der Wirtschaftswissenschaftlichen Fakultät sowie am Studiengang Sonderpädagogik (Fachgebiet Sportmedizin) der Philosophischen Fakultät, an den Studiengängen Biologie und Chemie der Mathematisch-Naturwissenschaftlichen Fakultät und am Studiengang Agrarökologie der Agrarwissenschaftlichen Fakultät beteiligt.

Universitätsübergreifend ist die Lehre im Fach Geschichte der Medizin organisiert: An der Medizinischen Fakultät in Greifswald wurde eine C3-Professur für Geschichte der Medizin geschaffen, die gemeinsam über eine C1-Stelle am Institut für Gesundheitswissenschaften in Rostock die Lehraufgaben wahrnimmt.

II. 3. Forschung

a) Promotionen und Habilitationen

Während 1990 insgesamt 145 Promotionen (davon 35 in der Zahnmedizin) zu verzeichnen waren, erhöhte sich ihre Zahl im Jahr 1992 auf 213 (davon 40 in der Zahnmedizin) und sank bis 1994 auf 88 Promotionen (davon 18 in der Zahnmedizin) ab. Die Zahl der Habilitationen belief sich im Jahr 1991 entsprechend dem Durchschnitt der Vorjahre auf 11 abgeschlossene Verfahren (davon 3 in der Zahnmedizin). Diese Zahl sank bis 1993 auf 3 Habilitationen (davon 2 in der Zahnmedizin). 9 Habilitationsverfahren in der Humanmedizin (darunter keines in der Zahnmedizin) wurden im Jahr 1994 abgeschlossen. Unter diesen Habilitierten befand sich eine Frau. 5 dieser Habilitanten sind Mitglieder der Medizinischen Fakultät, die 4 anderen sind Angehörige auswärtiger Krankenhäuser bzw. des Klinikums Schwerin, einem der Lehrkrankenhäuser der Medizinischen Fakultät Rostock.

b) Forschungsschwerpunkte

Die profilbestimmenden Forschungsschwerpunkte der Medizinischen Fakultät Rostock sind mit den Schwerpunkten der Medizinischen Fakultät der Universität Greifswald abgestimmt.

Transplantationsmedizin, künstlicher Organersatz und Biomaterialien sowie Osteologie und Pankreaserkrankungen

Als Hauptthemen des Schwerpunktes werden die folgenden Gebiete genannt: Nierentransplantationen, entzündliche Pankreaserkrankungen, tumoröse Pankreaserkrankungen und Pankreastransplantation, Lebertransplantation und Leberersatz, Knochenmark und Stammzelltransplantation sowie Osteologie und Bindegewebe, Künstlicher Organersatz und Biomaterialien. Beteiligt sind die Kliniken für Innere Medizin, für Chirurgie, für Augenheilkunde, für Orthopädie, für Radiologie und für Zahn-, Mund und Kieferheilkunde, die Institute für Anatomie, für Medizinische Biochemie, für Klinische Chemie, für Pathologie, für Pharmakologie und Toxikologie, für Medizinische Mikrobiologie und für Biomedizinische Technik sowie der Lehrstuhl für Tierphysiologie. In dem Schwerpunkt, der auch ausgewiesener Schwerpunkt der Universität Rostock ist, werden Themen der Grundlagen- und angewandten Forschung bearbeitet, die von DFG, BMBF (Programme „Gesundheitsforschung 2000" und „Biotechnologie") und anderen Drittmittelgebern gefördert werden. Bislang konnten für diese Projekte rund 12 Millionen DM an Drittmitteln der verschiedenen Förderer eingeworben werden. Hauptgeldgeber ist das BMBF mit einem Anteil von rund 11 Millionen DM. Mit der Inbetriebnahme des neuen OP-Traktes im Januar 1995 wurde eine wichtige klinische Voraussetzung für den Schwerpunkt geschaffen.

Kardiochirurgie/Kardiologie

Die wichtigsten Forschungsthemen dieses Schwerpunktes, der noch im Aufbau begriffen ist, lauten „Prä- und postoperative Vitalitätsdiagnostik des Myokards", „Gefäßwand und Blutplasma", „Interventionelle Therapie/ Biokompatibilität", „Rhythmusanalytik und -therapie" sowie „Operationsverfahren/Kreislaufassistsysteme".

Weitere Forschungsthemen

Weitere Forschungsarbeiten außerhalb dieser Schwerpunkte beziehen sich auf Stoffwechselerkrankungen und Ernährungsforschung sowie Neuroimmunologie. Darüber hinaus wurde eine Arbeitsgemeinschaft Lasermedizin gegründet. Vom BMBF mit 3,5 Millionen DM gefördert wird außerdem ein Modellprojekt „Klinische Pharmakologie", das sich mit Fragen der Arzneimittel-Biotransformation befaßt. Die Klinik für ZMK-Heilkunde ist als einzige deutsche Einrichtung in das europäische Projekt „Oratel" aufgenommen und bearbeitet in diesem Rahmen ein AIM-Projekt.[13]) Zu erwähnen ist ferner ein im Oktober 1995 von der DFG bewilligtes Innovationskolleg zum Thema „Komplexe und zelluläre Sensorsysteme", das von den Kliniken für Anästhesiologie und Intensivtherapie, für Innere Medizin und dem Institut für Biomedizinische Technik gemeinsam mit dem Fachbereich Biologie getragen wird.

Seit 1992 läuft unter der Federführung des Instituts für Medizinische Biochemie das von der DFG finanzierte Graduiertenkolleg „Interzellu-

13) AIM = Advanced Informatics in Medicine.

läre Kommunikation und Signaltransduktion bei pathophysiologischen Prozessen"; im Oktober 1994 wurde ein weiteres Graduiertenkolleg mit dem Thema „Signaltransfer bei pathophysiologischen Prozessen" bewilligt. Am Graduiertenkolleg „Mikrosysteme für medizintechnische Anwendungen und für innovative Produktionsentwicklungen" unter der Federführung des Fachbereichs Elektrotechnik ist das Institut für Biomedizinische Technik beteiligt.

c) Ressourcenvergabe und Infrastruktur

Die Fakultät erhält eine globale Mittelzuweisung für Forschung und Lehre, die sie teilweise leistungsbezogen zu vergeben gedenkt. Für die Forschungsschwerpunkte soll ein Stellenpool eingerichtet werden. Geplant ist ferner die Einrichtung eines zentralen Forschungsfonds, mit dessen Hilfe überdurchschnittliche Forschungsleistungen gefördert und Anschubfinanzierungen für neue Teilprojekte gewährleistet werden sollen. Die Forschungsergebnisse zu jedem Schwerpunkt sollen einmal im Jahr auf einem Forschungskolloquium präsentiert und bewertet werden.

Als Forschungsflächen sind per 30. September 1995 im Universitätsklinikum Rostock 6690 m^2 ausgewiesen. Die Fakultät erachtet diese Zahl als zu gering und strebt eine Zielgröße von 9000 m^2 an. Die Struktur der Forschungslaboratorien, deren Fläche künftig 9-10 % der Gesamtfläche der Fakultät betragen soll, gliedert sich in die drei Ebenen:

- Experimentelles Forschungszentrum mit Laborteil und Tierhaus (1721 m^2);

- Assoziierte Forschungslaboratorien;

- Dezentrale Forschungslaboratorien in den Kliniken und Instituten.

Das Experimentelle Forschungszentrum, eine zentrale Einrichtung der Fakultät, stellt auf Antrag Räume, Geräte und Verbrauchsmaterialien für klinisch-experimentelle Forschungsvorhaben zur Verfügung; Vergabe und Nutzung werden durch eine Nutzerordnung geregelt. Das Zentrum, das im Institutsgebäude angesiedelt ist, soll der Förderung der interdisziplinären Zusammenarbeit zwischen Kliniken und Instituten der Fakultät sowie der Unterstützung des wissenschaftlichen Nachwuchses bei Forschungsarbeiten dienen; ihm ist das Tierhaus der Fakultät mit Kleintierhaltung, Kleintier-Operationsräumen und Tierlaboratorien angegliedert. Die Aufzucht von Versuchstieren soll der entsprechenden Einrichtung der Greifswalder Fakultät in Karlsburg vorbehalten bleiben.

Dem experimentellen Forschungszentrum assoziiert sind folgende spezielle Labore mit interdisziplinärer Nutzungsberechtigung:

- Arbeitsbereich (nicht bettenführend) für Klinische Forschung an der Klinik und Poliklinik für Innere Medizin (insgesamt rund 900 m^2 Forschungsfläche) einschließlich Labor für gentechnische Arbeiten mit der Sicherheitsstufe 2;

- Massenspektrometrisches-mikroökologisches Labor der Kinderklinik und Poliklinik;

- Elektronenmikroskopisches Labor im Institut für Pathologie;

- HPLC-Labor im Institut für Arbeitsmedizin;

- Labor für monoklonale Antikörper im Institut für Immunologie;

- Labore im Institut für Physiologie für videomikroskopische Untersuchungen und elektrophysiologische Messungen.

Nach dem Neubau für die Vorklinik und der Verlagerung weiterer assoziierter Forschungslaboratorien in das Institutsgebäude soll ein Interdisziplinäres Zentrum für Klinische Forschung gegründet werden, dessen Ziel die Intensivierung der Zusammenarbeit zwischen Forschergruppen aus Kliniken und aus theoretischen Instituten sein soll. Dieses Zentrum soll gleichfalls Verfügungsflächen bereitstellen.

d) Drittmittel

Die Summe der von den Einrichtungen der Medizinischen Fakultät eingeworbenen Drittmittel ist seit 1991 stetig angewachsen. Die Gesamtsumme der Drittmittel belief sich im Jahr 1994 auf rund 6,1 und im Jahr 1995 auf rund 9,0 Millionen DM (davon rund 2,1 Mio. DM von der DFG)[14]. Hinzu kamen weitere Fördermittel und Spenden, z.B. zum Aufbau eines Tumorzentrums und einer Kinderkrebsstation, die sich in den Jahren 1992 1994 auf insgesamt rund 9,0 Millionen DM beliefen.

Übersicht 4

Drittmittelsummen und Drittmittelgeber 1991-1994
in TDM

Drittmittelgeber	1991	1992	1993	1994	Gesamt
Bund	1 448,0	2 442,1	2 841,2	3 206,0	9 937,3
DFG	336,6	713,2	561,9	1 475,1	3 086,8
Sonstige	365,1	576,1	799,1	1 478,9	3 219,2
Gesamt	2 149,7	3 731,4	4 202,2	6 160,0	16 243,3

Quelle: Schreiben des Dekans der Medizinischen Fakultät der Universität Rostock vom 28. März 1995

14) Die Angaben für 1995 beziehen sich auf den Stand November 1995.

Übersicht 5

Drittmitteleinnahmen der Medizinischen Fakultät der Universität Rostock 1991–1994

Kliniken/ Institute	1991	1992	1993	1994	Summe 1991-1994
			in TDM		
Vorklinik					
Anatomie			77,0	78,4	155,4
Biochemie	293,7	363,5	312,0	398,7	1 367,9
Physiologie	31,5	31,4	89,0	72,5	224,4
Summe	325,2	394,9	478,0	549,6	1 747,7
Klinische Theorie					
Biomedizinische Technik und Medizinische Informatik	147,7	195,3	188,8	228,6	760,4
Gesundheitswissenschaften	366,0	713,0	438,4	430,0	1 947,4
Arbeitsmedizin	29,5	1,5	60,0	60,0	151,0
Immunologie	61,0	212,2	138,0	68,4	479,6
Klinische Chemie und Pathobiochemie	232,6	64,0	229,9	272,4	798,9
Medizinische Mikrobiologie	60,0	50,8	28,2	11,5	150,5
Pathologie	146,6	262,6	148,8	280,6	838,6
Pharmakologie und Toxikologie	127,7	140,3	208,1	262,8	738,9
Zentrales Tierhaus	7,5	46,2			53,7
Summe	1 178,6	1 685,9	1 440,2	1 614,3	5 919,0
Kliniken					
Anästhesiologie			12,0	18,5	30,5
Augenklinik				404,7	404,7
Chirurgie	133,8	80,3	78,4	224,4	516,9
Dermatologie	30,0	9,5	6,0	33,0	78,5
Hals-Nasen-Ohren-Heilkunde	6,5			75,0	81,5
Innere Medizin	381,1	827,1	1 227,2	1 726,7	4 162,1
Kinderklinik	42,4	162,0	237,8	343,5	785,7
Nervenklinik	20,0	518,8	417,3	717,8	1 673,9
Orthopädie	14,6	104,9	145,0	162,1	426,6
Radiologie		11,2	204,8	101,6	317,6
ZMK-Heilkunde	25,0		15,5	188,8	229,3
Summe	653,4	1 713,8	2 344,0	3 996,1	8 707,3
Gesamtsumme	2 157,2	3 794,6	4 262,2	6 160,0	16 374,0

Quelle: Medizinische Fakultät der Universität Rostock; Schreiben des Dekans vom 28. März 1995 und vom 13. Oktober 1995. Abweichungen in den Gesamtsummen Übersichten 4 und 5 beruhen auf unterschiedlicher Zuordnung durch die Fakultät.

Wie aus Übersicht 4 ersichtlich, kam der überwiegende Teil der Drittmittel für die Forschung im Zeitraum von 1991 bis 1994 vom BMBF, das im Rahmen des Förderprogramms für den Aufbau der Forschung in den neuen Ländern erhebliche Mittel bewilligt hat. Die Summe der von der DFG eingeworbenen Drittmittel hat sich im Jahre 1994 gegenüber der Summe des Jahres 1991 nahezu verfünffacht, während sich die Summe der sonstigen Drittmittelgeber (Stiftungen, Industrie, Land) im selben Zeitraum ungefähr vervierfacht hat.

Betrachtet man eine Aufteilung der Drittmittel, die im Jahre 1994 eingeworben wurden, auf die einzelnen Einrichtungen der Fakultät, so fällt auf, daß für die klinische Forschung insgesamt mehr DFG-Mittel (1,1 Mio. DM) als für die theoretische Forschung (0,4 Mio. DM) eingeworben wurden. Die meisten aus Drittmitteln finanzierten Stellen (insgesamt 54,5 Stellen) kann die Klinik für Innere Medizin (15,5 Stellen) aufweisen, gefolgt von der Nervenklinik (7 Stellen) und der Chirurgischen Klinik (5 Stellen).

II. 4. Krankenversorgung

a) Stationärer Bereich

Das Klinikum der Universität Rostock verfügte im Jahr 1994 über insgesamt 1354 Planbetten, von denen 1233 Betten aufgestellt waren. Gegenüber 1992 (2113 Betten) bedeutet dies eine Reduzierung der Planbettenzahl um 35 %. Die Verteilung der im Jahre 1994 aufgestellten Betten auf die verschiedenen Kliniken sowie deren Auslastung und die Verweildauer im Vergleich zu Durchschnittswerten sind in Übersicht 6 zusammengestellt.

In der Kinderheilkunde lag die Auslastung im Jahr 1994 in Rostock um 14,0 Prozentpunkte unter dem Bundesdurchschnitt, während die Auslastung der Kinder- und Jugendpsychiatrie um 9,7 Prozentpunkte darüber lag. Gleichzeitig lag der Nutzungsgrad der Mund-, Kiefer- und Gesichtschirurgie um 7,1 Prozentpunkte über dem entsprechenden Durchschnittswert. Deutlich gebessert hat sich die Auslastung der Chirurgie: Gegenüber 1993 (-18,6 Prozentpunkte) betrug die Differenz zum Bundesdurchschnitt im Jahr 1994 nur noch -7,0 Prozentpunkte. Dasselbe gilt für die Urologie mit -4,3 Prozentpunkten im Jahr 1994 gegenüber -12,0 Prozentpunkten im Jahr 1993. Abweichungen in der Verweildauer ergaben sich insbesondere in der Kinder und Jugendpsychiatrie mit einem Plus von 12,7 Tagen gegenüber dem Bundesdurchschnitt.

Übersicht 6

Betten, Auslastung und Verweildauer im Jahre 1994
Klinikum der Universität Rostock
im Vergleich mit Durchschnittswerten für Universitätsklinika[1)]

Kliniken	Aufgestellte Betten	Auslastung in Prozent			Verweildauer in Tagen		
		Rostock	Bund[1)]	Differenz	Rostock	Bund	Differenz
Anästhesie und Intensivmedizin	11	79,4	84,2	– 4,8	4,4	4,3	+ 0,1
Augenheilkunde	50	73,4	84,0	–10,6	5,5	7,5	– 2,0
Chirurgie (einschl. Herzchirurgie)	206	77,7	84,7	+ 7,0	7,3	9,9	– 2,6
Dermatologie	42	81,9	83,0	– 1,1	12,0	13,9	– 1,9
Frauenheilkunde und Geburtshilfe	102	66,1	80,4	+14,3	6,6	7,4	– 0,8
HNO-Heilkunde	60	85,5	82,6	+ 2,4	6,0	8,5	– 2,5
Innere Medizin	272	87,0	86,6	+ 0,4	9,2	9,5	– 0,3
Kinderheilkunde	117	60,5	74,5	–14,0	7,0	7,5	– 0,5
Kinder- und Jugendpsychiatrie	27	87,9	78,2	+ 9,7	53,9	41,2	+12,7
MKG-Chirurgie	30	86,1	79,0	+ 7,1	8,4	8,6	– 0,2
Neurologie	60	85,3	88,9	– 3,6	17,0	14,5	+ 2,5
Orthopädie	62	85,4	88,3	– 2,9	12,5	14,4	– 1,9
Psychiatrie	92	100,6	92,0	+ 8,6	30,3	40,3	–10,0
Strahlenmedizin/ Nuklearmedizin	60	75,4	81,6	– 6,2	13,9	13,2	+ 0,7
Urologie	42	77,3	81,6	– 4,3	8,7	9,1	– 0,4
Gesamt	1 233	80,2	79,4	+ 0,8	9,9	10,5	– 0,6

1) Durchschnittswerte der Universitätsklinika in den alten Bundesländern nach Angaben der Deutschen Krankenhausgesellschaft, bezogen auf aufgestellte Betten im Jahre 1990. Neuere Durchschnittswerte liegen derzeit nicht vor.

Quelle: Medizinische Fakultät der Universität Rostock, Schreiben der Kultusministerin des Landes Mecklenburg-Vorpommern vom 6. November 1995

Übersicht 7

Geplante Entwicklung der Bettenzahlen im Klinikum der Universität Rostock

Kliniken	Planbetten 1994	Neuplanung des Landes	davon für Forschung und Lehre	Versorgungs-betten
Anästhesiologie/ Intensivmedizin	24	20	20	0
Augenheilkunde	50	50	50	0
Chirurgie	245	220	190	30
davon Kinderchirurgie	30	25	25	0
davon Neurochirurgie	im Aufbau	30	20	10
Dermatologie	50	40	40	0
Gynäkologie/Geburtshilfe	115	80	40	40
HNO-Heilkunde	60	60	60	0
Herzchirurgie	(40)*	40	40	0
Innere Medizin	300	300	240	60
Kinderheilkunde	120	80	80	0
MKG-Chirurgie	30	30	30	0
Nervenheilkunde	170	342	48	294
davon Neurologie	50	86	10	76
davon Psychiatrie	80	216	28	188
davon Kinder-/Jugend-psychiatrie	40	40	10	30
Orthopädie	60	60	60	0
Strahlentherapie/ Nuklearmedizin	40	40	40	0
Urologie	50	50	50	0
Gesamt	1 314 (+ 40)	1 412	988	424

* Herzchirurgie: im Aufbau

Quelle: Schreiben der Kultusministerin des Landes Mecklenburg-Vorpommern vom 13. April 1995, aktualisiert mit Schreiben vom 6. November 1995

Übersicht 8

Aufteilung der Intensivbetten auf die Kliniken

Kliniken	Intensivbehandlung	Intensivüberwachung
Anästhesiologie/Intensivmedizin	20	0
Augenheilkunde	0	3
Chirurgie	18	8
Frauenheilkunde	0	6
HNO-Heilkunde	0	4
Herzchirurgie	0	4
Innere Medizin	20	0
Kinderklinik		
Neonatologie	12	0
Allg. Pädiatrie/Kinderchirurgie	12	0
MKG-Heilkunde	0	4
Orthopädie	0	4
Urologie	0	2
Gesamt	82	35

Quelle: Universität Rostock, Medizinische Fakultät/Klinikum: Fortschreibung zu den Materialien für den Wissenschaftsrat, aktualisiert mit Schreiben der Kultusministerin des Landes Mecklenburg-Vorpommern vom 6. November 1995

Bei der Überarbeitung der Konzeption für die beiden Medizinischen Fakultäten hat das Land im Jahre 1994 festgelegt, daß die Bettenzahl in Rostock künftig auf 988 HBFG-finanzierte Betten gesenkt werden soll; hinzu kommen sollen 424 Versorgungsbetten. Die geplante Aufteilung der Betten auf die einzelnen Kliniken sowie die Aufteilung auf die Bereiche Forschung und Lehre sowie den Bereich Versorgung geht aus Übersicht 7 hervor. Gegenüber früheren Planungen ergibt sich damit eine weitere Reduktion der Bettenzahl für die Frauenheilkunde um 35 Betten und für die Kinderheilkunde um 40 Betten. Die Zahl der Intensivbetten soll von ursprünglich 14 im Jahre 1990 auf 82 gesteigert werden; hinzu werden 35 Betten für die Intensivüberwachung kommen. Die künftige Verteilung der Intensivbettenplätze auf die Kliniken ist der Übersicht 8 zu entnehmen.

Als Schwerpunkte der Krankenversorgung wurden die Bereiche Transplantationsmedizin, Künstlicher Organersatz, Kardiochirurgie/Kardiologie, Pankreaserkrankungen und Osteoporose vereinbart. Nach der Einrichtung entsprechender Intensivbereiche werden pro Jahr rund 10 Pankreas-, 20 bis 30 Leber- und 60 Nierentransplantationen sowie 1000 Herzoperationen, davon 800 Herz-Lungen-Maschinen-Operationen (davon 15 Herztransplantationen), angestrebt. Ferner sind Knochenmarktransplantationen vorgesehen.

Darüber hinaus weist die Medizinische Fakultät auf besondere Leistungen bei der Behandlung von komplizierten Lippen-Kiefer-Gaumen-Spalten, der Immunmodulation bei immunologischen Erkrankungen, der Refertilisation, der Therapeutischen Endoskopie, der Tropenmedizin und der Detoxikation hin. Zur besseren Versorgung der Krebskranken wurde mit Mitteln des Bundesministeriums für Gesundheit ein Tumorzentrum an der Radiologischen Klinik eingerichtet.

b) Ambulanter und teilstationärer Bereich

Im Jahr 1993 wurden insgesamt 131505 ambulante Patienten (Polikliniken, Spezialambulanzen und Notfälle) behandelt.[15]) Im gleichen Jahr wurde der Poliklinikvertrag gekündigt und die Zahl der poliklinischen Patienten durch den Zulassungsausschuß auf 24000 Patienten pro Jahr reduziert. Dagegen erfolgte ein Widerspruch mit dem Ergebnis, daß in einem neuen Vertrag 27000 poliklinische Patienten pro Jahr ausgewiesen wurden. Die Zahnklinik der Universität Rostock verzeichnete im Jahr 1994 24288 Neuzugänge (davon 4854 ambulante Neuzugänge der MKG-Chirurgie). Von diesen Patienten stammten rund 65 % aus der Stadt Rostock und rund 35 % aus dem Umland.

Die Zahl der tagesklinischen Betten wurde in den vergangenen Jahren auf insgesamt 18 und soll künftig auf 26 Betten erhöht werden. Die Zahl der tagesklinischen Betten ist in der Planbettenzahl enthalten. Für die Zukunft geplant ist ein interdisziplinär nutzbares Zentrum für ambulantes Operieren mit vier OP-Sälen.

II. 5. Baubestand und Ausbauplanung

Kliniken, Institute und zentrale Einrichtungen sind auf elf Standorte im Rostocker Stadtgebiet verteilt. Neben dem Hauptstandort Schillingallee sind Einrichtungen der Medizinischen Fakultät an den Standorten Doberaner Straße (Augen-, Frauen-, HNO-Klinik), Augustenstraße (Dermatologie), Südstadt (Phoniatrie), Rostock-Gehlsdorf (Zentrum für Nervenheilkunde), Ulmenstraße (Orthopädie), Gertrudenstraße (Anatomie und Physiologie), Gertrudenplatz (Radiologie/Nuklearmedizin), Südring (Strahlentherapie), Sankt-Georg-Straße (Arbeitsmedizin, Rechtsmedizin), Henrik-Ibsen-Straße (Schwesternwohnheim) und Friedhof (Sektionstrakt Rechtsmedizin) angesiedelt. Außerhalb Rostocks, in Schwerin, gibt es eine Außenstelle des Instituts für Rechtsmedizin. Land und Universität streben an, möglichst viele Kliniken, Insti-

15) Zum Vergleich: Im Jahre 1989 wurden allein 213672 Erstkonsultationen verzeichnet.

tute und sonstigen Einrichtungen am Hauptstandort Schillingallee zu konzentrieren.

Der überwiegende Teil der Bausubstanz ist veraltet und bedarf der Sanierung. Trotz der geplanten Konzentration am Hauptstandort sind für eine Übergangszeit Sanierungen und Erweiterungsbauten an den Außenstandorten zur Aufrechterhaltung der Krankenversorgung, zur Verbesserung der Studienbedingungen und der Erweiterung von Forschungsflächen notwendig. Als Soll-Nutzfläche werden insgesamt 89674 m^2 angegeben; von den vorhandenen Flächen sind nach Angaben der Universität 44969m^2 weiterhin nutzbar. Die restlichen 44705 m^2 müssen neu gebaut bzw. nach Erwerb saniert werden. Davon werden die Augen- und die HNO-Klinik mit 3639 m^2 erst nach dem hier veranschlagten Planungszeitraum von 15 Jahren, d.h. nach dem Jahr 2010, neu gebaut werden.

1992 erarbeitete ein Planungsbüro im Auftrag der Universität Rostock eine Gesamtplanung, die im wesentlichen eine kleeblattförmige Anordnung für operative, konservative, pädiatrische und kopfbezogene Fächer am Hauptstandort Schillingallee vorsieht. Im Zentrum des annähernd quadratischen Geländes sollen Gebäudekomplexe für die Zentrale Notaufnahme mit dem OP-Zentrum 4 (Ambulantes Operieren), Zentrale Medizinische Funktionen, ein Gebäude für die operativen Fächer mit dem OP-Zentrum 2 und ein Gebäude für die Kopfkliniken mit dem OP-Zentrum 3 entstehen. Ein zusätzlicher großer Hörsaal soll im Neubaukomplex Zentrale Medizinische Funktionen eingerichtet werden. Diese Entwicklungsvariante hat den Vorteil, daß sie die vorhandenen Gebäudekomplexe der Chirurgie, der Inneren Medizin, der Kinderklinik, der Pathologie und der Zahnklinik einbezieht. In angrenzenden Gebäudekomplexen sollten ursprünglich die klinisch-theoretischen und vorklinischen Institute, die Verwaltung, die Ver- und Entsorgung, die Sozialen Dienste, ein Zentrales Hörsaalgebäude und ein Zentrales Forschungsgebäude errichtet werden. Diese Planung zielte auf eine Nutzfläche von rund 124000 m^2 ab. Die dem Ausschuß Medizin Anfang 1994 vorgestellte Variante ging allerdings schon von einer notwendigen Reduktion auf 96355 m^2 aus.

Dic crneute Überplanung brachte weitere Reduktionen mit sich: Auf die ursprünglich geplanten Neubauten eines Forschungshauses und eines Zentralen Hörsaalgebäudes wird aus Gründen der Kostenersparnis verzichtet. Der Anteil der Forschungsflächen soll aber weiterhin 9-10% der Gesamtfläche der Medizinischen Fakultät betragen. Ein zusätzlicher großer Hörsaal soll im zentralen Neubaukomplex eingerichtet werden.

Die Institute sollen am Hauptstandort Schillingallee in drei Gebäudekomplexen (Schillingallee 70, Strempelstraße und Kopernikusstraße) konzentriert werden. Im Gebäude des Pathologischen Instituts soll künftig auch das Institut für Rechtsmedizin untergebracht werden. Dadurch können mehrere Außenstandorte (Gertrudenstraße, Sankt-Georg-Straße,

Friedhof) aufgegeben und bisher durch Institute genutzte Flächen in Klinikgebäuden (Klinik für Innere Medizin, Kinderklinik) am Hauptstandort für die künftigen klinischen Nutzer freigegeben werden. Das Institut für Medizinische Psychologie wird am Standort Gehlsdorf in der Nervenklinik bleiben. Für die Radiologische Klinik sind zwei Standorte vorgesehen: Während die Abteilung Strahlentherapie im Klinikgebäude Standort Südring bleiben soll, wird die Abteilung Röntgendiagnostik im Neubau für die Zentralen Medizinischen Funktionen untergebracht werden. Die Zentrale Röntgendiagnostik wird so angeordnet, daß der derzeitige Standort der Computer- und Kernspintomographen in der Chirurgischen Klinik Bestand hat. Die Abteilung Nuklearmedizin mit Diagnostik und Therapie wird ebenfalls am Standort Schillingallee zusammengeführt.

Zu den Zentralen Medizinischen Funktionen zählen weiterhin die Zentrale Administrative Patientenaufnahme, die Institute für Klinische Chemie und Pathobiochemie sowie Transfusionsmedizin sowie die Funktionsstellen Physikalische Therapie, Bettenaufbereitung, Zentralsterilisation und Soziale Dienste.

Der geplante Bereich der operativen Fächer soll über ein OP-Zentrum für Chirurgie und Herzchirurgie sowie ein weiteres OP-Zentrum für die Frauenklinik, die Orthopädie, die Urologie und die Abteilung Kinderchirurgie verfügen. Das Kopfzentrum soll über ein eigenes OP-Zentrum für die Augenklinik, die HNO-Klinik, die MKG-Chirurgie und die Neurochirurgische Abteilung verfügen.

Auf dem Erweiterungsgelände Ernst-Heydemann-Straße neu errichtet werden soll ein Medizinisches Versorgungszentrum mit den Funktionsstellen Arzneimittelversorgung, Sterilgutversorgung, Lagerhaltung und Güterumschlag, Gefahrstofflager, Speisenversorgung, Wäscheversorgung, Fuhrpark, Notarztbereitschaft/Rettungsdienst, Energieversorgungszentrale, Abfallbeseitigung und Verwaltung. Die Universität spricht dem Bau des Medizinischen Versorgungszentrums eine Schlüsselfunktion bei der Umsetzung der Gesamtkonzeption zu, die mit diesem Bau begonnen werden soll. Der Bau würde den Abriß von Verwaltungsgebäuden und technischen Einrichtungen auf dem Kerngelände des Klinikums ermöglichen, so daß dort mit dem Neubau der Frauenklinik begonnen werden könnte.

Die Bausubstanz der Zahnklinik wird als gut bewertet, so daß unter der Voraussetzung einer sinkenden Studentenzahl mittelfristig keine größeren Investitionen zu erwarten seien. Noch erforderliche Investitionen für den Gebäudekomplex beziehen sich insbesondere auf Dach, Fassade und Haustechnik sowie auf den OP-Bereich der Klinik für MKG-Chirurgie. Für Bauunterhaltungsmaßnahmen wurden in den Jahren 1991-1994 1,1 Millionen DM aufgewendet und der Gebäudekomplex der Zahnmedizin auf seinen jetzigen Stand gebracht. Die Verwaltung des Klinikums Rostock wandte weitere 0,3 Millionen DM für die Instandhaltung der Nutzungsbereiche der MKG-Chirurgie im selben Gebäudekomplex auf. Ferner wurden im gleichen Zeitraum rund 1,5 Millionen DM in Geräte für die Zahnmedizin und 1,0 Millionen DM in Geräte für die MKG-Chirurgie investiert.

Die Umsetzung der Entwicklungskonzeption soll in drei Baustufen in den nächsten 15 Jahren erfolgen. Einen Überblick über die Maßnahmen der drei Baustufen und die zu erwartenden Kosten gibt Übersicht 9. Die Verteilung der vorgesehenen Kosten und Nutzflächen auf die einzelnen Kliniken und Institute zeigt Übersicht 10. Eine zwischenzeitliche Überarbeitung der Konzeption für das Medizinische Versorgungszentrum sieht eine Reduzierung der Nutzfläche von 12030 auf 11326 m^2 und eine Kostenreduktion von 108,2 auf 81,0 Millionen DM vor, die in den Übersichten noch nicht berücksichtigt wurden.

Die Kosten der jetzt geplanten Baumaßnahmen werden auf rund 707 Millionen DM geschätzt. Gegenüber der Anfang 1994 veranschlagten Kostenschätzung von 792 Millionen DM stellt dies eine Reduktion um rund 11 %, verglichen mit der ursprünglichen Baukonzeption, deren Kosten auf 1056 Millionen DM geschätzt wurden, um rund 33 % dar.

Nicht in der Kalkulation der Gesamtkosten enthalten sind notwendige Interimsmaßnahmen an Außenstandorten der Medizinischen Fakultät Rostock zur Gewährleistung von Lehre und Forschung bis zur Errichtung der entsprechenden Neubauten am Standort Schillingallee in Höhe von rund 62 Millionen DM. Diese Kostengröße ist geschätzt. Darin enthalten sind Kosten in Höhe von rund 48,0 Millionen DM für bereits laufende Sanierungsmaßnahmen in der Klinik für Gynäkologie (Nr. 8026 und Nr. 8088), der Augenklinik (Nr. 8075), dem Anatomischen Institut (Nr. 8030) und im Schwesternwohnheim Evershagener Straße (Nr. 7050).

A. III. Medizinische Fakultät der Universität Greifswald

III. 1. Entwicklung, Struktur und Personal

Die Medizinische Fakultät zählt zu den Gründungsfakultäten der Mitte des 15. Jahrhunderts entstandenen Universität Greifswald. Ihre Tradition wurde durch namhafte Ärzte und Wissenschaftler geprägt. In der Situation eines Zentralklinikums in einem dünn besiedelten und strukturschwachen Flächenstaat und in der Nachbarschaft der ebenfalls traditionsreichen Medizinischen Fakultät Rostock sah sich die Medizinische Fakultät Greifswald nach der deutschen Wiedervereinigung mit einer schwierigen Umbruchssituation konfrontiert.

Zu den besonderen Umständen zählte insbesondere die Tatsache, daß die bis dahin zur Fakultät gehörende militärmedizinische Sektion aufgelöst wurde. Gleichzeitig verlor das Diabetes-Institut „Gerhardt Katsch" in Karlsburg seine bis dahin zentrale Funktion für die gesamte ehemalige

Übersicht 9

Bauliche Entwicklungskonzeption der Medizinischen Fakultät Rostock 1995-2010

Bauphase	Baumaßnahmen	Kosten Mio. DM	RPL-Nr.	Kat.	NF in qm
1	Sanierung Gebäude der Kinderklinik, 1. BA (Dach u. Fassade)	7,9	8070	I	
	Sanierung u. Erweiterung Gebäude der Chirurgie (Kliniken für Herzchirurgie, Chirurgie, Anästhesiologie u. Intensivtherapie)	67,9	8025 8074	I/II P	10 716
	Neubau Medizinisches Versorgungszentrum	108,2	7072	II	12 030
	Neubau Vorklinik (Institute f. Anatomie, Physiologie, Med. Biochemie)	44,9	8083	II	4 465
	Neubau Operative Fächer und OP-Zentrum, 1. BA (Frauenklinik, Neubauteil Kinderklinik, 1. Stufe OP-Zentrum 2)	64,1	8078	P	6 251
	Sanierung und Neubauteil Gebäude Pathologie, 1. BA (Institute für Pathologie u. für Rechtsmedizin)	6,5	8011 8022	I I	120
	Sanierung Klinik für Innere Medizin, 1. BA (Einrichtung Internist. ITS, Klinikanlage Kardiologie, Einrichtung KTM, San. Dach und Fassade)	28,1	8071 8087 8082	IIa II II	4 182
	Neubau Zentrale Medizinische Funktionen, 1. BA (OP-Zentrum 4/Ambulantes Operieren, Zentrale Notaufnahme, Aufnahmestation, Personalkasino)	28,5			3 010
	Grundsanierung Gebäude Med.-Theoretische Institute, 1. BA (Hörsaal)	1,2	7044	I	326
	Sanierung Gebäudezug Rembrandt-/Strempelstraße, 1. BA (Dach, Fassade, Haustechnik; ZMK-Klinik, Dermatologische Klinik)	9,6	8016	III	
	Sanierung Augenklinik	11,7	8017	I	1 597
	Sanierung zentrale Forschungsflächen (div. Gebäude), 1. BA	5,5			
	Kosten Bauphase 1	384,2			42 697
2	Neubau Operative Fächer und OP-Zentrum 2, 2. BA (Urologische Klinik, Orthopädische Klinik, 2. Stufe OP-Zentrum 2)	32,0			3 543
	Sanierung derzeitiges Schulgebäude (Bibliothek, Lehre)	8,0			1 921
	Neubau Zentrale Medizinische Funktionen, 2. BA (Abt. Zentrale Röntgendiagnostik, Institute für Klin. Chemie/Pathochemie u. für Transfusionsmedizin, Zentrale Physikalische Therapie, Abt. Nuklearmedizin, Bettenaufbereitung, Soziale Dienste)	61,6			6 365
	Sanierung Gebäude Pathologie, 2. BA (Pathologie u. Rechtsmedizin)	10,6			2 245
	Sanierung Gebäude derzeitige Kinderklinik, 2. BA	29,8			5 926
	Sanierung zentrale Forschungsflächen (div. Gebäude), 2. BA	24,4			4 226
	Kosten Bauphase 2	166,4			24 226

noch Übersicht 9

Bauliche Entwicklungskonzeption der Medizinischen Fakultät Rostock 1995-2010

Bauphase	Baumaßnahmen	Kosten Mio DM	RPL-Nr.	Kat.	NF in qm
3	Neubau OP-Zentrum 3 (OP und Pflegestation der Abt. Neurochirurgie, OP MKG-Klinik)	13,3			944
	Sanierung Gebäudezug Rembrandt-/ Strempelstr., 2. BA (ZMK-Klinik)	24,2			4 341
	Sanierung Klinik für Innere Medizin, 2. BA, einschl. Dermatologie	50,1			7 587
	Sanierung Radiologische Klinik Südring - Abt. Strahlentherapie	26,4			3 406
	Sanierung Gebäude Medizinisch-Theoretische Institute, 2. BA (Institute für Med. Mikrobiologie, Immunologie, Pharmakologie/Toxikologie, Gesundheitswissenschaften, Biomed. Technik, Med. Informatik u. Biometrie, Experimentelles Forschungszentrum)	28,0			3 497
	Kosten Bauphase 3	142,0			19 775
	Kosten Bauphasen 1-3	665,5			86 698
	Grunderwerb	14,1			
	Kosten insgesamt	706,8			

Quelle: Schreiben der Kultusministerin des Landes Mecklenburg-Vorpommern vom 13. 4. 1995, Anlage 3: Bauliche Entwicklungskonzeption der Medizinischen Fakultät Rostock 1995-2010; Aktualisierung mit Schreiben vom 6. November 1995

Übersicht 10

Bau- und Ersteinrichtungskosten sowie Nutzflächen der Kliniken und Institute der Medizinischen Fakultät Rostock

Kliniken/Institute	Nutzfläche in m²	davon Neubaut	Baukosten in Mio. DM	Ersteinrichtungskosten in Mio. DM	Gesamtkosten in Mio. DM
1. Operative Fächer					
– Anästhesiologie/ Intensivtherapie	1 526	0	7,4	3,0	10,5
– Chirurgie	6 838	1 562	37,4	13,6	51,0
– Herzchirurgie	939	0	4,6	1,9	6,4
– OP-Zentrum 1	1 413	1 413	Kosten nicht berücksichtigt, da Bau fertiggestellt		
2. Konservative Fächer					
– Innere Medizin	10 623	0	50,7	20,7	71,4
– Dermatologie	1 146	0	5,0	1,7	6,7
3. Pädiatrisches Zentrum					
– Kinderheilkunde	6 728	1 302	37,9	13,1	51,0
– Abt. Medizin. Genetik	498	0	2,8	0,8	3,5
4. Gynäkologie/ Urologie/Orthopädie					
– Frauenklinik	4 452	4 452	33,3	8,9	42,2
– Urologie	1 398	1 398	10,5	2,8	13,3
– Orthopädie	1 648	1 648	12,3	3,3	15,6
– OP-Zentrum 2	994	994	7,4	2,0	9,4
5. Kopffächer					
– Augenklinik	1 597	0	8,9	2,8	11,7
6. ZMK-Heilkunde					
– Zahnmedizin[1]	2 979	0	16,5	6,7	23,3
– MKG-Chirurgie	1 362	0	7,5	3,1	10,6
– OP-Zentrum 3	944	944	8,7	4,6	13,3
7. Zentrale Medizin. Funktionen					
– Zentrale Medizin. Funktionen	8 530	8 530	65,1	17,0	82,1
– OP-Zentrum 4	844	844	6,3	1,7	8,0
8. Institute					
– Anatomie	2 189	2 189	18,7	3,4	22,0
– Physiologie	1 074	1 074	9,2	1,6	10,8
– Medizinische Biochemie	1 202	1 202	10,3	1,8	12,1
– Pathologie und Rechtsmedizin	2 365	120	13,5	3,6	17,1
– Medizin.-Theoretische Institute	3 825	0	21,6	6,3	27,9
– Zentrale Forschungsflächen	4 226	0	23,4	6,5	29,9
9. Bibliothek	1 921	0	7,0	1,1	8,1
10. Medizin. Versorgungszentrum	12 030	12 030	90,0	18,2	108,2
11. Radiologische Klinik am Südring	3 406	0	17,1	9,3	26,4
Summe Bau und Ersteinrichtung	86 698	39 703	533,1	159,6	692,6
Grunderwerb					14,1
Gesamt					706,8

Quelle: Schreiben der Kultusministerin des Landes Mecklenburg-Vorpommern vom 13. 4. 1995, Anlage 5: Gesamtübersicht Kosten der Medizinischen Fakultät Rostock; Aktualisierung mit Schreiben vom 6. November 1995.

1) Einschließlich bereits erfolgter Sanierungen

DDR in der Versorgung aller diabetischen Schwangeren und ihrer Kinder. Hinzu kam der desolate Zustand der meisten Gebäude, deren Standorte über die gesamte Stadt verstreut sind. In einem mehrstufigen Verfahren mit Ehren-, Überleitungs- und Übernahmekommissionen wurde die personelle Erneuerung Ende 1992 abgeschlossen. 51% der 1989 an der Medizinischen Fakultät tätigen Professoren und Dozenten wurden dabei nicht übernommen, darunter alle ehemaligen Militärmediziner.

Vor dem Hintergrund der medizinischen Versorgungsstruktur im Raum Greifswald, die durch das Fehlen eines Allgemeinkrankenhauses in der Stadt dazu geführt hat, daß das Universitätsklinikum einen Großteil der Normalversorgung der Bevölkerung leistet, empfahl der Wissenschaftsrat, diese Besonderheit gezielt für Lehre und Forschung nutzbar zu machen.[16]) Eine Orientierung auf die Regelversorgung im Sinne eines Modellklinikums Community Medicine hielt der Wissenschaftsrat auch mit Blick auf die Finanzlage des Landes und den hohen Investitionsbedarf für beide Medizinische Fakultäten für geboten.

Zur Zeit gliedert sich die Medizinische Fakultät in 17 Institute und 22 Kliniken, die zum Teil in übergreifenden Zentren zusammengefaßt sind (siehe Übersicht 11). Dabei handelt es sich um

- das Zentrum für Kinder- und Jugendmedizin mit den Kliniken für Kindermedizin und für Kinderchirurgie;

- das Zentrum für Radiologie mit den Kliniken für Strahlentherapie und für Nuklearmedizin sowie dem Institut für Röntgendiagnostik sowie

- das Zentrum für Zahn-, Mund- und Kieferkrankheiten mit den Kliniken für Mund-, Kiefer- und Gesichtschirurgie, für Kieferorthopädie, für Prothetik und für Zahnerhaltung.

Geplant ist darüber hinaus die Einrichtung

- eines Zentrums für Molekulare Medizin mit den Instituten für Biochemie, für Humangenetik, für Immunologie und Transfusionsmedizin und für Medizinische Mikrobiologie sowie

- eines Zentrums für Neurowissenschaften mit den Kliniken für Neurologie und für Neurochirurgie.

Von der zunächst geplanten Bildung eines Zentrums für Community Medicine/Dentistry, in dem die Institute bzw. Abteilungen für Arbeitsmedizin, für Biometrie und Medizinische Informatik, für Epidemiologie

---

16) Wissenschaftsrat: Empfehlungen zur künftigen Struktur der Hochschullandschaft in den neuen Ländern und im Ostteil von Berlin, Teil III vom September 1991, Köln 1992, Seite 70.

und Sozialmedizin, für Geschichte der Medizin, für Hygiene und Umweltmedizin sowie für Medizinische Psychologie zusammengefaßt werden sollten, haben Land und Universität wieder Abstand genommen, da die Beschäftigung mit diesem Schwerpunktthema alle Kliniken und Institute erfassen solle. Hinsichtlich des Bereichs Geschichte der Medizin gibt es Vorstellungen, diesen mit dem Bereich Geschichte der Pharmazie in der Mathematisch-Naturwissenschaftlichen Fakultät zusammenzuführen.

Der Medizinischen Fakultät seit 1992 angeschlossen ist das aus einem ehemaligen Zentralinstitut hervorgegangene Institut für Diabetes in Karlsburg, dessen bettenführender Teil seit Anfang 1994 in private Trägerschaft überführt und zu einem Fachkrankenhaus für Diabetes und Stoffwechselkrankheiten sowie zu einer Herzchirurgischen Klinik ausgebaut wurde. Der Kooperationsvertrag mit den privaten Klinikträgern sieht vor, daß der Direktor der Klinik für Diabetologie als Honorarprofessor in die Universität eingebunden wird. Die Besetzung der Chefarztposition für die Abteilung Innere Medizin/Diabetes erfolgt analog der Chefarztposition der Herzchirurgie in einem berufungsähnlichen Verfahren in Abstimmung mit der Universität. Den C4-Professoren für Kardiologie und für Anästhesiologie und Intensivmedizin soll in Personalunion die Leitung der entsprechenden Abteilungen des Fachkrankenhauses Karlsburg übertragen werden.

Im verbliebenen Institut für Diabetes werden 41 Wissenschaftlerstellen aus Mitteln des Wissenschaftler-Integrationsprogramms (WIP) finanziert. Über Drittmittel des BMBF-Sonderprogramms und der DFG werden darüber hinaus 8 Wissenschaftler, 26 technische Kräfte und 2 Forschungsstudenten beschäftigt.[17]) Nachdem deutlich wurde, daß von den WIP-Stellen nur insgesamt 10 Stellen übernommen werden können, haben sich Universität und Land auf das folgende Konzept geeinigt: An der Universität Greifswald wird ein Institut für Pathophysiologie mit einer C3-Leitungsstelle gegründet, in das ein Kernbestand von 7 Wissenschaftlern und 3 nichtwissenschaftlichen Mitarbeitern aus dem Diabetes-Institut übernommen werden soll. Ihrer Ausrichtung nach sollen sie der Forschungsrichtung Community Medicine entsprechen. Darüber hinaus soll ein An-Institut gebildet werden, das durch einen bereits gegründeten Verein zur Förderung der Diabetes-Forschung getragen werden soll. Die Medizinische Fakultät hofft auf eine außeruniversitäre Finanzierung, beispielsweise im Rahmen der Blauen Liste, und erinnert an die entsprechende Empfehlung des Wissenschaftsrates im Rahmen der Stellungnahmen zu den außeruniversitären Forschungseinrichtungen in der ehemaligen DDR.[18]) Das Kultusministerium erwartet, daß ein großer Teil der Finanzierung des An-Institutes über die Einwerbung von Dritt-

---

17) Stand: 1. 9. 1994.

18) Wissenschaftsrat: Stellungnahmen zu den außeruniversitären Forschungseinrichtungen in der ehemaligen DDR auf dem Gebiet der Biowissenschaften und der Medizin, Köln 1992, S. 57.

Übersicht 11

Struktur der Medizinischen Fakultät und des Klinikums der Universität Greifswald

	C4	C3	Übriges wissen-schaftliches Personal	Weitere Mitarbeiter
Vorklinik und klinisch-theoretische Institute				
Anatomie	1	1	7,0	13,0
Klinische Chemie	–	1	8,5	46,5
Pathologie	1	1	7,0	20,0
Institut für Diabetes Karlsburg	–	–	2,0	8,0
Abteilung für Versuchstierhaltung	–	–	1,0	8,0
Pharmakologie und Toxikologie	1	1	9,5	17,5
Physiologie	1	1	7,5	13,0
Abteilung für Biophysik	–	1	1,0	3,0
Rechtsmedizin	1	–	5,5	15,5
Biochemie	1	1	8,5	9,5
Humangenetik	1	1	9,5	13,5
Medizinische Immunologie	1	0	8,0	3,5
Abteilung für Transfusionswesen	–	1	6,0	14,0
Medizinische Mikrobiologie	1	2	8,5	25,0
Bereich Community Medicine	–	–	1,0	–
Arbeitsmedizin	–	1	4,0	4,5
Biometrie und Medizinische Informatik	1	–	5,0	1,5
Epidemiologie und Sozialmedizin	(1)[1]	–	–	–
Geschichte der Medizin	–	1	1,0	0,5
Hygiene und Umweltmedizin	1	1	6,5	11,0
Medizinische Psychologie	–	1	1,0	1,0
Summe	12	15	108,5	228,5

1) Eine C4-Stelle für den Bereich Epidemiologie und Sozialmedizin wird ab 1995 im Stellenplan durch Umwidmung gewonnen.

Übersicht 11 (Fortsetzung)

Struktur der Medizinischen Fakultät und des Klinikums der Universität Greifswald

	C4	C3	Übriges wissen-schaftliches Personal	Weitere Mitarbeiter
Kliniken und klinische Zentren				
Zentrum für Innere Medizin (Kliniken A, B, C)	3	4	39,0	237,75
Zentrum für Kinder- und Jugendmedizin				
Kinderchirurgie	1	–	11,0	35,0
Kindermedizin	2	2	31,0	198,0
Zentrum für Neurowissenschaften				
Neurochirurgie	1	1	10,0	40,0
Neurologie	1	1	12,0	41,25
Zentrum für Radiologie	2	2	23,0	82,75
Zentrum für Zahn-, Mund- und Kieferheilkunde	4	4	31,5	89,5
Kliniken ohne Zuordnung zu Zentren				
Anästhesiologie und Intensivmedizin	1	1	30,0	54,0
Chirurgie	1	3	29,0	151,0
Augenheilkunde	1	1	19,0	85,0
Gynäkologie und Geburtshilfe	1	2	23,0	152,0
HNO-Heilkunde	1	1	19,0	105,0
Haut- und Geschlechtskrankheiten	1	1	11,0	60,0
Psychiatrie und Psychotherapie	1	–	12,0	51,75
Orthopädie	1	1	13,0	57,25
Urologie	1	1	10,0	54,25
Summe	23	25	323,5	1 494,5
Sonstige Einrichtungen	–	–	1,0	455,0
Gesamtsumme	35	40	433,0	2 178,0

Quelle: Angaben der Fakultät vom Dezember 1994, aktualisiert mit Schreiben der Kultusministerin des Landes Mecklenburg-Vorpommern vom 6. November 1995.

mitteln gesichert wird und bietet eine projektbezogene Anschubfinanzierung, mit der nach Auslaufen der WIP-Finanzierung ein Übergang gewährleistet werden soll. Die erforderlichen Räumlichkeiten sollen in landeseigenen Gebäuden auf dem Karlsburger Gelände zur Verfügung gestellt werden.

Es ist vorgesehen, die Gründung des Institutes für Pathophysiologie und des An-Institutes für Diabetes parallel vorzunehmen und vorerst kommissarische Leiter einzusetzen, wobei angestrebt wird, daß die C3-Professur Pathophysiologie mit der Leitung beider Institute verbunden ist. Ebenfalls auf das Karlsburger Gelände soll das Institut für Physiologie übersiedeln.[19]) Die erforderlichen Räumlichkeiten sollen durch den Ausbau des bisher ungenutzten Hauses C bereitgestelllt werden. In Karlsburg bereits ansässig ist die Abteilung Experimentelle Medizin, die ihre Aufgaben in der Zucht kommerziell nicht erhältlicher Versuchstiere, insbesondere spontan diabetischer Tiermodelle, sowie in wissenschaftlichen Arbeiten zur molekularen Genetik hat.

Insgesamt sieht der Stellenplan für Fakultät und Klinikum 35 C4- und 40 C3-Stellen vor. Von diesen sind 19 C4-Professoren und 22 C3-Professoren im Rahmen der personellen Hochschulerneuerung übernommen worden. Bis Ende 1994 wurden 7 C4-Professoren (Anästhesiologie und Intensivmedizin, Augenheilkunde Neurochirurgie, Neurologie, Mund-, Kiefer- und Gesichtschirurgie, Zahnärztliche Prothetik sowie Zahnerhaltung) und 8 C3-Professoren neu berufen, alle aus den alten Bundesländern. Für 5 weitere Lehrstühle und 2 C3-Stellen wurden die Berufungen ausgesprochen. Ausschreibungs- bzw. Berufungsverfahren laufen für 3 C4-Stellen und 9 C3-Stellen.[20]) Darunter sind insbesondere die C4-Stellen für Epidemiologie und Sozialmedizin sowie die C3-Stelle für Zahnärztliche Propädeutik und Community Dentistry. Noch unbesetzt sind außerdem die C3-Stellen für Medizinische Informatik sowie für Umweltmedizin.

Absenkungen bzw. Einsparungen bei Ausscheiden der gegenwärtigen Stelleninhaber sind bei der C4-Stelle für Pädiatrie/Onkologie sowie bei den C3-Stellen für Experimentelle Chirurgie, Gynäkologie und Geburtshilfe, Klinische Mikrobiologie, Spezielle Kieferorthopädie und Biophysik vorgesehen bzw. bereits realisiert.

Im Stellenplan der Medizinischen Fakultät für das Jahr 1994 waren insgesamt 2686 Vollkräfte ausgewiesen.[21]) Damit wurde der Personalbestand seit 1990 um 13 % (von 3087) reduziert. Von dem derzeitigen Personal arbeiten nach Angaben der Universität 15 % im ärztlichen Dienst,

19) Die dazugehörende Abteilung Biophysik soll am Standort Fleischmannstraße verbleiben. Nach Ausscheiden des jetzigen Leiters soll dessen C3-Stelle allerdings nicht mehr neu besetzt werden.
20) Stand: 6. Dezember 1994.
21) 90 dieser Stellen tragen einen kw-Vermerk.

7 % im wissenschaftlichen Verwaltungsdienst, 33 % im Pflegedienst, 21 % im medizinischtechnischen Dienst und 3 % im technischen Dienst. 8 % des Personals werden jeweils für klinisches Hauspersonal und Sozialdienst und für die Verwaltung (5 % sonstiges Personal) ausgewiesen.

Bezieht man sämtliche Personalstellen des Jahres 1994 auf die Bettenzahl von 1098, so ergibt sich ein Verhältnis von 2,4 Stellen pro Planbett (Durchschnitt West: 2,8; Durchschnitt Ost: 2,9) bzw. 0,5 Wissenschaftlerstellen pro Planbett (Durchschnitt West: 0,5; Durchschnitt Ost: 0,7).

Rund 68 % der C4-Professoren waren 1993 über 50 Jahre, 9 % über 60 Jahre alt, während 87 % der C3-Professoren über 50 Jahre und 1,3 % über 60 Jahre alt waren. Von den unbefristet beschäftigten wissenschaftlichen Mitarbeitern waren zu diesem Zeitpunkt rund 45 % über 40 Jahre alt, hingegen nur 22 % der auf Zeit angestellten wissenschaftlichen Mitarbeiter. Diese Altersstruktur der wissenschaftlichen Bediensteten entspricht nach Angaben der Fakultät noch nicht dem angestrebten Profil. Eine Verjüngung der Altersstruktur soll mit den neu zu besetzenden Stellen erreicht werden. Das Durchschnittsalter der bis Ende 1994 neu berufenen Professoren lag bei 43 Jahren.

Das Verhältnis von unbefristeten zu befristeten Stellen für wissenschaftliche Bedienstete betrug 1993 1,3:1, nachdem es 1990 noch bei 3,3:1 gelegen hatte. Es wird angestrebt, in den klinischen Einrichtungen jeweils zur Hälfte befristete und unbefristete Stellen zu erreichen, um insbesondere in den operativen Fächern eine zu große Zahl von noch unselbständigen Berufsanfängern zu vermeiden. Insgesamt wird ein Verhältnis von 1:2 angestrebt.

III. 2. Lehre und Studium

Die Immatrikulation von Studenten erfolgt an der Medizinischen Fakultät Greifswald einmal jährlich zum Wintersemester. Die jährliche Zulassungszahl lag in den Jahren 1991 bis 1993 bei durchschnittlich 190 Studenten für den Studiengang Humanmedizin und bei 41 für den Studiengang Zahnmedizin. Im Wintersemester 1994/95 begannen 183 Studienanfänger ein Studium der Humanmedizin, 44 ein Zahnmedizinstudium. Künftig angestrebt wird eine Zahl von 120 Studienanfängern der Humanmedizin und 25 in der Zahnmedizin. Der Anteil der Frauen lag zuletzt bei 45 % im Studiengang Humanmedizin und 65 % im Studiengang Zahnmedizin. Seit 1991 stieg die Zahl der Studienanfänger aus den alten Bundesländern kontinuierlich an. Im Wintersemester 1993 lag sie bei 109 (57 %) in der Humanmedizin und bei 18 (45 %) in der Zahnmedizin. Auch in den höheren Fachsemestern stieg die Zahl der Studenten aus den alten Bundesländern an.

Für die Lehre bietet die Medizinische Fakultät Greifswald die besondere Situation, daß das Universitätsklinikum neben Aufgaben der Maximal- und Schwerpunktversorgung einen relativ hohen Anteil an Grund- und Regelversorgung zu erfüllen hat. Mit 805 universitären Planbetten und den für die Lehre nutzbaren Betten der akademischen Lehrkrankenhäuser im Klinikum Stralsund (1139 Betten), im Klinikum Neubrandenburg (1008 Betten) sowie des zukünftig „in Lehre und Forschung assoziierten" Krankenhauses Karlsburg (190 Betten) stellt sich aus der Sicht des Landes eine günstige Relation zwischen Bettenzahl und auszubildenden Medizinstudenten dar. Das gemischt städtisch-ländliche Einzugsgebiet in der stationären und ambulanten Krankenbetreuung des Universitätsklinikums und seine relative Abgegrenztheit durch die geographische Randlage im Nordosten Deutschlands sei darüber hinaus für eine bevölkerungsorientierte und damit praxisnahe Ausbildung vorteilhaft.

Seit 1991 konnten nach Angaben der Fakultät richtungsweisende Veränderungen in der Ausbildung realisiert werden. Dies betreffe insbesondere die Gründung eines Studiendekanates, in dem die Aufgaben der Planung, Realisierung und Evaluierung der einzelnen Reformschritte bearbeitet werden sollen. Durch die jährliche Immatrikulation zu Beginn des Wintersemesters könne außerdem eine straffere Studienorganisation erreicht werden. Das komme auch in der Bildung fester Studiengruppen zum Ausdruck, die maximal 20 Studenten umfassen und während des gesamten Studiums bestehen bleiben. Künftig geplant sind die Einführung eines Tutorialsystems sowie problemorientierte Lehrveranstaltungen, Kurse zum „Teatcher-Training" und die Entwicklung von Evaluationsmethoden der Lehre.

Die akademischen Lehrkrankenhäuser werden neben der PJ-Betreuung zum Teil auch in die praxisnahe Ausbildung während des Studiums einbezogen. So finden im Lehrkrankenhaus Stralsund gynäkologisch-geburtshilfliche, internistische und psychiatrische Praktika statt. Auf kommunaler Ebene ist das Fachkrankenhaus für Psychiatrie in Greifswald-Bethanien am Praktikum beteiligt. In die praxisnahe Ausbildung konnten darüber hinaus seit 1992 11 Lehrpraxen niedergelassener Ärzte sowie das Gesundheitsamt der Hansestadt Greifswald einbezogen werden („Praktikum Berufsfelderkundung"). In Abstimmung mit der Medizinischen Fakultät der Universität Rostock werden die Lehrveranstaltungen in den Fachgebieten Geschichte der Medizin, Neurochirurgie und Biophysik von Greifswalder Professoren in Rostock durchgeführt.

Das auf die Community Medicine abgestimmte Lehrkonzept, das die in der Approbationsordnung vorgegebenen Veranstaltungen ergänzt, soll beginnend mit dem Anfängerjahrgang 1994/95 stufenweise umgesetzt werden, wobei einzelne Teile auch schon in höheren Semestern eingeführt werden sollen. Seit dem Wintersemester 1992/93 werden ein „Hausärztliches Besuchsprogramm", eine interdisziplinäre Vorlesungsreihe „Kind im Krankenhaus" und „Kind im Spannungsfeld von Arzt und Familie" sowie weitere fakultative Veranstaltungen in den Bereichen Arbeitsmedizin, Hygiene, Umweltmedizin, Gynäkologie und Geburtshilfe, Urologie und Chirurgie angeboten. Außerdem gibt es eine Ringvorlesung zur Community Medicine und entsprechende Lehrveranstaltungen in der Zahnmedizin.

Als Element der Community Medicine-Orientierung werden im Curriculum zudem auch fächerübergreifende Zusammenfassungen von Pflichtveranstaltungen ausgewiesen (z. B. der Kursus für allgemeine und klinische Untersuchungen für Innere Medizin, Neurologie und Neurochirurgie). Im Kern des Curriculums stehen vier obligatorische Kurse, die die Rahmenthemen „Strukturen der gemeindenahen Versorgung", „Arzt und chronischer Patient in der gemeindenahen Versorgung", „Umwelt, Hygiene und die gefährdete Gesundheit" sowie „Lebensweise, Ernäh-rung, regionale Besonderheiten und Präventionsstrategien" behandeln. Darin integriert sind ein Hausbesuchsprogramm, das bereits im 1. Semester einsetzt, sowie weitere Praktika in außeruniversitären Einrichtungen.

Das Curriculum der Community Dentistry stellt die Wirksamkeit zahnärztlicher Prophylaxe und Therapie bezogen auf die Bevölkerung in den Mittelpunkt. Als zentrales Element wird auch hier die frühzeitig einsetzende Assistenz der Studierenden in verschiedenen Bereichen zahnärztlicher Tätigkeiten herausgestellt. Die Zahl der zusätzlichen, eigens unter Gesichtspunkten einer Community Dentistry entwickelten Lehrveranstaltungen ist allerdings weitaus geringer als im Studiengang Humanmedizin.

III. 3. Forschung

a) Promotionen und Habilitationen

Die durchschnittliche Zahl der Promotionen lag in den Jahren 1991 bis 1993 bei 68. Dabei entfielen im Zeitraum 1987 bis 1993 über 30 % auf die Institute und knapp 70 % auf die Kliniken. Etwas mehr als ein Drittel dieser Promotionen entfielen auf Frauen; im Bereich der Zahnmedizin lag ihr Anteil über der Hälfte. Rückläufig ist hingegen die Zahl der Habilitationen an der Medizinischen Fakultät Greifswald. So gab es im Jahr 1991 insgesamt noch 10 Habilitationen, im Jahr 1992 noch 8 und im Jahr 1993 nur noch 2 Habilitationen in der Humanmedizin. Seit 1994 hat sich die Zahl der Habilitationen auf 4 gesteigert. In der Zahnmedizin ist seit 1989 keine Habilitation verzeichnet.

b) Forschungsschwerpunkte

Entsprechend der grundsätzlichen Ausrichtung gibt die Medizinische Fakultät Greifswald den Bereich Community Medicine bzw. Community Dentistry als vorrangigen Forschungsschwerpunkt an. Allerdings könne die Community Medicine nicht „auf hochspezialisierte Medizin mit

Grundlagenforschung" verzichten. Entsprechende Forschungsschwerpunkte sieht die Fakultät in den Bereichen Neurowissenschaften, Molekulare Medizin und Onkologie/ Stammzelltransplantation vor.

Community Medicine / Dentistry

Das Forschungskonzept Community Medicine/Dentistry nimmt Bezug zu den lokalen Gegebenheiten und Voraussetzungen, die auch das Gesamtkonzept des Klinikums begründen. Daher wird auch in der Forschung eine enge Zusammenarbeit mit den außeruniversitären Einrichtungen des Gesundheitswesens und mit den niedergelassenen Ärzten und Zahnärzten angestrebt. Das durch einen Gründungsrat erarbeitete Konzept soll alle Aspekte der Gesunderhaltung und Krankheitsbewältigung integrieren und sich neben der medizinischen und zahnmedizinischen Versorgung mit der Akzeptanz von Dienstleistungen, ihrer Effektivität und ökonomischen Effizienz und der Organisationsstruktur und Zusammenarbeit von verschiedenen Institutionen und Einrichtungen beschäftigen. „Anliegen der Community Medicine ist die Verbesserung des Gesundheitszustandes und der Lebensqualität der Bevölkerung in der Region Vorpommern durch eine umfassende, institutsübergreifende medizinische Betreuung unter besonderer Berücksichtigung der Wechselbeziehungen zwischen Individuum, sozialem Umfeld, Gesundheits- und Sozialwesen."[22]) Als interdisziplinäre Forschungsbereiche in der Community Medicine werden genannt:

- Herz-Kreislauf-Erkrankungen/Stoffwechsel/Ernährung;
- Alkohol, Sucht, Drogen;
- Onkologische Erkrankungen;
- Munderkrankungen und kraniomandibuläre Dysfunktionen.

Zur Verwirklichung des Konzeptes Community Medicine ist ein Modellversuch Community Medicine geplant, unter dessen Dach ein Lehrverbund, ein Betreuungsverbund, ein Forschungsverbund sowie unabhängige Projekte zusammengefaßt sein sollen. Kernstück des Forschungsverbundes soll eine umfassende epidemiologische Basisstudie Vorpommern sein, deren Finanzierung noch nicht gesichert ist. Angestrebt wird eine Mischfinanzierung über das BMBF, das Sozialministerium des Landes Mecklenburg-Vorpommern, Krankenkassen und Kassenärztliche Vereinigungen sowie den Landesausschuß für Forschung und Lehre.

Im Bereich Community Medicine bereits angelaufen sind nach Angaben der Fakultät darüber hinaus insgesamt 28 Forschungsprojekte der einzelnen medizinischen und zahnmedizinischen Einrichtungen, die in den Forschungsverbund integriert werden sollen. Sie werden zum größten Teil im Rahmen der BMBF-Sonderförderung zugunsten der Medizini-

22) Modellverbund Community Medicine; Aufgabenstellung, Verantwortlichkeit und Zusammensetzung der Gremien ohne Datum.

schen Fakultäten in den neuen Ländern finanziert. Künftig soll hierfür eine Förderung durch das BMBF im Rahmen des Förderschwerpunktes „Public Health" beantragt werden. Die Stadt Greifswald ist außerdem Mitglied des internationalen Netzwerkes „Gesunde Städte" und des EG-Projektes „Environet" zur Förderung von Gesundheit und verbesserten Umweltbedingungen.

Verantwortlich für die Etablierung des Modellversuchs soll eine Fakultätskommission Community Medicine sein. Sie wird durch ein Kuratorium unterstützt, in dem neben Bundes- und Landesministerien unter anderem auch eine Reihe von medizinischen Standesorganisationen und Verbände als Mitglieder vorgesehen sind. Der Modellverbund soll durch einen geschäftsführenden Ausschuß mit Koordinierungsstelle Community Medicine nach innen und außen vertreten werden. Im obliegt auch die Erarbeitung des Finanzierungskonzeptes einschließlich Anschubfinanzierungen und Unterstützung von Pilotphasen. Dem Forschungsverbund gehört auch die Leitung der Regionalen Basisstudie Vorpommern an. Alle Forschungsprojekte des Forschungsverbundes sollen durch einen Wissenschaftlichen Beirat begutachtet werden. Die Mitglieder des Wissenschaftlichen Beirats sollen unter Federführung des BMBF und in Abstimmung mit Land und Universität benannt, vom Kuratorium bestätigt und vom Fakultätsrat der Medizinischen Fakultät berufen werden. Der Modellversuch Community Medicine und seine organisatorische Struktur wurden vom Fakultätsrat beschlossen. Finanzielle Mittel des Landes werden gesondert, vom üblichen Landeszuschuß getrennt, zugewiesen.

Neurowissenschaften

Neben dem Ausbau der Community Medicine will die Fakultät in Abstimmung mit der Medizinischen Fakultät Rostock besondere Bereiche der Hochleistungsmedizin sowohl in der Krankenversorgung wie auch als Forschungsschwerpunkte weiter ausbauen. Dazu gehört insbesondere der Bereich der Neurowissenschaften. An diesem Schwerpunkt sollen die Kliniken für Neurochirurgie und Neurologie sowie die Fachrichtungen Neuroradiologie, Neuro-Urologie, Neuro-Ophthalmologie und Neuropathologie beteiligt sein. In diesem Zusammenhang wurden mit Industrieunterstützung eine C3-Professur für experimentelle Neurochirurgie und Neurophysiologie sowie eine spezielle Einrichtung für neurologisch-neurochirurgische Frührehabilitation und Rehabilitation unter Trägerschaft des Bundes Deutscher Hirnbeschädigter mit Förderung des Bundesarbeitsministeriums eingerichtet.

In den Kliniken für Neurologie und Neurochirurgie sollen vor allem Fragen der Epileptologie, insbesondere der cerebrovaskulären Mikrochirurgie durchgeführt werden. Der Ausbau spezieller neurologischer Funktionsdiagnostik, auch in Zusammenarbeit mit dem Institut für Nuklearmedizin, soll zu einer landeszentralen Einrichtung für neuroangiologische Diagnostik und Therapie, insbesondere zur Versorgung von Patienten mit akutem Schlaganfall führen. Hinzu kommen in Zusammenarbeit mit der Anästhesiologie die Erforschung von Diagnose und Behandlung schwerer Schädel-Hirn-Verletzungen und die pathophysiologische Forschung über sekundäre Hirnschäden. 1994 wurden an den Kliniken für Neurologie und Neurochirurgie sieben Drittmittelprojekte mit einem Umfang von 1,2 Millionen DM durchgeführt.

Molekulare Medizin

Ein dritter Schwerpunkt hat sich um das Graduiertenkolleg „Strukturelle und funktionelle Charakterisierung von Pro- und Eukariotischen Genen" gebildet. Daran sind die Institute für Immunologie und Transfusionsmedizin, für Humangenetik, Biochemie, Medizinische Mikrobiologie und Pathologie sowie aus der Mathematisch-Naturwissenschaftlichen Fakultät die Institute für Genetik, Biochemie, Mikrobiologie und Molekularbiologie beteiligt. Hauptthemen in diesem als Universitätsschwerpunkt ausgewiesenen Gebiet sind die Stammzellentherapie, Viruspersistenz, Gendefekte, Septischer Schock und Diabetes mellitus.

Onkologie/Stammzelltransplantation

An diesem Schwerpunkt beteiligt sind die Kliniken für Innere Medizin, für Radiologie, für Strahlentherapie, für Chirurgie und für MKG-Chirurgie sowie das Zentrum für Kinder- und Jugendmedizin, die Institute für Immunologie und Transfusionsmedizin sowie für Medizinische Mikrobiologie und das Tumorzentrum Greifswald e.V.. Den Schwerpunkt in Greifswald bilden nach Angaben der Fakultät die internistische und pädiatrische Hämatologie und Onkologie. Durch eine Neuberufung konnte die Hochdosischemotherapie und die Periphere Stammzellentransplantation in Greifswald eingeführt werden. Zusammen mit einzelnen Instituten sollen daraus innovative Ansätze einer molekularen Medizin (u. a. gentherapeutische Intervention) entwickelt werden. Für den Neubau dieses Bereiches wurde eine Spende von 10,0 Millionen DM durch die Alfred Krupp von Bohlen und Halbach-Stiftung zur Verfügung gestellt.

c) Drittmittel

Von 1991 bis 1994 hat sich das jährliche Drittmittelvolumen der Fakultät in etwa vervierfacht und konnten im Jahr 1995 bis auf rund 12,1 Millionen DM gesteigert werden (Anteil DFG: 23,7 %)[23]). Im Zeitraum von 1990 bis 1993 wurden damit 63 Personalstellen finanziert, darunter 27,5 Nachwuchswissenschaftler.

Von den an der Medizinischen Fakultät Greifswald eingeworbenen Mitteln stammten in den Jahren 1991 bis 1994 rund 20 % von der Deutschen

23) Die Angaben für 1995 beziehen sich auf den Stand November 1995.

Forschungsgemeinschaft und rund 54 % vom BMBF. Die restlichen 26 % wurden über die Industrie, bei Stiftungen und anderen Einrichtungen eingeworben. 28 % aller Drittmittel der Jahre 1991 bis 1994 entfielen auf das Institut für Diabetes in Karlsburg. Von den Mitteln des BMBF entfielen der größte Anteil mit 49 % auf das Institut für Diabetes in Karlsburg und mit über 24 % auf das Physiologische Institut. Die höchsten Anteile an Einwerbungen von Mitteln der DFG erreichten das Institut für Humangenetik (24 % aller DFG-Mittel der Jahre 1992-1994), das Institut für Biochemie (17 %), das Institut für Diabetes (13 %) und das Institut für Immunologie (12 %). Viele Kliniken haben bis 1995 noch keine DFG-Mittel einwerben können.

Übersicht 12

Drittmitteleinnahmen der Medizinischen Fakultät
der Universität Greifswald 1991-1994
in TDM

	1991	1992	1993	1994	Summe
DFG	165,4	1 001,1	1 528,6	1 908,8	4 603,9
BMBF	1 140,3	3 890,6	4 101,8	4 083,4	13 216,1
Industrie	840,1	748,3	1 126,3	1 564,5	4 279,2
Sonstige	225,0	672,5	644,2	1 523,4	3 065,1
Summe	2 370,8	6 312,5	7 400,9	9 080,1	25 164,3

Quelle: Angaben der Fakultät.

d) Infrastruktur für die Forschung

Um die Forschung zu intensivieren, hat die Fakultät ein besonderes Konzept der Flächenzuteilung entwickelt. Die Forschungsarbeiten sollen sowohl dezentral an den jeweiligen Kliniken und Instituten als auch zunehmend interdisziplinär und an zentralen Forschungsstätten durchgeführt werden. Die Forschungsflächen sollen den jeweiligen Einrichtungen anteilig zugeordnet werden. Für die Kliniken sollen 30 % direkt und 70 % über zentrale Forschungsflächen zugewiesen werden, für die Institute 70 % direkt und 30 % über zentrale Forschungsflächen.

Der „zentrale Forschungsbereich" soll Multifunktionslabors, Speziallabors, Großgeräte, wissenschaftliche Werkstätten und tierexperimentelle Einrichtungen umfassen. Während die Versuchstierzucht und -haltung in Karlsburg untergebracht ist, sollen zumindest Teile der tierexperimentellen Einrichtungen in den zentralen Forschungsbereich der Fakultät integriert werden. Die Vergabe der Forschungsflächen im Zentrum selbst soll grundsätzlich zeitlich begrenzt erfolgen. Drittmittelprojekten soll eine gewisse Priorität bei der Flächenvergabe eingeräumt werden. Die Zuordnung von Forschungsflächen soll in regelmäßigen Zeitabstän-

Übersicht 13

Drittmitteleinnahmen der Medizinischen Fakultät der Universität Greifswald nach Drittmittelgebern 1991–1994

Kliniken/ Institute	1991	1992	1993	1994	Summe 1991-1994
	in TDM				
Vorklinik					
Anatomie	100,0	120,0	50,0	45,0	315,0
Biochemie	113,0	295,5	568,5	936,3	1 913,3
Geschichte der Medizin	0,0	0,0	0,0	66,6	66,6
Physiologie	0,0	1 016,4	1 063,4	1 208,9	3 288,7
Summe	213,0	1 431,9	1 681,9	2 256,8	5 583,6
Klinisch-theoretische Institute					
Institut f. Diabetes	211,5	2 170,1	2 303,5	2 326,3	7 011,4
Genetik	56,7	488,1	628,1	284,1	1 457,0
Immunologie	737,0	398,0	331,0	397,0	1 863,0
Hygiene und Umweltmedizin	90,0	205,3	305,0	325,4	925,7
Pathologie	0,0	0,0	0,0	18,0	18,0
Pharmakologie und Toxikologie	349,8	330,1	571,5	566,4	1 817,8
Arbeitsmedizin	15,2	15,2	21,7	8,1	60,2
Mikrobiologie	17,6	97,2	290,6	526,7	932,1
Medizinische Informatik	0,0	0,0	0,0	0,0	0,0
Klinische Chemie	0,0	0,0	0,0	7,5	7,5
Rechtsmedizin	5,0	10,7	15,0	0,0	30,7
Transfusionsmedizin	0,0	0,0	0,0	0,0	0,0
Summe	1 482,8	3 714,7	4 466,4	4 459,5	14 123,4
Kliniken					
Augenklinik	0,0	0,0	10,0	30,0	40,0
Chirurgie	20,0	20,0	0,0	0,0	40,0
Kinderheilkunde	215,0	340,0	245,0	246,0	1 046,0
Kinderchirurgie	0,0	5,0	16,0	38,8	59,8
HNO-Heilkunde	3,0	3,0	34,0	12,4	52,4
ZMK-Heilkunde	0,0	0,0	73,0	331,0	404,0
Innere Medizin	149,0	359,8	396,6	363,4	1 268,8
Frauenklinik	28,5	50,8	45,0	75,0	199,3
Orthopädie	259,5	136,6	225,0	166,2	787,3
Neurochirurgie	0,0	245,2	128,0	420,0	793,2
Neurologie	0,0	0,0	0,0	600,0	600,0
Dermatologie	0,0	0,0	70,0	70,0	140,0
Radiologie	0,0	4,5	0,0	11,0	15,5
Summe	675,0	1 164,9	1 242,6	2 363,8	5 446,3
Gesamtsumme	2 370,8	6 311,5	7 390,9	9 080,1	25 153,3

Quelle: Medzinische Fakultät der Universität Greifswald; 30. Juni 1995

den überprüft und an Projektablauf und Drittmittelaufkommen angepaßt werden. Insgesamt werden ca. 7000 m^2 NF für die Forschung vorgesehen, davon entfallen ca. 5000 m^2 NF auf die zentralen Forschungseinrichtungen und ca. 2000 m^2 NF auf direkt zugeordnete Bereiche; dies entspricht rund 9-10 % der Gesamtnutzfläche.

III. 4. Krankenversorgung

a) Stationärer Bereich

Der Wissenschaftsrat hatte seinerzeit für das Universitätsklinikum Greifswald eine Zielzahl von 1050 Betten zugrundegelegt. Zwischenzeitlich war die Universität, unterstützt durch eine Planungsgesellschaft, zu dem Ergebnis gekommen, daß eine deutlich niedrigere Zahl angebracht erscheint. Als Zielgröße wurden zunächst 1013 Betten genannt. Nach einer erneuten Prüfung von Möglichkeiten zur weiteren Bettenreduktion nennt das Land nunmehr eine Zielzahl von 760 HBFG-finanzierten Planbetten. Hinzu kommen sollen 45 Versorgungsbetten in der Orthopädie. Der Plan, die Klinik für Orthopädie gänzlich in fremde Trägerschaft zu übertragen, wurde mittlerweile wieder aufgegeben. Vorbereitet wird derzeit der Trägerwechsel der Klinik für Psychiatrie. Dabei werden 70 Betten Erwachsenenpsychiatrie in die Odebrecht-Stiftung (Greifswald) übergehen und 15 Betten Kinder- und Jugendpsychiatrie in das Christophorus-Krankenhaus nach Ueckermünde. Dieses entspricht der Psychiatrieplanung im Land. Der Trägerwechsel erfolgt zum 1. Januar 1998, da laufende Baumaßnahmen der zukünftigen Träger abgeschlossen sein müssen. Die universitäre Ausbildung wird über das Akademische Lehrkrankenhaus Stralsund gesichert; die dort zur Zeit vakante Chefarztposition der Psychiatrischen Klinik wird mit einer Professur an der Universität verbunden.

In verschiedenen Bereichen des Universitätsklinikums soll es außerdem „Poolbetten“ geben. Dies betrifft vor allem die Kindermedizin, die Bereiche Strahlentherapie/Nuklearmedizin, Neurochirurgie/Kieferchirurgie sowie Innere Medizin/Dermatologie, in denen Betten wechselseitig genutzt werden können. Allgemeinmedizinische Betten sollen in den Kliniken für Innere Medizin zur Verfügung stehen.

Mit der Inbetriebnahme des neuen Bettenhauses I im Klinikumskomplex Fleischmannstraße wurde die räumliche Situation seit 1992 erheblich verbessert. Dort fanden Platz:

- die Klinik und Poliklinik für Orthopädie;
- die Klinik und Poliklinik für Neurochirurgie;
- die Klinik für Mund-, Kiefer-, und Gesichtschirurgie;
- die Klinik und Poliklinik für Kinderchirurgie;
- ein Teil der Klinik für Anästhesiologie und Intensivtherapie (5 Betten mit interdisziplinärer Nutzung).

Durch das Bettenhaus kam es auch zu einer deutlichen Entspannung der beengten Raumsituation in den Kliniken für Chirurgie und für Anästhesiologie am Standort Löfflerstraße. Durch den Umbau der ehemaligen Abteilung für Kinderchirurgie erhielt diese Klinik eine dringend benötigte Intensivtherapiestation. Außerdem soll die Poliklinik für Chirurgie wieder mit der Klinik für Chirurgie vereinigt werden. Auch die räumliche Situation der Zahn-, Mund- und Kieferklinik am Standort Rotgerberstraße konnte durch die Verlagerung der MKG-Chirurgie wesentlich verbessert werden. Im Zusammenhang mit einer Reduzierung der poliklinischen Leistungen insgesamt war es möglich, die Trennung von Klinik und Poliklinik in der Frauenklinik, der Augenklinik und den Kliniken im neuen Bettenhaus zu beseitigen. Dadurch sollen in zunehmendem Maß auch die Möglichkeiten der teilstationären Behandlung und des ambulanten Operierens wahrgenommen werden. Die Schwerpunkte der Krankenversorgung betreffen insbesondere die Bereiche Neurowissenschaften, Humangenetik, Kinderchirurgie und Diabetologie.

Derzeit werden in den Kliniken der Universität 990 Betten genutzt, deren durchschnittliche Auslastung von 73 % in 1991 auf über 80 % in 1994 gesteigert werden konnte (siehe dazu auch Übersicht 15). Damit konnte der Nutzungsgrad insbesondere im Bereich der konservativen Fächer erhöht werden. Eine überdurchschnittliche Auslastung bei durchschnittlicher Verweildauer verzeichneten die Kliniken für Kinderchirurgie (+13,1 Prozentpunkte) sowie für MKG-Chirurgie (+15,7 Prozentpunkte). Eine im bundesweiten Vergleich unterdurchschnittliche Auslastung ergibt sich zur Zeit noch für die Bereiche Strahlentherapie (–7,2 Prozentpunkte), Urologie (–16,3 Prozentpunkte) sowie Psychiatrie (–7,4 Prozentpunkte). Die Ursache dafür liegt nach Auffassung der Fakultät in den noch unzureichenden räumlichen Voraussetzungen in den Altbaukliniken. Die durchschnittliche Verweildauer aller Patienten des Klinikums Greifswald zeigte eine rückläufige Tendenz, die vor allem auf einem Rückgang der Verweildauer in den konservativen Disziplinen beruht. Sie liegt mittlerweile mit Ausnahme der Strahlentherapie in allen Kliniken im Rahmen des bundesdeutschen Durchschnitts, vielfach auch darunter. Die vergleichsweise kurze Verweildauer in der Psychiatrie entspricht den gegebenen Umständen in den neuen Bundesländern.

Die Zahl der aufgestellten Betten, die korrigierte Planung des Landes sowie eine Übersicht über Intensivbetten geht aus den Übersichten 14 und 15 hervor. Der aus Sicht der Fakultät noch immer unzureichende Anteil an Intensivtherapiebetten kann durch eine große Anzahl von Intensivüberwachungsbetten nur bedingt kompensiert werden. Als wesentliche Maßnahme zur kurzfristigen Erhöhung der Zahl der Intensivtherapiebetten gilt der Umbau der ehemaligen Kinderchirurgie in eine Intensivtherapiestation mit 12 Betten, der mittlerweile abgeschlossen wurde. Zum Jahresende 1993 wurde ein interdisziplinärer Intensivtherapiebereich im Bettenhaus Fleischmannstraße mit zunächst 5 Betten in Betrieb genommen.

Übersicht 14

Aufgestellte und Planbetten im Klinikum Greifswald im Jahre 1994

Klinik	Planbetten 1994	Aufgestellte Betten 1994		Neuplanung des Landes	davon für Forschung und Lehre	Versorgungsbetten
		Gesamt	davon Intensivbetten			
Anästhesie und Intensivtherapie	10	8	8	15	15	
Augenheilkunde	70	62	–	40	40	
Chirurgie	122	95	10	110	110	
Dermatologie	41	30	–	20	20	
Frauenheilkunde/ Geburtshilfe	117	93	–	60	60	
HNO-Heilkunde	80	79	–	50	50	
Innere Medizin	155	153	10	140	140	
Kinderheilkunde	120	119	18	85	85	
Kinderchirurgie	30	30	–	25	25	
Psychiatrie	78	77	–	Träger-wechsel		
Neurologie	52	46	–	60	60	
Neurochirurgie	43	35	–	50	50	
Orthopädie	60	58	–	60	15	45
Strahlentherapie/ Nuklearmedizin	40	40	–	30	30	
Urologie	60	45	–	40	40	
MKG-Chirurgie	20	20	–	20	20	
Gesamt	1 098	990	46	805	760	45

Quelle: Medizinische Fakultät Greifswald, aktualisiert mit Schreiben der Kultusministerin des Landes Mecklenburg-Vorpommern vom 6. November 1995

Übersicht 15

Betten, Auslastung und Verweildauer im Jahre 1994
Klinikum der Universität Greifswald
im Vergleich mit Durchschnittwerten

Klinik	Aufgestellte Betten	Auslastung in Prozent			Verweildauer in Tagen		
		Greifswald	Bund[1]	Differenz	Greifsswald	Bund[1]	Differenz
Anästhesie und Intensivmedizin	8	80,6	–	–	4,8	–	–
Augenheilkunde	62	70,0	78,8	– 4,8	6,4	6,4	–
Chirurgie	95	87,2	80,8	+ 6,4	9,7	11,1	– 1,4
Dermatologie	30	79,2	79,8	– 0,6	9,1	13,9	– 4,8
Frauenheilkunde und Geburtshilfe	93	74,3	74,2	+ 0,1	6,4	7,3	– 0,9
HNO-Heilkunde	79	78,1	74,8	+ 3,3	7,7	6,2	+ 1,5
Innere Medizin	153	89,3	86,9	+ 2,4	7,1	13,15	– 6,0
Kinderheilkunde	119	84,3	69,0	+15,3	11,0	8,3	+ 2,7
Kinderchirurgie	30	81,5	68,4	+13,1	6,4	6,5	– 0,1
Psychiatrie	77	80,8	88,2	– 7,4	20,6	50,6	–30,0
Neurologie	46	96,3	88,2	+ 8,1	13,8	18,9	– 5,1
Neurochirurgie	35	94,7	88,5	+ 6,2	11,1	11,8	– 0,7
Orthopädie	58	88,8	87,0	+ 1,8	14,6	16,1	– 1,5
Strahlenmedizin	40	71,7	78,9	– 7,2	16,7	12,4	+ 4,3
Urologie	45	63,8	80,1	–16,3	7,9	9,4	– 1,5
MKG-Chirurgie	20	92,3	76,6	+15,7	7,6	7,9	– 0,3
Gesamt	990	82,1	79,4	+ 2,7	9,4	10,5	– 1,3

1) Durchschnittswerte der Universitätsklinika in den alten Ländern bezogen auf aufgestellte Betten in 1991 (neuere Vergleichsdaten liegen derzeit nicht vor).

Quelle: Medizinische Fakultät der Universität Greifswald

Das überarbeitete Konzept zur Krankenversorgung sieht, ausgehend von der Reduktion der universitären Planbetten, darüber hinaus vor, Betten außeruniversitärer Krankenhäuser zumindest teilweise für die Aufgaben in Forschung und Lehre zu nutzen. So sollen neben den insgesamt 40 Betten im Krankenhaus Karlsburg weitere 120 internistische Betten der Kliniken in Stralsund einbezogen werden. Darüber hinaus sollen 112 Betten der neurologischen Rehabilitation sowie 10 Betten der neurourologischen Rehabilitation durch Krankenhäuser anderer Trägerschaft in das Lehr- und Forschungskonzept der Medizinischen Fakultät integriert werden.

b) Ambulanter Bereich

Im Bereich der Polikliniken sind die Strukturveränderungen gegenüber der Situation vor 1989 besonders deutlich, zumal es nach 1990 zu einer Niederlassungswelle gekommen ist. So gilt die Region um Greifswald bis auf das Fach Allgemeinmedizin in allen Fachdisziplinen als ausreichend versorgt. Als Folge dieser Entwicklung gingen die ambulanten Kontakte im Klinikum von 141000 im Jahr 1991 auf rund 46000 Konsultationen im Jahr 1994 zurück. Anders verlief die Entwicklung im Bereich der Notfallmedizin. Hier war ein Anstieg von 7500 im Jahre 1991 auf 10333 Patienten im Jahre 1994 zu verbuchen. Die Zahnklinik der Universität Greifswald verzeichnete im Jahr 1994 15476 poliklinische Neuzugänge (darunter 3178 ambulante Patienten der MKG-Chirurgie). Von diesen Patienten stammten 68 % aus Greifswald und 32 % aus dem Umkreis der Stadt.

Mit der Inbetriebnahme der neuen Klinik und Poliklinik für MKG-Chirurgie im Bettenhaus Fleischmannstraße hat dieser Arbeitsbereich des ZMK-Zentrums deutlich bessere Bedingungen als am früheren Standort Rotgerberstraße, wo es zu einer Entlastung der bis dahin beengten Raumsituation gekommen ist. Dort konnten mittlerweile vermehrt Räumlichkeiten für die Ausbildung eingerichtet werden. Dazu gehören insgesamt 22 moderne zahnärztliche Arbeitsplätze, die in den vergangenen zwei Jahren in Betrieb genommen wurden. Für die Zahnmedizin am Standort Rotgerberstraße wurden in den Jahren 1991-1994 Bauunterhaltungsmittel in Höhe von rund 0,5 Millionen DM aufgewendet. Darüber hinaus wurden in Geräte und Einrichtungsgegenstände rund 2,9 Millionen DM investiert. Zusätzlich wurden 130 TDM Spende zur Anschaffung von 10 kleinen zahntechnischen Ausbildungsplätzen eingesetzt.

III. 5. Baubestand und Ausbauplanung

Der Wissenschaftsrat hatte in den „Empfehlungen zur Hochschulmedizin in den neuen Ländern und in Berlin“ vom September 1991 zum Klinikum Greifswald empfohlen, die Kinderchirurgie aus der Chirurgie in die Kinderklinik zu verlagern, Neonatologie und Geburtshilfe zusammenzuführen und baldmöglichst bessere räumliche Unterkünfte für Orthopädie, Rechtsmedizin, Augenklinik, Mikrobiologie und gegebenenfalls das Zentrum für ZMK zu schaffen. Mit der Inbetriebnahme des Bettenhauses I im Klinikumskomplex Fleischmannstraße konnten diese Vorschläge zumindest teilweise realisiert werden. Seitdem befinden sich die folgenden Einrichtungen am Standort Fleischmannstraße:

- die Kliniken für Haut- und für HNO-Krankheiten, für Urologie, Radiologie, Neurochirurgie, Orthopädie, Kinderchirurgie, MKG-Chirurgie und partiell Anästhesiologie und Intensivmedizin;

- die Institute für Biochemie, Klinische Chemie, Arbeitsmedizin, Immunologie/Transfusionsmedizin, Humangenetik, Biometrie und Medizinische Informatik und Geschichte der Medizin;

- Sonstige Einrichtungen: Luftrettungsstützpunkt, Koordinierungszentrum Community Medicine, Dekanat, Verwaltung, Ärztlicher Direktor.

Die im Bereich der Innenstadt liegenden Kliniken für Chirurgie, Innere Medizin, Gynäkologie und Geburtshilfe sind insgesamt sanierungsbedürftig, werden aber nach Angaben der Fakultät auch nach einer – im laufenden Betrieb erforderlichen – Sanierung keinen Zustand erreichen, der den heutigen Anforderungen genügen dürfte.

Die im Bereich Soldtmannstraße liegenden Einrichtungen, insbesondere die Kinderklinik, sind ebenfalls sanierungsbedürftig und mit Einschränkungen sanierungswürdig. Auch in diesem Bereich sollte nach Angaben der Fakultät auf längere Sicht und mit vertretbarem Aufwand keine Krankenversorgung mehr betrieben werden. Die für die Neugeborenentransporte ungünstige Situation der Trennung von Frauen- und Kinderklinik durch eine Eisenbahntrasse konnte mittlerweile durch den Einbau von zwei Neugeborenen-Intensivplätzen in der Frauenklinik verbessert werden. Nach Abschluß weiterer Baumaßnahmen soll diese Zahl auf insgesamt sechs Intensiveinheiten erhöht werden. Mittelfristig geplant ist die Zusammenführung und der Neubau von Frauen- und Kinderklinik unter Einbeziehung der Kinderchirurgie. Über die grundsätzliche räumliche Neustrukturierung des Zentrums für Kinder- und Jugendmedizin wurden auch Gespräche mit einem außeruniversitären Träger geführt, die aber nicht zu einem Trägerwechsel führten.

Um eine Reduzierung der Investitionskosten zu erreichen, rückte die Fakultät von den ursprünglichen Planungen ab, alle Einrichtungen als Neubauten in den Bereich Fleischmannstraße zu verlagern. Mittel- bis langfristig sollen einige Institute und Kliniken, so die Institute für Pathologie, für Anatomie und für Rechtsmedizin sowie Teile des Zentrums für Zahn-, Mund und Kieferheilkunde nach Sanierung in den jetzigen Altbauten bleiben. Die Klinik für Zahn-, Mund- und Gesichtschirurgie soll in das noch zu sanierende Gebäude der HNO-Klinik ziehen, die ebenfalls in dem Gebäude verbleiben und auf insgesamt 30 Planbetten verzichten soll. Dieses Gebäude liegt auch günstig zur Neurochirurgie. Die ursprüngliche Planung sah für die Zahnmedizin in Greifswald einen kompletten Neubau vor. Von dieser Planung wurde abgegangen und man beschränkt sich auf einen Neubau für das sogenannte Patientenhaus am jetzigen Standort in der Altstadt. Das Institut für Hygiene und Umweltmedizin wurde aus der Neubauplanung herausgenommen und in den Gebäudekomplex des Landeshygieneinstitutes verlagert. Einen Verzicht auf Neubauten soll auch die vorgesehene Schaffung von „Poolbetten" unterschiedlicher Disziplinen ermöglichen. Im Sinne der Kostenersparnis wurde auch ein Teil der Versorgungsbetriebe externalisiert; dazu gehören die folgenden Funktionsbereiche: Speisenversorgung, Reinigungsdienst, Wäschereibetrieb, Wäscheversorgung, Zahntechnisches Labor für die Patientenversorgung, Krankenhausinformation (außer Systembetreuung). Für 1996 ausgeschrieben ist die Zentralsterilisation.

Das charakteristische Merkmal des vorgesehenen Areals an der Fleischmannstraße ist eine Baumallee, die das gesamte Grundstück in westöstlicher Richtung durchschneidet. Ein senkrecht dazu verlaufender Pfad teilt das Grundstück in vier etwa gleich große Quadranten, von denen zwei Quadranten durch die Mathematisch-Naturwissenschaftliche und die Biologische Fakultät genutzt werden. In den beiden anderen Quadranten befinden sich die Gebäude der Medizinischen Fakultät.

Für die bauliche Realisierung eines künftigen Zentralklinikums wurde eine Konzeption erarbeitet, die die Neu- und Umbaumaßnahmen in drei Baustufen gliedert. Diese Baustufen sind jeweils in einzelne Abschnitte unterteilt. Die beabsichtigte Verbindung der Neubauten mit den vorhandenen Gebäuden läßt sich nach Angaben der Fakultät nur realisieren, wenn in einer ersten Maßnahme das Diagnostikzentrum umgebaut und so erweitert wird, daß damit ein ausbaufähiges Bindeglied entsteht. Dieser Anbau soll neben dem Röntgenbereich einen interdiziplinären Notfallbereich, die unfallchirurgische Poliklinik, die internistische Notaufnahme sowie die internistische Aufnahmestation (einschließlich Poolbetten für Allgemeinmedizin) enthalten. Die Betriebsbereiche in diesem Gebäudekomplex sollen den Weiterbetrieb während der 1. Baustufe ermöglichen. Die bis zum Abschluß der 1. Baustufe zwischenzeitlich entstehende Trennung von Allgemein- und Unfallchirurgie (Löfflerstraße/Fleischmannstraße) wird dabei in Kauf genommen. Die vorgesehenen Baumaßnahmen und die Zuordnung zu Instituten und Kliniken sowie einzelnen Baustufen gehen aus der Übersicht 16 hervor.

Nach Vollendung der 1. Baustufe sollen im Diagnostikzentrum und im Bettenhaus Flächen zur Verfügung gestellt werden, die nach weiteren Umbaumaßnahmen der Klinik für Innere Medizin und der Hautklinik zur Verfügung stehen sollen. Im Diagnostikzentrum bereits vorhanden und saniert sind die Bereiche für die Koordinierungsstelle Community

Medicine einschließlich der Untersuchungsräume für Probanden, die im Rahmen epidemiologischer Studien untersucht werden.

Parallel zu den einzelnen Neubaumaßnahmen müssen bestehende Gebäude saniert werden, so daß ein Weiterbetrieb bis zum Umzug an den endgültigen Standort möglich ist. Freiwerdende Gebäude in der Innenstadt sollen durch andere Einrichtungen der Universität genutzt werden.

Mit den geplanten Baumaßnahmen soll die Flächenkapazität des Klinikums Greifswald schrittweise von derzeit rund 44000 auf rund 66700 m^2 erhöht werden. Von den vorhandenen Flächen werden etwa 19100 m^2 als nutzbar bezeichnet, so daß Neubauten von rund 57600 m^2 für erforderlich gehalten werden. Die Gesamtkosten für alle Phasen werden vom Land auf 762,5 Millionen DM geschätzt. Darin enthalten sind auch die laufenden Grundsanierungsmaßnahmen. Gegenüber der ursprünglichen Ausbauplanung, deren Investitionsvolumen gegenüber dem Wissenschaftsrat seinerzeit mit 1068 Millionen DM beziffert wurde, bedeutet dies eine Kostenminderung um rund 30%. Die Baumaßnahmen sollen sich über einen Zeitraum von rund 15 Jahren erstrecken.

Übersicht 16

Bauliche Entwicklungskonzeption der Medizinischen Fakultät Greifswald 1995-2010

Bauphase	Abschnitt	Baumaßnahmen	Kosten Mio. DM	RPL-Nr.	Kat.	NF in qm
1	K 0	Umbau und Erweiterung, Diagnostikzentrum - Röntgen (MRT, CT, Angio) - Notfallaufnahme - Allgemeinpflegebereich - Unfallchirurgie - Intensivpflege	41,6	8 085 8 086	II II	3 200
		Neubau Innere Medizin, Abt. Hämatologie/Onkologie	26,5	8 088	II	1 700
	K 1.1 + K 1.2	Neubau Augenklinik, Neurologie, Neurochirurgie (einschl. Klin. Hörsaal, Klin. Forschung)	57,8	8 050 8 089	P II	6 100
	J 1 + L 1	Neubau Zentrale Lehreinrichtungen (1. BA und Institute (Zentrum für Comm. Medicine) - Hörsaal - Seminarräume, EDV-Räume - Institut für Arbeitsmedizin - Institut für Epidemiologie/ Sozialmedizin - Institut für Medizinische Psychologie - Institut für Miometrie und Medizinische Informatik	19,6			2 300
	J 1	Umbau Diagnostikzentrum für Medizin, Mikrobiologie und Virologie	8,1	8 074	P	1 200
	K 1.3	Neubau Kliniken für Chirurgie und Anästhesiologie - 6 OP - Röntgendiagnostik - Allgemeinpflege - Intensivtherapie - Sterilisation	84,5			8 900
	F 1	Neubau zentrale Forschungseinrichtungen, 1. BA	15,4			1 800
		Summe Bauphase 1	253,5			25 200

noch Übersicht 16

Bauliche Entwicklungskonzeption der Medizinischen Fakultät Greifswald 1995-2010

Bau-phase	Ab-schnitt	Baumaßnahmen	Kosten Mio. DM	RPL-Nr.	Kat.	NF in qm
2	K 2.0	Umbau Diagnostikzentrum und Bettenhaus für Innere Medizin (incl. Allgemeinmedizin und Hautklinik)	40,2			5 400
	K 2.1 + K 2.2	Neubau Frauen- und Kinderklinik - 4 OP - Kindermedizin - Kinderchirurgie - Kinderpflege - Intensivtherapie - Gynäkologie/Geburtshilfe - Allgemeinpflege	101,3			10 700
	L 2	Neubau zentrale Lehreinrichtungen, 2. BA (Erweiterung zu L 1) - Hörsäle - Seminarräume - Audiovisuelle Einrichtungen	13,3			1 400
	F 2	Neubau zentrale Forschungseinrichtungen, 2. BA (Erweiterung zu F 1) - Labor- und Diensträume	18,8			2 000
	V 1 + V 2 + V 3	Neubau Versorgungsbetriebe, 1. BA - Küche - Abfallentsorgung - techn. und med. Werkstätten - Wäschelager	14,7			1 700
		Umbau Klinik für HNO mit Mund-, Kiefer- und Gesichtschirurgie	20,0			3 100
		Umbau und Erweiterungsbau für Zahn-, Mund- und Kieferheilkunde	25,0			2 700
		Summe Bauphase 2	233,3			27 000

noch Übersicht 16

Bauliche Entwicklungskonzeption der Medizinischen Fakultät Greifswald 1995-2010

Bauphase	Abschnitt	Baumaßnahmen	Kosten Mio. DM	RPL-Nr.	Kat.	NF in qm
3	K 3	Neubau der Kliniken für - Urologie - Radiologie (Strahlentherapie, Nuklearmedizin)	64,9			6 200
	J 3.1	Umbau Diagnostikzentrum für - Institut für Klin. Chemie - Pharmakologie/Toxikologie - Institut für Biochemie - Institut für Immunologie und Transfusionsmedizin - Institut für Humangenetik	31,6			4 600
	F 3	Neubau zentrale Forschungseinrichtungen, 3. BA (Erweiterung zu F 1/F 2) Labor- und Diensträume	12,0			1 200
	V 4 + V 5 + V 6	Neubau Versorgungsbetriebe, 2. BA - Zentrallager - Zentralsterilisation - Zentralapotheke	21,2			2 500
		Summe Bauphase 3	129,7			14 500
		Summe Bauphasen 1-3	616,5			66 700
		Grundsanierung	146,0			
		Kosten insgesamt	762,5			66 700

B. Stellungnahme

B. I. Zur Situation der Hochschulmedizin

In den letzten Jahren hat der Wissenschaftsrat eine Reihe von Stellungnahmen zur weiteren Entwicklung und zum Ausbau von Medizinischen Fakultäten bzw. Fachbereichen und den zugehörigen Universitätsklinika abgegeben. Dabei stehen Gesichtspunkte der strukturellen Verbesserung und der Förderung der klinischen Forschung sowie der Ausbildungsqualität im Vordergrund. Neben der Stimmigkeit des Gesamtkonzepts für die weitere Entwicklung und den Ausbau eines Klinikums sowie der Dringlichkeit einzelner Baumaßnahmen wird auch der Umfang der für Forschung und Lehre erforderlichen Krankenversorgung berücksichtigt.

Diese in den Empfehlungen zum 19. Rahmenplan erläuterte Verfahrenspraxis soll auch künftig beibehalten werden.[24]) Die Umsetzbarkeit der Empfehlungen des Wissenschaftsrates hat sich gegenüber früheren Jahren allerdings in der Zwischenzeit deutlich geändert. Zum einen hat das mit Beginn des Jahres 1993 inkraftgetretene Gesundheitsstrukturgesetz (GSG) sowie die Mitte 1995 verabschiedete Bundespflegesatzverordnung strengere Maßstäbe im Hinblick auf die Wirtschaftsführung in Krankenhäusern gesetzt. Zum anderen erfordern der grundlegende Neuaufbau der Hochschulkliniken in den neuen Ländern, aber auch der erhebliche Sanierungs- und Neubaubedarf in den alten Ländern hohe Investitionssummen. Dieser Bedarf stieß schon in den vergangenen Jahren in zunehmendem Maß an die finanziellen Grenzen der Rahmenpläne für den Hochschulbau und wird mit großer Wahrscheinlichkeit auch auf absehbare Zeit nicht im erforderlichen Maß gedeckt werden können.

Aufgrund dessen wird es für die Länder zunehmend schwieriger, eine realistische, umsetzbare Finanz- und Bauplanung aufzustellen. Der Wissenschaftsrat hat sich angesichts dieser Situation für klare Prioritäten zugunsten von Forschung und Lehre ausgesprochen. Gleichzeitig muß vermieden werden, daß Hochschulkliniken in einen Wettbewerbsnachteil gegenüber anderen Krankenhäusern der Maximalversorgung geraten. Um diesen Ansprüchen gerecht zu werden, hat der Wissenschaftsrat in der Stellungnahme zur künftigen Entwicklung zur Hochschulmedizin eine Reihe von Möglichkeiten erörtert, die trotz der Beschränkung der öffentlichen Haushalte einen leistungsgerechten Ausbau hochschulmedizinischer Einrichtungen erlauben.[25]) Hierzu zählt unter anderem die Überlegung, die Zahl der Planbetten von Universitätsklinika im geprüften Einzelfall auch unter die bisherige Richtzahl von 1350 zu senken. Zu prüfen sind auch Möglichkeiten der generellen Umstrukturierung im hochschulmedizinischen Bereich. Hierzu zählen insbesondere Mechanis-

24) Vgl. Empfehlungen zum 19. Rahmenplan, Köln 1989, Bd. 5, S. 14 ff.
25) Vgl. Wissenschaftsrat, Stellungnahme zur Entwicklung der Hochschulmedizin in: Empfehlungen und Stellungnahmen 1995, Köln 1996, Bd. I, S. 77 ff.

men der fakultätsinternen Ressourcenvergabe. Außerdem bieten sich Strukturalternativen, die keinesfalls verallgemeinert werden dürfen und nicht pauschal für alle Hochschulen angebracht sind, unter den derzeit äußerst problematischen Bedingungen im Einzelfall jedoch zu erwägen sind. Hierzu zählen insbesondere die folgenden Möglichkeiten:

- Ausgliederung einzelner Einrichtungen, die für die Belange von Forschung und Lehre von eher nachrangiger Bedeutung sind. Denkbar wäre dabei die Beibehaltung des universitären Status im Sinne des „Bochumer Modells“ und gegebenenfalls die volle Wiedereingliederung in die Universität zu einem späteren Zeitpunkt. In der Zwischenzeit ließen sich die verfügbaren Mittel des staatlichen Hochschulbaus auf die forschungsrelevanten Bereiche konzentrieren, zumal eine Beteiligung außeruniversitärer Kliniken in Teilbereichen der Lehre durchaus sinnvoll ist.

- Komplementäre Schwerpunktbildung in Forschung, Lehre und Krankenversorgung bei regional nahe beieinanderliegenden Hochschulklinika - auch über Landesgrenzen hinweg. Dies gilt beispielsweise für Teildisziplinen der Kernfächer, die an einer der benachbarten Hochschulen mit voller Ausstattung eingerichtet werden, während am anderen Standort lediglich eine Grundausstattung vorgesehen wird.

- Anderweitige Finanzierung der über den universitären Bedarf hinausgehenden Bettenkapazität. Grundsätzlich erwartet der Wissenschaftsrat, daß die für die regionale Krankenversorgung erforderliche und über den universitären Bedarf hinausgehende Bettenkapazität außerhalb der Hochschulen bereitgestellt wird. In diesem Zusammenhang appelliert der Wissenschaftsrat nochmals an die Gesetzgeber, die Teilnahmemöglichkeit der Hochschulklinika in den neuen Ländern am Krankenhausinvestitionsprogramm gem. Art. 14 GSG zu prüfen. Gerade diese Klinika haben derzeit noch einen besonders hohen Anteil an der regionalen Maximalversorgung zu tragen und stellen häufig die einzige Behandlungsstätte dar.

Der Wissenschaftsrat ist sich bewußt, daß die eingeschränkten Finanzierungsmöglichkeiten zu einer strikten Prioritätensetzung zwingen. Vermieden werden muß eine schematische Kürzung der Mittel, die eine gleichmäßige Unterversorgung in Forschung, Lehre und Krankenversorgung zur Folge hätte. Gezielte Schwerpunkte und Strukturreformen, die schon in den Empfehlungen zur klinischen Forschung in den Hochschulen[26]) als unumgänglich erkannt wurden, sollten hingegen genutzt werden, um in Teilbereichen dringliche Maßnahmen zu realisieren und gleichzeitig günstigere Randbedingungen für Forschung und Lehre zu schaffen.

---

26) Wissenschaftsrat: Empfehlungen zur klinischen Forschung in den Hochschulen, Köln 1986.

B. II. Zur Hochschulmedizin in Mecklenburg-Vorpommern

II. 1. Zu übergreifenden strukturellen Fragen

Die Situation der Hochschulmedizin in Mecklenburg-Vorpommern wird in erster Linie durch die eingeschränkte Finanzkraft des vergleichsweise strukturschwachen und bevölkerungsarmen Bundeslandes bestimmt. Diese erlaubt es in absehbarer Zeit nicht, zwei Hochschulklinika auf Maximalniveau auszubauen und zu unterhalten. Daran hat sich seit dem ersten Besuch des Ausschusses Medizin im Jahre 1990 nichts geändert. Der Wissenschaftsrat sieht daher in der 1991 gegebenen Empfehlung,

- nur ein Klinikum als Einrichtung der Hochleistungsmedizin auszubauen,
- die wissenschaftliche Arbeit in Greifswald am Bedarf der Community Medicine auszurichten,
- eine konsequente Komplementarität der wissenschaftlichen Schwerpunkte beider Medizinischen Fakultäten herbeizuführen und
- strikte Prioritäten in der Bauplanung zu setzen,

weiterhin den einzigen Weg, beide Ausbildungsstätten als solche zu erhalten. Die zunächst vorgelegten Planungen beider Fakultäten entsprachen diesen Kriterien in vielfacher Hinsicht nicht und hätten den verfügbaren finanziellen Rahmen des Landes gesprengt. Der Wissenschaftsrat begrüßt, daß die Beteiligten nunmehr zu einem realistischeren Konzept gelangt sind und ermutigt sie, den eingeschlagenen Weg fortzusetzen. Die inzwischen vereinbarte weitgehende Reduktion der HBFG-finanzierten Betten an beiden Standorten erscheint vor dem Hintergrund der außergewöhnlich schwierigen strukturellen und finanziellen Situation des Landes vertretbar. Der Wissenschaftsrat heißt die in diesem Zusammenhang mit dem Sozialministerium des Landes erarbeitete Lösung gut, Klinikumsbetten, die ausschließlich der regionalen medizinischen Versorgung dienen, aus der HBFG-Finanzierung auszugliedern und den dafür erforderlichen Investitionsbedarf anderweitig zu finanzieren. Er sieht darin einen gangbaren Weg, Investitionen der beiden Hochschulklinika in solchen Bereichen zu unterstützen, in denen die Klinika Aufgaben wahrnehmen, die nicht durch niedergelassene Ärzte oder durch andere Krankenhäuser übernommen werden können. Das konkrete Verfahren dieser auf eine anteilige Finanzierung hinauslaufenden Regelung wird im Einzelnen noch festzulegen sein. Der Wissenschaftsrat anerkennt die beispielhafte Kooperation zwischen Wissenschafts- und Gesundheitsressort des Landes. An der Priorität wissenschaftspolitischer Erwägungen und mithin der Federführung des Kultusministeriums sollte jedoch festgehalten werden. Das Land wird gebeten, mit künftigen Anmeldungen zum Rahmenplan über die darüber hinausgehenden investiven Maßnahmen für beide Klinika zu berichten sowie die Zuordnung der entsprechenden Kostenanteile auszuweisen und zu begründen.

Die Einführung der Versorgungsbettenregelung wird hinsichtlich der Finanzierung der betrieblichen Kosten keine Änderung gegenüber dem bisherigen Verfahren bringen. Insofern bleibt auch die Höhe der Landeszuschüsse gerechtfertigt. Allerdings muß gewährleistet sein, daß medizinische Leistungen der Regel- wie auch der Maximalversorgung kostendeckend durch die Krankenkassen vergütet werden. Dies setzt eine nach Krankenversorgung einerseits sowie nach Forschung und Lehre andererseits differenzierte Budget- und Personalzuweisung an die klinischen und klinisch-theoretischen Einrichtungen voraus. Land und Medizinische Fakultäten sollten baldmöglichst entsprechende Regelungen treffen. Nach den Empfehlungen des Wissenschaftsrates zur Entwicklung der Hochschulmedizin[27]) sollte sich die aus dem Landeszuschuß für Forschung und Lehre gewährte Basisausstattung an einem definierten Grundbedarf orientieren. Zusätzlich zu diesem Grundbedarf sollte ein Teilbudget bestimmt werden, das leistungsabhängig und über einen internen Wettbewerb zeitlich befristet an die einzelnen Einrichtungen vergeben wird. Eine solche Transparenz erleichtert eine kostendeckende Wirtschaftsführung in der Krankenversorgung und trägt gleichzeitig zur sachgerechten Vergabe der Landeszuschüsse für Forschung und Lehre bei.

Unter den durch die Finanzsituation des HBFG und des Landes gegebenen Umständen zu vertreten ist auch der Trägerwechsel der psychiatrischen Kliniken in Greifswald, die bislang zum Universitätsklinikum gehören. Allerdings sollten Land und Fakultäten – auch bei gegebenenfalls weiteren Trägerwechseln anderer Kliniken – auf eine dem universitären Status entsprechende Stellung des gesamten ärztlichen Personals an diesen Einrichtungen großen Wert legen. Auch ist darauf zu achten, daß Grundvoraussetzungen für das wissenschaftliche Arbeiten in diesen Kliniken erhalten bleiben. Dazu zählen insbesondere angemessene Laborräumlichkeiten und eine den gegebenen Möglichkeiten entsprechende Freistellungsregelung für das zu Lehr- und Forschungszwecken vom Land finanzierte Personal. Auf die Besonderheiten der Kooperation mit Krankenhäusern außeruniversitärer Trägerschaft hat der Wissenschaftsrat bereits in der Stellungnahme zur weiteren Entwicklung der Medizinischen Fakultät der Universität Bochum hingewiesen.[28]) Dazu zählt auch ein Lehrkonzept, das die in Kooperation stehenden Krankenhäuser bzw. die dort tätigen Lehrpersonen kontinuierlich einbezieht.

Die mit Hilfe dieser Maßnahmen erreichbare Absenkung der Zahl HBFG-finanzierter Planbetten bietet die Voraussetzung für eine realistischere Baukonzeption an beiden Standorten. Dies setzt allerdings komplementäre Schwerpunkte in Forschung und Krankenversorgung vor-

27) Wissenschaftsrat: Stellungnahme zur Entwicklung der Hochschulmedizin, a. a. O., S. 91 ff.
28) Wissenschaftsrat: Stellungnahme zur weiteren Entwicklung der Medizinischen Fakultät der Universität Bochum in: Empfehlungen und Stellungnahmen 1995, Köln 1996, S. 101 ff.

aus. Zu maßgeblichen Reduktionen beigetragen hat der Verzicht der Greifswalder Fakultät auf den Aufbau der Knochenmarktransplantation und die damit verbundenen kostspieligen Investitionen in der Strahlenmedizin. Der Wissenschaftsrat begrüßt, daß Land und Medizinische Fakultäten sich insbesondere in den großen klinischen Fächern auf sinnvolle Kompromisse geeinigt haben. Er schließt die dringende Empfehlung an, entsprechende Regelungen, wie vom Land vorgeschlagen, auch für weitere Fächer zu treffen. Dies gilt beispielsweise für die Neurochirurgie, die in Rostock auf die für die Krankenversorgung relevante Neurotraumatologie beschränkt bleiben soll. Der Wissenschaftsrat hält diese Aufteilung für sinnvoll. Voraussetzung sind enge Absprachen zwischen den beiden Klinika und entsprechend ausgestattete Intensivtherapie- und Intensivüberwachungsbetten in Rostock, die für nicht transportfähige Patienten vorgehalten werden. Die Notfallversorgung kann durch einen neurochirurgisch ausgewiesenen Oberarzt wahrgenommen werden, der im Rotationsverfahren von der Medizinischen Fakultät Greifswald abgeordnet werden könnte. Umgekehrtes Beispiel ist die Pädiatrische Onkologie in Greifswald, deren Leitungsstelle auf C3-Niveau gesenkt wurde. Die vom Land für die Fächer Urologie, Dermatologie und HNO-Heilkunde vorgeschlagene Aufgabenteilung wird grundsätzlich ebenfalls befürwortet. Allerdings sollten sich die Absprachen auf tatsächlich realisierbare Absprachen beziehen. So erlaubt beispielsweise die Aufteilung in „Melanomforschung" und „Onkologie" für die Dermatologie keine sinnvolle Abgrenzung, da sich beide Felder erheblich überschneiden. Andere Bereiche, wie etwa die Gefäßchirurgie, sollten entsprechend dem wissenschaftlichen Konzept an einem der beiden Standorte auch klinisch vertreten sein, zumal in diesem Gebiet ein erheblicher Forschungsbedarf besteht. Auch sähe der Wissenschaftsrat im Zusammenhang mit dem Konzept der Community Medicine in Greifswald Einrichtungen bzw. Kooperationspartner für Physiotherapie sowie für Sport- und Rehabilitationsmedizin als sinnvoll an.

Nicht zuzustimmen vermag der Wissenschaftsrat den Vorstellungen des Landes hinsichtlich des Bereiches, der mit dem Begriff „Gesundheitswissenschaften" zu umschreiben ist: Wenn es, was der Wissenschaftsrat ausdrücklich unterstützt, vorgesehen ist, die Forschung der Medizinischen Fakultät Greifswald am Konzept der Community Medicine auszurichten, dann kann nicht gleichzeitig in Rostock ein Institut entstehen, dessen Name eine Ausrichtung auf denselben Bereich verspricht, zumal die Medizinische Fakultät Rostock auf diesem Gebiet kaum nennenswerte Aktivitäten vorzuweisen hat. Die von der Fakultät zunächst in Gang gebrachte Arrondierung der Fachrichtung und die Etablierung als „Institut für Gesundheitswissenschaften" vermag der Wissenschaftsrat unter dem Gesichtspunkt der Komplementarität nicht nachzuvollziehen. Er begrüßt die Rücknahme der Planung, sieht aber darüber hinaus weitere Möglichkeiten, in diesem Bereich zu komplementären Schwerpunkten zu kommen: Sobald der Ausbau der auf Community Medicine bezogenen Kernfächer in Greifswald die Übernahme der Lehrverpflichtungen erlaubt, sollte eine Verlagerung der in Rostock ansässigen Bereiche für Arbeits- und Sozialmedizin eingeleitet werden. Die bestehenden Lehrverpflichtungen der Arbeitsmedizin zugunsten anderer Fakultäten der Universität Rostock können ebenfalls durch die Greifswalder Medizinische Fakultät wahrgenommen werden. Der Bereich Krankenhaushygiene sollte für den Standort Rostock erhalten bleiben und wie vorgesehen dem Institut für Mikrobiologie zugeordnet werden.

II. 2. Zur Situation der Zahnmedizin

In den Empfehlungen zur Hochschulmedizin in Mecklenburg-Vorpommern hat der Wissenschaftsrat 1991 zum Ausdruck gebracht, daß er vor dem Hintergrund des desolaten Bauzustandes der Universitätskliniken des Landes und des daraus resultierenden immensen Investitionsbedarfs nur eine Hochschulzahnmedizin für vertretbar hält. Dessen ungeachtet haben beide Fakultäten unter weiter Auslegung dessen, was unter Bauunterhaltung und kleinen Baumaßnahmen verstanden werden kann, Sanierungsmaßnahmen durchgeführt, die ein Fortbestehen des jeweiligen Standortes präjudizieren sollten. Das Land hält bislang ebenfalls an der Aufrechterhaltung zweier – in ihrer Aufnahmekapazität erheblich reduzierter – Standorte für die Zahnmedizin fest. Dabei wird der Fortbestand der Zahnmedizin in Greifswald aufgrund ihrer Bedeutung als integralem Bestandteil der Community Medicine von Seiten des Landes nicht in Frage gestellt;[29]) die Weiterführung der Zahnmedizin in Rostock wird damit begründet, daß die Zahnklinik traditionell Hauptträger der zahnmedizinischen Maximalversorgung in der Region sei und eng mit anderen Bereichen der medizinischen Fakultät zusammenarbeite und über ein breites, ebenfalls eng mit der Fakultät verknüpftes Forschungsspektrum verfüge.

Ungeachtet dieser Situation lassen sich Empfehlungen zur Struktur der universitären Zahnmedizin in Mecklenburg-Vorpommern nach Ansicht des Wissenschaftsrates nicht ohne Bezug zu einigen allgemeinen Überlegungen zur Zahnmedizin an den Hochschulen in Deutschland entwickeln. In seinen Empfehlungen zur Verbesserung der Lage von Lehre und Forschung in der Zahnmedizin hat der Wissenschaftsrat 1981 eine insgesamt „unbefriedigende Situation von Forschung und Lehre" in der Zahnmedizin konstatiert.[30]) Der Umfang dieser Forschung stehe in einem krassen Mißverständnis zur sozial- und gesundheitspolitischen Bedeutung der Zahn-, Mund- und Kieferkrankheiten.[31]) Unbefriedigend

29) Brief der Kultusministerin des Landes Mecklenburg-Vorpommern vom 3. 7. 1995 an den Vorsitzenden des Ausschusses Medizin des Wissenschaftsrates.
30) Wissenschaftsrat: Empfehlungen zur Verbesserung der Lage von Forschung und Lehre in der Zahnmedizin, Köln 1981, S. 14.
31) 1981 betrug der Anteil der Ausgaben für zahnärztliche Behandlung und Zahnersatz 15,2 % der Gesamtausgaben der Gesetzlichen Krankenversicherung; 1993 lag er in den alten Bundesländern aufgrund der rückläufigen Ausgaben für Zahnersatz noch bei 9,2 %.

sei insbesondere die Situation des wissenschaftlichen Nachwuchses. Als Gründe identifizierte der Wissenschaftsrat

- ein durch Wartezeiten bis zum Studienbeginn bedingtes hohes Durchschnittsalter der Studienanfänger in der Zahnmedizin mit der Folge, daß eine wissenschaftliche Karriere seltener in Angriff genommen werde;

- die vergleichsweise günstigeren Verdienstmöglichkeiten in der freien zahnärztlichen Praxis mit der Folge einer kurzen Verweildauer wissenschaftlicher Mitarbeiter im universitären Bereich;

- die geringe Zahl an Leitungspositionen im außeruniversitären Krankenhausbereich und damit mangelnde Aufstiegsmöglichkeiten für habilitierte Zahnmediziner;

- die nach der Kapazitätsberechnung hohe Belastung wissenschaftlicher Mitarbeiter durch Lehraufgaben, erschwert durch einen hohen Anteil unbesetzter Stellen im wissenschaftlichen Mittelbau sowie eingeschränkte Fortbildungsmöglichkeiten und

- die unzureichende Ausstattung hochschulzahnmedizinischer Einrichtungen mit Assistenzkräften und technischem Personal.

Der Ausschuß Medizin des Wissenschaftsrates hat sich – mit Blick auf anstehende Empfehlungen zu mehreren Hochschulklinika, in denen Fragen der Zahnmedizin relevant sind, – erneut und im Gespräch mit in- und ausländischen Vertretern des Faches ausführlich mit der Zahnmedizin in Deutschland auseinandergesetzt. Dabei wurde deutlich, daß sich die seinerzeit konstatierte Situation an den Hochschulen vierzehn Jahre nach Verabschiedung der Empfehlungen nicht grundlegend verändert hat. Gravierende Defizite in der Forschung bestehen noch immer, wie die geringe Präsenz deutscher Forscher in internationalen Zeitschriften, die vergleichsweise geringe Einwerbung von DFG-Mitteln und die ebenfalls geringe Zahl beispielsweise von Heisenberg- und Auslandsstipendien in der Zahnmedizin zeigt. Rund zwei Drittel der insgesamt 31 hochschulzahnmedizinischen Forschungseinrichtungen[32]) konnten im Zeitraum 1991 bis 1994 im Jahresdurchschnitt jeweils nur weniger als 100 TDM Drittmittel bei der DFG einwerben. Die beiden Sonderforschungsbereiche der Zahnmedizin sind mittlerweile beendet. Auch die Zahl der Habilitationen in der Zahnmedizin hat sich nur mäßig erhöht und lag in den Jahren 1987 bis 1991 bei durchschnittlich 13 gegenüber durchschnittlich 9 Habilitationen pro Jahr im Zeitraum 1982 bis 1986. Mit dem Hinzukommen der neuen Länder war ein Anstieg auf durchschnittlich 20 zahn-

32) Einschließlich der Zahnmedizinischen Fakultät der Privaten Universität Witten/Herdecke.

medizinische Habilitationen in den Jahren 1992 bis 1994 zu verzeichnen.[33])

Ein großer Forschungsbedarf in der Zahnmedizin besteht vor allem für die Prävention der Zahn-, Mund- und Kiefererkrankungen aller Altersstufen, insbesondere aber für Fragen der Kinder- und Alterszahnmedizin. An der Schnittstelle zur biologischen Forschung stehen molekularbiologische Aspekte der Zahn- und Kieferentwicklung, der parodontalen Erkrankungen und der Mundschleimhauterkrankungen sowie der Gewebedegeneration im Mittelpunkt des Interesses. Wichtig sind auch Themen der Biokompatibilität von Implantat- und Füllungsmaterialien sowie der prothetischen Werkstoffe und Werkzeuge.

Die Studienbedingungen an den zahnmedizinischen Ausbildungsstätten werden mit wenigen Ausnahmen von Seiten der Studierenden wie der Hochschullehrer einhellig als mangelhaft bezeichnet. So liegt die Betreuungsrelation in den klinischpraktischen Studienabschnitten mit derzeit 1:6 bei weitem oberhalb der angemessenen und auch in anderen Ländern üblichen Relation von 1:3. Mit der geplanten Novellierung der zahnärztlichen Approbationsordnung soll dieses Mißverhältnis so bald als möglich behoben werden. Infolge der damit verbundenen Kapazitätsveränderungen ist mittelfristig mit einem Rückgang der Studienanfängerzahlen um rund 25 bis 30 % zu rechnen.

Insgesamt waren an den hochschulzahnmedizinischen Ausbildungsstätten im Jahr 1993 2258 Studienanfängerplätze vorhanden, für die 5349 Bewerbungen eingingen und auf die 3104 Studienanfänger zugelassen wurden. Die Zahl der Zulassungen liegt regelmäßig über der Zahl der Studienplätze; dies ist auf Entscheidungen der Verwaltungsgerichte zurückzuführen, mit denen in jedem Jahr höhere Zulassungszahlen erzwungen werden. Im Jahr 1994 standen 2148 Studienplätzen 4263 Bewerbungen und 2731 Zulassungen gegenüber. Dies entsprach, bezogen auf das Jahr 1994, einer Relation von insgesamt 2,7 zahnmedizinischen Studienplätzen pro 100000 Einwohnern, wobei die Schwankungsbreite zwischen 6,6 Studienplätzen im Land Hamburg und 1,4 im Land Sachsen-Anhalt reichte. Das Land Mecklenburg-Vorpommern nahm, auch bedingt durch die geringe Bevölkerungsdichte, in dieser Rangfolge mit 5,1 zahnmedizinischen Studienplätzen und 84 Zahnärzten pro 100000 Einwohner (entsprechend 1190 Einwohner je Zahnarzt) den zweiten bzw. vierten Platz unter den Bundesländern ein. Bezogen auf die Zahl der Zahnärzte wies Mecklenburg-Vorpommern im Jahr 1994 mit 68,5 Studienplätzen pro 1000 Zahnärzte die zweithöchste Konzentration an zahnmedizinischen Studienplätzen auf.

Die Zahl der zahnmedizinischen Absolventen aller Ausbildungsstätten lag im Jahr 1992 bei 1702 (davon 1644 Deutsche). Die Zahl der erteilten Approbationen lag im selben Jahr bei 2320. In diesem Zusammenhang

33) Quelle: Erhebungen des Statistischen Bundesamtes

ist zu beachten, daß die Zahl der erteilten Approbationen die der Studienabschlüsse seit Beginn der 80er Jahre konstant um mehrere hundert übersteigt. Dieser Umstand ist größtenteils auf die Berufsanerkennung zugewanderter Zahnärzte zurückzuführen.

Aufgrund der in den vergangenen Jahrzehnten stetig gestiegenen Zahl an zahnmedizinischen Studienplätzen stellt sich die Bedarfs- und Arbeitsmarktsituation im Unterschied zu den frühen 80er Jahren mittlerweile anders dar. Die damaligen Empfehlungen des Wissenschaftsrates entstanden in einer Zeit, in der angesichts des bestehenden Zahnärztebedarfs eine Reduzierung der Ausbildungskapazitäten nicht angeraten schien. Hinsichtlich der Bedarfslage hat sich die Situation seitdem jedoch nachhaltig verändert. So hat sich die zahnärztliche Versorgungsdichte zwischen 1981 und 1994 deutlich erhöht: Kamen 1981 auf einen Zahnarzt rechnerisch noch 1850 Einwohner, so waren es 1994 nur noch 1370. Damit liegt Deutschland in der Spitzengruppe der OECD-Länder.34)

Infolge der damit verbundenen Niederlassungswelle stellt sich die Altersstruktur der niedergelassenen Zahnärzte gegenwärtig sehr unausgewogen dar, so daß in den Jahren bis 2014 absehbar nur eine unterdurchschnittliche Zahl an Zahnärzten aus Altersgründen aus dem Berufsleben ausscheiden wird. Die in den letzten Jahren konstant hohen Studienanfängerzahlen führen in dieser Situation dazu, daß die Absolventenzahl in der Zahnmedizin in den nächsten Jahren die Zahl der altersbedingt aus dem Berufsleben ausscheidenden Zahnärzte um ein mehrfaches übersteigen wird. Diese Tendenz wird durch die an zugewanderte Zahnärzte erteilten Approbationen noch verstärkt und bleibt auch bei Berücksichtigung der zu erwartenden Verringerung der Ausbildungskapazitäten im Zuge einer Neuordnung der zahnärztlichen Approbationsordnung bestehen. Ein überdurchschnittlicher Ersatzbedarf ist erst ab dem Jahr 2015 absehbar.

Damit stellt sich die Frage nach den Zulassungskapazitäten und der Zahl der erforderlichen zahnmedizinischen Ausbildungsstätten in neuer Weise. Auch müssen aus Sicht des Wissenschaftsrates die Ansprüche, die an eine hochschulzahnmedizinische Ausbildungs- und Forschungsstätte zu stellen sind, neu überdacht werden, mit dem Ziel, die Qualität von Ausbildung und Forschung zu steigern. Dies gilt für alle Bundesländer – auch um den Preis der möglichen Schließung hochschulzahnmedizinischer Einrichtungen. Wenn in Deutschland der Aufbau international beachteter zahnmedizinischer Forschung und einer forschungsgeleiteten akademischen Lehre in Zukunft gelingen soll, dann ist es erforderlich, daß zahnmedizinische Ausbildungs- und Forschungsstätten über die entsprechenden strukturellen Voraussetzungen und eine ausreichende per-

34) Zum Vergleich: In Dänemark kamen (1990/91) auf einen Zahnarzt 1120 Einwohner, in Belgien 1410. In der Bundesrepublik waren es zu diesem Zeitpunkt 1430, in den USA 1470, in Frankreich 1490, in Japan 1670, in den Niederlanden 1920 und in Spanien 3700.

sonelle, räumliche und apparative Ausstattung verfügen. Ein Mindeststandard sollte sich aus Sicht des Wissenschaftsrates an den folgenden Eckpunkten orientieren:

1. Differenziertes fachliches Spektrum, das außer den Grundrichtungen „Zahnerhaltung und Paradontologie", „Prothetik", „Kieferorthopädie" und „Zahnärztliche Chirurgie" weitere auf Lehrstuhlebene vertretene Spezialgebiete und experimentelle Abteilungen enthält. Eine hochschulzahnmedizinische Einrichtung sollte dementsprechend über mindestens vier Lehrstühle als Grundausstattung verfügen, die durch weitere Lehrstühle bzw. Professuren für Spezialgebiete ergänzt werden.[35])

2. Angemessene Raum- und Geräteausstattung für Forschung und Kleingruppenunterricht, wobei die Mitnutzung vorhandener Einrichtungen anderer Kliniken und Institute einer Medizinischen Fakultät im Hinblick auf die angestrebte Interdisziplinarität durchaus wünschenswert ist. Verfügbar sein müßten ein histologisches, ein mikrobiologisches und ein Labor für Zellkulturen; auch müßte Zugang zum elektronenmikroskopischen Labor bestehen. Für diese Labors müßten eine entsprechende DV-Ausstattung sowie technisches Personal vorhanden sein.

3. Die Personalausstattung sollte nicht wie bisher im wesentlichen auf die Lehraufgaben beschränkt sein; vielmehr sollte die Personalstruktur genügend Stellen im wissenschaftlichen Mittelbau enthalten, die auch eine zeitweilige Freistellung von Habilitanden (mit Herausnahme aus der Kapazitätsberechnung) ermöglicht. Um diesen eine berufliche Perspektive im wissenschaftlichen Bereich anbieten zu können, müßten dementsprechend auch genügend C1- und C2-Stellen verfügbar sein. Um die Tätigkeit an der Universität für jüngere Wissenschaftler attraktiver zu machen, wären auch finanzielle Anreize wünschenswert. Zur Entlastung des wissenschaftlichen Personals ist darüber hinaus eine angemessene Ausstattung mit nichtwissenschaftlichem technischem Personal sowie zahnärztlichen Assistenzkräften notwendig.

Diese Anforderungen setzen eine kritische Mindestgröße für eine hochschulzahnmedizinische Einrichtung voraus. Kleinere Standorte bieten zwar im Hinblick auf die praktische Unterweisung der Studierenden eine bessere Überschaubarkeit, können aber den Aufbau einer breiteren wissenschaftlichen Struktur nicht leisten. Dies wiederum hat nachteilige Auswirkungen auf die Qualität der Ausbildung. Limitierender Faktor für die Größe einer zahnmedizinischen Ausbildungsstätte ist andererseits die Zahl der für den Unterricht verfügbaren Patienten. Diese hängt vor allem ab vom regionalen Umfeld und der Zahl der niedergelassenen

35) Zum Vergleich: Die Zahnmedizin der Universität Utrecht verfügte Anfang der 80er Jahre bei jährlich 120 Studienanfängern über 24 Lehrstühle.

Zahnärzte sowie von der Reputation der Zahnklinik in der Bevölkerung. In europäischen Nachbarstaaten kommt den Universitätszahnkliniken zugute, daß sie Spezialbehandlungen, die nicht von den allgemeinen Krankenversicherungen abgedeckt sind, preiswerter als niedergelassene Zahnärzte anbieten können. Dieser Faktor könnte in Zukunft auch in Deutschland relevant werden. Für die Reputation relevant sind neben der kontinuierlichen ärztlichen Betreuung vor allem auch die organisatorischen Abläufe, die unter anderem auch vom Vorhandensein von genügend Hilfspersonal abhängen.

Unter Abwägung dieser wesentlichen Randbedingungen ist eine Größenordnung von etwa 40 bis 80 zahnmedizinischen Studienanfängern pro Standort und pro Jahr auch unter wirtschaftlichen Gesichtspunkten als Optimum anzusehen. Unterhalb dieser Schwelle kann weder eine kritische wissenschaftliche Masse noch die fachlich gebotene Differenzierung erreicht werden. Für eine Vielzahl hochschulzahnmedizinischer Einrichtungen in Deutschland dürfte sich damit aus Sicht des Wissenschaftsrates die Frage nach einer grundsätzlichen Neustrukturierung stellen, nicht zuletzt angesichts der räumlichen Nähe zahlreicher Einrichtungen. Diese Überlegungen sollten vor Landesgrenzen nicht haltmachen. Vielmehr rät der Wissenschaftsrat den Ländern, die Zukunft benachbarter Standorte gemeinsam zu planen.

Die genannten Kriterien gelten auch für Mecklenburg-Vorpommern, das sowohl hinsichtlich der zahnärztlichen Versorgungsdichte als auch der Zahl der Studienplätze in Relation zur Bevölkerung deutlich über dem Bundesdurchschnitt liegt. Der Wissenschaftsrat begrüßt die vom Land angestrebte Reduzierung der Gesamtzahl der Studienanfänger in der Zahnmedizin. Der Planung des Landes, die verringerte Gesamtkapazität auf zwei Standorte mit geringen Jahrgangsstärken (Rostock: 32, Greifswald: 25) zu verteilen, vermag der Wissenschaftsrat jedoch nicht zu folgen. Der Aufwand, der für den laufenden Betrieb einer Zahnklinik und die Durchführung der erforderlichen Lehrveranstaltungen notwendig ist, läßt sich nicht proportional zur Zahl der Studierenden senken. Die Verminderung der Zahl der Studierenden wird zu überproportional erhöhten Betriebskosten bezogen auf den Studienplatz führen. Dies gilt auch für Zahnkliniken, die die zahnärztliche Behandlung durch Studenten nach Einzelfällen abrechnen können. Der Wissenschaftsrat hat sich hierzu bereits in der Stellungnahme zur Medizinischen Fakultät der Universität Leipzig eindeutig geäußert.[36]) Unter dem Gesichtspunkt der Wirtschaftlichkeit ist eine jährliche Aufnahmekapazität von weniger als 40 Studierenden an einem Standort auch in Mecklenburg-Vorpommern nicht vertretbar. Auch die denkbare Variante einer Ausbildungsstätte mit zwei Standorten kommt für Mecklenburg-Vorpommern nicht in Frage, da aufgrund der räumlichen Entfernung an beiden Standorten ein vollständiges

36) Stellungnahme zur weiteren Entwicklung der Medizinischen Fakultät der Universität Leipzig, in: Empfehlungen und Stehllungnahmen 1995, Köln 1996, S. 365.

Fachspektrum mit entsprechender Lehrkapazität vorgehalten werden müßte.

Vor diesem Hintergrund und angesichts des hohen Investitionsbedarfs im Hochschulbau insgesamt und speziell in der Hochschulmedizin hält der Wissenschaftsrat auch weiterhin an der Empfehlung fest, nur eine Hochschulzahnmedizin in Mecklenburg-Vorpommern aufrecht zu erhalten. Die Beurteilung, welche der beiden zahnmedizinischen Ausbildungsstätten fortgeführt werden soll, bedarf einer sorgfältigen fachlichen und wissenschaftspolitischen Abwägung, zu welcher der Wissenschaftsrat nachfolgend Kriterien beisteuert. Damit wird die Basis einer Entscheidung mitvorbereitet, die letztlich der Landesregierung und dem Parlament obliegt und in die über wissenschafts- und finanzpolitische Argumente hinaus weitere Aspekte zu einer gesamtpolitischen Begründung zusammenfließen.

Für jeden der beiden Standorte gibt es Gründe, die ebenso für wie gegen die Fortführung der jeweiligen Zahnmedizin als Universitätseinrichtung sprechen. Das Alter der beiden zahnmedizinischen Ausbildungsstätten (Gründung in Rostock im Jahre 1882, in Greifswald im Jahre 1901) kann angesichts der relativ nahe beieinanderliegenden Gründungsdaten nicht von Bedeutung sein. Dagegen ist der Bauinvestitionsbedarf, worauf der Wissenschaftsrat bereits 1991 hingewiesen hat, gerade in Mecklenburg-Vorpommern ein Entscheidungskriterium, zu dem Lehr- und Forschungsaspekte hinzutreten. Die baulichen Gegebenheiten der Zahnklinik sind in Rostock insofern günstiger als in Greifswald, weil dort mittelfristig ein Neubau erforderlich sein wird. Unter Umständen würden aber bei einer Schließung der Zahnmedizin in Rostock Räumlichkeiten für andere Medizinbereiche frei, für die sonst kostspielige Investitionen erforderlich wären.

Eine praxisnahe Ausbildung setzt voraus, daß eine ausreichende Zahl an Patienten für die Behandlung durch Studenten zur Verfügung steht. Neben der Einwohnerzahl des Einzugsgebietes stellt die Zahnarztdichte in der Region hierfür einen wichtigen Bestimmungsfaktor dar. Prinzipiell gilt dabei, daß diese Rahmenbedingungen bei gleicher Gesamtkapazität an zwei dislozierten und kleineren Standorten günstiger sind als im Falle eines großen Standortes. In den alten Ländern wird das Beispiel Münster oft zur Illustrierung der Probleme einer großen Ausbildungsstätte mit ländlichem Einzugsgebiet benutzt. Mit Blick auf die Stadt und ein Drittel der Einwohner der umliegenden (sehr weiträumigen) Landkreise errechnet sich dort ein Verhältnis von ausstattungsabhängiger Kapazität zu Einwohnern von 1:2180. In Stadt und Landkreis Greifswald leben rund 89000 Einwohner (21. 12. 1992), Stadt und Landkreis Rostock haben etwa 280700 Einwohner. In Relation zur ausstattungsbezogenen Kapazität beider Standorte (Greifswald: 48 Anfängerplätze, Rostock: 72) errechnet sich daraus ein Verhältnis von Einwohnern (Stadt und Landkreis) je Studienplatz von 1:1854 in Greifswald bzw. 1:3899 in Rostock. Berücksichtigt man die Zahl der poliklinischen Neuzugänge (ohne MKG-

Chirurgie) im Jahr 1994 von 12298 in Greifswald und von 19434 in Rostock, zeigt sich für Greifswald eine höhere Ausnutzung des Patientenreservoirs. Während dort 14 % der Einwohner der Stadt und des Landkreises für eine Behandlung an der Zahnklinik neu gewonnnen werden konnten, waren es in Rostock nur 7 %. Bezieht man die Zahl der Neuzugänge auf die ausstattungsbezogenen Kapazitäten, errechnet sich ein Verhältnis von 270 Neuzugängen je Studienanfängerplatz in Rostock bzw. 250 in Greifswald. Bei einer Reduzierung auf einen Standort könnte sich die Patientengewinnung möglicherweise problematisch darstellen. Allerdings entspricht auch die ausstattungsbezogene Kapazität in Greifswald nahezu der vom Land insgesamt angestrebten Studienanfängerzahl, in Rostock liegt sie sogar deutlich höher. Dies bedeutet, daß die ausstattungsbezogenen Kapazitäten an jedem der beiden Standorte bereits jetzt ausreichend sind, um die Gesamtzahl der Studienanfänger des Landes aufnehmen zu können.

Unter wirtschaftlichen Gesichtspunkten und bei globaler Betrachtung liegen beide zahnmedizinischen Einrichtungen mit 78 % Kostendeckung in Greifswald und 72 % in Rostock gleichauf. Bei Abzug der Einkünfte und Ausgaben der MKG-chirurgischen Kliniken ist die Kostendeckung der Zahnkliniken mit 33 % in Greifswald und 55 % in Rostock unterschiedlich, liegt aber für beide Standorte innerhalb des breiten Spektrums anderer Zahnkliniken in Deutschland. Ein ungewöhnliches Resultat zeigt der Vergleich der beiden Kliniken für Mund-, Kiefer- und Gesichtschirurgie: Während in Rostock der Anteil der MKG-Chirurgie an Einnahmen und Ausgaben mit rund 66,4 % bzw. 60,0 % in etwa gleich ist, übersteigt der Anteil der MKG-Chirurgie an den Einnahmen der Greifswalder Zahnmedizin mit 72,5 % den Anteil an den Ausgaben (35,5 %) erheblich. Unabhängig davon steht außer Zweifel, daß beide Standorte für die Krankenversorgung auch in Zukunft über MKG-chirurgische Kapazitäten verfügen müssen.

Als besonders wichtiger Maßstab für eine Standortentscheidung müssen aus Sicht des Wissenschaftsrates die Einbindung in das wissenschaftliche Konzept der jeweiligen Medizinischen Fakultät sowie die in diesem Rahmen erbrachten Leistungen in Forschung und Lehre betrachtet werden. In Greifswald gilt die Zahnmedizin mit ihrer spezifischen Orientierung auf Community Dentistry als ein Bestandteil des Konzeptes der gesamten Medizinischen Fakultät. Der Wissenschaftsrat weist darauf hin, daß der präventive Ansatz in der Zahnmedizin in Deutschland noch unterentwickelt ist und das Greifswalder Konzept in dieser Hinsicht innovativen Charakter hat. Sowohl für die Lehre in Studium und Weiterbildung als auch für die Forschung stellen sich daher zahlreiche Aufgaben und Fragen, die einen engen Bezug zu den Themenbereichen der Community Medicine haben. Allerdings ist von diesem Konzept im Rahmen der bislang von der Medizinischen Fakultät Greifswald vorgelegten Lehr- und Forschungsplanungen noch wenig zu sehen. Hier müßten Universität und Medizinische Fakultät in Greifswald Zeichen setzen und ein eindeutiges Bekenntnis zur Community Medicine ablegen. Unter anderem müßte sich der Schwerpunkt Community Dentistry in der fachlichen Ausrichtung der Lehrstühle deutlicher niederschlagen. Mit Ausnahme eines größeren, von der Industrie finanzierten Projektes haben auch die von der Zahnmedizin eingeworbenen Drittmittel bislang ein eher bescheidenes Volumen – bis 1994 wurden keine Drittmittel der DFG eingeworben – und keinen erkennbaren Bezug zu Themen der Community Medicine. Auch die Tatsache, daß seit 1989 keine Habilitation in der Zahnmedizin zu verzeichnen ist, zeigt ein Stagnieren der wissenschaftlichen Aktivität in den vergangenen Jahren.

Wissenschaftliche Berührungspunkte zwischen Zahn- und Humanmedizin werden auch von der Medizinischen Fakultät der Universität Rostock hervorgehoben, ohne daß den Verbindungen die Bedeutung wie im Greifswalder Konzept zukommt. Im Mittelpunkt stehen Untersuchungen zu Lippen-Kiefer-Gaumen-Spalten und die Biomaterialforschung. Das mit einer Fragestellung aus dem Bereich der Informatik befaßte EU-Projekt belegt eine erfreuliche internationale Kooperation, bezieht sich allerdings eher auf ein Randthema der Zahnmedizin. Rostock kann im Unterschied zu Greifswald auf eine gewisse Zahl an Habilitationen in den letzten Jahren und auf die stärkere fachliche Differenzierung der Zahnmedizin (z. B. in Form eigener Abteilungen für Kariologie und Endodontologie und für Kinderzahnheilkunde) verweisen. Insgesamt ist jedoch festzustellen, daß auch in Rostock die Zahnmedizin keine besondere wissenschaftliche Dynamik entfalten konnte. So blieben die Drittmittel bislang auf bescheidenem Niveau, die Einwerbungen bei der DFG beschränken sich auf ein kleines Einzelprojekt.

In einen Standortvergleich sind nicht zuletzt auch die zu erwartenden Auswirkungen einer Schließung auf die Gesamtuniversität in Betracht zu ziehen. Während der Medizinischen Fakultät Rostock in den vergangenen Jahren wesentliche Einschnitte erspart blieben, stand die Fortexistenz der Medizinischen Fakultät Greifswald nach der Wiedervereinigung Deutschlands grundsätzlich in Frage und war nur durch die weitgehenden Einschränkungen des Klinikums, verbunden mit einer erheblichen Reduktion der Zahl der Planbetten, möglich. Dies führte unter anderem auch zur Aufgabe der geplanten Einrichtung für Knochenmarktransplantationen und zur Umorientierung der wissenschaftlichen Schwerpunkte. Ein Verzicht auf den Ausbildungsgang Zahnmedizin würde eine weitere einschneidende Reduktion und für die Universität Greifswald einen nur schwer zu verkraftenden Verlust bedeuten.

Die für und wider jeden der beiden Standorte anzuführenden Argumente machen deutlich, daß das Land vor einer schwierigen Entscheidung steht, die aber aus Sicht des Wissenschaftsrates erforderlich und überfällig ist. Bis zu der Entscheidung, welcher der beiden Standorte fortgeführt werden soll, wird der Wissenschaftsrat von Empfehlungen zum Rahmenplan für Vorhaben der Zahnmedizin in Mecklenburg-Vorpommern absehen. Er erwartet, daß baldmöglichst ein Gesamtkonzept zur weiteren Entwicklung der Zahnmedizin in Mecklenburg-Vorpommern vorgelegt wird, in dem neben der angestrebten Ausbildungskapazität und dem weiteren Ausbaubedarf vor allem das fachliche Konzept für Lehre und Forschung dargestellt und erläutert wird.

Die Diskussion um die zahnmedizinische Ausbildung hat gezeigt, daß es auch künftig keine leicht zu lösende Aufgabe sein wird, die Schwerpunkte der beiden Medizinischen Fakultäten in Rostock und Greifswald aufeinander abzustimmen und den wissenschaftlichen Entwicklungen anzupassen. Der Wissenschaftsrat empfiehlt dem Land daher die Einrichtung einer ständigen Strukturkommission, die das Land bei dieser Abstimmung beraten soll. Sie sollte mit externen Wissenschaftlern der verschiedenen medizinischen Fachrichtungen besetzt sein. Auch wären Mitglieder aus dem Kreis der Wissenschaftsverwaltungen anderer Länder sowie der Verwaltungsdirektoren anderer Hochschulklinika in diesem Gremium hilfreich. Nicht bewährt haben sich nach Einschätzung des Wissenschaftsrates ad hocKommissionen, die zu einzelnen Fachrichtungen Stellung nehmen. Hier besteht die Gefahr, daß die Gesamtsituation beider Klinika bzw. der Hochschulmedizin des Landes insgesamt zu wenig berücksichtigt wird. Eher bietet es sich an, zu Teilbereichen jeweils zusätzliche Experten zu hören, deren Vorschläge in der Strukturkommission vor dem Hintergrund der allgemeinen Entwicklung abzuwägen sind.

II. 3. Zur Finanzierung

Die Hochschulmedizin in den neuen Ländern befindet sich seit der Wiedervereinigung Deutschlands in einer anhaltenden Phase des Umbruchs. Ein besonderes Problem stellt nach wie vor die bauliche Situation dar. Zwar konnten die besonders gravierenden Mängel vieler Klinik- und Institutsgebäude mittlerweile behoben werden; auch wurde die technische Ausstattung in vergleichsweise kurzer Zeit deutlich verbessert. Die bauliche Grundkonzeption der meisten Hochschulklinika in den neuen Ländern entspricht jedoch den heutigen Ansprüchen von Maximalversorgung, Forschung und patientennaher Lehre in weiten Bereichen nicht. Umfangreiche Neubau- und Sanierungsmaßnahmen sind daher notwendig und könnten nach dem jetzt erreichten Planungsstand auch realisiert werden, wenn die erforderlichen Mittel zur Verfügung stünden. Der Wissenschaftsrat begrüßt, daß das Land Mecklenburg-Vorpommern deutliche Prioritäten zugunsten des Hochschulbaus gesetzt hat. Die Entscheidung zugunsten zweier Medizinischer Fakultäten bringt allerdings einen langfristig hohen Anteil an Medizinvorhaben mit sich. Dies wird sich bei der Planung für andere Hochschulbereiche auswirken. Die Überarbeitung der Bauplanungen für die beiden Klinika in Rostock und Greifswald hat mittlerweile zu Einsparungen um rund 30 % geführt. Weitere Reduktionen sind durch die Versorgungsbetten-Regelung zu erwarten. Der Wissenschaftsrat begrüßt dies und erachtet die jetzt vorliegende Konzeption als realistischeres Planungsziel. Zwar sind bei einzelnen Projekten durchaus noch Einsparpotentiale erkennbar, jedoch ist nicht auszuschließen, daß auch unvorhergesehene Sanierungskosten an anderer Stelle entstehen. Das jetzt kalkulierte Gesamtvolumen dürfte daher eine angemessene Grundlage sein, um die Bedingungen für Forschung, Lehre und Krankenversorgung an beiden Standorten langfristig zu verbessern.

Um dieses Ziel zu erreichen, ist es aus Sicht des Wissenschaftsrates allerdings dringend erforderlich, die Planungs- und Genehmigungsverfahren des Landes zu beschleunigen. Dies erscheint im Hinblick auf die in Mecklenburg-Vorpommern im Vergleich zu anderen neuen Bundesländern vergleichsweise langen Abstimmungsphasen besonders dringlich. Bedauerlich ist in diesem Zusammenhang, daß das Land den Plan, ein zentrales Hochschulbauamt beim Kultusministerium einzurichten, nicht weiter verfolgt hat. Der Wissenschaftsrat hielte es für sinnvoll, diesen Vorschlag erneut aufzugreifen, um zu einer Vereinfachung und Verkürzung des Planungsablaufes zu kommen.

Inwiefern der geplante Kostenrahmen auch in der weiteren Detailplanung gehalten werden kann, muß sich noch erweisen. Der Wissenschaftsrat bittet das Land, bei allen künftigen Rahmenplananmeldungen für beide Standorte einen Bericht über die erfolgte Umsetzung und den voraussichtlichen Kostenrahmen zu geben. Bei absehbaren Kostenerhöhungen größeren Ausmaßes sollten gleichzeitig Vorschläge zur Einsparung an anderer Stelle gemacht werden. Die Realisierung der vorgesehenen Bau- und Finanzplanung wird nach Einschätzung des Wissenschaftsrates nur dann gelingen, wenn ein flexibles und effizientes Verfahren zur Kontrolle des Bau- und Planungsfortschrittes etabliert wird, das nach sachlichen Erfordernissen und finanziellen Möglichkeiten über die jeweils nächsten Schritte zu entscheiden erlaubt. Der Wissenschaftsrat empfiehlt dem Land daher, entsprechend dem Vorbild anderer Länder hierfür einen gesonderten Mechanismus zu schaffen. Die Einzelheiten dieses Verfahrens sollten bei Vorlage des Berichts zum Stand der Umsetzung im Zusammenhang mit künftigen Anmeldungen zum Rahmenplan erläutert werden.

Um die rasche Durchführung kleiner Baumaßnahmen zu erleichtern, sollten beide Medizinischen Fakultäten einen deutlich größeren Spielraum erhalten, kleinere Bau- und Sanierungsmaßnahmen selbst veranlassen zu können, ohne zuvor ein zeitraubendes Antragsverfahren durchlaufen zu müssen. Sowohl der schlechte Bauzustand vieler Kliniken und Institute als auch die Notwendigkeit, auf wechselnde Bedürfnisse der Forschung reagieren zu können, machen es nach Ansicht des Wissenschaftsrates erforderlich, daß der Handlungsspielraum der Fakultäten spürbar erweitert wird. Allerdings muß sichergestellt werden, daß damit künftig keine strukturbeeinflussenden Fakten mehr geschaffen werden können, die – wie im Fall der Zahnmedizin bereits geschehen – darauf abzielen, anstehende Strukturentscheidungen des Landes vorwegzunehmen.

B. III. Zur Medizinischen Fakultät der Universität Rostock

III. 1. Zu Struktur und Personal

Auch die Medizinische Fakultät der Universität Rostock hat nach der deutschen Wiedervereinigung einen personellen und strukturellen Wandel durchgemacht. Tiefgreifende Einschnitte, wie sie an der Medizinischen Fakultät der Universität Greifswald erforderlich waren, blieben der Rostocker Fakultät allerdings erspart. So konnte sie beispielsweise an Forschungsschwerpunkte anknüpfen, die schon zu DDR-Zeiten gepflegt wurden. Positiv hat sich bemerkbar gemacht, daß die Überbeanspruchung durch die medizinische Grundbetreuung deutlich abgebaut werden konnte. Diese Entwicklung sollte nach Ansicht des Wissenschaftsrates fortgesetzt werden. Der mit diesem Wandel zu erwartende Anstieg der Maximalversorgung wird hinsichtlich der Lehre freilich nicht ohne Konsequenzen bleiben. Daher sollte die Fakultät die Kooperation mit städtischen Krankenhäusern pflegen und ausbauen, um das Spektrum alltäglicher Krankheitsbilder auch weiterhin in den studentischen Unterricht einzubeziehen. Die außeruniversitären Lehrkräfte sollten dabei gezielt in das Ausbildungskonzept der Fakultät eingebunden werden. Eine enge Kooperation mit der Medizinischen Fakultät der Universität Greifswald ist besonders in den Bereichen erforderlich, die – wie bisher schon die Geschichte der Medizin – durch Lehrstühle der jeweils anderen Fakultät wahrgenommen werden. Das gilt in Zukunft auch für alle Fächer aus dem Bereich der Community Medicine.

Auffallendes Merkmal des Strukturkonzeptes der Medizinischen Fakultät Rostock ist, daß sowohl die Klinik und Poliklinik für Innere Medizin als auch das Pädiatrische Zentrum in hohem Maße in verschiedene Abteilungen untergliedert sind. So verfügt die Klinik für Innere Medizin nach Ausgliederung des Bereiches Transfusionsmedizin über sieben Abteilungen, von denen vier Abteilungen durch einen C4-Professor geleitet werden. Von den durch diese Abteilungen vertretenen Bereichen werden die Gastroenterologie, die Nephrologie und die Kardiologie als Schwerpunkte der Fakultät bezeichnet. Bereits in den Empfehlungen zur künftigen Struktur der Hochschullandschaft in den neuen Ländern hatte der Wissenschaftsrat empfohlen, den Bereich der Inneren Medizin neu zu strukturieren und in drei Lehrstühle zu gliedern.[37]) Er wiederholt diese Empfehlung nachdrücklich. Die Begründung des Landes, mit der die bisherige Struktur aufrechterhalten werden soll, vermag er nicht nachzuvollziehen. Die gemeinsame und flexible Nutzung der personellen und räumlichen Ressourcen läßt sich in einer schlanker strukturierten Klinik besser bewerkstelligen. Eine stark untergliederte Klinik läuft hingegen Gefahr, daß die Einzelabteilungen sich gegeneinander abgrenzen und das Fach als Ganzes nicht mehr repräsentieren. Zu kleine Abteilungen sind im übrigen auch wirtschaftlich von Nachteil. Der Wissenschaftsrat hält daher in der Inneren Medizin drei bis vier bettenführende Abteilungen

37) A.a.O., S. 77.

entsprechend den zwischen Land und Fakultät vereinbarten Schwerpunkten für angemessen. Die jeweiligen Spezialbereiche lassen sich in fachlich sinnvoller Weise zusammenfassen. Eine enge Kooperation sollte mit Blick auf die zu gewährleistende Ausbildung in allen Teildisziplinen des Faches selbstverständlich sein. Die Gliederung in eine Klinik mit einer begrenzten Zahl selbständiger Abteilungen und wechselnder Geschäftsführung sollte im übrigen für beide Klinika Mecklenburg-Vorpommerns in gleicher Weise gelten.

Eine Besonderheit stellt auch der Bereich der Pädiatrie in Rostock dar, der als Zentrum mit insgesamt sieben Abteilungen geplant ist. Die vorgesehene Einbeziehung der Kinderchirurgie, die als Schwerpunkt nicht in Rostock, sondern in Greifswald ausgebaut werden soll, als selbständige Einheit in das Pädiatrische Zentrum hält der Wissenschaftsrat für eine vor diesem Hintergrund vertretbare Entscheidung. Auch das Institut für Humangenetik kann der Kinderklinik wie vorgesehen zugeordnet werden. Allerdings ist ein Funktionsbereich für klinische Genetik ausreichend, zumal dieses Fach als wissenschaftlicher Schwerpunkt der Medizinischen Fakultät Greifswald zugeordnet ist. Hinsichtlich der übrigen pädiatrischen Abteilungen wird empfohlen, sich auf eine pädiatrische Klinik mit drei Abteilungen zu einigen. Dies entspricht auch der bewährten Struktur anderer Universitätskinderkliniken. Im übrigen schließt sich der Wissenschaftsrat der Argumentation des Landes an, nach der die klinischen Zentren beider Universitäten eine vergleichbare Grundstruktur entsprechend dem Landeshochschulgesetz haben sollten.

Im personellen Bereich der Medizinischen Fakultät und des Klinikums haben sich seit 1991 deutliche Veränderungen ergeben: So ist der Personalbestand seitdem um rund 25 % reduziert worden; der Anteil an befristeten Stellen für wissenschaftliche Mitarbeiter hat sich seit 1990 mehr als verdoppelt. Der Wissenschaftsrat bestärkt die Medizinische Fakultät in der Absicht, unbefristete Stellen für wissenschaftliche Mitarbeiter auch weiterhin in befristete Arbeitsverhältnisse im Sinne eines ausgewogenen Verhältnisses umzuwandeln. Dadurch kann die Flexibilität im wissenschaftlichen Bereich erhalten werden.

Die Anzahl der Planstellen insgesamt wie auch der Anteil der Stellen für wissenschaftliche Mitarbeiter liegen mittlerweile deutlich unter den Durchschnittswerten für alte und neue Bundesländer. Dementsprechend liegt auch das Verhältnis von C4-Stellen zur Gesamtzahl der Wissenschaftlerstellen mit 1:13 deutlich unter der bundesdurchschnittlichen Relation von 1:18. Angesichts der finanziellen Situation des Landes hält der Wissenschaftsrat dies für eben noch vertretbar. Er weist allerdings darauf hin, daß ein weiteres Absenken insbesondere im Bereich der Wissenschaftlerstellen Nachteile für Lehre und Forschung hätte und deshalb unbedingt vermieden werden muß. Der knappe Personalbestand macht eine Konzentration auf wenige Schwerpunkte umso dringlicher. Weitere fachliche Untergliederungen und Auffächerungen sollten vermieden werden, um die erforderliche „kritische Masse“ für ausgewiesene wissenschaftliche Schwerpunkte zu erhalten.

Unter dem gegebenen Zwang, zu Einsparungen zu kommen, hält der Wissenschaftsrat auch die vom Land geplanten Umwidmungen einzelner C4-Stellen in C3-Stellen und der Wegfall einer Reihe von C3-Stellen für vertretbar. Dies gilt auch für die C4-Professur für Hygiene, da dieser Bereich schwerpunktmäßig an der Medizinischen Fakultät Greifswald ausgebaut werden soll und in Rostock über eine C3-Professur im Rahmen eines Institutes für Mikrobiologie und Hygiene vertreten werden kann. Die von der Fakultät vorgeschlagene Verselbständigung des aus der Klinik für Innere Medizin ausgegliederten Bereiches für Transfusionsmedizin hält der Wissenschaftsrat nicht für sinnvoll, zumal ein eigenständiger wissenschaftlicher Schwerpunkt nicht erkennbar ist. In Rostock bietet sich entsprechend dem Schwerpunktkonzept der Fakultät eine Zusammenführung mit dem Institut für Immunologie an. Dies entspricht auch der an zahlreichen anderen Medizinischen Fachbereichen üblichen Gliederung.

Das Institut für Biomedizinische Technik und Medizinische Informatik entstand durch Zusammenlegung von Teilen des früheren Zentrums für Bioengineering an der Klinik für Innere Medizin und der selbständigen Abteilung für Medizinische Dokumentation und Statistik. Es wirkt als Brückeninstitut zwischen der Medizinischen und der Ingenieurwissenschaftlichen Fakultät. Auf diesem Gebiet hat die Medizinische Fakultät Rostock eine langjährige Forschungstradition. Für die enge Verflechtung der beiden Teilbereiche spricht auch die technologische Entwicklung, insbesondere auf dem Gebiet der Mikroprozessor- und der Computertechnologie. Der Wissenschaftsrat gäbe daher der vom Land favorisierten Zusammenfassung beider Institute[38]) den Vorzug, zumal der Bereich Biometrie und Medizinische Informatik an der Medizinischen Fakultät Greifswald im Rahmen des Konzeptes Community Medicine eine wichtige Schwerpunktfunktion haben wird.

III. 2. Zu Lehre und Studium

Die Medizinische Fakultät der Universität Rostock zählt von der Anzahl der Studenten und Studienanfänger her zu den überschaubareren hochschulmedizinischen Einrichtungen. Angesichts des knappen wissenschaftlichen Personalbestandes ist eine Steigerung der Studienanfängerzahl auch nicht wünschenswert. Die vom Land vorgesehene Absenkung der Studienanfängerzahlen für die Humanmedizin wäre daher angemessen, dürfte aber angesichts der derzeitigen Stellenkapazität in der Vorklinik kaum erreichbar sein.

---

38) Schreiben der Kultusministerin des Landes Mecklenburg-Vorpommern vom 15. 12. 1994.

Die Gestaltung des Ausbildungskonzeptes an der Medizinischen Fakultät Rostock entspricht den üblichen Bedingungen der Approbationsordnungen für Ärzte und Zahnärzte. Einschränkungen bei der Einführung des studentischen Kleingruppenunterrichtes müssen angesichts der gegebenen Räumlichkeiten vermutlich noch längere Zeit hingenommen werden. Land und Fakultät sollten bei der Bauplanung allerdings darauf achten, daß insbesondere in den Klinikneubauten, aber auch den zu sanierenden Gebäuden so bald wie möglich ausreichende Räumlichkeiten für den patientennahen Unterricht geschaffen werden. Um die erforderliche Profilbildung im Bereich der Lehre zu unterstützen, aber auch im Hinblick auf die zu erwartenden Änderungen der Approbationsordnung für Ärzte, hielte der Wissenschaftsrat eine Stärkung des Studiendekanates für wichtig. Damit könnte dem Anliegen, vorklinische und klinische Ausbildung künftig stärker miteinander zu verzahnen, besser Rechnung getragen werden. Dies entspräche auch den Leitlinien des Wissenschaftsrates zur Reform des Medizinstudiums.[39)]

III. 3. Zur Forschung

Die Forschung an der Medizinischen Fakultät der Universität Rostock konnte nach der Wiedervereinigung an vorhandene Traditionen anknüpfen und bereits existierende Schwerpunkte fortsetzen. Dies gilt insbesondere für die Bereiche des künstlichen Organersatzes und der Biomaterialien. Der Wissenschaftsrat hielt in den Empfehlungen aus dem Jahre 1991 die im Zusammenhang mit den Forschungsschwerpunkten angesammelten Forschungsmittel für beachtlich. Die seither an der Medizinischen Fakultät Rostock entfalteten wissenschaftlichen Aktivitäten sind trotz der vergleichweise günstigen Ausgangsbedingungen jedoch nur zögerlich in Gang gekommen und blieben bislang hinter den anfänglichen Erwartungen zurück. Für diese Einschätzung sprechen sowohl die insgesamt rückläufigen bzw. stagnierenden Zahlen an abgeschlossenen Promotionen und Habilitationen als auch die Höhe der Drittmitteleinwerbungen seit 1991. Auffallend ist, daß die an anderen Medizinischen Fakultäten traditionell forschungsaktiveren vorklinischen und klinisch-theoretischen Einrichtungen in Rostock keine bemerkenswerten Drittmitteleinnahmen vorweisen können. Insbesondere Drittmittel der DFG sind nur in unwesentlichem Maße vorhanden. Dies gilt – mit Ausnahme der Kliniken für Innere Medizin, für Nerven- und für Kinderheilkunde – auch für die meisten klinischen Einrichtungen. Für eine gewisse Steigerung der wissenschaftlichen Aktivität sprechen die gestiegenen Drittmitteleinwerbungen im Jahr 1995. Erfreulich ist auch die Einrichtung des mittlerweile bewilligten Innovationskollegs. Im Hinblick auf den prioritären Ausbau des Klinikums Rostock als Zentrum der Hochleistungsmedizin erwartet der Wissenschaftsrat jedoch, daß diese Vorzugsposition künftig auch in einer deutlich stärkeren Forschungsaktivität zum Ausdruck kommt.

39) Wissenschaftsrat: Leitlinien zur Reform des Medizinstudiums, Köln 1992.

Vor diesem Hintergrund weist die angestrebte Konzentration auf übergreifende Forschungsschwerpunkte einen erfolgversprechenden Weg, der konsequent verfolgt werden sollte. Die Fakultät sollte bei künftigen Neuberufungen darauf achten, daß das Forschungsprofil in diesem Sinne gestärkt wird. Neben einer auf die Forschungsschwerpunkte abgestimmten Berufungspolitik kommt nach Ansicht des Wissenschaftsrates der Etablierung von thematisch den Schwerpunkten zugeordneten Forschungsstrukturen, insbesondere klinischen Forschergruppen, eine besondere Bedeutung zu. Je rascher die Bildung solcher Einheiten gelingt, desto stärker wird das Eigengewicht der Forschung, insbesondere gegenüber der Krankenversorgung, gesteigert werden können; um so mehr wird es auch gelingen, die durch Versorgungsgesichtspunkte bestimmte Krankenversorgung auf die Bedürfnisse der Forschung und der forschungsgeleiteten akademischen Lehre auszurichten. Die Zusammenarbeit der Medizinischen Fakultät mit den Nachbarfakultäten der Universität Rostock sollte dabei unbedingt erhalten und ausgebaut werden.

Mit dem Experimentellen Forschungszentrum verfügt die Medizinische Fakultät über durchaus repräsentative und gut ausgestattete Räumlichkeiten, mithin eine günstige Voraussetzung für das Einwerben von Drittmitteln. Allerdings hält es der Wissenschaftsrat für sinnvoll, dem Experimentellen Zentrum eine Leitungsstruktur zu geben, nach der eine wissenschaftlich führende Arbeitsgruppe oder Einrichtung im Zentrum selbst ansässig ist und die Verantwortung für die Infrastruktur des Gebäudes übernimmt.

Hemmend für die wissenschaftliche Arbeit kann sich ein Mangel an Laboratorien mit besonderen Sicherheitsstandards auswirken. Land und Fakultät sollten bei der Bau- und Sanierungsplanung darauf achten, daß solche Bereiche mit Vorrang hergerichtet und erweitert werden. Eine Erleichterung der räumlichen Situation kann auch durch die Mischnutzung von Laboratorien durch Arbeitsgruppen verschiedener Institute und Kliniken geschaffen werden, so wie es bereits in den „Assoziierten Einrichtungen“ der Fakultät vorgesehen ist. Dabei sollte, wie vorgesehen, auch der räumlich vergleichsweise gut ausgestattete Arbeitsbereich für Klinische Forschung an der Klinik für Innere Medizin einbezogen und projektgebunden verschiedenen wissenschaftlichen Arbeitsgruppen des Klinikums zugewiesen werden. Einen weiteren positiven Ansatzpunkt zur Stärkung wissenschaftlicher Aktivitäten erkennt der Wissenschaftsrat in den von der Fakultät bereits in die Wege geleiteten Verfahren der Ressourcenvergabe, insbesondere für Laborflächen, sowie in der Einrichtung von Arbeitsbereichen mit interdisziplinärer Nutzung. Diese Verfahren sollten so rasch als möglich etabliert werden. Der Wissenschaftsrat bittet Land und Medizinische Fakultät, darüber bei künftigen Rahmenplananmeldungen zu berichten.

Über die effiziente Nutzung der wissenschaftlichen Infrastruktur sollte sich auch die Fakultät in regelmäßigen Abständen einen Überblick verschaffen und eine Umverteilung nach Bedarf und Leistung vorbehalten.

Als weiteres Instrument der internen Forschungsförderung bietet sich außerdem die Bildung eines fakultätseigenen Fonds von Forschungsstellen an, die es den jeweiligen Stelleninhabern erlauben, sich befristet für einen Zeitraum von etwa einem Jahr aus der Lehre und den Aufgaben der Krankenversorgung weitgehend zurückzuziehen, um sich eingehend der Forschung widmen zu können. Diese Stellen, die nicht kapazitätsrelevant sein dürfen und nicht bestimmten Einrichtungen der Fakultät dauerhaft zugeordnet werden sollen, müßten nach Leistung und befristet an jüngere Wissenschaftler vergeben werden. Auf diesem Wege lassen sich auch fakultätsinterne klinische Forschergruppen realisieren, die vom Wissenschaftsrat in der Stellungnahme zum Programm der Klinischen Forschergruppen empfohlen wurden.[40]) Eine solche forschungsorientierte Ressourcenvergabe setzt allerdings eine getrennte Mittelverwaltung für Forschung und Lehre einerseits und für Krankenversorgung andererseits voraus.

Als Bilanz über erreichte Ziele sollte die Fakultät einen regelmäßigen Forschungsbericht erstellen, in dem auch die Kriterien der internen Ressourcenvergabe dargestellt werden. Ein derartiger Bericht würde auch der dem Land anempfohlenen Strukturkommission einen Einblick in die Entwicklung der wissenschaftlichen Leistungen an der Fakultät bieten.

III. 4. Zur Krankenversorgung

Das Klinikum der Universität Rostock ist in den letzten Jahren von Aufgaben der Krankenversorgung entlastet worden. Die Reduktion um rund 30 % des Planbettenbestandes seit dem Jahr 1990 konnte auch genutzt werden, um den Aufbau der übergreifenden Forschungsschwerpunkte voranzutreiben. Die in der Zwischenzeit durch die Versorgungsbettenregelung geplante Ausweitung auf 1412 universitäre (davon 988 nach dem HBFG finanzierte) Planbetten wird demgegenüber eine erneute Steigerung bringen, die durch den Bedarf der regionalen Krankenversorgung bedingt ist. Angesichts der ohnehin knappen Personalstellen im wissenschaftlichen Bereich darf mit dieser Regelung aus Sicht des Wissenschaftsrates jedoch keine Verringerung des Landeszuschusses verbunden sein. Auch wird eine konsequente Schwerpunktsetzung sowohl im wissenschaftlichen Bereich als auch in der Krankenversorgung unumgänglich sein. Der Wissenschaftsrat erwartet zum einen, daß die Zuordnung des wissenschaftlichen Personals an die einzelnen Kliniken differenziert, d. h. über den Grundbedarf von Versorgung und Lehre hinaus entsprechend der erbrachten Forschungsleistungen erfolgt. Diese fakultätsintern transparent zu machende Stellenzuweisung sollte befristet sein und in verbindlichen Zeitabständen überprüft werden. Diese Maßnahmen sollen aus Sicht des Wissenschaftsrates dazu dienen, insbesondere die klinische Forschung gegenüber der Krankenversorgung deutlich zu stär-

40) Wissenschaftsrat: Stellungnahme zum Programm „Klinische Forschungsgruppen in Hochschulen", Köln 1994, S. 35.

ken und ihr das dringend notwendige Gewicht zu verleihen. Zum anderen appelliert der Wissenschaftsrat an die Kostenträger im Land Mecklenburg-Vorpommern, bei den Verhandlungen um die Pflegesätze auch den nachgewiesenen Einsatz des Klinikums in ärztlicher Weiterbildung, Versorgungsforschung und wissenschaftlicher Qualitätssicherung und die dafür erforderlichen Personalkapazitäten anzuerkennen.

Auf die Zahl der universitären Planbetten anzurechnen ist, wie vorgesehen, auch die Zahl der Tages- bzw. teilstationären Betten, da sie vom investiven Aufwand her den vollstationären Betten vergleichbar sind. Dies entspricht auch früheren Empfehlungen des Wissenschaftsrates und der Praxis anderer Länder und Fakultäten.[41]) Dieses Petitum gilt auch für das Klinikum der Medizinischen Fakultät Greifswald. Der Wissenschaftsrat bittet das Land, dem Bericht zur Umsetzung der Empfehlungen im Zusammenhang mit künftigen Anmeldungen zum Rahmenplan eine Aufstellung über die jeweilige Bettenstruktur beizufügen.

Die Medizinische Fakultät der Universität Rostock plant die Errichtung eines interdisziplinär nutzbaren Zentrums für ambulantes Operieren mit vier OP-Sälen. Das Zentrum soll im Gebäude für die Zentralen Medizinischen Dienste so eingerichtet werden, daß es durch benachbarte Fächer genutzt werden kann. Der Wissenschaftsrat begrüßt, daß die Fakultät damit eine aktuelle Entwicklung im Bereich der Chirurgie aufgreift. Um das geplante Zentrum tatsächlich auslasten zu können, sollte es durch alle operativen Disziplinen genutzt werden. Auch die konservativen Fächer, beispielsweise die Innere Medizin und die Dermatologie, sollten invasive Eingriffe dort durchführen können. Mit einer Umstellung auf teilstationäre Versorgungsmodelle ist allerdings auch ein entsprechendes Lehr- und Forschungskonzept zu verbinden. Die Zulassung von Krankenhäusern zum ambulanten Operieren ist überdies mit betriebswirtschaftlichen Erwägungen verbunden, die auch im Fall des Rostocker Klinikums noch am Anfang stehen. Daraus werden auch Schlußfolgerungen für die Dimensionierung des Zentrums zu ziehen sein. In die wirtschaftlichen Überlegungen sollte die Mehrbelastung des wissenschaftlichen Personals durch Krankenversorgung als Faktor einbezogen werden. Auch hierdurch ist die Größe des geplanten Zentrums limitiert. Der Wissenschaftsrat erwartet, daß ein entsprechender Antrag zum Rahmenplan durch ein detailliertes Konzept begründet wird, das die genannten Punkte aufgreift.

Die Entscheidungen zur ambulanten Versorgung im Klinikum Rostock entsprechen einer derzeit für die meisten Hochschulklinika geltenden unbefriedigenden Situation. Zwar hat sich auch der Wissenschaftsrat dafür ausgesprochen, das Ausmaß der poliklinischen Versorgung auf den Bedarf von Forschung und Lehre zu beschränken. Dafür sprechen auch

41) Vgl. Wissenschaftsrat: Stellungnahme zur weiteren Entwicklung der Medizinischen Fakultät der Universität München und ihrer beiden Klinika, in: Empfehlungen und Stellungnahmen 1995, Köln 1996, S. 139 ff.

wirtschaftliche Gründe, zumal poliklinische Leistungen mit Blick auf den Nutzen für Forschung und Lehre nach einem nicht kostendeckenden Pauschaltarif entgolten werden. In der Realität können Hochschulklinika die ambulante Versorgung jedoch nicht auf diesen Patientenkreis beschränken. In vielen Spezialbereichen, in denen niedergelassene Ärzte im regionalen Einzugsbereich die erforderlichen Versorgungsleistungen nicht oder nicht in angemessener Qualität erbringen können, müssen die meisten Hochschulklinika auch Aufgaben wahrnehmen, die zur Sicherstellung der medizinischen Versorgung unentbehrlich sind. Daraus ergibt sich der Anspruch auf eine kostendeckende Vergütung dieser Leistungen, die nur über Ermächtigungen zur Teilnahme an der vertragsärztlichen Versorgung möglich ist. Dies gilt auch für Bereiche der mittelbaren Krankenversorgung, insbesondere Radiologische Diagnostik, Klinische Chemie, Mikrobiologie, Virologie und Pathologie. Leider zeigt die Erfahrung, daß Universitätsklinika bei der Vergabe von abteilungs- oder personenbezogenen Ermächtigungen vielfach benachteiligt werden, um ihre Teilhabe an der budgetierten Gesamtvergütung der niedergelassenen Ärzte so niedrig wie möglich zu halten. Diese Praxis führt dazu, daß ambulante Leistungen – wenn Patienten nicht abgewiesen werden sollen – lediglich nach dem nicht kostendeckenden Polikliniktarif bezahlt werden, woraus sich erhebliche Defizite der Universitätsklinika ergeben.

Die ambulante Versorgung im Rostocker Klinikum wurde durch die Entscheidung des Zulassungsausschusses, die Zahl der poliklinischen Patienten zu beschränken, zusätzlich eingeschränkt. Zwar ist eine Zahl in der Größenordnung von 27 000 poliklinischen Patienten pro Jahr für den Bedarf von Lehre und Forschung als ausreichend anzusehen. Dies setzt jedoch voraus, daß für alle darüber hinausgehenden ambulanten Spezialleistungen, die das Klinikum aus Gründen der Sicherstellung erbringt, auch tatsächlich entsprechende Ermächtigungen erteilt werden. Ansonsten wäre das Klinikum gezwungen, Patienten abzuweisen oder aber kostenlose Leistungen zu erbringen. Beide Entwicklungen können für das Klinikum Rostock nicht akzeptabel sein. Der Wissenschaftsrat fordert das Land daher auf, für hochschulklinische Spezialambulanzen, in denen Leistungen erbracht werden, die in gleichwertiger Qualität nicht durch niedergelassene Ärzte erbracht werden können, entsprechende Ermächtigungen zu erwirken. Dies gilt auch für das Klinikum der Universität Greifswald.

III. 5. Baubestand und Ausbauplanung

Die Medizinische Fakultät und das Klinikum der Universität Rostock verfügen über einen Baubestand, der in großen Teilen sanierungs- und ausbaufähig ist, teilweise aber auch desolat und von Grund auf neu zu errichten ist. Die Zahl der über das Stadtgebiet verteilten Standorte sollte baldmöglichst verringert werden, um die dadurch erforderlichen Transporte einzuschränken und die Logistik zu verbessern. Das Gelände an der Schillingallee bietet günstige Voraussetzungen, den größten Teil der hochschulmedizinischen Einrichtungen an einem Standort zu konzentrieren. Als besonders sanierungsbedürftig gelten insbesondere die Frauenklinik, die Klinik für Innere Medizin sowie der Notfallbereich der Chirurgischen Klinik. Dringlich erschienen dem Ausschuß Medizin auch Baumaßnahmen für das Anatomische und das Physiologische Institut. An der grundsätzlichen und vorrangigen Notwendigkeit eines zentralen Versorgungsgebäudes bestand ebenfalls kein Zweifel. Mit den bereits abgeschlossenen Sanierungsmaßnahmen konnten gegenüber der Ausgangssituation des Jahres 1990 vielfach bereits beachtliche Verbesserungen erreicht werden. Hinzuweisen ist insbesondere auf die seinerzeit desolate Situation im OP-Bereich der Frauenklinik, die durch die Aufstellung eines OP-Containers zwischenzeitlich deutlich verbessert wurde. Die ursprüngliche Bauplanung der Medizinischen Fakultät Rostock ging von rund 124 000 m^2 Nutzfläche für Kliniken, Institute und Infrastruktur aus. Bereits zum Besuch des Ausschusses Medizin im Februar 1994 war deutlich, daß eine Reduktion auf rund 96 000 m^2 möglich sein würde. Die mit dem überarbeiteten Baukonzept vorgeschlagenen weiteren Einschränkungen ergeben sich aus dem Verzicht auf den Neubau eines zentralen Forschungshauses und den Wegfall eines zentralen Hörsaalgebäudes. Angesichts der vorhandenen, sanierungsfähigen Forschungs- und Hörsaalbereiche erscheint diese Reduktion aus Sicht des Wissenschaftsrates vertretbar. Auch die Entscheidung, die Strahlentherapie nicht an den Hauptstandort Schillingallee zu verlegen, sondern am Standort Südring zu belassen, erlaubt sinnvolle Einsparungen in einem von der technischen Ausstattung her sehr kostenintensiven Bereich.

Im Hinblick auf die Finanzierung von Baumaßnahmen für solche Bereiche, in denen das Klinikum über Versorgungsbetten verfügt, sollte das Land mit künftigen Anmeldungen zum Rahmenplan einen Überblick über die Kostenaufgliederung geben und die über das HBFG zu finanzierenden Anteile begründen. Das gilt beim Klinikum Rostock vor allem für die Kliniken für Innere Medizin, für Gynäkologie und Geburtshilfe, für Chirurgie sowie das Zentrum für Nervenheilkunde.

Das bauliche Entwicklungskonzept der Medizinischen Fakultät Rostock richtet sich in der 1. Phase insbesondere auf die dringlichsten Sanierungs- und Neubaumaßnahmen. Eines der größten Vorhaben bezieht sich auf die chirurgische Klinik und den Komplex der operativen Fächer. Mittlerweile fertiggestellt ist der Neubau des OP-Traktes (Nr. 8002), für den 40,3 Millionen DM aufgewandt wurden. Die Grundsanierung des Altbaus der Chirurgie (Nr. 8025) wurde mit 26,5 Millionen DM in den 24. Rahmenplan aufgenommen und mit einer Kostenerhöhung auf 42,2 Millionen DM zum 25. Rahmenplan vom Wissenschaftsrat in Kategorie I eingestuft. Das Vorhaben wurde durch den Planungsausschuß zunächst nur mit 10,2 Millionen DM in der Kategorie I zum 25. Rahmenplan aufgenommen. Da die vorhandenen Flächen des Gebäudes nicht ausreichen, sind zwei größere und vier kleinere Erweiterungsbauten (Nr. 8074) geplant. Für dieses Vorhaben wurden zum 23. Rahmenplpan Planungskosten in Höhe von 1 Million DM in den Rahmenplan aufgenommen. Die restliche Summe von 18,8 Millionen DM trägt einen P-Vermerk.[42]) Die Gesamtkosten für die anstehenden Sanierungs-und Ausbaumaßnahmen beziffert das Land nunmehr mit 67,9 Millionen DM. Der Wissenschaftsrat bittet das Land, die Planung zügig abzuschließen und mit den Anmeldungen zum 26. Rahmenplan das Raumprogramm des operativen Baukomplexes detailliert darzustellen. Dabei sollte auch auf die für die Forschung und den studentischen Kleingruppenunterricht vorgesehenen Räumlichkeiten eingegangen werden.

Die Bau- und Sanierungsmaßnahmen für die Klinik für Innere Medizin sollen mit einem 1. Bauabschnitt in der ersten und mit einem 2. Bauabschnitt in der dritten Bauphase durchgeführt werden. Die drei Vorhaben Nr. 8071 (Grundsanierung der Klinik für Innere Medizin) und Nr. 8087 (Einrichtung einer Intensivstation) und Nr. 8092 (Umbau Hämatologische Station für die Einrichtung eines Zentrums für Knochenmarktransplantation) wurden zum 25. Rahmenplan mit insgesamt 24,9 Millionen DM ausgewiesen. Das Vorhaben Nr. 8071 wurde durch den Planungsausschuß in Kategorie IIa rückgestuft, während die Vorhaben Nr. 8087 und Nr. 8092 aufgrund fehlender Haushaltsunterlagen Bau zunächst nur in Kategorie II eingestuft werden konnten. Der Wissenschaftsrat bittet das Land, die Planungsphase nunmehr zügig abzuschließen und mit den Anmeldungen zum 26. Rahmenplan die in der neueren Bauplanung mit 28,1 Millionen DM ausgewiesenen Gesamtkosten zu begründen. Gleichzeitig erwartet der Wissenschaftsrat, daß das Land sich zur Struktur der Klinik für Innere Medizin äußert und die gefundene Lösung mit Blick auf die gegebene Empfehlung (vgl. B. III. 1.) erläutert. In diesem Rahmen sollte auch auf die beiden Vorhaben Nr. 8016 (Grundsanierung Klinik für Innere Medizin, Haus II, und Zahnklinik, 1. BA) und Nr. 8073 (Grundsanierung Klinik für Innere Medizin, Haus II, für die Nutzung als Haut- und Zahnklinik 2. BA) eingegangen werden, die mit insgesamt 54,8 Millionen DM zunächst in Kategorie I eingestuft waren, zum 25. Rahmenplan aber wegen des auf das Jahr 1999 verschobenen Baubeginns in Kategorie III rückgestuft wurden. Die für die Zahnklinik vorgesehenen Maßnahmen sollten mit Blick auf die übergreifenden Empfehlungen zur Zahnmedizin (vgl. B. II. 2.) erläutert werden.

Für die vorklinischen Institute für Anatomie, Physiologie und Medizinische Biochemie ist ein Neubau vorgesehen, da die Bausubstanz der vorhandenen Gebäude nicht mehr sanierungsfähig ist. Im bisherigen Gebäude der Biochemie sollen nach der Übersiedlung in den Neubau Forschungsflächen für andere Institute bereitgestellt werden. Der Bau für die Vorklinik (Nr. 8083) wurde erstmals zum 24. Rahmenplan angemeldet und konnte zum 25. Rahmenplan in Kategorie II eingestuft werden. Der Wissenschaftsrat anerkennt die Dringlichkeit dieses Vorhabens und bittet das Land, die Planungsphase baldmöglichst abzuschließen und die offensichtlich eingetretene Kostenerhöhung um 9,3 Millionen DM zu begründen, damit der Bau begonnen werden kann.

42) Wissenschaftsrat: Empfehlungen zum 23. Rahmenplan, S. MV 55 f.

Zu der mit Abstand teuersten Baumaßnahme in der 1. Bauphase, dem Medizinischen Versorgungszentrum (Nr. 7072), das zum 25. Rahmenplan mit 84,7 Millionen DM angemeldet und in Kategorie II eingestuft wurde, ist zu bemerken, daß die vorgesehene Konzeption nach wie vor überdimensioniert erscheint. Auch im Vergleich zu anderen in den vergangenen Jahren neugebauten und vergleichbaren Versorgungszentren, die mit rund 7000 m^2 deutlich kleinere Dimensionen haben, erscheint die Größenordnung der in Rostock geplanten Neubaumaßnahme nach wie vor ungewöhnlich. Das Land wird gebeten, die noch laufenden Verhandlungen um eine weitere Externalisierung von Versorgungsleistungen zügig und mit dem Ziel einer möglichst weitgehenden Fremdvergabe abzuschließen. Der Wissenschaftsrat erwartet, daß als Ergebnis dieser Verhandlungen eine deutliche Verkleinerung der vorgesehenen Baumaßnahme möglich ist. Da erst nach dem Neubau des Versorgungszentrums Freiflächen für weitere Neubauten geschaffen werden können, ist ein Abschluß der Planungsphase außerordentlich dringend. Der Wissenschaftsrat bittet zum 26. Rahmenplan um einen Bericht über den Fortgang von Planungen und Verhandlungen. Für den Fall, daß die jetzt angemeldete Größenordnung aufrecht erhalten wird, sollte das Land zur Frage der möglichen Fremdvergabe von Versorgungsleistungen wie auch zur Dimensionierung des Versorgungszentrums ein unabhängiges Gutachten einholen, das einen Vergleich mit anderen Einrichtungen dieser Art einschließt.

Für die übrigen Vorhaben der 1. Bauphase konnten aufgrund der geänderten Bauabfolge noch keine Anträge zum Rahmenplan gestellt werden. Andere Vorhaben, die bislang vorgesehen und bereits zum Rahmenplan angemeldet wurden, dürften in Zukunft entfallen bzw. überarbeitet werden. Das Land wird gebeten, zum 26. Rahmenplan einen Überblick über bereits angemeldete Vorhaben, die nicht mehr mit der jetzt vorgesehenen Bauplanung übereinstimmen, und deren weitere Planungsperspektive zu geben.

B. IV. Zur Medizinischen Fakultät der Universität Greifswald

Die Medizinische Fakultät der Universität Greifswald hat seit 1991 einen tiefgreifenden strukturellen und personellen Wandel durchgemacht, dessen Auswirkungen bis heute andauern. Durch die Auflösung der Militärmedizinischen Sektion verlor die Fakultät einen wissenschaftlich kaum produktiven, jedoch bis dahin personell und strukturell prägenden Bereich. Die danach in großem Umfang erforderlichen Berufungsverfahren konnten noch nicht vollständig abgeschlossen werden. Mit der Übernahme neuer Strukturen im Gesundheitswesen ging außerdem das bis dahin zur Akademie der Wissenschaften gehörende Diabetes-Institut „Gerhard Katsch" seiner Kontinuität verlustig. Hinzu kamen die desolate bauliche Situation des Klinikums wie der Institute und die schwierige Finanzlage des Landes Mecklenburg-Vorpommern, die zu einer einschneidenden Neuorientierung zwangen.

Mit der Wahl des Begriffes Community Medicine verband der Wissenschaftsrat seinerzeit die Erwartung einer gemeindenahen Ausrichtung der wissenschaftlichen und klinischen Schwerpunkte, verbunden mit einer Konzentration auf das „Normalspektrum" der in der Bevölkerung auftretenden Krankheiten. Konzeptionell eng damit verbunden ist die aus den angelsächsischen Ländern stammende und dort unter dem Namen Public Health etablierte Richtung. Darunter zu verstehen ist nach einer Definition der WHO die Wissenschaft und die Praxis von Krankheitsverhütung und Lebensverlängerung sowie die Förderung psychischen und physischen Wohlbefindens durch gemeindebezogene Maßnahmen. Nicht das Individuum, sondern Bevölkerungsgruppen und ihre Gesundheit mit den Wechselbeziehungen zwischen Mensch und Umwelt stehen dabei im Mittelpunkt. Die in den angelsächsischen Ländern bestehenden „Schools of Public Health" umfassen als zentrale Disziplinen die Bereiche Epidemiologie, Biostatistik, Umwelt und Gesundheit, Gesundheitserziehung und -aufklärung, Versorgungsstrukturen und Gesundheitspolitik sowie Gesundheitsökonomie. Der deutsche Begriff der Gesundheitswissenschaften kommt diesen Inhalten am nächsten. Die Bezeichungen Public Health und Gesundheitswissenschaften sind in Deutschland eng mit den an mehreren Universitäten im Aufbau befindlichen Graduiertenstudiengängen verbunden und umfassen durchaus heterogene Ausrichtungen, die sich in ihrem Bezug zur klinischen Medizin unterscheiden, wobei sich die Inhalte vielfach überschneiden. Für das Greifswalder Konzept wurde der Begriff der Community Medicine vorgeschlagen, um deutlich zu machen, daß eine Ausrichtung an Fragen der klinischen Medizin gewünscht ist. Dabei wird erwartet, daß die wissenschaftlichen Schwerpunkte deutlich über den engeren Begriffskern im Sinne der Gesundheitsberichterstattung hinausgehen und sich an den weiter gefaßten Inhalten von Public Health orientieren.

Um die vom Wissenschaftsrat seinerzeit empfohlene Ausrichtung der wissenschaftlichen Arbeit auf Ziele der Community Medicine zu erreichen, hat die Medizinische Fakultät der Universität Greifswald zahlreiche Anstrengungen unternommen, diesen Vorschlag, für den es in Deutschland bislang kein Beispiel gibt, mit einem inhaltlichen Konzept auszufüllen. Der Wissenschaftsrat anerkennt diese, unter keineswegs idealen, sondern schwierigen Umständen erbrachte Leistung. Er ist sich bewußt, daß mit dieser in der deutschen Hochschulmedizin singulären Lösung Neuland betreten wird und ermutigt die Fakultät, diesen Weg fortzusetzen. Der Wissenschaftsrat wird die weitere Entwicklung aufmerksam verfolgen und sich gegebenenfalls erneut damit befassen.

IV. 1. Zu Struktur und Personal

Die Struktur der Kliniken und Institute an der Medizinischen Fakultät Greifswald ist dem Konzept der Community Medicine angepaßt. Der Wissenschaftsrat billigt die vorgeschlagenen Lösungen im Grundsatz und bestärkt Land und Fakultät in dem Bemühen, den Anteil der Hochleistungsmedizin in Greifswald für absehbare Zeit auf wenige ausgesuchte Schwerpunkte zu beschränken. Das gebietet auch die im Vergleich zu anderen Hochschulklinika knappe Ausstattung von Klinikum und Fakultät mit wissenschaftlichem Personal. Dieser Bestand sollte keinesfalls weiter reduziert werden, da ansonsten kaum wissenschaftlich substantielle Schwerpunkte aufzubauen wären. In diesem Zusammenhang ist auch die seit 1990 erreichte Vergrößerung des Anteils der befristeten Arbeitsverhältnisse für die wissenschaftlichen Mitarbeiter hervorzuheben. Der Wissenschaftsrat bestärkt die Medizinische Fakultät Greifswald, ein ausgewogenes Verhältnis von befristeten zu unbefristeten Stellen im wissenschaftlichen Mittelbau herzustellen, das einerseits eine ausreichende Fluktuation im Sinne der Förderung des wissenschaftlichen Nachwuchses ermöglicht und andererseits den Bedarf an klinisch erfahrenen Ärzten berücksichtigt.

Zur strukturellen Straffung wird auch die Ausgliederung der Psychiatrischen Kliniken aus der Trägerschaft der Universität beitragen. Die außeruniversitären Lehrkräfte sollten allerdings gezielt in das Ausbildungskonzept der Fakultät eingebunden bleiben. Eine enge Kooperation mit der Medizinischen Fakultät der Universität Rostock ist überdies in den Bereichen erforderlich, die – wie bisher schon die Geschichte der Medizin – durch Lehrstühle der jeweils anderen Fakultät wahrgenommen werden. Das gilt in Zukunft insbesondere für alle Fächer aus dem Kernbereich der Community Medicine. Eine enge Zusammenarbeit ist auch hinsichtlich der tierexperimentellen Ressourcen geboten, die auch bisher schon mit Schwerpunkt in Karlsburg angesiedelt sind, und die der Medizinischen Fakultät in Rostock gleichermaßen zugute kommen sollen.

Die Einrichtung von Zentren, die jeweils eine Reihe von fachlich nahestehenden Kliniken und Instituten umfassen, kann für das Profil der Fakultät und die wissenschaftlichen Kooperationsbeziehungen hilfreich sein. Dabei ist nicht zu übersehen, daß die geplanten Zentren für Molekulare Medizin und für Neurowissenschaften nach ihrer Zusammensetzung eine andere Ausrichtung versprechen als die bereits gegründeten klinischen Zentren. Die tatsächliche Bedeutung der Zentren wird nach Ansicht des Wissenschaftsrates davon abhängen, ob die gewählte formale Struktur auch inhaltlich ausgefüllt werden kann. Als Voraussetzung für funktionsfähige Zentren sieht der Wissenschaftsrat die folgenden Gesichtspunkte an:

- Gemeinsames wissenschaftliches Konzept der in einem Zentrum zusammengefaßten Institutionen;

- Profilprägende Wirkung eines Zentrums innerhalb der Fakultät in der Art eines interdisziplinären wissenschaftlichen Knotenpunktes;

- Räumliche Nähe und langfristig gemeinsame wissenschaftliche Infrastruktur der beteiligten Einrichtungen.

Für die in der jetzigen Planung gebildeten Zentren der Medizinischen Fakultät Greifswald treffen diese Kriterien nach Ansicht des Wissenschaftsrates in unterschiedlicher Weise zu: Das geplante Zentrum für Neurowissenschaften entspricht einem erklärten Schwerpunkt der Fakultät in Forschung und Krankenversorgung. Die vorgesehene Struktur des Zentrums umfaßt allerdings nur die beiden klinischen Disziplinen. Der Wissenschaftsrat hielte eine engere Einbindung der an dem Schwerpunkt beteiligten klinisch-theoretischen Einrichtungen für sinnvoll. Eine entsprechende räumliche Nachbarschaft der wissenschaftlichen Partner sollte auch im Baukonzept realisiert werden.

Das um einen wissenschaftlichen Schwerpunkt herum entstandene Zentrum für Molekulare Medizin stellt die Arbeit in vier Instituten in den Mittelpunkt. Der Wissenschaftsrat begrüßt diese sich aus der gemeinsamen Arbeit ergebende Struktur und würde eine deutlich erkennbare Vernetzung mit klinischen Einrichtungen begrüßen. Auch für dieses Zentrum gilt die Empfehlung, daß die in der Bauplanung vorgesehene räumliche Nähe so bald wie möglich realisiert werden sollte.

Von anderer, durch klinische Gesichtspunkte bestimmter Natur, erscheinen die drei Zentren für Kinder- und Jugendmedizin, für Radiologie sowie für Zahn-, Mund- und Kieferkrankheiten. Sie entsprechen keinem der ausgewiesenen wissenschaftlichen Schwerpunkte der Medizinischen Fakultät, wenn auch eine räumlich benachbarte Unterbringung der jeweils beteiligten Institutionen im Hinblick auf die Krankenversorgung notwendig ist. Der Wissenschaftsrat hielte die für diese Bereiche vorgesehene Zentrumsstruktur insofern für entbehrlich. Hinsichtlich der Klinik für Kinder- und Jugendmedizin ist im übrigen zu bemerken, daß diese Einrichtung nach Einschätzung des Wissenschaftsrates – im Gegensatz zur Rostocker Kinderklinik – eine zu spärliche Substruktur aufweist. Eine gänzlich fehlende Untergliederung kann dazu führen, daß den unterschiedlichen Spezialdisziplinen zu wenig Freiraum eingeräumt wird. Der Wissenschaftsrat empfiehlt daher, die Klinik für Kinder- und Jugendmedizin in drei selbständige Abteilungen zu gliedern. Damit wäre eine bessere Entfaltung der Spezialdisziplinen möglich, ohne den Verbund des Gesamtfaches zu beeinträchtigen.

Der Modellverbund Community Medicine und Community Dentistry soll künftig eine profil- und strukturprägende Rolle in der Fakultät spielen. Dem widerspricht jedoch das Fehlen eines strukturellen Korrelats für diesen Bereich. Aus diesem Umstand erwächst aus Sicht des Wissenschaftsrates die Gefahr, daß das Konzept Community Medicine diffus und ohne Rückhalt in der Medizinischen Fakultät bleibt. Letztlich dürfte hier auch ein Grund für die bislang leider gescheiterten Berufungen auf essentielle Lehrstühle zu suchen sein. Um dem Konzept Community Medicine Gestalt und einen wissenschaftlichen Kristallisationskern zu verleihen, hält es der Wissenschaftsrat daher für dringend erforderlich, die klinisch-theoretischen Kerninstitute in einem Zentrum zusammenzuschließen. Die gemeinsame Aufgabe bestünde darin, die wissenschaftliche Grundstruktur für Community Medicine zu definieren und die Zusammenarbeit zwischen Instituten und Kliniken aufzubauen und zu koordinieren. Hinderlich wirkt sich auch die räumliche Trennung der Kernfächer Arbeitsmedizin, Biometrie und Medizinische Informatik, Epidemiologie und Sozialmedizin, Geschichte der Medizin, Hygiene und Umweltmedizin und Medizinische Psychologie an vier verschiedenen Standorten aus. Der Wissenschaftsrat bestärkt das Land, die geplante gemeinsame Unterbringung dieser Einrichtungen in einem angemieteten Gebäude sobald wie möglich zu realisieren. Wenn es gelingen soll, diese Ausrichtung zum Bezugspunkt der wissenschaftlichen Arbeit der gesamten Fakultät zu machen, so ist eine enge Zusammenarbeit und dementsprechend eine räumliche Nähe der Kerndisziplinen unabdingbar, damit von dort die erforderliche wissenschaftliche Koordination geleistet werden kann. Die vorgesehene räumliche Trennung des Institutes für Hygiene von den übrigen Einrichtungen des Zentrums für Community Medicine schätzt der Wissenschaftsrat für die Zusammenarbeit als wenig förderlich ein. Zwar wurde mit dem Landeshygiene-Institut eine kurzfristig realisierbare Lösung gefunden; der Wissenschaftsrat würde jedoch einer langfristigen räumlichen Zusammenführung aller an dem Zentrum beteiligten Einrichtungen den Vorzug geben.

Die bislang für den Modellverbund Community Medicine vorgesehene Organisation zeugt ebenso wie die geplanten Entscheidungsstrukturen von dem Bemühen, alle auf verschiedenen Ebenen des Gesundheitswesens an dem Thema interessierten Institutionen einzubinden. Der Wissenschaftsrat anerkennt das Bemühen der Fakultät, eine Organisationsform zu definieren, in der gesundheitspolitische und wissenschaftsgeleitete Interessen zusammengeführt und ein unmittelbarer Anwendungsbezug der Forschung hergestellt werden soll. Er bezweifelt jedoch, daß der jetzt geplante umfangreiche organisatorische Überbau und die Vermischung beider Bereiche in einer Vielzahl von Gremien dem Anliegen der Forschung im jetzigen Stadium tatsächlich nützlich ist. Der Zwang, Finanzmittel der verschiedensten Geldgeber einzuwerben, kann vielmehr zur Unterordnung wissenschaftlicher Qualitätskriterien führen. Der Wissenschaftsrat empfiehlt der Medizinischen Fakultät daher dringend,

- die Organisation des Modellverbundes zu straffen und

- die Aufgaben der in ihrer Zahl reduzierten Gremien klar voneinander abzugrenzen.

Im Mittelpunkt der organisatorischen Überlegungen muß der Aufbau einer kritischen wissenschaftlichen Masse stehen, wobei wissenschaftliche Qualitätskriterien bei der Auswahl der vorrangig zu bearbeitenden Themen und der zu fördernden Schwerpunkte führend sein müssen. Hierbei sollte der bislang noch zu wenig konturierte Wissenschaftliche Beirat des Forschungsverbundes eine Hauptrolle spielen. Vertreter gesundheitspolitischer Institutionen können im Vorfeld der thematischen

Ausrichtung von Forschungsvorhaben durchaus wichtige Gesprächspartner und Ratgeber sein. Am Ergebnis der externen wissenschaftlichen Evaluation sollte sich auch die Vergabe fakultätseigener Ressourcen, seien es Räumlichkeiten, Personal- oder Sachmittel, orientieren. Die Vielzahl der Gremien sollte reduziert werden; ihre Aufgaben der in- und externen Koordinierung sind klar voneinander abzugrenzen. In diesem Zusammenhang sind die Funktionen des geschäftsführenden Ausschusses und der Koordinierungsstelle Community Medicine zu überdenken. Insbesondere sollte die Vergabe von Ressourcen für die Forschung eindeutig von den übrigen Aufgaben des Modellverbundes getrennt werden, damit die wissenschaftliche Unabhängigkeit des Forschungsverbundes gewährleistet bleibt.

Im Hinblick auf wissenschaftliche Qualitätsstandards ist ferner auf eine engere Zusammenarbeit mit den klinischen Einrichtungen des Forschungsverbundes zu achten, deren Themen bislang noch nicht in ausreichendem Maß im inhaltlichen Konzept vertreten sind. Dies setzt voraus, daß auch in der Basisstudie Vorpommern entsprechend relevante Fragestellungen bearbeitet werden. Sie sollten gegenüber breiten, allgemeinpräventiven Aktionen auf Bevölkerungsebene zunächst bevorzugt werden, um die kritische wissenschaftliche Masse als Kern der Community Medicine zu konsolidieren.

In das Konzept Community Medicine nur ungenügend eingebunden erscheint vor allem das in Karlsburg angesiedelte Institut für Diabetes, das durch den Umbruch der letzten Jahre ein besonderes Schicksal erfahren hat. Der Wissenschaftsrat anerkennt ausdrücklich sowohl die in dem Institut geleistete Arbeit als auch das Bemühen des Landes, für diese unter den heutigen Umständen nicht problemlos zu integrierende Einrichtung eine Heimat in der Medizinischen Fakultät zu schaffen. Das 1991 zunächst ins Auge gefaßte Ziel einer Eingliederung in die Blaue Liste ließ sich nicht verwirklichen und erscheint unter den gegebenen Umständen auch in naher Zukunft wenig realistisch.

Um so überraschender ist die Tatsache, daß die Diabetologie von der Medizinischen Fakultät nur im Zusammenhang mit der Krankenversorgung aufgeführt wird, unter wissenschaftlichen Gesichtspunkten gegenwärtig offenbar aber nur geringe Priorität genießt, obwohl die kontinuierlichen wissenschaftlichen Aktivitäten der Arbeitsgruppe auch gemessen an den eingeworbenen Drittmitteln beachtlich und die Nähe zu den tierexperimentellen Einrichtungen günstig sind. Der Wissenschaftsrat hält es für angemessen, den damit ausgewiesenen Bereich Diabetologie als Schwerpunkt der Forschung zu stärken und im strukturellen Konzept der Medizinischen Fakultät Greifswald hervorzuheben. Auch befürwortet er die Einrichtung eines Institutes für Pathophysiologie und die gleichzeitige Gründung eines An-Institutes für Diabetes. Die Leitung beider Institute sollte miteinander verbunden sein.

Durch eine explizite Einbindung der in Karlsburg angesiedelten Institute in die wissenschaftliche Konzeption der Medizinischen Fakultät könnte auch die räumliche Distanz zwischen Karlsburg und Greifswald besser überbrückt werden. Dies gilt umso mehr, als die klinischen Partner des Diabetes-Institutes in erster Linie im benachbarten Fachkrankenhaus für Diabetes, aber auch der auf Endokrinologie ausgerichteten Klinik für Innere Medizin in Stralsund zu finden sind. Die vertraglichen Regelungen insbesondere mit dem privaten Träger des Karlsburger Fachkrankenhauses für Diabetes müßten dementsprechend gestaltet werden. Als günstig werden sich in diesem Zusammenhang auch die Übersiedlung des Institutes für Physiologie auf das Karlsburger Gelände und die Bereitstellung der erforderlichen Räumlichkeiten im Haus C erweisen. Der Verbleib der nur noch eine begrenzte Zeit selbständigen Abteilung Biophysik am Standort Fleischmannstraße ist vertretbar. Das Angebot des Landes, über die in den universitären Haushalt zu überführenden WIP-Stellen hinaus eine Anschubfinanzierung zu gewähren, stellt eine weitere gute Voraussetzung für die Fortsetzung der Arbeiten des Institutes für Diabetes dar. Hinsichtlich der zu übernehmenden Wissenschaftler gibt der Wissenschaftsrat allerdings zu bedenken, ob nicht, entsprechend dem naturwissenschaftlich ausgerichteten Arbeitsschwerpunkt der Karlsburger Institute, vorrangig die in diesem Bereich tätigen Wissenschaftler des Diabetes-Institutes Universitätsstellen erhalten sollten.

IV. 2. Zu Lehre und Studium

Die Medizinische Fakultät der Universität Greifswald hat sich die vom Wissenschaftsrat empfohlene Ausrichtung auf Community Medicine auch in der Lehre zu eigen gemacht. Mit dieser Vorstellung strebt die Medizinische Fakultät Greifswald gleichzeitig die Verwirklichung von Reformansätzen an, die auch in den Leitlinien des Wissenschaftsrates zur Struktur des Medizinstudiums[43]) vorgeschlagen wurden. Der Wissenschaftsrat anerkennt, daß die Medizinische Fakultät damit für deutsche Verhältnisse Neuland betreten hat. Angesichts der noch anhaltenden strukturellen und personellen Konsolidierung legt der Wissenschaftsrat der Fakultät allerdings nahe, das sehr umfangreiche Konzept in überschaubaren Schritten umzusetzen und jede einzelne Stufe durch eine sorgfältige Evaluation zu begleiten. So stellt sich beispielsweise die Frage, in welchem Maße die Studierenden, aber auch die begleitenden Lehrpersonen dem ausgedehnten Hausbesuchsprogramm gewachsen sein werden. Die Einbindung der Lehrpraxen in das akademische Konzept wird ebenfalls eine nicht geringe Belastung für alle Beteiligten mit sich bringen. Diese Aktivitäten zu begleiten, das Curriculum planvoll zu entfalten, aber auch Aufwand und Ergebnisse in Einklang zu bringen, wird unter anderem Aufgabe des bereits gegründeten Studiendekanates sein, dessen Einrichtung der Wissenschaftsrat ausdrücklich begrüßt.

43) Wissenschaftsrat: Leitlinien zur Reform des Medizinstudiums, Köln 1991.

Anders beurteilt der Wissenschaftsrat die Beteiligung der zahnmedizinischen Einrichtungen an dem auf Bevölkerungsmedizin ausgerichteten Lehrkonzept. Wenn die sogenannte Community Dentistry einen Schwerpunkt der zahnmedizinischen Ausbildung in Greifswald darstellen soll, so müssen sich die darauf abzielenden Lehraktivitäten künftig deutlicher im Curriculum niederschlagen und stärker von den Ausbildungsgängen an anderen Standorten abheben.

IV. 3. Zur Forschung

Die Medizinische Fakultät der Universität Greifswald hat in den vergangenen Jahren zahlreiche Anstrengungen unternommen, um, insbesondere auch mit Hilfe des Bundesministeriums für Bildung, Wissenschaft, Forschung und Technologie, ein wissenschaftliches Profil zu entfalten. Positiv hervorzuheben ist das im Schwerpunkt Molekulare Medizin eingeworbene Graduiertenkolleg. Der Wissenschaftsrat begrüßt diese Entwicklung zumal vor dem Hintergrund der schwierigen Ausgangsbedingungen – und bestärkt die Fakultät, diesen Weg fortzusetzen. Besonderer Wert sollte auf die Förderung des wissenschaftlichen Nachwuchses gelegt werden, da die Zahl der abgeschlossenen Habilitationen, insbesondere in der Zahnmedizin, nicht ausreicht. Eine auf Qualität abzielende Steigerung wäre hier dringlich. Die wissenschaftlichen Aktivitäten bedürfen insofern auch an der Medizinischen Fakultät Greifswald eines nachhaltigen Anstoßes. Um kritische wissenschaftliche Masse im Sinne der klinischen Forschung zu konzentrieren, bietet es sich auch in Greifswald an, fakultätsinterne klinische Forschergruppen einzurichten, die vom Wissenschaftsrat in der Stellungnahme zum DFG-Programm der Klinischen Forschergruppen empfohlen wurden.[44]) Dazu sollte die Fakultät einen fakultätseigenen Fonds von Forschungsstellen bilden, die es den jeweiligen Stelleninhabern erlauben, sich befristet für einen Zeitraum von einem Jahr aus der Lehre und den Aufgaben der Krankenversorgung weitgehend zurückzuziehen, um sich eingehend der Forschung widmen zu können. Diese Stellen dürfen nicht kapazitätsrelevant und nicht bestimmten Einrichtungen der Fakultät dauerhaft zugeordnet sein, sondern müssen nach Leistung befristet an jüngere Wissenschaftler vergeben werden. In diesem Zusammenhang hebt der Wissenschaftsrat das von der Fakultät angestrebte Vergabeverfahren für Laborflächen hervor und empfiehlt, diese Pläne bald umzusetzen.

Die wissenschaftliche Arbeit im Schwerpunkt Community Medicine befindet sich gegenwärtig noch in einer Phase der konzeptionellen Vorbereitung, die baldmöglichst abgeschlossen werden sollte, damit der Aufbau der eigentlichen Schwerpunkte und Projekte endlich in Gang kommen kann. Die innere Struktur des Schwerpunktes erscheint bisher allerdings noch nicht ausreichend konturiert und gefestigt. Besonders

44) Wissenschaftsrat: Stellungnahme zum Programm „Klinische Forschergruppen in Hochschulen", in: Empfehlungen und Stellungnahmen 1994, Band 1, Seite 429–451.

bedauerlich ist in diesem Zusammenhang, daß die Besetzung des für das Konzept Community Medicine essentiellen Lehrstuhles für Epidemiologie immer noch nicht gelungen ist. Das Fehlen einer prägenden Wissenschaftlerpersönlichkeit an dieser Stelle hat die Weiterentwicklung des Schwerpunktes deutlich beeinträchtigt. Zugute gehalten werden muß, daß der mit dem Begriff Public Health umschriebene Bereich in Deutschland noch keine große Auswahl an hochqualifizierten Wissenschaftlern bietet, zumal sich die darauf ausgerichteten Forschungsschwerpunkte anderer Medizinischer Fakultäten ebenfalls noch im Aufbau befinden. Die ausstehende Lehrstuhlbesetzung wiegt in Greifswald allerdings umso schwerer, als die Universität Greifswald keine eigene Sozialwissenschaftliche Fakultät besitzt, die den Wissenschaftlern im Bereich der Community Medicine Ansprechpartner für methodische Fragen bieten könnte. Diese Funktion muß auch künftig durch die im Zentrum für Community Medicine vereinten Institute wahrgenommen werden. Vor diesem Hintergrund stellt sich unabhängig von der dringend erforderlichen Lehrstuhlbesetzung die Frage, wie im Bereich Community Medicine die erwünschte Forschungskapazität herangezogen und konsolidiert werden kann. Der Wissenschaftsrat sieht hierzu drei Ansätze, die eine Hilfe bieten könnten:

- Strukturierte interdisziplinäre Arbeitsgruppen;

- Gezielte Nachwuchsförderung;

- Kooperation mit einer Partnerfakultät.

Der wissenschaftliche Schwerpunkt Community Medicine erfordert zum einen eine fundierte methodische Basis, zum anderen aber einen engen Bezug zu den klinischen Fächern. Diese Rahmenbedingungen führen aus Sicht des Wissenschaftsrates zu einer spezifischen Struktur, die es erlaubt, unterschiedlich ausgerichtete Arbeitsgruppen unter einem gemeinsamen konzeptionellen Dach zusammenzubringen. Diese Struktur sollte vom Grundbaustein einer idealtypischen interdisziplinären Arbeitsgruppe ausgehen, in der Wissenschaftler aus Kliniken und Instituten in bestimmten Projekten zusammenarbeiten. Die einzelnen Gruppen sollten von überschaubarer Größe sein und unter fester Leitung stehen. Die Zahl der festen Mitarbeiter müßte begrenzt und durch drittmittelfinanziertes Personal zu ergänzen sein. Eine darüber hinausgehende Zuordnung von personellen, räumlichen und finanziellen Ressourcen aus dem Landeszuschuß entsprechend dem Drittmittelaufkommen wäre ein sinnvoller Leistungsanreiz.

Um den Kontakt zwischen klinischen und klinisch-theoretischen Einrichtungen und Gruppen zu fördern, könnten einerseits methodisch, andererseits thematisch ausgerichtete übergreifende Arbeitsgemeinschaften im Sinne einer Matrixstruktur hilfreich sein. Darüber ließe sich auch die für viele klinisch-epidemiologische Projekte wichtige methodische Beratung realisieren. Auch könnten junge Wissenschaftler auf diesem

Weg gezielt in den Kontext der Community Medicine eingebunden werden.

Die Nachwuchsförderung sollte darüber hinaus ein wichtiges Anliegen im Schwerpunkt Community Medicine sein. Insbesondere wird es wichtig sein, die epidemiologische Kompetenz in den Kliniken zu verstärken. Dafür könnte es hilfreich sein, Nachwuchswissenschaftler aus den Kernfächern der Community Medicine gemeinsam mit wissenschaftlichen Assistenten der Kliniken im Rahmen interner Qualifizierungsmaßnahmen gezielt in diesen Methoden zu schulen. Bei zeitlich begrenzten, etwa in der Art von „Summerschools" organisierten Trainingsveranstaltungen, wäre es gut möglich, neben fakultätseigenen Lehrpersonen auch Experten anderer Hochschulen einzubeziehen. Über diese internen Seminare ließe sich auch das Gespräch zwischen den Kerneinrichtungen der Community Medicine und den klinischen Disziplinen intensivieren. Die Ausrichtung daraus resultierender Forschungsprojekte auf klinisch relevante Fragestellungen dürfte ebenfalls erleichtert werden. Denkbar wäre auch die Einrichtung eines Graduiertenkollegs. Auch die beim DAAD durch das BMBF bereitgestellten Fördermöglichkeiten zugunsten des wissenschaftlichen Nachwuchses im Bereich der Epidemiologie sollten gezielt genutzt werden.

Wichtig für den Schwerpunkt Community Medicine wäre auch die Kooperation mit anderen Medizinischen Fakultäten, die sich auf dem Public Health-Gebiet bereits profiliert haben. Hier käme unter anderem der Norddeutsche Verbund infrage, der von der Medizinischen Hochschule Hannover koordiniert wird. Dieser Verbund zeichnet sich allerdings durch eine Vielzahl bereits eingebundener Arbeitsgruppen verschiedener Universitäten aus. Eher denkbar wäre daher eine engere Kooperation mit dem im Aufbau befindlichen Zentrum für Gesundheitswissenschaften an der Charité und dem „Berliner Forschungsverbund Public Health". Über eine solche Partnerschaft könnten gemeinsame Projekte initiiert und der Austausch wissenschaftlicher Mitarbeiter organisiert werden. Die Einbindung in einen solchen überregionalen Verbund könnte sich positiv auf die Entwicklung des Greifswalder Schwerpunktes Community Medicine auswirken.

IV. 4. Zur Krankenversorgung

Ausgehend von den Empfehlungen des Wissenschaftsrates aus dem Jahre 1991 soll das Klinikum der Universität Greifswald nicht zu einem Zentrum der Hochleistungsmedizin ausgebaut werden. Dies schließt einzelne Bereiche der Hochleistungsmedizin nicht aus. Der Wissenschaftsrat begrüßt, daß das Land an dem seinerzeit gefaßten Entschluß festgehalten hat und die Fakultät sich ein darauf abgestimmtes inhaltliches Konzept zu eigen gemacht hat. Mit der Ausgliederung der Psychiatrischen Kliniken in andere Trägerschaften wurde darüber hinaus eine Entlastung geschaffen, die unter den finanziellen Restriktionen sinnvoll erscheint. Mit der sehr weitgehenden Reduktion der gesamten Planbettenzahl auf insgesamt 805 Betten (davon 45 Versorgungsbetten) hat die Medizinische Fakultät Greifswald überdies ein anerkennenswertes Zugeständnis gemacht, um die Investitionsplanung im verbleibenden Bereich zu ermöglichen. Das Ausmaß der Reduktion von Planbetten ist nur unter den gegebenen Umständen des Landes Mecklenburg-Vorpommern gerechtfertigt. Eine darüber hinausgehende Bettenreduktion dürfte aus Sicht des Wissenschaftsrates keinesfalls eintreten, zumal mit der angestrebten Planbettenzahl der übliche Bedarf für Forschung und Lehre bereits deutlich unterschritten ist. Vor dem spezifischen Hintergrund des Konzeptes Community Medicine erscheint diese Lösung jedoch vertretbar, eine Übertragbarkeit auf andere Hochschulklinika kann daraus allerdings nicht abgeleitet werden.

Wichtigste Voraussetzung für das Gelingen der auf das Konzept Community Medicine hin orientierten Klinikumsstruktur ist allerdings ein Festhalten an der gegenwärtigen Krankenhausplanung des Landes. Es muß aus Sicht des Wissenschaftsrates sichergestellt bleiben, daß neben dem Universitätsklinikum in Greifswald kein weiteres Krankenhaus der Normal- oder sogar der Maximalversorgung entsteht. Nur unter dieser Bedingung ist die wirtschaftliche Existenz des Universitätsklinikums gewährleistet und der Medizinischen Fakultät Greifswald der weitgehende Verzicht auf den Ausbau einer üblichen hochschulmedizinischen Klinikumsstruktur zumutbar. Der Wissenschaftsrat bestärkt das Land darin, diese essentielle Randbedingung weiterhin zu erhalten und insbesondere in der Nachbarschaft des Klinikums keine weitere Klinik in privater Trägerschaft zuzulassen. Sollte sich in Zukunft ein Bedarf für weitere stationäre Krankenhausbetten abzeichnen, müßten diese als Versorgungsbetten dem Klinikum Greifswald eingegliedert werden.

IV. 5. Zu Baubestand und Ausbauplanung

Die bauliche Situation des Klinikums der Universität Greifswald bietet eine insgesamt sehr schwierige Ausgangssituation. Zahlreiche Instituts- und Klinikgebäude zeigten sich beim Besuch des Ausschusses Medizin in einem dringend sanierungsbedürftigen und teilweise desolaten Zustand. Dies galt insbesondere für das Institut für Mikrobiologie, die Haut- und die Augenklinik sowie die Kliniken für Innere Medizin, Chirurgie und Frauen- und Kinderheilkunde. Auch der Bereich der Intensivversorgung sowie der Lehrgebäude muß nach wie vor als dringend verbesserungsbedürftig angesehen werden. Die Unterbringung der Einrichtungen für die Community Medicine stellte sich als unzureichend und für eine engere Zusammenarbeit dieser Institute wenig förderlich dar.

Fakultät und Land mußten beim Aufstellen der Bauplanung von diesen Bedingungen ausgehen und sind in der Überarbeitung des zunächst überdimensionierten Konzeptes zu beachtlichen Einsparungen gekommen, beispielsweise durch den Verzicht auf den Neubau für die Knochenmarktransplantation und die entsprechenden strahlenmedizinischen Einrichtungen. Positiv zu erwähnen ist auch die Lösung für die Neugeborenenversorgung, zumal der Neubau für eine kombinierte Frauen- und Kinderklinik erst mittelfristig möglich sein wird. Auch die weitgehende Externalisierung der Versorgungsbetriebe hat in sinnvoller Weise zu Einsparungen in der Bauplanung beigetragen. Insgesamt erscheint die vorgesehene Bauabfolge mit den Teilschritten logisch und, einen entsprechenden Mitteleinsatz vorausgesetzt, auch realistisch. Als problematisch hat sich in diesem Zusammenhang allerdings die Geschwindigkeit der Planungs- und Genehmigungsverfahren für erwiesenermaßen dringliche Baumaßnahmen herausgestellt, so daß zum 25. Rahmenplan für kaum eines dieser Vorhaben eine Haushaltsunterlage Bau vorlag.

Eines der ersten Vorhaben in der ersten Bauphase stellt der Umbau des Diagnostikzentrums in der Fleischmannstraße (Nr. 8085) zusammen mit dem Umbau der Ebene 0 im gleichen Gebäude (Nr. 8086) dar. Hier sollen der interdisziplinäre Notfallbereich, die unfallchirurgische Poliklinik, ein Intensivpflegebereich sowie ein Allgemeinpflegebereich untergebracht werden. Außerdem sollen die bislang auf mehrere Standorte verteilten Einrichtungen der radiologischen Diagnostik zusammengeführt werden. Der Wissenschaftsrat hält den Abschluß dieser Planung für dringlich und erwartet zu diesen beiden Vorhaben einen Antrag auf Höherstufung für den 26. Rahmenplan. Dabei sollte auch der Zusammenhang mit dem Vorhaben Nr. 8074 (Umbau im Diagnostikzentrum für das Institut für Mikrobiologie) erläutert werden, zumal im Hinblick auf den äußerst prekären Zustand des bisherigen Gebäudes der Mikrobiologie.

Teil der ersten Bauphase wird auch der Neubau der Klinik für Innere Medizin (Nr. 8088) sein. Dieses Vorhaben wurde zum 25. Rahmenplan in Kategorie II eingestuft. Hierfür wird auch die Spende der Krupp-Stiftung über 10,0 Millionen DM eingesetzt werden. Die Planungen für dieses wichtige Bauprojekt sollten baldmöglichst abgeschlossen werden.

Als vorrangige Teilmaßnahme für die Konzentration am Standort Fleischmannstraße wird auch der Neubau für die Neurologische und Neurochirurgische Klinik (Nr. 8050) betrachtet. Zum 25. Rahmenplan wurde allerdings keine weitere Anmeldung für das zunächst mit P-Vermerk versehene Vorhaben vorgelegt. Der Wissenschaftsrat erwartet nunmehr einen zügigen Abschluß der Bau und Genehmigungsverfahren, damit dieses zentrale Vorhaben auf den Weg gebracht werden kann. Im 1. Bauabschnitt soll ferner der Neubau der Augenklinik (Nr. 8089) erfolgen. Dieses Vorhaben wurde grundsätzlich zur Aufnahme in den 25. Rahmenplan empfohlen (Kategorie II). Auch hierzu sollte ein rascher Planungsfortschritt möglich sein.

Für die übrigen Vorhaben der ersten Bauphase konnten aufgrund der geänderten Bauabfolge noch keine Anträge zum Rahmenplan gestellt werden. Andere Vorhaben, die bislang vorgesehen und bereits zum Rahmenplan angemeldet wurden, dürften in Zukunft entfallen bzw. überarbeitet werden. Das Land wird gebeten, zum 26. Rahmenplan einen Überblick über bereits angemeldete Vorhaben, die großenteils nicht mehr mit der jetzt vorgesehenen Bauplanung übereinstimmen, und deren weitere Planungsperspektive zu geben. In diesem Zusammenhang erwartet der Wissenschaftsrat auch eine Übersicht über Gebäude in der Innenstadt, die zur Nachnutzung für andere Einrichtungen der Universität, insbesondere die Universitätsbibliothek, vorgesehen sind.

C. Zusammenfassung

Die Situation der Hochschulmedizin in Mecklenburg-Vorpommern wird durch die Existenz zweier Medizinischer Fakultäten in Rostock und in Greifswald geprägt, die zu den ältesten Gründungen in Deutschland zählen. Schon bald nach der deutschen Wiedervereinigung war absehbar, daß die Finanzkraft des Landes den Unterhalt zweier voll ausgebauter Hochschulklinika nicht erlaubt. Der Wissenschaftsrat hat daher bereits 1991 empfohlen, wenn beide Ausbildungsstätten erhalten bleiben sollten, für eine konsequente Komplementarität der wissenschaftlichen Schwerpunkte zu sorgen und die Schwerpunkte der Medizinischen Fakultät Greifswald im wesentlichen im Sinne einer gemeindebezogenen Community Medicine auszurichten. Der Wissenschaftsrat bestätigt diese seinerzeit gegebenen Empfehlungen und begrüßt, daß das Land Mecklenburg-Vorpommern und die Medizinischen Fakultäten sich unter diesen Randbedingungen auf ein gestrafftes und an dringlichen Prioritäten orientiertes Baukonzept geeinigt haben.

Anerkennung findet auch die zwischen Wissenschafts- und Sozialministerium des Landes vereinbarte Regelung, Klinikumsbetten, die ausschließlich der regionalen medizinischen Versorgung dienen, als Versorgungsbetten zu führen und den dafür erforderlichen Investitionsbedarf aus entsprechenden Programmen zu finanzieren. Die damit verbundene sehr weitgehende Reduktion der über das HBFG finanzierten Planbetten auf 760 Betten in Greifswald und 988 Betten in Rostock hält der Wissenschaftsrat nur vor dem Hintergrund der besonderen Situation in Mecklenburg-Vorpommern für vertretbar; insbesondere kann eine Übertragbarkeit der mit dem Konzept Community Medicine in Greifswald verbundenen Bettenreduktion auf andere Hochschulklinika nicht abgeleitet werden.

Die zwischen Land und Medizinischen Fakultäten vereinbarten wissenschaftlichen Schwerpunkte der beiden Fakultäten finden im wesentlichen die Zustimmung des Wissenschaftsrates. So werden in Rostock Themen wie Transplantationsmedizin, künstlicher Organersatz und Biomaterialien, Osteologie und Kardiochirurgie hervorgehoben, während in Greifswald neben dem Generalthema der Community Medicine die

Neurowissenschaften sowie die Schwerpunkte „Molekulare Medizin" und „Onkologie" gewählt wurden. Der Wissenschaftsrat empfiehlt darüber hinaus, auch das in Greifswald traditionelle Thema der Diabetologie, das an einem ehemals zur Akademie der Wissenschaften gehörenden, mittlerweile in die Medizinische Fakultät integrierten Institut am Standort Karlsburg kontinuierlich gepflegt wurde, im Konzept der Fakultät stärker hervorzuheben.

Nicht zuzustimmen vermag der Wissenschaftsrat den Vorstellungen der Medizinischen Fakultät Rostock, den Bereich der Gesundheitswissenschaften ebenfalls auszubauen, da dieser Schwerpunkt der Medizinischen Fakultät Greifswald zugeordnet wurde. Der Wissenschaftsrat empfiehlt daher, die in Rostock ansässigen Institute für Arbeits- und Sozialmedizin zu verlagern, sobald der Aufbau des Schwerpunktes Community Medicine in Greifswald die Übernahme der Lehrverpflichtungen erlaubt.

Angesichts der knappen finanziellen Situation und des in vielen Bereichen desolaten Bauzustandes der Universitätskliniken hatte der Wissenschaftsrat bereits 1991 zum Ausdruck gebracht, daß er nur eine Hochschulzahnmedizin in MecklenburgVorpommern für vertretbar hält. Dem jetzt vorgelegten Vorschlag des Landes, an der Aufrechterhaltung zweier – in ihrer Aufnahmekapazität erheblich reduzierter – Standorte für die Zahnmedizin festzuhalten, vermag sich der Wissenschaftsrat weiterhin nicht anzuschließen. Vor dem Hintergrund der allgemein unbefriedigenden Situation von Forschung und Lehre in der Zahnmedizin müssen aus Sicht des Wissenschaftsrates die Ansprüche, die an eine hochschulzahnmedizinische Ausbildungs- und Forschungsstätte zu stellen sind, neu überdacht werden mit dem Ziel, die Qualität von Ausbildung und Forschung zu steigern. Dies setzt strukturelle, personelle und apparative Gegebenheiten und eine kritische Mindestgröße für eine hochschulzahnmedizinische Einrichtung voraus, die nicht an beiden Standorten in Mecklenburg-Vorpommern realisiert werden können. Die Beurteilung, welche der beiden zahnmedizinischen Ausbildungsstätten fortgeführt werden soll, bedarf einer sorgfältigen fachlichen und wissenschaftspolitischen Abwägung, wobei für jeden der beiden Standorte Argumente unterschiedlichen Gewichts angeführt werden können. Zu berücksichtigen ist aber auch die zu erwartende Auswirkung einer Schließung auf die Gesamtuniversität. Der Wissenschaftsrat erwartet, daß das Land nunmehr die ihm obliegende Entscheidung trifft.

Angesichts der Diskussion um die wissenschaftlichen Schwerpunkte und die zahnmedizinische Ausbildung empfiehlt der Wissenschaftsrat dem Land die Einrichtung einer ständigen Strukturkommission, die das Land bei der künftigen Entwicklung der Medizinischen Fakultäten beraten soll.

Zur Struktur der Medizinischen Fakultät der Universität Rostock kommt der Wissenschaftsrat zu der Empfehlung, die starke Untergliederung der Kliniken für Innere Medizin und des Pädiatrischen Zentrums aufzugeben zugunsten einer strafferen, auf drei bis vier Abteilungen beschränkten Struktur. Die wissenschaftliche Aktivität der Medizinischen Fakultät Rostock ist nach der deutschen Wiedervereinigung trotz günstiger Ausgangsbedingungen nur zögerlich in Gang gekommen und blieb hinter den anfänglichen Erwartungen zurück. Der Wissenschaftsrat erwartet, daß sich die mit dem Ausbau der Hochleistungsmedizin verbundene Vorzugsposition künftig in einer deutlich stärkeren Forschungsaktivität niederschlägt. Voraussetzung dafür ist die Konzentration auf wesentliche Schwerpunkte und eine stärkere Bündelung der forschungsaktiven Gruppen.

Das Leitthema der Medizinischen Fakultät der Universität Greifswald läßt sich mit dem Begriff Community Medicine umschreiben. Die Fakultät hat sich nach Auffassung des Wissenschaftsrates sehr bemüht, diesen Vorschlag, für den es in Deutschland bislang kein Beispiel gibt, mit einem inhaltlichen Konzept auszufüllen. Der Wissenschaftsrat anerkennt diese unter schwierigen Bedingungen erbrachten Leistungen, erwartet aber, daß die konzeptionelle Phase möglichst bald abgeschlossen wird. Hierfür ist die Besetzung des Lehrstuhls für Epidemiologie und Sozialmedizin außerordentlich dringlich. Der Wissenschaftsrat empfiehlt der Fakultät, den Aufbau einer kritischen wissenschaftlichen Masse in den Mittelpunkt aller weiteren organisatorischen Überlegungen zu stellen, die Zusammenarbeit zwischen vorklinischen, klinisch-theoretischen und klinischen Einrichtungen zu stärken und geeignete, bereits vorhandene Schwerpunkte in das Konzept Community Medicine auch strukturell einzubinden. Der Wissenschaftsrat empfiehlt der Medizinischen Fakultät ferner, den vorgesehenen umfangreichen organisatorischen Überbau zu straffen und wissenschaftliche Anliegen gegenüber gesundheitspolitischen Interessen als vorrangig zu betrachten.

Der Wissenschaftsrat begrüßt, daß beide Medizinischen Fakultäten ihre ursprünglichen Baukonzepte für die kommenden 15 Jahre deutlich gestrafft und um rund ein Drittel vermindert haben. Die jetzt an beiden Standorten vorgesehene Bauabfolge erscheint sinnvoll und, mit Ausnahme des nach wie vor zu groß dimensionierten Versorgungszentrums des Rostocker Klinikums, auch in der Größenordnung vertretbar. Voraussetzung für die Umsetzung der Konzepte ist eine kontinuierliche Finanzierung durch Bund und Land. Weitere Voraussetzung ist ein beschleunigter Planungs- und Genehmigungsablauf für Bauvorhaben; die bisherigen Verfahren des Landes haben zu erkennbaren Verzögerungen auch bei dringlichen Baumaßnahmen geführt. Der Wissenschaftsrat bittet das Land, diese Verfahren deutlich zu vereinfachen, und empfiehlt, den Vorschlag, ein zentrales Hochschulbauamt beim Kultusministerium einzurichten, wieder aufzugreifen.

Stellungnahme zur weiteren Entwicklung des Fachbereichs Humanmedizin der Universität Gießen

vom Juli 1996

Inhalt

Vorbemerkung

Mit der Hochschulmedizin in Hessen hat sich der Wissenschaftsrat zuletzt im Jahre 1992 in der Stellungnahme zur weiteren Entwicklung und zum Ausbau des Fachbereichs Humanmedizin der Universität Frankfurt befaßt. Die letzten Empfehlungen zur Entwicklung der Medizinischen Fakultäten der Universitäten Marburg und Gießen[1]) gehen auf das Jahr 1978 zurück. Angesichts der Planungen für einen zweiten Bauabschnitt des Klinikums auf den Lahnbergen hat der Wissenschaftsrat in den Empfehlungen zum 22. Rahmenplan[2]) einen Besuch des Fachbereichs Humanmedizin der Universität Marburg angekündigt. Die Beratungen zum 24. Rahmenplan haben ergeben, daß darüber hinaus auch in Gießen für den Ausbau des Fachbereichs relevante Strukturfragen bestehen. Angesichts der räumlichen Nähe hat der Ausschuß Medizin sich dafür ausgesprochen, beide Fakultäten zum gleichen Zeitpunkt zu besuchen, damit auch Fragen der wechselseitigen Abstimmung angemessen behandelt werden können.[3]) Aus diesem Grund und weil ein vom Land vorgelegtes Sparkonzept für die hessische Hochschulmedizin eine komplementäre Schwerpunktbildung zwischen den Standorten Gießen und Marburg vorsieht, sind die Stellungnahmen zu den Fachbereichen Humanmedizin der Universitäten Gießen und Marburg[4]) im Zusammenhang zu sehen. Um Wiederholungen zu vermeiden, werden einzelne Aspekte, die für beide Fachbereiche von Belang sind, nur in einer der beiden Stellungnahmen ausführlich behandelt.

Der Ausschuß Medizin des Wissenschaftsrates hat die Medizinische Fakultät der Universität Gießen am 9. Februar 1995 besucht und den Stand von Lehre, Forschung und Krankenversorgung sowie die Ausbauplanung mit Vertretern von Land und Universität erörtert. Ein Besuch des Fachbereichs Humanmedizin der Universität Marburg erfolgte am 10. Februar 1995. Auf der Grundlage des Besuchs sowie der von Universität und Land vorgelegten Unterlagen wurde die folgende, mit der Stellungnahme zur weiteren Entwicklung des Fachbereiches Humanmedizin der Universität Marburg in engem Kontext stehende Stellungnahme vom Ausschuß Medizin vorbereitet und am 12.7.1996 vom Wissenschaftsrat verabschiedet.

---

1) Wissenschaftsrat: Stellungnahme zur weiteren Entwicklung und zum Ausbau des Fachbereichs Humanmedizin der Universität Frankfurt, in: Empfehlungen und Stellungnahmen 1991, Köln 1992, S. 105-143. Empfehlungen zum 8. Rahmenplan, Köln 1978, Bd. 3, S. H. 26. Empfehlungen zum Ausbau des Klinikums der Universität Gießen, in: Empfehlungen und Stellungnahmen 1979, Köln 1980, S. 234-242.
2) Wissenschaftsrat: Empfehlungen zum 22. Rahmenplan, Köln 1992, Bd. 3, S. H 39.
3) Wissenschaftsrat: Empfehlungen zum 24. Rahmenplan, Köln 1994, Bd. 3, S. H 50.
4) Wissenschaftsrat: Stellungnahme zur weiteren Entwicklung des Fachbereichs Humanmedizin der Universität Marburg, in diesem Bd., S. 273 ff.

A. Ausgangslage

A. I. Anlaß und Gegenstand

Hessen gehört zu den Bundesländern, in denen die Hochschulmedizin einen hohen Stellenwert hat. Während der Anteil Hessens an der Gesamtbevölkerung Deutschlands 1994 bei 7,3 % lag, wurden an den Hessischen Universitäten 1994 rund 9,7 % aller Studienanfänger im Fach Humanmedizin und rund 11,4 % aller Studienanfänger im Studiengang Zahnmedizin zugelassen. Diese verteilen sich auf die Universitäten Frankfurt, Gießen und Marburg mit etwa gleichen Anteilen. Während das Umfeld von Fachbereich und Klinikum der Universität Frankfurt durch das bevölkerungsreiche Rhein-Main-Ballungsgebiet geprägt wird, ist die Struktur der Hochschulmedizin in Gießen und Marburg durch ihre Lage im eher ländlichen Mittelhessen bestimmt. Die Größe dieser beiden rund 30 km voneinander entfernten Medizinischen Fakultäten hat vor allem historische Gründe, da zwischen Gießen und Marburg über Jahrhunderte eine Landesgrenze lag.

Die beiden Klinika sind bis heute die tragenden Säulen des regionalen Gesundheitswesens. Angesichts der Strukturänderungen im Gesundheitswesen besteht zwischen den Vorständen der beiden Klinika und der Landesregierung Einvernehmen darüber, daß die künftige Entwicklung beider Fakultäten eng aufeinander abgestimmt werden soll. Dabei wird davon ausgegangen, „daß beide Fachbereiche/Klinika als selbständige Einrichtungen bestehen bleiben“. Das Land strebt an, die Leistungsfähigkeit der Hochschulmedizin in Hessen insgesamt zu sichern, d. h. auch alle drei Standorte weiter zu führen, sieht sich angesichts der Haushaltslage aber zu strukturellen Einsparungen gezwungen.[5]) Das Land hat dazu ein Konzept entwickelt, in dessen Mittelpunkt eine Kürzung der laufenden Zuschüsse innerhalb eines Zeitraums von fünf Jahren um 10 %, indexiert gegenüber 1995, steht. Darin eingerechnet ist ein Abbau von 60 Stellen an jeder Fakultät.

Die Überlegungen konzentrieren sich auf eine Reduzierung der Ausbildungskapazitäten, eine Verringerung der Landeszuschüsse und stärkere Arbeitsteilung zwischen den Fachbereichen in Gießen und Marburg. Die derzeitigen Überlegungen konzentrieren sich auf „komplementäre Schwerpunktbildungen in bestimmten Fächern, verbunden mit jeweils schärferer Profilierung der Schwerpunkte in Forschung und Krankenversorgung an beiden Standorten, sowie auf die Möglichkeit sogenannter Dependance-Lösungen, bei denen ein Standort für den anderen in bestimmten Fächern Dienstleistungen mit erbringt.“ Tiefgreifende Organisationsveränderungen, insbesondere im Verhältnis zwischen den Fachbereichen Medizin und ihrer jeweiligen Klinika werden dabei nicht an-

5) Schreiben der Ministerin für Wissenschaft und Kunst an den Vorsitzenden des Ausschusses Medizin vom 30. April 1996.

gestrebt, vielmehr wird die derzeitige rechtliche Regelung als Grundlage der künftigen Entwicklung angesehen.

Hinsichtlich der Investitionen betont das Land hingegen, daß es in der Lage sei, „seine Finanzierungsanteile für alle Investitionsvorhaben, die es zugunsten der drei hessischen Fachbereiche zur Aufnahme in die Gemeinschaftsaufgabe angemeldet hat, entsprechend dem in der Anmeldung vorgesehenen zeitlichen Ablauf zu leisten". Ein erstes Konzept zur stärkeren Arbeitsteilung zwischen den beiden Standorten Gießen und Marburg wurde den Fachbereichen im Oktober 1995 zur Diskussion gestellt. Das Land gab den Fachbereichen Gelegenheit, bis zum Ende des Wintersemesters 1995/96 kostenneutrale Alternativvorschläge vorzulegen. Im Endergebnis sind folgende Maßnahmen vorgesehen:

a) Verringerung der Zulassungszahlen

Das Land plant eine deutliche Verringerung der Zulassungszahlen für Studienanfänger in den Studiengängen Humanmedizin und Zahnmedizin, um den Anteil der hessischen Universitäten an allen Zulassungen in Deutschland dem hessischen Bevölkerungsanteil anzugleichen. Auf dieser Basis plant das Land, die Zulassungszahl für das Studium der Humanmedizin von derzeit 1000 (+193 vorklinische Teilstudienplätze) auf insgesamt 800, für das Studium der Zahnmedizin von 226 auf 160 zu senken. Bei den einzelnen Fachbereichen sollen dabei folgende Veränderungen vorgenommen werden:

Übersicht 1

Zulassungskapazitäten in den Studiengängen Humanmedizin und Zahnmedizin in Hessen

Fachbereich	Humanmedizin		Zahnmedizin	
	Ist 1995[1])	Zielwert	Ist 1995	Zielwert
Frankfurt	360 (+60)	300	100	100
Gießen	340 (+69)	250	60	60
Marburg	300 (+64)	250	60+6[2])	–
Zusammen	1 000	800	220+6[2])	160

1) In Klammern: vorklinische Teilstudienplätze.
2) Zusätzliche Zulassungen aufgrund einer Entscheidung des Hessischen Verwaltungsgerichtshofs.

Neben der durchgängigen Senkung der Zahl der Studienanfänger stellt die beabsichtigte Schließung des Studiengangs Zahnmedizin in Marburg die wesentliche Veränderung dar.

Das Land strebt eine behutsame Umsetzung der Zielplanung über einen längeren Zeitraum an, um die Regelung der Kapazitätsverordnung und die Rechtsprechung der Verwaltungsgerichte zu beachten. Es weist darauf hin, daß der Abbau von Kapazitäten in der Vorklinik in einer Weise erfolgen soll, die die Leistungskraft von Forschungsschwerpunkten erhöht. Der Diskussionsvorschlag sieht eine allmähliche Umsetzung bis zum Jahr 2000 vor; alle an einem Standort aufgenommenen Studienanfänger sollen ihr Studium an diesem Standort jedoch zu Ende führen können.

b) Verzahnung der Fachbereiche in Gießen und Marburg

Als weitere Maßnahme beabsichtigt das Land, die Arbeitsteilung zwischen den beiden benachbarten Fachbereichen in Gießen und Marburg zu stärken. Gedacht ist dabei an ein zweistufiges Verfahren:

- Bei denjenigen Fächern, die an beiden Standorten in vollem Umfang erhalten bleiben, soll es Absprachen über eine arbeitsteilige Schwerpunktbildung geben, um Doppelungen in klinischen Spezialdisziplinen zu vermeiden.

- Einige Fächer sollen entweder ganz oder mit ihrem überwiegenden Schwerpunkt an einem der beiden Standorte konzentriert werden und von diesem aus in erforderlichem Umfang Dienstleistungen in Lehre, Forschung und Krankenversorgung für den anderen Standort mit erbringen. Das Konzept des Landes sieht nach Erörterung mit den Fachbereichen folgende Lösung vor:

Im vorklinischen und klinisch-theoretischen Bereich werden die Fächer Arbeitsmedizin, Rechtsmedizin und Geschichte der Medizin ganz in Gießen, die Fächer Medizinische Psychologie und Soziologie vollständig in Marburg konzentriert. Im klinischen Bereich wird die Augenheilkunde in Gießen auf eine Spezialklinik für Schielbehandlung und Neuroophthalmologie zurückgeführt. Gleichzeitig soll die Klinik für Rheumatologie, Physikalische Medizin und Balneologie in Bad Nauheim aus dem universitären Verbund ausgegliedert und in anderer Trägerschaft weitergeführt werden. Damit folgt das Land dem Vorschlag des Fachbereichs, der diese Lösung gegenüber der vom Land ursprünglich geplanten Aufgabe der HNO-Heilkunde in Gießen präferiert. Außerdem soll das Fach Dermatologie seinen überwiegenden Schwerpunkt in Gießen erhalten; zusätzlich soll der Studiengang Zahnmedizin in Marburg eingestellt werden.

Der Marburger Fachbereich wendet sich gegen eine Konzentration einzelner klinischer Bereiche an einem Standort und legte ein Konzept vor, das eine Einsparung von 10 % des Landeszuschusses unter Beibehaltung des vollen klinischen Fächerspektrums einschließlich der Zahnmedizin durch Sparbeiträge aller Fachgebiete erreichen will. Das Land folgt diesem Vorschlag nicht, und hält die Position, grundsätzlich jedem Fachgebiet proportional Stellen und Mittel kürzen zu wollen, unter Gesichtspunkten der Profilbildung und Qualitätssicherung für wenig geeignet. Das Land legt Wert auf die Feststellung, daß es die Forschungsschwerpunkte der Fachbereiche bei seinen Vorschlägen beachtet und keine Fachgebiete zur Standortverlagerung vorgeschlagen habe, die sich während der letzten Jahre durch überdurchschnittliche Erfolge bei der Einwerbung von Drittmitteln der Deutschen Forschungsgemeinschaft ausgezeichnet hätten.

c) Rationalisierung, Reduzierung des Dienstleistungsangebotes

Weitere Einsparmöglichkeiten ohne Qualitätsverlust sieht das Land durch weitere Rationalisierung und die Reduzierung von Dienstleistungen der Universitätskliniken in der Krankenversorgung. Dies gelte in besonderer Weise für die Polikliniken mit ihrem hohen finanziellen Defizit. Daher soll unter der Prämisse, daß eine angemessene Honorierung auch zukünftig verweigert wird, die Zahl der poliklinischen Behandlungsfälle deutlich eingeschränkt werden. Auch im stationären Bereich sieht der hessische Krankenhausbedarfsplan an allen drei Universitätsklinika eine Reduzierung der Bettenzahlen vor. Einvernehmlich sind für das Klinikum Gießen 1322, für das Klinikum Marburg 1255 und für das Klinikum Frankfurt 1415 universitäre Planbetten vorgesehen.[6)]

Durch Ausschöpfung von Rationalisierungsreserven hält das Land darüber hinaus weitergehende Ergebnisverbesserungen im laufenden Betrieb der Klinika für realisierbar, die über die jetzt einzusparenden Mittel hinausgehen und den Fachbereichen zur Verstärkung ihrer Etats belassen werden sollen. Bilanzierte Betriebsgewinne fließen nach einer bereits bestehenden Regelung grundsätzlich zu 60 % an die Universitätsklinika zurück. Darüber hinaus kündigt das Land für das Haushaltsjahr 1997 einen Haushaltsvermerk an, der es erlaubt, bis zu 5 % des bewilligten Landeszuschusses aus dem Betriebs- in den Investitionshaushalt umzuschichten.

A. II. Entwicklung, Struktur und Personal

Der Fachbereich Medizin der Justus-Liebig-Universität Gießen zählt zu den drei Gründungsfakultäten der 1607 errichteten Landesuniversität „Ludoviciana“ in Gießen. Nach der Schließung im Jahr 1946 wurde der Fachbereich im Jahr 1950 als „Akademie für Medizinische Forschung und Fortbildung“ wiedererrichtet und ist eine der vier Gründungsfakultäten der im Jahr 1957 wiedereröffneten Universität. Eine aus dieser

6) Das Land weist darauf hin, daß die Bettenzahl in Frankfurt nur aufgrund eines umfangreichen regionalen Pflichtversorgungsauftrags in der Psychiatrie mit einer Planbettenzahl von 189 Betten zustande kommt. Das Wissenschaftsministerium strebt an, die Bettenzahl im Fach Psychiatrie zum frühestmöglichen Zeitpunkt um etwa 100 auf die für Forschung und Lehre ausreichende Zielzahl zurückzuführen. Der Wissenschaftsrat hatte seinerzeit eine Zielbettenzahl von 1350 genannt.

Anfangsphase rührende intensive akademische und wissenschaftliche Beziehung besteht zum Kerckhoff-Institut, später auch der Kerckhoff-Klinik der Max-Planck-Gesellschaft in Bad Nauheim. Auch zum Fachbereich Humanmedizin der Universität Marburg besteht eine seit Anfang der 90er Jahre zunehmend intensivere Kooperationsbeziehung.

Etwa zwei Drittel der jetzigen Gebäude des Universitätsklinikums stammen aus der Zeit zwischen 1893 und 1913. Weitere Gebäude wurden zwischen den Weltkriegen und nach den schweren Kriegszerstörungen in der Zeit von 1960 bis 1971 errichtet. Die zum Besuch des Ausschusses Medizin im Jahre 1978 vorgelegten und mit den Empfehlungen des Wissenschaftsrates im Jahre 1979 bestätigten Bauplanungen sahen einen weitgehenden Neubau für das Klinikum vor, der in dieser Form jedoch nicht realisiert wurde. Vielmehr wurden die vorhandenen Bauten in der bestehenden Struktur saniert und teilweise neu errichtet. An dieses Konzept knüpfen auch die jetzt vorgelegten Bauplanungen an.

II. 1. Struktur

Die Universität Gießen verfügt über einen einheitlichen Fachbereich Humanmedizin, an dem die Studiengänge Human- und Zahnmedizin angeboten werden. Der Fachbereich Humanmedizin der Universität Gießen gliedert sich in einen theoretischen Bereich mit drei Medizinischen Betriebseinheiten (6 Institute), einen klinisch-theoretischen Bereich mit fünf Medizinischen Zentren und zwei Medizinischen Betriebseinheiten (14 Institute) und den klinischen Bereich mit 13 Medizinischen Zentren (44 klinische Abteilungen). Eine Überprüfung dieser Struktur ist nach Abschluß der Beratungen über die Novellierung der Approbationsordnung vorgesehen.

Vorklinischer und klinisch-theoretischer Bereich

Die Vorklinik wird durch die klassischen Fächer Anatomie, Biochemie und Physiologie bestimmt. Dabei hat sich im Bereich der Anatomie ein selbständiger Forschungsschwerpunkt im Bereich der Hörforschung entwickelt. Derzeit werden Überlegungen angestellt, ob diese C3-Professur ausgegliedert und als neuer Schwerpunkt dem Gebiet der Arbeits-, Sozial- und Umweltmedizin zugeordnet werden soll. Von den beiden 1995/96 freiwerdenden Professuren C4 für Biochemie ist die erste in Abstimmung mit der Marburger Fakultät mit einem Schwerpunkt „Molekulare Medizin" ausgeschrieben.

Der klinisch-theoretische Bereich wird durch die übergreifende Struktur Medizinischer Zentren geprägt. In Zentren zusammengefaßt sind die Fachrichtungen Klinische Chemie, Immunologie und Humangenetik sowie die Fachrichtungen Arbeits- und Sozialmedizin, Hygiene und Umweltmedizin, Informatik, Medizinische Technik und Rechtsmedizin (Zentrum Ökologie). Eine Orientierung über die Zuordnung der Institute und Kliniken ergibt sich aus Übersicht 2.

Für das Zentrum Pharmakologie wird diskutiert, ob der Bereich „Klinische Pharmakologie“ mit dem Pharmakologischen Institut zusammengefaßt werden soll. Diese Fachrichtung ist bislang durch einen selbständigen Funktionsbereich in der Kinderklinik sowie durch einen hochschulrechtlich noch nicht zugeordneten „Bereich Klinische Pharmakologie“ in der Inneren Medizin vertreten. Die Einrichtung einer „Abteilung Klinische Pharmakologie“ in der Inneren Medizin ist vorgesehen. Eine Zuordnung dieser Struktur zum Institut für Pharmakologie wird als Alternative diskutiert.

Auch über die schwerpunktmäßige Ausrichtung des 1997 wieder zu besetzenden Lehrstuhles für Medizinische Mikrobiologie ist noch nicht entschieden. Die 1996 freiwerdende C3-Professur für Klinische Immunologie und Transfusionsmedizin ist in Abstimmung mit Marburg durch eine C4-Professur mit dem Schwerpunkt im Gebiet der zellulären Immunologie, der Transplantationsimmunologie sowie der Stammzellbiologie ersetzt worden. Das Berufungsverfahren läuft.

Im Medizinischen Zentrum Ökologie sind eine Reihe von Professuren und Fächer zusammengefaßt, bei denen sich nach Aussagen der Fakultät ein Schwerpunkt entwickeln soll, der gegebenenfalls die Fachvertretung auch für den Marburger Fachbereich übernehmen könnte. Die Bedeutung dieses Schwerpunktes kommt auch durch eine „umweltmedizinische Ambulanz“ zum Ausdruck, die im Dezember 1994 eröffnet wurde und die über ein Datennetz mit dem Umweltbundesamt verknüpft ist. Über die langfristige Ausrichtung der diesem Zentrum zugeordneten C4-Professur für Medizintechnik sind noch keine Entscheidungen getroffen. Eine Neustrukturierung des Zentrums Ökologie mit der Zielsetzung, den bestehenden ökologischen und umweltmedizinischen Schwerpunkt zu stärken, soll nach Verabschiedung der neuen Approbationsordnung erfolgen.

Klinischer Bereich

In Abstimmung mit der Marburger Fakultät ist die Neustrukturierung des Zentrums für Innere Medizin so erfolgt, daß die bisher bestehende C4-Professur für Innere Medizin mit Schwerpunkt Nephrologie durch eine Neuberufung auf den Schwerpunkt Pneumologie ausgerichtet wurde. Damit wird die wissenschaftliche Tätigkeit der durch die DFG geförderten Klinischen Forschergruppe „Respiratorische Insuffizienz“ langfristig gesichert. Offen ist derzeit, ob der Bereich Nephrologie in Form eines selbständigen Funktionsbereiches weitergeführt werden soll.

Die Besetzung einer C4-Professur für Unfallchirurgie kam aufgrund ungünstiger baulicher Verhältnisse bisher nicht zustande. Es ist beabsichtigt, diesen Bereich zunächst mit einer C3-Professur zu besetzen. Ein

Übersicht 2

Strukturplan des Fachbereichs Humanmedizin der Universität Gießen im Jahr 1995

Vorklinische und klinisch-theoretische Institute		Kliniken	
Fach	Zahl der Einheiten	Fach	Zahl der Einheiten
Anatomie Biochemie Physiologie Zentrum Pathologie	2 Institute 2 Institute 2 Institute 2 Abteilungen	Zentrum Radiologie Strahlentherapie Diagnostische Radiologie I u. II Neuroradiologie Pädiatrische Radiologie Nuklearmedizin	6 Abteilungen
Zentrum Mikrobiologie/ Virologie Mikrobiologie Virologie	2 Institute	Zentrum Innere Medizin Kardiologie Nephrologie Endokrinologie Klinische Pharmakologie Hämatologische Onkologie Pulmonologie (ab 1996)	4 Abteilungen
Zentrum Klinische Chemie/ Immunologie/Humangenetik Klinische Chemie Immunologie Humangenetik	3 Institute		
Zentrum Ökologie Arbeits- und Sozialmedizin Hygiene u. Umweltmedizin Informatik Medizinische Technik Rechtsmedizin	5 Abteilungen	Zentrum Kinderheilkunde Pädiatrie/Neonatologie Kinderkardiologie Hämatologie/Endokrinologie Pneumologie/Allergologie *Neuro- u. Sozialpädiatrie*	4 Abteilungen *1 Fkt.abt.*
Zentrum Pharmakologie Geschichte der Medizin	1 Institut	Zentrum Dermatologie/ Venerologie Allgemeine Dermatologie Klin. Immundermatologie	2 Abteilungen
Psychosomatische Medizin Medizinische Psychologie Medizinische Soziologie Klinik für Psychosomatische Medizin	3 Abteilungen	Zentrum Chirurgie/ Anästhesiologie/Urologie Allgemein- u. Thoraxchir. Unfallchirurgie Urologie Kardiovaskuläre Chirurgie Anästhesiologie *Schmerztherapie* *Kinderkardiochirurgie (geplant)*	5 Abteilungen *1 Fkt.abt.*
		Zentrum Frauenheilkunde/ Geburtshilfe Frauenheilkunde Geburtshilfe	2 Abteilungen
		Zentrum HNO- und Augenheilkunde HNO-Heilkunde Audiologie Augenklinik Augenklinik, Schielbehdl. und Neuroophthalmologie *Neuro-Otologie*	3 Abteilungen *1 Fkt.abt.*
		Zentrum Orthopädie/ Rheumatologie Orthopädie Rheumatologie	2 Abteilungen

noch Übersicht 2

Strukturplan des Fachbereichs Humanmedizin der Universität Gießen im Jahr 1995

Vorklinische und klinisch-theoretische Institute		Kliniken	
Fach	Zahl der Einheiten	Fach	Zahl der Einheiten
		Zentrum Neurologie/ Neurochirurgie Neurologie Neurochirurgie *Klinische Neurophysiologie*	2 Abteilungen *1 Fkt.abt.*
		Zentrum Allgemeinmedizin	
		Zentrum Psychiatrie Psychiatrie Psychiatrische Krisenintervention *Funktionelle Psychiatrie*	2 Abteilungen *1 Fkt.abt.*
		Zentrum Zahn-, Mund- und Kieferheilkunde Zahnerhaltung Oralchirurgie Prothetik Kieferorthopädie Kinderzahnheilkunde Experimentelle Zahnheilkunde Propädeutische Zahnheilkunde Parodontologie Mund-, Kiefer- und Gesichtschirurgie *Endotonie*	9 Abteilungen *1 Fkt.abt.*

Quelle: Angaben des Fachbereichs Humanmedizin der Universität Gießen.

Ruf hierzu ist erteilt. In der als Schwerpunkt bestehenden Kinderherzchirurgie und Kinderherztransplantation ist inzwischen eine C3-Professur besetzt. Es wird angestrebt, für dieses Gebiet eine eigene Abteilung im Zentrum für Chirurgie einzurichten. Die Einrichtung einer Professur C3 für Kinderchirurgie verbunden mit der Einrichtung eines selbständigen Funktionsbereichs im Zentrum für Chirurgie ist zur Zeit nicht möglich. Erwogen wird daher, die in einigen Jahren zur Wiederbesetzung anstehende Professur C4 für Allgemein- und Thoraxchirurgie dann als Professur für „Allgemein- und Viscerale Kinderchirurgie" neu zu orientieren.

Der bisher nicht im Klinikum Gießen, sondern am benachbarten Kreiskrankenhaus Wetzlar untergebrachte Betten- und Ambulanzbereich der Abteilung für Mund-, Kiefer- und Gesichtschirurgie ist im Jahr 1995 mit insgesamt 12 Betten in das Zentrum für Chirurgie integriert worden. Hinzu kommen 5 weitere Planbetten als „noch zu deckender Versorgungsbedarf der Krankenhausregion Gießen/Marburg".[7]) Eine entsprechende Professur ist im Besetzungsverfahren.

Die Professur für Allgemeinmedizin wird derzeit von einem niedergelassenen Facharzt für Allgemeinmedizin vertretungsweise wahrgenommen. Er wird darin durch 17 niedergelassene Allgemeinmediziner mit Lehrauftrag unterstützt.

Eine angemessene Besetzung des vakanten Lehrstuhles erscheint dem Fachbereich derzeit nicht möglich. Für den Fall einer Ausschreibung ist mit der Kassenärztlichen Vereinigung Hessen und der Bezirksärztekammer Gießen vereinbart, einem solchen Fachvertreter zu gestatten, die Hälfte seiner Arbeitszeit in einer Kassenpraxis tätig zu sein. Über die Frage der Ausschreibung soll im Laufe des Jahres 1996 erneut beraten werden.

II. 2. Personal

Der Fachbereich Medizin verfügte 1996 über insgesamt 3955 Personalstellen. Bezogen auf die Zahl der Planbetten (1334) bedeutet dies, daß pro Planbett 3,0 Stellen vorhanden waren. Die Gesamtzahl der Stellen für wissenschaftliches Personal betrug 1996 707,5 Stellen, pro Planbett waren dies 0,5. Davon entfielen 49 auf Professorenstellen nach C4, von denen 46 Stellen besetzt waren, sowie 52 C3-Planstellen, von denen 47 Stellen besetzt waren. Von den insgesamt 56 C2-Planstellen waren 31 Stellen besetzt. Die Verteilung der Personalstellen auf die einzelnen Einrichtungen des Fachbereiches geht aus Übersicht 3 hervor.

Der Anteil der nicht-ärztlichen Mitarbeiter an der Zahl der besetzten Stellen im wissenschaftlichen Bereich betrug 1995 bei den C4-Professoren rund 12%, bei den C3-Professoren rund 30% und bei den übrigen wissenschaftlichen Mitarbeitern rund 18%. Von den 42 besetzten C4-Stellen war eine, von den 33 C3-Stellen waren 3 Stellen mit einer Frau besetzt. Der Anteil der weiblichen wissenschaftlichen Mitarbeiter betrug 1995 rund 28%.

7) Schreiben des Dekans des Fachbereichs Humanmedizin der Universität Gießen vom 30. 5. 1996 an die Geschäftsstelle des Wissenschaftsrates.

Übersicht 3

Stellen für wissenschaftliches Personal an den Kliniken und Instituten des Fachbereichs Humanmedizin der Universität Gießen im Jahr 1996

	C4	C3	Sonstige wiss. Mitarb.	Nicht-wiss. Personal
Vorklinische und klinisch-theoretische Institute				
Anatomie	2	1	11,5	25
Biochemie	2	2	10,5	38
Physiologie	2	4	7,5	27
Pathologie	2	2	14,5	30
Mikrobiologie	1	2	6	26,5
Virologie	1	3	5,5	16,5
Kl. Chemie	1		8	61
Immunologie	1		6	30,5
Humangenetik	1		6,5	11,5
Arbeits- und Sozialmedizin	1	1	7	13
Hygiene	1	1	3	16
Med. Informatik	1	1	5,5	4
Med. Technik	1		1	2,5
Rechtsmedizin	1		4,5	11,5
Pharmakologie	1	3	5	12,5
Geschichte der Medizin	1		3	2,5
Gesamt Vorklinik und klinisch-theoretische Bereiche	20	20	105	328
Kliniken				
Strahlentherapie	1		10	52
Diagnostische Radiologie		1	12,5	44
Neuroradiologie		1	5	12
Pädiatrische Radiologie		1	2	6
Nuklearmedizin		1	5	6
Innere Medizin	4	4	89	308
Kinderheilkunde	2	2	33,5	205
Dermatologie/Venerologie	1	1	17,5	75
Chirurgie	3	1	49	312,5
Anästhesiologie	1		51,5	93
Urologie	1		9	42
Frauenheilkunde/Geburtshilfe	1	1	19,5	142,5
HNO-Heilkunde	1	1	12,5	59
Augenheilkunde	1	1	20,5	89,5
Orthopädie	1	1	16	116
Rheumatologie	1		11	75
Neurologie (einschl. klin. Neurophysiologie)	1		20	92,5
Neurochirurgie	1		14	90,5
Psychiatrie	1	2	16,5	91,5
Psychosomatische Medizin/ Med. Psychologie	2	4	12	21
Allgemeinmedizin	1			
Zahn-, Mund- und Kieferheilkunde	5	5	38	88
Gesamt Kliniken	29	27	433	2 021
Sonstige bzw. nicht besetzte Stellen		5	68,5	898,5
Personal Kliniken, Institute und sonstige Bereiche	49	52	606,5	3 247,5

Quelle: Angaben des Fachbereichs Humanmedizin der Universität Gießen.

33 (79 %) der insgesamt vorhandenen 42 Professoren nach C4 und 24 (73 %) der insgesamt vorhandenen Professoren nach C3 waren älter als 50 Jahre (1995). Von den C4-Professoren waren 14 (33 %) und von den C3-Professoren 11 (33 %) älter als 60 Jahre. 9 C4-Professoren (21 %) und 9 C3-Professoren (27 %) waren jünger als 50 Jahre. 37 % der wissenschaftlichen Bediensteten waren 1995 auf Dauer beschäftigt. Insgesamt waren von den wissenschaftlichen Mitarbeitern 66,5 % unter 40, 83 % unter 50 und 96 % unter 60 Jahre alt.

Seit 1990 wurden 18 Rufe auf C4-Stellen erteilt und angenommen, darunter waren zwei Hausberufungen; fünf Rufe auf C4-Stellen wurden abgelehnt. Von den insgesamt 14 Berufungen auf C3-Stellen (darunter drei Hausberufungen) wurde ein Ruf abgelehnt. Bislang erhielten 11 C4-Professoren und 18 C3-Professoren des Gießener Fachbereichs einen Ruf an eine andere Hochschule.

II. 3. Führungs- und Entscheidungsstrukturen

Der Fachbereich Humanmedizin und das Klinikum der Universität Gießen sind zwei verschiedene, sich jedoch überlappende und interdependente organisatorische Einheiten. Das Amt des Dekans wird entsprechend dem Hessischen Universitätsgesetz in Personalunion mit dem Amt des Ärztlichen Direktors hauptamtlich für eine Amtszeit von sechs Jahren ausgeübt. Der Dekan und Ärztliche Direktor führt die Geschäfte des Fachbereichs und wird darin durch zwei Prodekane unterstützt, von denen regelmäßig einer aus dem theoretischen und der andere aus dem klinischen Bereich stammt. Das Klinikum, das eine rechtlich unselbständige Anstalt der Universität ist, wird vom Klinikumsvorstand unter Vorsitz des Dekans und Ärztlichen Direktors geleitet. Dem Klinikumsvorstand gehören darüber hinaus der Verwaltungsdirektor, die beiden Prodekane sowie die leitende Pflegekraft an.

Bei der Allokation der dem Universitätsklinikum zur Verfügung stehenden Mittel (außer Drittmitteln) wird zwischen Mitteln für Forschung und Lehre sowie für Krankenversorgung unterschieden: Im Bereich der Krankenversorgung entscheidet der Klinikumsvorstand über die Mittelverteilung, im Bereich Forschung und Lehre der Fachbereichsrat auf Vorschlag des Haushaltsausschusses. Am Universitätsklinikum Gießen wurde 1989 sowohl für den Bereich Krankenversorgung als auch für den Bereich Forschung und Lehre ein Budgetierungssystem für investive und Verbrauchsmittel eingeführt. Eine Budgetierung auch der Personalmittel mit klarer Abgrenzung des kostenträgerfinanzierten Bereichs ist seit 1995 eingeführt. Eine ergebnis- und leistungsorientierte Zuweisung von Personal- und Sachmitteln für den Bereich Forschung und Lehre gibt es bislang noch nicht.

Die Verwaltung der Räumlichkeiten für Forschung wird nicht zentral, sondern dezentral von den einzelnen organisatorischen Einheiten selbst vorgenommen. Die mit der Forschung zusammenhängenden Verwaltungsaufgaben werden zusammen mit anderen Arbeiten von der allgemeinen Administration erledigt.

Basierend auf einem Erlaß des Hessischen Ministeriums für Wissenschaft und Kunst vom Oktober 1992 über die „Intensivierung und organisatorische Gestaltung der Zusammenarbeit zwischen den Kliniken der Universitäten Gießen und Marburg" besteht ein „lebhafter Gedankenaustausch mit dem Ziel einer besseren, sich ergänzenden Abstimmung der Entwicklung beider Standorte". An beiden Fakultäten wurden Strukturkommissionen mit der Aufgabe der Abstimmung komplementärer Forschungsschwerpunkte und der daraus folgenden Strukturen konstituiert. Gleichfalls haben die beiden Fakultäten vereinbart, in Berufungskommissionen jeweils ein Mitglied der anderen Fakultät zu benennen.

A. III. Forschung

Am Fachbereich Humanmedizin der Universität Gießen sind derzeit zwei in den kommenden Jahren auslaufende Sonderforschungsbereiche, eine Klinische Forschergruppe sowie ein Graduiertenkolleg etabliert. Drei neue Sonderforschungsbereiche sind in Vorbereitung bzw. im Antragsverfahren der DFG.

III. 1. Thematische Schwerpunkte

SFB 249: Pharmakologie biologischer Makromoleküle

Der im Jahr 1989 eingerichtete SFB 249 befaßt sich überwiegend mit der Pharmakologie, Struktur und Funktion von Proteinen. Im Zentrum eines Projektbereiches stehen körperfremde Proteine, insbesondere bakterielle und virale Organismen, sowie ihre Interaktion mit Wirtszellproteinen. Der andere Projektbereich befaßt sich mit Struktur, Funktion und Regulation körpereigener Proteine, die Zielstrukturen von Fremdstoffen sind. Der SFB, der insgesamt 13 Teilprojekte aus drei Fachbereichen (Humanmedizin, Veterinärmedizin und Biologie) umfaßt, wurde im Jahr 1994 mit insgesamt 1,7 Millionen DM gefördert. Die Förderung läuft bis 1997, danach hat dieser SFB von der Deutschen Forschungsgmeinschaft einen Abschlußvermerk erhalten. Mit neuer Zielsetzung und unter Integration der erfolgreichsten Teilprojekte ist ein neuer SFB beantragt.

SFB 272: Molekulare Grundlagen zellbiologischer Schaltvorgänge

Der SFB 272 beschäftigt sich mit der Untersuchung genregulatorischer Mechanismen bei zellbiologischen Schaltvorgängen. Im Zentrum stehen molekulare Zusammenhänge in der Zelle auf der Ebene von Nukleinsäuren. Ein Projektbereich (Zellzyklus und Differenzierung) befaßt sich mit der Charakterisierung von Genen und Proteinen, die am Zellzyklus von Hefe- oder Vertebratenzellen sowie an der Kontrolle von Entwicklungsstadien zellulärer Differenzierung oder stoffwechselbedingter Umsteuerungen beteiligt sind. In einem zweiten Projektbereich („Die transformierte Zelle") werden molekulare Mechanismen der Transformation von Zellen durch virale Proteine untersucht. Im dritten Projektbereich („Die virusinfizierte Zelle") steht die Auseinandersetzung einer infizierten Zelle mit einem Virusgenom im Vordergrund. Zu den zentralen Service-Leistungen, die auch von den Teilprojekten des SFB 249 genutzt werden, zählen die Analyse der Primärstruktur und posttranslationalen Modifikation von Proteinen und Peptiden sowie die Computer-Modellanalyse biologischer Makromoleküle. Der SFB 272 besteht aus 17 Teilprojekten dreier Fachbereiche (Humanmedizin, Veterinärmedizin und Biologie). Die Projekte des Fachbereichs Humanmedizin wurden 1995 mit 2,9 Millionen DM gefördert; der 1989 eingerichtete SFB hat für das Jahr 1996 eine Auslauffinanzierung erhalten. Ein neuer SFB ist beantragt.

Klinische Forschergruppe „Respiratorische Insuffizienz"

Die klinische Forschergruppe „Respiratorische Insuffizienz" zählt zu den ersten dieser von der Deutschen Forschungsgemeinschaft geförderten Gruppen. Sie besteht seit 1991 an der Medizinischen Klinik II und befindet sich gegenwärtig mit sieben Projekten in der zweiten Förderperiode. Assoziiert sind drei Projekte des SFB 249 sowie weitere vom Bundesministerium für Bildung und Forschung geförderte Studien in den Schwerpunkten Pneumologie und Infektionserkrankungen/Sepsis. Übergreifendes Thema der Forschergruppe sind Störungen der Gasaustauschstrecke der Lunge (Zirkulation, Schrankenfunktion, Ventilation), welche sowohl in experimentellen Studien als auch in klinischen Projekten bearbeitet werden. Zur Fortsetzung der Arbeit ist ein SFB in Vorbereitung.

Graduiertenkolleg „Molekulare Biologie und Pharmakologie"

Im Mittelpunkt des gemeinsamen Forschungsinteresses des Graduiertenkollegs stehen pharmakologisch und pathogenetisch bedeutsame Proteine. Die Graduierten werden sowohl in den Methoden der Molekularbiologie und Biochemie als auch in den klassischen Methoden der Pharmakologie, Parasitologie und Virologie sowie in computergestützten Methoden zur strukturellen und funktionellen Analyse von Makromolekülen ausgebildet. Die Fördersumme für das Jahr 1994 betrug rund 0,4 Millionen DM; damit wurden 18 Kollegiaten und die von ihnen bearbeiteten Projekte gefördert.

Über diese bestehenden Forschungsschwerpunkte hinaus strebt die Fakultät gegenwärtig die Einrichtung neuer Sonderforschungsbereiche an, die Themen der beiden auslaufenden Sonderforschungsbereiche weiterführen sollen. Voranträge bei der Deutschen Forschungsgemeinschaft sind gestellt.

Darüber hinaus benennt der Fachbereich eine große Zahl an Schwerpunktthemen und Forschungsprojekten, die durch DFG, BMBF und andere Förderer finanziell unterstützt werden.

III. 2. Drittmittelprofil

Die Wissenschaftler am Fachbereich Medizin haben in den Jahren 1992 bis 1995 insgesamt rund 74 Millionen DM an Drittmitteln eingeworben. Dies entspricht im Durchschnitt pro Jahr rund 18,5 Millionen DM (vgl. Übersicht 4). Rund 33 % dieser Mittel stammten von der DFG, rund 23 % von Bund und Land sowie weitere 44 % von sonstigen Förderern. Die von der DFG pro Wissenschaftlerstelle eingeworbenen Mittel betragen damit 8711 DM pro Jahr. Der vergleichbare Mittelwert aller Medizinischen Fakultäten in den alten Ländern liegt für denselben Zeitraum bei rund 9000 DM. Der Fachbereich Medizin der Universität Gießen liegt damit bezogen auf Drittmittel der DFG im Mittelfeld.

Hervorzuheben sind insbesondere die Klinik für Innere Medizin mit durchschnittlichen Drittmittel-Einnahmen von rund 5,2 Millionen DM pro Jahr des Bezugszeitraums und die Kinderklinik mit jährlichen Einwerbungen von durchschnittlich 2,4 Millionen DM. Im vorklinischen und klinisch-theoretischen Bereich sind insbesondere hervorzuheben die Medizinische Informatik mit einer durchschnittlichen Drittmitteleinwerbung in Höhe von 1,2 Millionen DM, das Zentrum Ökologie, die Virologie, die Pharmakologie und die Humangenetik mit jeweils 0,8 Millionen DM. Die höchsten Einwerbungen von DFG-Mitteln konnten die Klinik für Innere Medizin (durchschnittlich 1,4 Mio. DM), die Pharmakologie (0,7 Mio. DM) und die Virologie (0,6 Mio. DM) verbuchen. Im Jahr 1995 wurden rund 49 Vollkraftstellen für wissenschaftliches Personal, rund 111 Vollzeitstellen im medizinisch-technischen Dienst sowie rund 7 Vollzeitstellen im Pflegedienst über Drittmittel finanziert. Aus dem Landeszuschuß (135 Mio. DM) wurden im Geschäftsjahr nach einer Berechnung des Fachbereiches rund 32 % anteilmäßig für Forschung (einschließlich Personalkostenanteile für den Bereich „Forschung“) verwendet.

Übersicht 4

Drittmittel des Fachbereichs Humanmedizin der Universität Gießen
Durchschnitt pro Jahr; Bezug: 1992-1995

Klinik/Institut	DFG	Bund/Land	sonstige Förderer	Gesamt
	in TDM			
Anatomie[1]	79,6	81,2	412,4	573,1
Augenklinik	0,0	0,0	0,6	0,6
Biochemie	134,6	0,0	146,4	280,9
Chirurgie	59,5	19,9	314,2	393,5
Dermatologie	148,0	314,7	281,0	743,7
Frauenklinik	131,1	0,4	233,5	365,0
HNO-Klinik	0,0	210,9	12,2	223,1
Innere Medizin	1 381,0	1 397,9	2 402,2	5 181,1
Kinderklinik	185,7	0,0	2 184,7	2 370,3
Humangenetik	405,6	17,1	368,1	790,7
Medizin, Informatik	0,0	1 015,0	160,6	1 175,6
Mikrobiologie	212,3	0,0	69,9	282,1
Neurochirurgie	2,0	0,0	0,0	2,0
Neurologie	0,0	0,0	39,5	39,5
Ökologie	194,4	325,4	311,0	830,7
Orthopädie	0,0	109,2	101,6	210,9
Pathologie	58,5	0,0	9,4	67,8
Pharmakologie	692,1	85,7	30,8	808,5
Physiologie	286,4	188,8	74,4	549,5
Psychiatrie	0,0	0,0	97,2	97,2
Psychosomatik	26,5	444,7	33,0	504,1
Radiologie	0,0	0,0	501,5	501,5
Virologie	634,1	49,7	132,8	816,6
Zahn-, Mund- und Kieferklinik	0,0	0,0	30,3	30,3
Zentrale Mittel SFBs	1 412,1	0,0	3,0	1 415,0
Dekanat	120,4	0,3	138,0	258,6
Summe	6 163,4	4 260,6	8 088,0	18 512,0

1) Einschließlich 1,45 Mio. DM der AG Hörforschung.

Quelle: Angaben des Fachbereichs.

III. 3. Wissenschaftlicher Nachwuchs

Die Zahl der Promotionen beläuft sich für die Jahre 1990 bis 1995 auf insgesamt 935 (Frauenanteil: 35 %), davon entfielen 797 Promotionen auf die Humanmedizin, 102 Promotionen auf die Zahnmedizin sowie 18 Promotionen auf die Humanbiologie, die von Absolventen anderer Fachrichtungen am Fachbereich abgelegt wurden.

Am Fachbereich Humanmedizin der Universität Gießen wurden seit 1990 insgesamt 59 Wissenschaftler habilitiert (darunter 5 Frauen); in der Zahnmedizin war in demselben Zeitraum eine Habilitation zu verzeichnen.

1994 waren 45 Stellen nach C1 (5 über Plan) besetzt; aufgrund einer fortbestehenden Nachfrage hat der Fachbereich für das Haushaltsjahr 1995 weitere 10 BAT IIa/Ib-Stellen zur Umwandlung nach C1 beantragt. Die Nachfrage nach diesen, zumindest für den im klinischen Bereich Tätigen, unattraktiven C1-Stellen (stark begrenzte Möglichkeit der Abrechnung von Bereitschaftsdienstzeiten und dadurch erhebliche finanzielle Nachteile gegenüber einem BAT-Stelleninhaber gleichen Ausbildungsstandes) zeigt nach Einschätzung des Fachbereiches, „wie ernsthaft die Forschungsförderung des Nachwuchses am Fachbereich Humanmedizin betrieben wird (Fördern durch Fordern)“. Überlegungen und eine Konzeption zur Einrichtung eines Pools sogenannter „Rotationsstellen“ seien wegen der zu knappen Ressourcen nicht weiter gediehen. Eine Rotation findet nur im Rahmen von Drittmittelvorhaben statt.

A. IV. Lehre

Die Zahl der Studienanfänger lag in der Humanmedizin im Jahre 1995 bei insgesamt 415. Davon waren im Hinblick auf die differierende Kapazität der Kliniken 53 Teilzulassungen. Aufgrund von Studienabbruch und Studienortwechsel bis zum Physikum konnten bislang alle Studierenden, die dies wünschten, auch den klinischen Teil des Studiums in Gießen absolvieren. Für den Studiengang Zahnmedizin wurden im Jahr 1995 60 Studienanfänger zugelassen.

Die Zahl der Absolventen lag im Jahr 1995 im Studiengang Humanmedizin bei 248 und bei 52 im Studiengang Zahnmedizin. Die Gesamtzahl aller am Fachbereich eingeschriebenen Studenten betrug 3055 im Sommersemester 1990; sie sank im Referenzzeitraum um 4,2 % auf 2926 im Wintersemester 1995. Zu diesem Rückgang trug ausschließlich die Humanmedizin bei, während die Studentenzahl in der Zahnmedizin anstieg. Der Anteil der Studierenden mit mehr als 12 Fachsemestern stieg nach Angaben der Fakultät in der Humanmedizin von rund 13 % (auf 359) auf 16,7 % (423). Zugenommen hat auch die Zahl der Langzeitstudenten mit 16 und mehr Fachsemestern von 3,4 % (93) auf 4,7 % (120).

Das gegenwärtige Ausbildungsangebot des Fachbereiches wird in seiner Struktur durch die geltende Approbationsordnung und die daraus abgeleitete Studienordnung bestimmt. Im Rahmen des vorklinischen Studiums werden Stützkurse in den naturwissenschaftlichen Grundlagenfächern angeboten; akademische Tutoren begleiten studentische Kleingruppen; zur Lernunterstützung werden computerbasierte Lehr-Lernmedien eingesetzt.

Dem Fachbereich als Lehrkrankenhäuser angeschlossen sind sechs allgemeine Krankenhäuser und ein psychiatrisches Krankenhaus mit zusammen 191 Ausbildungsplätzen. Die Zahl von Seminarräumen für den klinischen Kleingruppenunterricht wird als zu gering bezeichnet, die Ausstattung mit Unterrichtshilfsmitteln als verbesserungsbedürftig. Neben den Bibliotheken stehen den Studierenden insgesamt 54 DV-gestützte Arbeitsplätze zur Verfügung, von denen aus der Zugriff auf Literatur- und Informationsdatenbanken möglich ist. Die DV-gestützten Lehr-Lern-Elemente sind auch über das im gesamten Klinikum etablierten Forschungsnetz abrufbar.

Der Fachbereich Humanmedizin hat im Rahmen eines BLK-geförderten Modellprojektes „Zukunftsorientierte Umgestaltung des Medizinstudiums" ein übergreifendes Konzept für die Lehre entwickelt, um deren Organisation und Durchführung professioneller zu gestalten. Zu den Verbesserungsvorschlägen zählen Maßnahmen zur Qualitätssicherung (Evaluation) und zum Qualitätsmanagement (insbesondere Kostentransparenz, Organisation und technologische Infrastruktur). Nach Abschluß des Modellversuchs hat der Fachbereich die Stellen und Budgetmittel auf Dauer als Stabsstelle des Dekans und des Lehr- und Studienausschusses mit unterstützenden Aufgaben für die Weiterentwicklung der Lehre am Fachbereich eingerichtet. Die Einrichtung eines Studiendekanats wird vom Fachbereich nur in dem Fall für sinnvoll gehalten, daß im Landeszuschuß ein klar definiertes Lehrbudget ausgewiesen werden kann. Ein Lehrbericht wurde im Jahr 1995 erstellt. Bislang werden von 39 Pflichtveranstaltungen im Jahr 1995 regelmäßig bereits 21 Veranstaltungen evaluiert.

In den schriftlichen Prüfungsteilen haben die Absolventen der Humanmedizin am Fachbereich Gießen im Zeitraum 1990 bis 1994 in der Ärztlichen Vorprüfung insgesamt deutlich unterdurchschnittliche Ergebnisse erzielt. Weit unter dem Bundesdurchschnitt lagen die Ergebnisse insbesondere in den Fächern Biologie, Chemie und Physiologie. Die Ergebnisse im ersten Teil der Ärztlichen Prüfung lagen demgegenüber geringfügig über dem Durchschnitt der westdeutschen Fakultäten.[8])

8) Entsprechende Vergleichsdaten für die ostdeutschen Fakultäten liegen noch nicht vor.

A. V. Krankenversorgung

Das Klinikum des Fachbereiches Medizin der Universität Gießen verfügte im Jahr 1995 über insgesamt 1339 Planbetten. Zusätzlich wurden 23 teilstationäre Betten betrieben (Dialyse, Operative Tagesklinik, Nachtklinik). Der Anteil der Intensivpflege- und Überwachungsbetten liegt bei 8,8 % (116 Betten). Hinsichtlich der Gesamtauslastung und der durchschnittlichen Verweildauer aller Kliniken entsprechen die übermittelten Daten in etwa dem Bundesdurchschnitt.

Die Fallzahlen der vollstationären Krankenversorgung beliefen sich im Jahr 1995 auf 39547 Patienten. Die Zahl der poliklinischen Neuzugänge betrug in demselben Jahr 118.663. Die Zahl der poliklinischen Gesamtuntersuchungen (Mehrfachvorstellungen eingerechnet) lag im Jahr 1995 bei 317699 Behandlungen. Nach den Unterlagen des Fachbereiches wird angenommen, daß nicht mehr als 10 % der poliklinischen Leistungen tatsächlich für den Bereich Forschung und Lehre erbracht werden. 90 % der Leistungen seien ganz oder ganz überwiegend Leistungen der allgemeinen ambulanten Krankenversorgung, die pro Fall und pro Quartal zur Zeit mit 93,60 DM abgegolten werden, was mit Ausnahme einzelner Bereiche als nicht kostendeckend bezeichnet wird. Für das Universitätsklinikum Gießen errechnet sich aus dieser Kostenunterdeckung ein Betrag von etwa 20 Millionen DM pro Jahr, der über den Landeszuschuß finanziert wird. Die von 1993 zu 1994 gesunkene Fallzahl kennzeichnet das Bemühen, das aus der poliklinischen Versorgung entstehende Defizit zu verkleinern. Mit diesem Ziel wird auch versucht, den Anteil der bereits bestehenden Institutsermächtigungen und persönlichen Ermächtigungen zur Teilnahme an der vertragsärztlichen Versorgung zu erhöhen. Zur Erhaltung und Verbesserung des klinischen Qualitätsstandards benennt der Fachbereich eine Reihe von Maßnahmen zur Qualitätssicherung, die über die gesetzlich veranlaßten Maßnahmen hinausgehen.

Übersicht 5

Planbetten, aufgestellte Betten, Auslastung und Verweildauer der Kliniken des Fachbereichs Humanmedizin in der Universität Gießen im Jahr 1995

Klinik	Plan-betten	aufge-stellte Betten	Auslastung in Prozent			Verweildauer in Tagen		
			Gießen	Bund	Diff.	Gießen	Bund	Diff.
Radiologie/ Nuklearmedizin	40	40	90,9	90,6	+ 0,3	12,6	7,0	+5,6
Innere Medizin	250	230	83,9	86,6	- 2,7	9,0	9,5	-0,5
Kinderheilkunde	132	110	76,3	74,9	+ 1,4	5,5	7,5	-2,0
Dermatologie	47	45	78,4	83,0	- 4,6	9,9	13,9	-4,0
Chirurgie	222	220	81,2	84,7	- 3,5	9,1	9,9	-0,8
Urologie	42	41	92,5	81,6	+10,9	8,6	9,1	-0,5
Orthopädie/ Rheumatologie	149	127	71,6	88,3	-16,7	13,1	14,4	-1,3
Frauenheilkunde	100	100	78,9	80,4	- 1,5	6,1	7,4	-1,3
HNO-Heilkunde	56	55	81,0	82,6	- 1,6	6,9	8,5	-1,6
Augenheilkunde	50	42	80,7	84,0	- 2,3	2,9	7,5	-4,6
Neurologie	68	67	87,0	88,9	- 1,9	14,1	14,5	-0,4
Neurochirurgie	50	48	81,6	87,6	- 6,0	9,6	11,1	-1,5
Psychiatrie/ Psychosomatik	116	108	87,3	92,0	- 4,7	33,0	40,3	-7,3
MKG-Chirurgie	17	7	80,9			9,5		
Gesamt	1 339	1 240	80,9	84,3	- 3,4	9,5	10,7	-1,2

Quelle: Angaben des Fachbereichs Humanmedizin der Universität Gießen.
Vergleichsdaten: Deutsches Krankenhaus-Institut 1991 (Bezugsjahr 1990).

A. VI. Ausbauplanung und Finanzierung

VI. 1. Ausbauplanung

Das Ausbaukonzept für das Klinikum Gießen beruht auf einem Entwicklungsplan aus dem Jahre 1976, der die Sanierung des Klinikums in überschaubaren kleinen Schritten vorsah. Zu den Kernelementen dieses Konzeptes zählte die Beibehaltung des Standortes und der Pavillonstruktur, verknüpft mit einer Konzentration der großen Kernbereiche

Chirurgie, Innere Medizin und Neurologie im Zentralbereich des Klinikums. Unterirdische Transportwege zwischen allen Kliniken, Instituten und Produktionsstätten im Kernbereich sollen im Endausbau für witterungsgeschützte Transportverbindungen zwischen diesen Einrichtungen sorgen. Die Teilschritte des bisherigen Sanierungskonzeptes wurden mit dem Ziel einzeln realisierbarer Maßnahmen mit jeweils funktionsfähigem Zwischenergebnis geplant.

Das Universitätsklinikum Gießen besteht derzeit aus drei zusammenhängenden Arealen:

- dem Gelände I (Kernbereich),
- dem Gelände Seltersberg,
- dem Gelände II sowie
- dem Außenbereich mit 13 Gebäuden/Einrichtungen in einer Luftliniendistanz von 200 bis 500 m zum Kernbereich des Klinikums.

Die Nutzfläche der Gebäude des Klinikums beträgt insgesamt 118700 m^2, davon

- 79500 m^2 NF im Kliniksgelände I (67 %),
- 14250 m^2 NF auf dem Gelände Seltersberg (12 %),
- 17800 m^2 NF auf dem Gelände II (15 %) sowie
- 7100 m^2 NF in den Außenbereichen (6 %).

An die Längsachse des Kernbereiches schließt sich das nur locker bebaute Gelände Seltersberg mit einer Geländefläche von rund 62000 m^2 an. Es schafft eine direkte Verbindung zwischen dem Kernbereich und dem Gelände II, das sich unmittelbar anschließt. Dort befinden sich die vorklinischen Institute Anatomie und Physiologie, das Gebäude der Zahnmedizin und als erster Abschnitt eines neuen Versorgungszentrums das zentrale Materiallager sowie die provisorischen Gebäude der Klinikumsapotheke.

Auf dem Verbindungsgelände der ehemaligen Heilstätte Seltersberg, das im Jahr 1988 vom Land im Rahmen eines HBFG-Vorhabens erworben wurde, befinden sich derzeit

- „Haus B“ mit 56 Betten der Inneren Medizin, 24 Betten der Psychosomatischen Klinik und 10 Betten einer AIDS Schwerstkrankenstation,

- „Haus A“ mit einem Studentenwohnheim und weiteren nicht bettenführenden Institutsbereichen sowie

- „Haus C“ mit einem Forschungszentrum, in dem Forschungsflächen der Klinischen Chemie, der Klinischen Pharmakologie, der Klinischen Forschergruppe sowie weiteren Bereichen für die Lehre untergebracht sind.

Im Rahmen des Sanierungskonzeptes sollten ab 1983 die Bereiche Chirurgie, HNO- und MKG-Chirurgie saniert und teilweise neugebaut werden. Ein großer Teil der weitergenutzten Altbereiche muß noch saniert werden. Der Neubau der Chirurgie wurde in zwei Bauabschnitten erstellt und Ende 1994 mit Gesamtkosten von rund 217 Millionen DM fertiggestellt und in Betrieb genommen.

Durch die veränderten Finanzierungsmöglichkeiten mußten nach 1989 die Abschnitte zum Neubau der HNO- und MKG-Kliniken sowie die Sanierung des Allgemeinbereiches Chirurgie und des OP-Traktes zunächst zurückgestellt werden. Da sich nicht absehen ließ, wann diese Sanierungsschritte im Rahmen HBFG-geförderter Maßnahmen aufgenommen werden könnten, wurden große Teile des Röntgenbereiches im OP-Trakt, der Westflügel des Altgebäudes Chirurgie sowie einer der sechs Operationsräume im OP-Trakt und die Poliklinik der HNO-Klinik mit einem Aufwand von mittlerweile 10 Millionen DM in eigener Verantwortung und mit eigenen Mitteln instandgesetzt. In gleicher Weise wird derzeit ein Verbindungsbau zwischen dem Neubau Chirurgie und der HNO-Klinik erstellt, das eine funktionelle Anbindung zwischen dem Chirurgiekomplex und der HNO Klinik ermöglicht. Die Fortsetzung und der Abschluß der „Sanierungsmaßnahme Chirurgie" soll in den Jahren 1997 bis 2002 mit einem Investitionsvolumen von rund 70 Millionen DM zum Abschluß gebracht werden. Mit diesen Mitteln soll die Sanierung der Altbereiche HNO, des OP-Traktes und des Altbereiches Chirurgie unter Eingliederung der Klinik für MKG-Chirurgie durchgeführt werden.

Aus Bauunterhaltungsmitteln wurden seit 1981 über 50 Millionen DM in die Sanierung des Klinikums investiert.

VI. 2. Künftige Planungen

Die weitere bauliche Sanierung des Universitätsklinikums Gießen folgt dem bisherigen Konzept der Sanierung „in überschaubaren Schritten". Als wesentliche Maßnahmen werden die folgenden Projekte aufgeführt:

Funktionsverbesserung Altbau Innere Medizin / Neurologie, 1. BA (Nr. 8103, 40,0 Mio. DM, 1998-2002)

Die größte der vorgesehenen und stufenweise realisierbaren Sanierungsmaßnahmen umfaßt in erster Linie das Zentrum für Innere Medizin sowie längerfristig die Klinik für Neurologie, das Institut für Klinische Immunologie und Transfusionsmedizin und das Institut für Nuklearmedizin. Die zeitliche Priorität der Inneren Medizin ergibt sich aus der nachteiligen Unterbringung an bisher drei Standorten. Bereits in der Stellungnahme des Wissenschaftsrates aus dem Jahre 1979[9]) wurde auf

9) A.a.O.

entsprechende Flächendefizite und funktionelle Mängel hingewiesen, die seinerzeit dazu veranlaßten, die Sanierung des Bereiches Innere Medizin mit hoher Priorität zu empfehlen. In einem ersten Teilschritt (Vorhaben Nr. 8103) der Maßnahme sollen in einzelnen Teilabschnitten abgeschlossene und funktionsfähige Bereiche saniert werden. In einer zweiten Phase soll die baulich stark zergliederte Neurologische Klinik mit dem Bereich der Inneren Medizin zusammengeführt werden. Aufgrund des frühen Planungsstandes und des Fehlens einer Zeit und Kostenplanung sah der Wissenschaftsrat in den Empfehlungen zum 25. Rahmenplan von einem Votum zu diesem Vorhaben ab (Kategorie P). Planungskosten in Höhe von 2,0 Millionen DM wurden freigegeben. Zugunsten des jetzt geplanten Sanierungsvorhabens wurden die zum 23. und 24. Rahmenplan angemeldeten Vorhaben zur Errichtung einer Kardiologischen Intensivstation (Nr. 8099, 20 Mio. DM) und eines zweiten Herzkathetermeßplatzes (Nr. 8101, 7 Mio. DM) zurückgezogen.

Neubau der Klinikumsapotheke (Nr. 7052, 11,8 Mio. DM, 1874 m^2, 1997-2000)

Nach einem Brandschaden im Jahre 1986 mußte die Apotheke provisorisch in drei barackenähnlichen Gebäuden auf dem Gelände II untergebracht werden. Dieser „Behelfsapotheke“ konnte nur eine befristete Betriebsgenehmigung erteilt werden, die in Erwartung eines baldigen Neubaus mehrfach verlängert wurde. Angesichts der unzulänglichen Bauverhältnisse droht mittlerweile eine Schließung der Klinikumsapotheke. Als Standort für den Neubau der Apotheke wurde das Gelände II in Nachbarschaft zu dem Neubau des zentralen Materiallagers gewählt. Dort besteht langfristig noch die Möglichkeit eines Anschlusses an das Tunnelsystem des Klinikums. Das Vorhaben ist im Rahmenplan mit Gesamtkosten von 11,8 Millionen DM in Kategorie II eingestuft.

Neubau Forschungszentrum Seltersberg, 1. Bauabschnitt (Nr. 8104, 8,0 Mio. DM, 1040 m^2, 1997-1998)

Der Fachbereich strebt eine Zusammenführung der verteilten Forschungsflächen, insbesondere für die Klinische Forschung an. In den Kliniken selbst sollen künftig nur noch jene Forschungsbereiche verbleiben, bei denen die Patientennähe funktional erforderlich ist. Geplant ist ein modulartiger Anbau an das bestehende Forschungsgebäude (Haus C) auf dem Gelände Seltersberg. Im ersten von etwa vier gleichgroßen Bauabschnitten sollen jetzt 26 Forschungslabore mit Begleitflächen einschließlich S1- und S2-Labore entstehen. Der Landesanteil für den ersten Bauabschnitt, der mit voraussichtlichen Kosten von 8,0 Millionen DM zum 26. Rahmenplan angemeldet und vom Wissenschaftsrat grundsätzlich zur Aufnahme empfohlen wurde (Kategorie II), wird vom Klinikum aus Überschüssen selbst aufgebracht.

Erweiterung/Sanierung des Pathologischen Instituts

Das Pathologische Institut, 1883 fertiggestellt, ist das älteste noch in Funktion befindliche Gebäude des Klinikums. Mit Bauunterhaltungsmitteln werden zur Zeit abschnittsweise Sanierungen einzelner Altbereiche durchgeführt. Das bestehende Flächendefizit läßt sich dadurch allerdings nicht ausgleichen. Es wurde daher eine Haushaltsunterlage Bau für eine Anbaulösung erstellt, die zusammen mit einer Sanierung der Altbereiche des Pathologischen Instituts mit einem geschätzten Kostenvolumen mit etwa 25 Millionen DM abschließt. Der Fachbereich betont, daß in die Sanierungsmaßnahme „Pathologie" eigentlich die Institute für Rechtsmedizin und für Neuropathologie einbezogen werden müßten. Dafür würden insbesondere die fachliche Nähe und die Möglichkeit einer gemeinsamen Nutzung von Infrastruktur sprechen. Da die beiden übrigen Einrichtungen derzeit aber in ausreichend sanierten Gebäuden untergebracht sind, wird befürchtet, daß eine kombinierte Sanierungs- und Neubaumaßnahme angesichts der knappen Finanzmittel den Kostenrahmen übersteigen und die dringliche Sanierungsmaßnahme für das Pathologische Institut weiter aufschieben würde. Aus diesem Grund wird die Sanierungsmaßnahme „Pathologie" modulartig geplant, so daß später ein Hinzufügen der übrigen Einrichtungen sein wird.

Mutter-Kind-Zentrum

Kinderklinik und Frauenklinik sind räumlich getrennt, jedoch jeweils in sehr gutem baulichen und funktionellen Zustand. Behandlungsbedürftige Neugeborene müssen in die Kinderklinik verlegt oder in andere Bereiche transportiert werden, wenn zusätzliche Eingriffe notwendig werden. Um diesen risikobehafteten Transport zu vermeiden, wird ein Mutter-Kind-Zentrum angestrebt, das als Anbau direkt an die bestehende Frauenklinik entstehen soll. In diesem Anbau sollen die Schwangerenversorgung, die Entbindungseinrichtungen sowie operative Eingriffsräumlichkeiten für die Chirurgie angeborener Fehlbildungen untergebracht werden. Eine grobe Kostenschätzung beläuft sich auf rund 40 Millionen DM. Angesichts der vergleichsweise niedrigen Sterblichkeitsrate von Risikokindern am Standort Gießen räumt der Fachbereich dieser Planung allerdings keine hohe Priorität ein. Mit hoher Dringlichkeit ist jedoch vorgesehen, die unterirdische Anbindung der Frauenklinik an die Innere Medizin und von dort aus weiter an das bestehende Tunnelsystem der Chirurgie und von dort zur Kinderklinik zu verwirklichen.

Zentralgebäude des Klinikums

Die am Standort Gießen vorgesehene langfristige Sanierung führt zum Entstehen von zwei sanierten klinischen Kernbereichen östlich (Chirurgische Kliniken, HNO, MKG, Kinderklinik und Augenklinik) und westlich (Innere Medizin, Neurologie, Frauenklinik und Hautklinik) der zentralen Erschließungsstraße. Der Vorschlag für ein „Zentralgebäude des

Klinikums“ geht von der Vorstellung aus, dem Universitätsklinikum langfristig eine Mitte zu geben, die auch im Sinne einer geistigen Mitte zu verstehen ist. Das Zentralgebäude soll einen akademischen, einen administrativen und einen Forschungsbereich enthalten. Für dieses Gebäude, das erst jenseits des Jahres 2040 entstehen soll, gibt es noch keine Raumplanungen. Aufgrund von Erfahrungswerten wird eine Größenordnung von rund 150 Millionen DM veranschlagt.

VI. 3. Finanzierung

Dem Klinikum in Gießen stehen pro Jahr für Bauunterhaltungsmaßnahmen etwa 7,3 Millionen DM zur Verfügung. Aus Erträgen konnte das Universitätsklinikum Gießen diese Mittel in den letzten acht Jahren um rund 50 Millionen DM aufstocken, von denen etwa die Hälfte in die Mitfinanzierung HBFG-geförderter Maßnahmen eingeflossen ist.

Das Land verfolgte den Ausbau der Medizinischen Fakultäten an den drei Standorten in der Vergangenheit durch zeitlich versetzte Schwerpunktsetzungen. Bis 1995 wurden im Rahmen der Gemeinschaftsaufgabe insgesamt rund 1,9 Milliarden DM in die hessischen Universitätsklinika investiert, die sich zu 42 % auf das Klinikum Marburg und zu jeweils 29 % auf die Klinika in Frankfurt und Gießen verteilen. Bis Mitte der 80er Jahre stand – mit dem Neubau des Klinikums auf den Lahnbergen – der Ausbau in Marburg im Vordergrund (mit 460 Mio. DM in den Jahren 1976-1985). Seitdem liegt der Schwerpunkt der Investitionen auf den Klinika in Gießen (1986-1995: 277 Mio. DM) und Frankfurt (1986-1995: 236 Mio. DM; zum Vergleich Marburg: 74 Mio. DM).

Übersicht 6

Geplante Investitionen nach dem HBFG für Bauvorhaben der Medizin in Hessen und Anmeldungen zum 26. Rahmenplan (Kategorien I, II und P)

	Planungsumsätze in Mio. DM[1]			
	Frankfurt	Gießen	Marburg	Gesamt
1996	74,3	5,0	1,2	80,5
1997	89,9	16,7	10,0	116,6
1998	102,6	19,8	17,3	139,7
1999	67,1	27,7	35,0	129,8
2000	42,6	11,6	30,0	84,2
Summe	376,5	80,8	93,5	550,8

1) Einschließlich der für Frankfurt vorgesehenen Vorhaben im Rahmen der „UK 2004-Vereinbarung“.
Quelle: Empfehlungen zum 26. Rahmenplan für den Hochschulbau.

Für die nächsten Jahre plant das Land gegenüber den Ist-Ausgaben der vergangenen Jahre eine deutliche Erhöhung der Investitionsausgaben für die Hochschulmedizin. Nachdem in der letzten Dekade jährlich im Durchschnitt etwa 59 Millionen DM für HBFG-Maßnahmen im Bereich der Medizin ausgegeben worden sind, sollen diese Raten in den nächsten Jahren bei über 100 Millionen DM liegen. Der Schwerpunkt der Investitionen liegt dabei auf dem Klinikum Frankfurt. Für die Laufzeit des 26. Rahmenplans (1996-2000) sehen die Vorhaben der Kategorien I, II und P ein Investitionsvolumen von insgesamt rund 55 Millionen DM vor; davon entfallen auf Frankfurt rund 377 Millionen DM (einschl. UK 2004-Vorhaben), auf Marburg rund 94 Millionen DM und auf Gießen rund 81 Millionen DM. Die veranschlagten Jahresraten für Gießen für die Jahre 1996 und 1997 belaufen sich auf 5,0 bzw. 16,7 Millionen DM. Das Land weist gleichwohl darauf hin, daß alle angemeldeten Rahmenplanvorhaben landesseitig innerhalb des angegebenen Zeitraums finanziert werden könnten.

B. Stellungnahme

Die Stellungnahme zu den Fachbereichen Medizin der Universitäten Gießen und Marburg[10]) sind in einem engen Zusammenhang zu sehen, da der komplementären Schwerpunktbildung zwischen beiden Standorten eine große Bedeutung zukommt. Um Wiederholungen zu vermeiden, werden bestimmte Aspekte, die für beide Fachbereiche von Belang sind, nur in einer der beiden Stellungnahme ausführlich behandelt.

B. I. Zur allgemeinen Situation der Hochschulmedizin

In den letzten Jahren hat der Wissenschaftsrat eine Reihe von Stellungnahmen zur weiteren Entwicklung und zum Ausbau von Medizinischen Fakultäten bzw. Fachbereichen und den zugehörigen Universitätsklinika abgegeben. Dabei stehen Gesichtspunkte der strukturellen Verbesserung und der Förderung der klinischen Forschung sowie der Ausbildungsqualität im Vordergrund. Neben der Stimmigkeit des Gesamtkonzepts für die weitere Entwicklung und den Ausbau eines Klinikums sowie der Dringlichkeit einzelner Baumaßnahmen wird auch der Umfang der für Forschung und Lehre erforderlichen Krankenversorgung berücksichtigt.

Diese in den Empfehlungen zum 19. Rahmenplan erläuterte Verfahrenspraxis soll auch künftig beibehalten werden.[11]) Allerdings haben sich die Rahmenbedingungen gegenüber früheren Jahren deutlich geän-

10) Vgl. Stellungnahme zur weiteren Entwicklung des Fachbereichs Humanmedizin der Universität Marburg, in diesem Bd., S. 273 ff.
11) Vgl. Empfehlungen zum 19. Rahmenplan, Köln 1989, Bd. 5, S. 14 ff.

dert: Zum einen haben das mit Beginn des Jahres 1993 inkraftgetretene Gesundheitsstrukturgesetz (GSG) sowie die Mitte 1995 verabschiedete Bundespflegesatzverordnung strengere Maßstäbe im Hinblick auf die Wirtschaftsführung in Krankenhäusern gesetzt. Zum anderen erfordert der grundlegende Neuaufbau der Hochschulklinika in den neuen Ländern, aber auch der erhebliche Sanierungs- und Neubaubedarf in den alten Ländern hohe Investitionssummen, die in den vergangenen Jahren in zunehmendem Maß die finanziellen Grenzen der Rahmenpläne für den Hochschulbau überstiegen: Von 3,2 Milliarden DM im Vierjahreszeitraum des 20. Rahmenplans sank das Volumen für Bauvorhaben der Medizin in Kategorie I bis zum 25. Rahmenplan auf 2,5 Milliarden DM ab. Diese Reduktion ist umso gravierender, wenn man berücksichtigt, daß in demselben Zeitraum acht Hochschulklinika in den neuen Bundesländern hinzugekommen sind.

Legt man inflationsbereinigte Realwerte zugrunde, bedeutet diese Entwicklung für die Hochschulklinika der alten Bundesländer innerhalb von fünf Jahren einen Rückgang des Finanzvolumens für Bauvorhaben der Kategorie I um rund 40 %. Dementsprechend stiegen Zahl und Volumen der in Kategorie IIa zurückgestuften Vorhaben an.

Der Wissenschaftsrat hat sich angesichts dieser Situation für klare Prioritäten zugunsten von Forschung und Lehre ausgesprochen. Um diesen Ansprüchen gerecht zu werden, hat er in der Stellungnahme zur weiteren Entwicklung der Hochschulmedizin eine Reihe von Möglichkeiten erörtert, die trotz der Beschränkung der öffentlichen Haushalte einen leistungsgerechten Ausbau hochschulmedizinischer Einrichtungen erlauben.[12]) Mit Blick auf die Situation der beiden Fachbereiche Medizin der Universitäten Gießen und Marburg und unter Berücksichtigung der seinerzeit zum Fachbereich Medizin der Universität Frankfurt verabschiedeten Empfehlungen der Wissenschaftsrates[13]) sind in diesem Zusammenhang auch Möglichkeiten der generellen Umstrukturierung zu prüfen. Relevant sind insbesondere die folgenden Alternativen:

- Ausgliederung von Einrichtungen, die für die Belange von Forschung und Lehre von eher nachrangiger Bedeutung sind. Denkbar wäre dabei die Beibehaltung des universitären Status im Sinne des „Bochumer Modells" und gegebenenfalls die volle Wiedereingliederung in die Universität zu einem späteren Zeitpunkt. In der Zwischenzeit ließen sich die verfügbaren Mittel des staatlichen Hochschulbaus auf die forschungsrelevanten Bereiche konzentrieren, zumal eine Beteiligung außeruniversitärer Kliniken in Teilbereichen der Lehre durchaus sinnvoll ist.

12) Vgl. Wissenschaftsrat, Stellungnahme zur weiteren Entwicklung der Hochschulmedizin, in: Empfehlungen und Stellungnahmen 1995, Köln 1996, Bd. I, S. 77 ff.
13) Wissenschaftsrat: Stellungnahme zur weiteren Entwicklung und zum Ausbau des Fachbereichs Medizin der Universität Frankfurt, in: Empfehlungen und Stellungnahmen 1991, S. 105 ff.

- Komplementäre Schwerpunktbildung auf den Gebieten Forschung, Lehre und Krankenversorgung. Diese Alternative ist angesichts der räumlichen Nähe der beiden Medizinischen Fachbereiche in Gießen und Marburg von besonderer Bedeutung und gilt beispielsweise für Teildisziplinen der Kernfächer, die an einer der benachbarten Hochschulen mit voller Ausstattung fortgeführt werden können, während der andere Standort lediglich über eine Grundausstattung verfügt.

- Stärkere Beachtung des Leistungsprinzips. Hierzu hat sich der Wissenschaftsrat zuletzt in der Stellungnahme zur weiteren Entwicklung der Hochschulmedizin[14]) ausführlich geäußert. Die Hervorhebung des Leistungsprinzips impliziert größere Transparenz der tatsächlich erbrachten Leistungen in Forschung und Lehre wie auch eines stärkeren Wettbewerbs innerhalb eines Medizinischen Fachbereichs, insbesondere aber auch zwischen den Medizinischen Fakultäten.

- Bei Fortdauer der gegenwärtigen Diskrepanz zwischen Investitionsbedarf und verfügbaren Mitteln für den Hochschulbau wird nach Ansicht des Wissenschaftsrates auch über die Frage nach der Zahl notwendiger Universitätsklinika nachzudenken sein. In der Stellungnahme zur weiteren Entwicklung der Hochschulmedizin sprach sich der Wissenschaftsrat mit Nachdruck gegen eine gleichmäßige Verschlechterung der Arbeitsbedingungen für alle hochschulmedizinischen Einrichtungen aus. Unter dem Gesichtspunkt der Qualität von Lehre und Forschung darf auch die Reduktion der Gesamtzahl der Hochschulklinika oder die Zusammenlegung benachbarter Standorte kein Tabu sein.[15])

Der Wissenschaftsrat ist sich bewußt, daß die angesprochenen Maßnahmen einschneidende Konsequenzen mit sich bringen werden. Unter den gegebenen Umständen sind diese Wege aber notwendig, um undifferenzierte Mittelkürzungen zu vermeiden.

B. II. Zur Struktur des Fachbereichs Medizin der Universität Gießen

Die Planung des Landes sieht für die Zukunft der beiden Medizinischen Fachbereiche in Gießen und Marburg eine konsequente Bildung komplementärer Schwerpunkte vor. Hierzu zählt insbesondere die Planung, daß die Medizinische Psychologie, die Medizinische Soziologie, die Rheumatologie und die Augenheilkunde (bis auf eine Spezialeinheit für Neuroophthalmologie und Schielbehandlung) künftig in Gießen nicht mehr eigenständig vertreten sein sollen. Umgekehrt soll der Gießener Fachbereich in der Dermatologie und der Zahnheilkunde, die in Marburg eingestellt werden sollen, Dienstleistungen in Lehre und Krankenversorgung

14) Wissenschaftsrat: Stellungnahme zur weiteren Entwicklung der Hochschulmedizin, in: Empfehlungen und Stellungnahmen 1995, Köln 1996, Bd. I, S. 90 ff.
15) A.a.O., S. 98.

für den Fachbereich in Marburg erbringen. Die vom Land vorgegebene Perspektive, das Angebot benachbarter Fakultäten abzustimmen, findet grundsätzlich die Unterstützung und Zustimmung des Wissenschaftsrates. Sie entspricht den Empfehlungen zur künftigen Entwicklung der Hochschulmedizin.[16]) Allerdings bedürfen solche Konzepte der Schwerpunktbildung einer differenzierten Betrachtung. Eine Konzentration ganzer Fächer an nur einem Standort ist dann praktikabel, wenn die Lehre für beide Fachbereiche von einem Standort aus wahrgenommen werden kann. Mithin muß es möglich sein, daß entweder die Dozenten Lehrveranstaltungen an beiden Fachbereichen durchführen oder aber, sofern Patienten in den Unterricht einbezogen sind, die Studierenden, beispielsweise im Rahmen von Blockpraktika, Veranstaltungen am jeweils anderen Fachbereich besuchen. Grenzen entstehen dabei durch die Dichte der Lehrveranstaltungen. Geeignet für solche Lösungen sind daher in erster Linie theoretische Fächer, die weitgehend ohne Patienten auskommen.

Denkbar sind auch sogenannte Dependance-Lösungen, die die volle Ausstattung des Faches an nur einem Standort und eine Grundausstattung am anderen Standort vorsehen. Diese Strukturvariante setzt aber eine enge räumliche Nachbarschaft, etwa in einer Großstadt voraus, so daß die Mitarbeiter des Dependance-Standortes in ständigem Kontakt mit dem Hauptstandort stehen. Um eine Einbindung in die wissenschaftliche Arbeit aufrecht zu erhalten, sollte zudem eine ständige Rotation möglich sein und stattfinden. Ist beides nicht gewährleistet, muß bei dieser Lösung damit gerechnet werden, daß der Dependance-Standort zu einer lediglich auf Versorgungs- und Lehraufgaben beschränkten Rumpfabteilung ohne Forschungsanbindung würde. Eine solche Lösung, wie sie das Konzept des Landes für die Augenheilkunde vorsieht, scheidet nach Ansicht des Wissenschaftsrates für die beiden mittelhessischen Standorte aus.

In den klinischen Fächern muß darüber hinaus berücksichtigt werden, daß nicht nur die Krankheitsbilder einzelner Disziplinen oft eng verflochten sind und die Kompetenz verschiedener ausdifferenzierter Fächer verlangen, sondern auch in der Forschung, insbesondere mit molekularbiologischer Orientierung, eine interdisziplinäre Zusammenarbeit wichtig ist. Komplementäre Schwerpunktbildung zwischen benachbarten Fachbereichen und Klinika sollte sich im klinischen Bereich nach Ansicht des Wissenschaftsrates daher in erster Linie auf die Ebene der Differenzierung einzelner Fächer, insbesondere der großen Disziplinen Innere Medizin und Chirurgie beziehen. Gute Voraussetzungen für eine Konzentration sieht der Wissenschaftsrat in Gießen beispielsweise in der Kinderonkologie und der Kinderherzchirurgie, die bereits jetzt eine überregionale Bedeutung haben. Gleiches gilt für die Herzchirurgie insgesamt und für die Vaskuläre Chirurgie.

16) A.a.O.

Die beiden Fachbereiche sollten die zahlreichen Neuberufungen nutzen, die aufgrund der Altersstruktur der Professoren in den nächsten Jahren anstehen, um den Prozeß der Abstimmung von Schwerpunkten auf dieser Ebene gezielt weiterzuführen. Damit bietet sich die Chance einer Profilbildung an beiden Fachbereichen, die auch die Leistungsfähigkeit der Hochschulmedizin in dieser Region insgesamt stärken kann.

II. 1. Zur Struktur

Die Struktur des Fachbereichs Humanmedizin der Universität Gießen wird durch Zentren geprägt, in denen teilweise eng benachbarte Disziplinen, teilweise aber auch – wie beispielsweise im Zentrum Ökologie – nicht unmittelbar zusammengehörige Einrichtungen zusammengefaßt sind. Nach Ansicht des Wissenschaftsrates hängt die Funktionalität der Zentren abgesehen von der tatsächlich praktizierten Zusammenarbeit aber wesentlich von den Kooperationsmöglichkeiten innerhalb der Zentren ab. Auch eine allzu starke Untergliederung der Zentren kann diese behindern. Der Fachbereich sollte bei seinen zukünftigen Strukurplanungen zum einen darauf achten, daß die fachliche Zusammengehörigkeit gewährleistet ist. Zum anderen sollten einzelne Zentren intern nicht zu stark ausdifferenzieren. Dies gilt insbesondere für die großen Zentren Radiologie mit gegenwärtig sechs und die Zahn-, Mund- und Kieferheilkunde mit neun Abteilungen. Der Wissenschaftsrat hat an anderer Stelle hervorgehoben, daß die institutionelle Differenzierung der Zahnheilkunde an einigen Standorten die Zahl der vier Kernabteilungen überschreiten sollte.[17]) Gleichwohl sollte die Gefahr der übermäßigen institutionellen Aufgliederung angesichts möglicher Umstrukturierungen im Falle einer Aufgabe der Zahnklinik in Marburg im Auge behalten werden.

Innere Medizin

Plausibel erscheinen die Schwerpunktsetzungen in der Inneren Medizin, auch mit Blick auf die Komplementarität zum Fachbereich in Marburg. Angesichts der bestehenden Forschungsdefizite in Deutschland auf dem Gebiet der Pneumologie kann der Wissenschaftsrat mit Blick auf die gegenwärtigen Besetzungen der Lehrstühle auch der Planung der Fakultäten in Gießen und Marburg zustimmen, dieses Fachgebiet vorerst an beiden Standorten aufrecht zu erhalten. Allerdings sollte eine komplementäre Spezialisierung sowie eine enge Kooperation beider Abteilungen angestrebt werden, um die räumliche Konzentration der Pneumologie in Hessen wissenschaftlich im Sinne eines Synergieeffektes nutzbar zu machen.

17) Wissenschaftsrat: Stellungnahme zur weiteren Entwicklung der Hochschulmedizin in Mecklenburg-Vorpommern, in diesem Band, S.129 ff.

Augenheilkunde

Das Konzept des Landes sieht eine Aufgabe der Gießener Augenklinik vor, die über eine C4- und eine C3-Professur, 20,5 Stellen für wissenschaftliches Personal und 89,5 Stellen für nichtwissenschaftliches Personal verfügt. Der Fachbereich zeigte sich damit einverstanden unter der Bedingung, daß eine Spezialklinik für Schielbehandlung und Neuroophthalmologie erhalten bleiben soll, die auch augenärztliche Konsiliardienste für das Gießener Klinikum leisten könne. Diesem Vorschlag schließt sich das Land an.

Der Wissenschaftsrat kann dem Plan des Landes zur Schließung der Augenklinik in Gießen im Rahmen des Gesamtkonzeptes nicht folgen. Angesichts der Bedeutung augenheilkundlicher Fragen für andere Bereiche der Medizin, insbesondere der Inneren Medizin, hält der Wissenschaftsrat eine Vertretung der Augenheilkunde an beiden Standorten für unerläßlich. Ihre notwendige Einbindung in das klinische Fächerspektrum läßt sich nach Ansicht des Wissenschaftsrates nicht durch eine Ein-Standort-Lösung gewährleisten. Ebenfalls nicht nachvollziehen kann der Wissenschaftsrat Pläne zur Aufrechterhaltung einer kleinen Spezial-Augenklinik zur Schielbehandlung. Die Existenz einer solchermaßen kleinen, isolierten Abteilung birgt die Gefahr, daß der Anschluß an die wissenschaftliche Entwicklung des Faches verloren geht. Hinzu kommt, daß die Aufrechterhaltung operativer Kapazitäten nur für die operative Schielbehandlung nicht gerechtfertigt erscheint.

Klinik für Rheumatologie, Physikalische Medizin und Balneologie in Bad Nauheim

Anstelle der ursprünglich vom Land vorgesehenen Schließung der HNO-Klinik in Gießen schlug der Fachbereich dem Land die Ausgliederung der Klinik für Rheumatologie, Physikalische Medizin und Balneologie in Bad Nauheim aus dem universitären Verbund vor. Das Land folgte diesem Vorschlag. Gleichzeitig soll der Lehrstuhl in der Fakultät jedoch beibehalten werden; mit dem neuen Träger der Klinik soll eine gemeinsame Berufung durchgeführt werden. Angestrebt wird eine Übernahme durch die Kerckhoff-Klinik der Max-Planck-Gesellschaft, die ihr Interesse bekundet hat, die Klinik zu übernehmen.

Unter Forschungsgesichtspunkten hält der Wissenschaftsrat die vorgesehene Überführung der Klinik in die Trägerschaft der Max-Planck-Gesellschaft für eine attraktive Lösung. Die Beibehaltung des Lehrstuhls an der Fakultät erlaubt darüber hinaus eine weitere Einbindung der Rheumatologie in den Fachbereich. Die Kooperation mit der Kerckhoff-Klinik ist bislang jedoch noch nicht vertraglich abgesichert. Land und Fachbereich sollten im Sinne einer wissenschaftlichen Stärkung der Rheumatologie darauf hinwirken, daß eine Beibehaltung der fachlichen Ausrichtung der Klinik und ihrer Forschungskapazitäten gewährleistet ist.

Allgemeinmedizin und Psychosomatik

Angesichts der überall bestehenden Schwierigkeiten bei der qualifizierten Besetzung von Professuren für Allgemeinmedizin hält der Wissenschaftsrat die in Gießen etablierte Vertretung des Faches für sinnvoll. Es bleibt allerdings darauf hinzuweisen, daß die schriftlichen Prüfungsergebnisse der Gießener Studierenden im Fach Allgemeinmedizin, wie im gesamten Zweiten Abschnitt der Ärztlichen Prüfung, unterdurchschnittlich sind. Um die Isolierung des Faches zu überwinden, das bislang als eigenständiges Zentrum institutionalisiert ist, sind die Pläne des Fachbereichs, die Allgemeinmedizin zusammen mit der Psychosomatik in einem Zentrum für Psychosoziale Medizin zusammenzuführen, zu begrüßen. Der Wissenschaftsrat sieht darin eine Chance, die Allgemeinmedizin stärker in die Forschungsaktivitäten des Fachbereichs einzubinden. Die vom Fachbereich vertretene Position, daß eine Einbindung der Medizinischen Psychologie in dieses Zentrum unabdingbar sei, vermag der Wissenschaftsrat allerdings nicht zu teilen, zumal die vorgesehene Eingliederung in das Marburger Zentrum für Methodenwissenschaft und Gesundheitsforschung im Hinblick auf eine Akzentuierung methodenwissenschaftlicher Forschung durchaus zu befürworten ist. Das gleiche gilt auch für die Zuordnung der Medizinischen Soziologie zum Marburger Fachbereich (vgl. B. II. der Stellungnahme zum Fachbereich Humanmedizin der Universität Marburg, in diesem Band, S. 307 ff.).

Klinische Pharmakologie

Die künftige Strukturierung der Klinischen Pharmakologie in Gießen ist noch offen. Der Fachbereich will eine Entscheidung hierüber erst treffen, wenn er eine vollständige Übersicht über den bevorstehenden Stellenabzug und dessen strukturelle Auswirkungen erarbeitet hat. Der Wissenschaftsrat hat an anderer Stelle mehrere Möglichkeiten zur Etablierung der Klinischen Pharmakologie skizziert, die auch von der spezifischen Ausrichtung der Lehrstuhlinhaber abhängen.[18]) Allen Modellen gemeinsam ist jedoch, daß eine eigenständige Klinische Pharmakologie als zusammenhängender Bereich etabliert werden sollte. Gegenwärtig wird sie in Gießen getrennt durch einen selbständigen Funktionsbereich in der Kinderklinik und durch eine Abteilung in der Inneren Medizin vertreten. Unabhängig von der Frage nach der möglichen Anbindung an das Institut für Pharmakologie sollte die Klinische Pharmakologie am Fachbereich in jedem Fall innerhalb desselben Zentrums zusammengeführt werden, um das vorhandene Entwicklungspotential in Gießen weiter zu fördern.

---

18) Wissenschaftsrat: Empfehlungen zur Förderung der Klinischen Pharmakologie, Köln 1990, S. 29 ff.

Medizinische Mikrobiologie und Umwelthygiene

In der Frage der zukünftigen Schwerpunktsetzung für die Medizinische Mikrobiologie stimmt der Wissenschaftsrat den Planungen der beiden Fachbereiche zu und unterstützt die Überlegung, die C4-Professur Hygiene im Fachbereich Humanmedizin der Universität Gießen mit Schwerpunkt Umwelthygiene und Umweltmedizin wiederzubesetzen und in Marburg nach Ausscheiden des bisherigen Stelleninhabers (C3-Professur) die Medizinische Mikrobiologie nach C4 auszuschreiben. Auch in diesem Gebiet wird mit der komplementären Schwerpunktbildung künftig eine noch engere Kooperation zwischen den beiden Fachbereichen notwendig sein, die auch eine Personalrotation bei der Weiterbildung zum Facharzt für Hygiene und Umweltmedizin einschließen sollte.

II. 3. Zum Personal

Die Stellenausstattung des Fachbereichs Humanmedizin in Gießen ist im Vergleich der alten Länder in Relation zur Zahl der Planbetten sowohl im Bereich des wissenschaftlichen als auch des nicht-wisssenschaftlichen Personals geringfügig unterdurchschnittlich. Allerdings kommen in Gießen auf eine wissenschaftliche Stelle mehr nicht-wissenschaftliche Stellen als im Durchschnitt (1994: 4,6 im Vergleich zu 4,3). Die Anteile befristet beschäftigter Wissenschaftler (24 %) und nicht-ärztlicher Mitarbeiter an den Wissenschaftlern (15 %) entsprechen im übrigen dem auch an anderen Standorten üblichen Werten.

Hinsichtlich der Altersstruktur fällt auf, daß ein überproportionaler Anteil der C3-Professoren (53 %) älter als 50 Jahre ist. Um in diesem Bereich eine größere Flexibilität zu schaffen und einen höheren Anteil jüngerer Wissenschaftler zu gewinnen, empfiehlt der Wissenschaftsrat dem Land, die Einrichtung von Zeitprofessuren zu erwägen.

Auf der Grundlage des Hessischen Frauengleichstellungsgesetzes hat der Fachbereich 1995 einen Frauenförderplan vorgelegt. Seitdem hat sich der Anteil der Frauen an den wissenschaftlichen Bediensteten insgesamt (auf etwa 40 %) wie auch an den C1-Stellen (auf etwa 30 %) erhöht. Defizite bestehen jedoch nach wie vor im Bereich der Professuren. Der Fachbereich hofft jedoch, durch den erhöhten Frauenanteil im Mittelbau künftig auch in folgenden Qualifizierungsstufen einen höheren Anteil von Bewerberinnen zu gewinnen. Der Wissenschaftsrat bestärkt den Fachbereich und bittet das Land um eine konsequente Unterstützung in dieser Absicht.

Das Sparkonzept des Landes verlangt vom Fachbereich eingerechnet in die Kürzung der laufenden Zuschüsse einen Abbau von 60 Stellen über einen Zeitraum von fünf Jahren.[19]) Unklar bleibt in dem Konzept der Zusammenhang dieser Vorgabe mit dem Abbau von Personalkapazitäten in der Vorklinik, der erforderlich wird, wenn die Zahl der Studienplätze und Teilstudienplätze wie vom Land beabsichtigt verringert werden soll.

Zusätzlich zur Reduktion der Teilzulassungen sieht die Planung des Landes in Gießen einen Abbau von weiteren 90 Studienplätzen vor. Insgesamt wären dadurch 159 vorklinische Studienplätze betroffen, das sind 34 % der bestehenden Ausbildungskapazität (gegenüber einer Reduktion von 23 % in Frankfurt und 41 % in Marburg). Damit würden – ungeachtet weiterer Reduktionen, die sich aus der geplanten Änderung der Approbationsordung ergäben – erhebliche Verringerungen der Stellenausstattung in der Vorklinik erforderlich. Zwar gehören die entsprechenden Fächer in Gießen nicht zu den besonders aktiven Forschungsschwerpunkten; gleichwohl hat der Wissenschaftsrat erhebliche Bedenken, ob eine durchaus wünschenswerte Steigerung der wissenschaftlichen Aktivität in diesem Bereich nach einem derart radikalen Einschnitt noch möglich wäre. Für den Fachbereich Medizin in Marburg ergibt sich dieses Problem in ungleich schärferer Form, während die absehbaren Konsequenzen der für den deutlich größeren Fachbereich Frankfurt vorgeschlagenen Reduktion weitaus weniger einschneidend erscheinen (vgl. B.I. der Stellungnahme zum Fachbereich Humanmedizin der Universität Marburg, in diesem Band, S. 301 ff.).

II. 4. Zu Führungs- und Entscheidungsstrukturen

Eine aus dem hessischen Universitätsgesetz resultierende Besonderheit des Fachbereichs Medizin in Gießen stellt die Personalunion der Ämter des Dekans und des Ärztlichen Direktors dar. Der Wissenschaftsrat hat bereits in seiner Stellungnahme zur weiteren Entwicklung des Fachbereichs Humanmedizin der Universität Frankfurt auf die Nachteile dieser Lösung hingewiesen. Dadurch, daß der zum Dekan gewählte Hochschullehrer für die hauptamtliche Funktion des Ärztlichen Direktors für einen Zeitraum von sechs Jahren seine Aufgaben in Forschung und Lehre nicht wahrnehmen kann, sah der Wissenschaftsrat die Gefahr gegeben, daß das Amt für besonders ausgewiesene Forscher nicht attraktiv sei.[20]) Die damalige Feststellung, daß sich die an das Modell geknüpften Erwartungen nicht erfüllt haben, bekräftigt der Wissenschaftsrat erneut. Er sieht in dieser Führungsstruktur die Gefahr einer Interessenskollision, da Anliegen der Krankenversorgung, die dem Ärztlichen Direktor besonders naheliegen müssen, gegenüber dem Einsatz für Forschung und Lehre allzu leicht in den Vordergrund rücken.

19) Vgl. Wissenschaftsrat: Stellungnahme zur weiteren Entwicklung des Fachbereichs Humanmedizin der Universität Marburg, in diesem Band, S. 273 ff.
20) A.a.O., S. 129 ff.

Das Land legt in seinen Überlegungen zur künftigen Struktur der hessischen Hochschulmedizin Wert auf eine arbeitsteilige Schwerpunktsetzung zwischen den beiden Standorten Gießen und Marburg. Dadurch sollen zum einen Doppelungen klinischer Spezialdisziplinen vermieden werden und zum anderen eine stärkere fachliche Zusammenarbeit gefördert werden. Der Wissenschaftsrat begrüßt die Einsetzung von Strukturkommissionen an beiden Fachbereichen, die eine Abstimmung der Schwerpunktbildungen anregen sollen sowie die Entscheidung der beiden Fachbereiche, in Berufungskommissionen jeweils ein Mitglied der anderen Fakultät zu berufen. Demgegenüber stellt sich die Kooperation der beiden Fachbereiche in Lehre und Forschung als verbesserungsfähig dar. Gegenwärtig existieren nur wenig gemeinsame Forschungsprojekte. Die Bemühungen zur Qualitätssicherung in der Lehre sind ebenfalls wenig koordiniert. Der Wissenschaftsrat erwartet, daß aus der intensiven Strukturdiskussion der vergangenen Jahre auch die engere Zusammenarbeit in diesen Bereichen wächst.

B. III. Zur Forschung

Der Fachbereich Medizin der Universität Gießen war in den letzten Jahren bemüht, profilierte Forschungsschwerpunkte aufzubauen. In diesem Zusammenhang konnten zwei Sonderforschungsbereiche und eine klinische Forschergruppe eingeworben werden. Die zukünftigen Anstrengungen sollen sich schwerpunktmäßig auf die klinische und experimentelle Forschung im Bereich des kardiopulmonalen Systems, die molekularbiologische Forschung auf dem Gebiet der Zell-Zell-Interaktion und auf die Reproduktionsmedizin richten. Der Wissenschaftsrat befürwortet diese Konzentration auf Schwerpunkte und empfiehlt, die gewünschte Profilierung in erster Linie durch eine konsequente Berufungspolitik zu verfolgen.

Gemessen am Volumen der eingeworbenen Drittmittel, das in den letzten Jahren durchschnittlich 18,5 Millionen DM betrug (davon 6,2 Mio. DM von der Deutschen Forschungsgemeinschaft), rangiert der Fachbereich Humanmedizin in Gießen im Mittelfeld der Medizinischen Universitäten der alten Länder. Positiv hervorzuheben sind die hohen Drittmittelaufkommen der Zentren Innere Medizin und Kinderheilkunde, die auch bezogen auf die Zahl der C4- und C3-Lehrstühle an der Spitze liegen. Aus dem Bereich der vorklinischen und klinisch-theoretischen Abteilungen stellen sich die Pharmakologie und die Virologie gemessen an den Drittmitteleinwerbungen bei der DFG als die forschungsaktivsten Bereiche dar.

Der Wissenschaftsrat anerkennt das Bemühen des Gießener Fachbereichs um neue Forschungsschwerpunkte. Dennoch hat er den Eindruck gewonnen, daß in den meisten Bereichen Aspekte der Krankenversorgung deutlich im Vordergrund stehen und Priorität bei anstehenden Planungen haben. Die eher durchschnittlichen wissenschaftlichen Leistungen dürften nicht zuletzt Ergebnis der räumlichen Bedingungen für die Forschung sein. Es besteht ein Mangel insbesondere an Sicherheitslaboren, der jedoch durch den geplanten Neubau eines Forschungszentrums (vgl. B.V.) beseitigt werden soll. Der Wissenschaftsrat begrüßt die Initiative des Fachbereichs, durch Eigenmittel Investitionen zur Förderung von Bauvorhaben für die Forschung anzustoßen. Hinzu kommen allerdings auch Entscheidungsstrukturen und Mechanismen der Ressourcenvergabe, die dem Anliegen der Forschung wenig zuträglich sind. Zwar sind Fachbereich und Klinikum bemüht, eine Budgetierung der Mittel für Forschung und Lehre einerseits und für Krankenversorgung andererseits zu erreichen. Eine leistungsorientierte Mittelzuweisung existiert gegenwärtig aber nicht. Dies gilt insbesondere für Forschungsflächen, die ausschließlich dezentral auf der Basis gewachsener Zuordnungen innerhalb der Zentren und Betriebseinheiten verteilt werden. Zur Stärkung der Forschung und zur Förderung der Entwicklung ausgewiesener Forschungsschwerpunkte sollte angestrebt werden, einen nennenswerten Teil der Mittel für Forschung und Lehre zukünftig leistungsorientiert und zeitlich befristet zu vergeben. Dies sollte sowohl für Personal- als auch für Sachmittel und für Forschungsflächen gelten. Die Vergabe der Forschungsmittel sollte dabei im Grundsatz an den Drittmitteln der Deutschen Forschungsgemeinschaft orientiert sein. Um dem beständigen Druck in Richtung auf eine gleichmäßige Verteilung der Forschungsressourcen zu entgehen, wäre auch die Einschaltung externer Experten dringend angeraten.

Zur Verbesserung der Forschungsleistungen sollten außerdem Möglichkeiten zur temporären Freistellung der klinischen Wissenschaftler geschaffen werden. Hierzu bietet sich die Einführung eines Stellenpools an, dessen Stellen zeitlich befristet und leistungsorientiert an Abteilungen vergeben werden. Die geplante Umwidmung von BAT IIa-/Ib-Stellen in C1-Stellen erscheint demgegenüber nur dann sinnvoll, wenn die Stelleninhaber tatsächlich nur eine begrenzte Zahl an Bereitschaftsdiensten leisten und zum Einsatz in der Lehre und in der Krankenversorgung nur soweit herangezogen werden, daß die wissenschaftliche Arbeit nicht beeinträchtigt wird.

Ausbaufähig erscheint trotz der Beteiligung von Arbeitsgruppen des veterinärmedizinischen und des biologischen Fachbereichs in den beiden Sonderforschungsbereichen die Kooperation mit anderen Fachbereichen der Universität Gießen. Angesichts der räumlichen Nähe, beispielsweise in dem auf dem Campus gelegenen sogenannten Mehrzweckgebäude für Forschung, das zu etwa einem Drittel von der Medizinischen Fakultät und zu etwa zwei Dritteln von naturwissenschaftlichen Einrichtungen der Universität genutzt wird, ist die mangelnde Kooperation durchaus bemerkenswert.

B. IV. Zur Lehre

Der Fachbereich hat in den letzten Jahren viele Anstrengungen unternommen, die Qualität der Lehre zu verbessern. Bemerkenswert sind die umfangreichen Ansätze zur Evaluation der Lehre. Im Mittelpunkt der Überlegungen stand dabei der Modellversuch „Zukunftsorientierte Umgestaltung des Medizinstudiums", dessen Abschlußbericht kürzlich vorgelegt wurde. Im Rahmen dieses Projektes wurde eine Vielzahl einzelner Initiativen entwickelt, die Qualitätssicherung der Lehre als Aufgabe eines Qualitätsmanagements beschreiben, das der Fachbereich in den nächsten Jahren aufbauen will.

Der Wissenschaftsrat begrüßt die Entscheidung des Fachbereichs, die Fortführung des Modellprojektes als Stabsstelle des Dekans und des Lehr- und Studienausschusses nach Ablauf der BLK-Förderung auf Dauer im Haushalt des Fachbereichs abzusichern. Die Einrichtung eines Studiendekanats erachtet der Fachbereich nur unter der Bedingung als sinnvoll, daß dieses mit einem entsprechenden Budget ausgestattet ist. Der Wissenschaftsrat sieht in der Ausweisung eines eigenen Budgets für die Lehre und die leistungsorientierte Vergabe eines Teils dieser Mittel eine Möglichkeit, Anreize im Bereich der Lehre zu schaffen. Gleichzeitig würde damit die Voraussetzung geschaffen, die der Fachbereich selbst für die Einführung eines Studiendekanats formuliert hat.

Bislang haben sich die Bemühungen des Fachbereichs insgesamt noch nicht in den schriftlichen Prüfungsleistungen der Gießener Studierenden niedergeschlagen. In den schriftlichen Teilen der Ärztlichen Vorprüfung und des Zweiten Abschnitts der Ärztlichen Prüfung liegen die Gießener Ergebnisse seit Jahren deutlich unter dem Durchschnitt. Im Ersten Abschnitt der Ärztlichen Prüfung lag die Durchschnittspunktzahl die Gießener Prüfungsteilnehmer in den letzten Jahren jeweils leicht über dem Durchschnitt der alten Länder, ohne daß aber eine Steigerung festzustellen wäre.

Defizite bestehen am Fachbereich in der Ausstattung mit Räumen für Kleingruppenunterricht, dessen Bedeutung mit einer Änderung der Approbationsordnung weiter zunehmen wird. Bei künftigen Neubau- und Sanierungsvorhaben sollte die Verbesserung dieser Situation Beachtung finden.

B. V. Zur Krankenversorgung

Die Zahl der vollstationären Planbetten des Klinikums in Gießen orientiert sich mit künftig 1322 an der Zielgröße des Wissenschaftsrates. Bei einer Ausgliederung der Klinik für Rheumatologie (vgl. B.II.1) würde sich die Planbettenzahl um weitere 49 Betten verringern. Die zukünftige Verteilung der Betten auf einzelne Kliniken sollte allerdings stärker nach Gesichtspunkten von Forschung und Lehre strukturiert werden. Aspekte der regionalen Krankenversorgung sollten demgegenüber durch Stadt und Land in anderer Weise Berücksichtigung finden.

Im Zusammenhang mit dem Sparkonzept des Landes stellt sich auch die Frage nach der zukünftigen Zuordnung der Orthopädischen Klinik, die nach der Ausgliederung der Klinik für Rheumatologie alleine ein Zentrum (mit 100 Planbetten) bilden würde. In Erwägung gezogen werden sollte ihre Zuordnung zum Zentrum Chirurgie.

Der bauliche Zustand entspricht in vielen Altbauten nicht dem Standard einer modernen Krankenversorgung. Defizite bestehen insbesondere in den Kliniken der Inneren Medizin, aber auch in der Hautklinik, die entsprechend dem Konzept des Landes künftig nur noch in Gießen, aber nicht mehr in Marburg vertreten sein soll. Unabhängig von der Realisierung des vom Fachbereich gewünschten Mutter-Kind-Zentrums hält der Wissenschaftsrat insbesondere die Neugeborenenversorgung in der Frauenklinik für verbesserungsbedürftig. Dies gilt um so mehr, als Frauen- und Kinderklinik auch langfristig getrennt untergebracht sein werden.

Die Vorschläge des Landes, weitere Einsparpotentiale durch Rationalisierung und Reduzierung von Dienstleistungen der Universitätskliniken in der Krankenversorgung zu erschließen, finden ebenfalls die Zustimmung des Wissenschaftsrates. Hierzu zählt zunächst die weitere Reduzierung der Zahl poliklinischer Behandlungsfälle.[21]) Dies gilt aber auch für die Pläne zur künftigen Planbettenzahl der drei Klinika. Der Wissenschaftsrat befürwortet die Zielgröße von 1322 vollstationären Planbetten für das Klinikum in Gießen, weist jedoch darauf hin, daß eine Abstimmung von vorklinischen und klinischen Ausbildungskapazitäten erfolgen sollte, um zukünftig Teilzulassungen zu vermeiden.

B. VI. Zur Ausbauplanung und Finanzierung

VI. 1. Ausbauplanung

Vor dem Hintergrund der allgemeinen Situation der öffentlichen Haushalte stellt sich das mittelfristige Baukonzept des Gießener Fachbereichs als konsistent und realistisch dar. Die schrittweise Sanierung und Modernisierung des Baubestandes, die sich schon in den vergangenen Jahren als vernünftig erwiesen hat, sollte in dieser Weise weitergeführt werden. Allerdings sollten die Belange von Forschung und Lehre dabei stärkere Beachtung finden. Im Mittelpunkt der Planung stehen Sanierungen und Funktionsverbesserungen im Hauptgebäude der Chirurgie und im OP-Trakt des HNO-Gebäudes (Nr. 8095), ferner im Altbau der Inneren Medizin und in der Neurologie (Nr. 8103) sowie der Neubau eines Forschungszentrums auf dem Seltersberg (Nr. 8104). In den Planungen

21) Vgl. Stellungnahme zur weiteren Entwicklung des Fachbereichs Humanmedizin der Universität Marburg, in diesem Band, S. 312.

des Fachbereichs spielen darüber hinaus die Sanierung des Pathologischen Instituts und die Einrichtung eines Mutter-Kind-Zentrums eine Rolle.

- Sanierung und Funktionsverbesserung Altbau Innere Medizin/Neurologie, 1. BA (Nr. 8103, 40,0 Mio. DM, 1998-2002)

Der enge und verwinkelte Altbau der Inneren Medizin hat sich als dringend sanierungsbedüftig erwiesen. Dies gilt insbesondere für den Bereich der Kardiologie, wo die baulichen Gegebenheiten den Anforderungen an eine moderne Krankenversorgung nicht mehr gerecht werden. Defizite in der Infrastruktur und ein Mangel an Forschungsflächen behindern den Aufbau neuer Forschungsschwerpunkte. In einer zweiten Phase des Bauvorhabens soll die räumlich stark zergliederte Neurologische Klinik mit den Bereichen der Inneren Medizin zusammengeführt werden. Bislang sah sich der Wissenschaftsrat aufgrund der fehlenden Kosten- und Zeitplanung gezwungen, trotz der grundsätzlichen Anerkennung des Bedarfs von einem Votum zu diesem Vorhaben abzusehen. Er bittet das Land, die Planungen für das dringend erforderliche Vorhaben zügig weiterzuführen, damit eine rasche Realisierung möglich wird.

- Sanierung und Funktionsverbesserung Chirurgie, Hauptgebäude und OP-Trakt, Gebäude HNO/MKG (Nr. 1095, 70,0 Mio. DM, 1997-2002)

Auch bei diesem Vorhaben sah der Wissenschaftsrat in den Empfehlungen zum 25. Rahmenplan aufgrund des frühen Planungsstandes von einem Votum ab. Einen grundsätzlichen Sanierungsbedarf erkennt der Wissenschaftsrat gleichwohl auch für dieses Gebäude an. Die ursprüngliche Planung sah den Abriß und Neubau der HNO-Klinik vor. Aus Kostengründen wurde dieses Vorhaben aufgegeben und eine Sanierung der HNO-Klinik angestrebt. Der Bettenbereich der HNO-Klinik wurde bereits im Zuge des Neubaus der Chirurgie erneuert. Insbesondere der OP-Trakt der HNO-Klinik weist gravierende hygienische Mängel auf und ist dringend sanierungsbedürftig. Der Wissenschaftsrat bittet das Land, die Planung für das Vorhaben rasch abzuschließen, damit eine baldige Realisierung möglich wird. Die Planung des Bauablaufs sollte dabei eine Priorität zugunsten des OP-Bereichs der HNO-Klinik setzen.

- Neubau Forschungszentrum Seltersberg (Nr. 8104, 8,0 Mio. DM, 1997-1998)

Der Wissenschaftsrat hat dieses zum 26. Rahmenplan erstmals angemeldete Vorhaben entsprechend dem Antrag des Landes grundsätzlich zur Aufnahme in den Rahmenplan empfohlen (Kategorie II). Der Wissenschaftsrat begrüßt die Initiative des Fachbereichs zum Ausbau der Forschungsflächen, die darin zum Ausdruck kommt, daß der Landesanteil aus Überschüssen des Klinikums finanziert werden soll. Zu begrüßen sind auch die Planungen, mit dem Gebäude eine attraktive Infrastruktur für bestehende Forschungsschwerpunkte, z.B. Sonderforschungsbereiche, zu schaffen. Mit dem Vorhaben könnte insbesondere der Mangel an S2- und S3-Laboren beseitigt werden. Als zwingende Voraussetzung für eine effiziente Nutzung dieses Gebäudes sieht der Wissenschaftsrat allerdings eine an eingeworbene Drittmittel gebundene, zeitlich befristete Vergabe der Labore im Sinne von Verfügungsflächen an. Der zusätzliche Neubau dieser Forschungsflächen ist im Sinne einer Priorität für Forschung und Lehre aus Sicht des Wissenschaftsrates angebracht.

– Neubau einer Apotheke (Nr. 7052, 11,8 Mio. DM, 1997-2000)

Ebenfalls zum Rahmenplan angemeldet ist der Neubau einer Apotheke für das Klinikum, der zunächst mit rund 6,0 Millionen DM veranschlagt wurde. Bauauflagen führten dazu, daß die inzwischen fertiggestellte Haushaltsunterlage Bau einen doppelt so hohen Kostenwert ausweist. Die Dringlichkeit des Vorhabens wird damit begründet, daß die Apotheke nach einem Brandschaden derzeit provisorisch untergebracht ist. Die Notwendigkeit einer angemessenen Unterbringung der Klinikumsapotheke wird von seiten des Wissenschaftsrates nicht bestritten; unter wissenschaftlichen Gesichtspunkten vermag er diesem Vorhaben, das bislang in Kategorie II eingestuft ist, in Abwägung mit anderen, für Forschung und Lehre wichtigeren Maßnahmen, jedoch keine Priorität beizumessen. Angesichts des gegebenen Finanzrahmens bittet der Wissenschaftsrat das Land, nochmals zu prüfen, ob sich im Rahmen der jetzt geplanten strukturellen Einsparungen Unterbringungsmöglichkeiten in anderen, freiwerdenden Gebäuden bieten. Gesetzt den Fall, daß sich eine anderweitige Unterbringung der Apotheke als nicht möglich erweist, sollte die Realisierung des Neubauvorhabens dennoch nicht dazu führen, daß andere Bauvorhaben zeitlich zurückgestellt werden. Sonst würde der Impuls, der aus der Initiative des Fachbereichs für die Forschung entsteht, seine Wirkung verlieren und das wünschenswerte Instrument der Mitfinanzierung von forschungsbezogenen Bauvorhaben durch die Klinika Schaden nehmen.

– Erweiterung und Sanierung des Pathologischen Instituts

Angesichts des Mangels an Forschungsflächen im Institut für Pathologie und der bestehenden Defizite in verschiedenen Bereichen (Sektionswesen, Funktionsräume) befürwortet der Wissenschaftsrat das Sanierungskonzept für das Institut, dessen Kosten auf etwa 25 Millionen DM geschätzt werden. Eine Rahmenplananmeldung liegt allerdings noch nicht vor. Die Anbaumaßnahmen sind modulartig geplant, so daß zu einem späteren Zeitpunkt auch die Institute für Rechtsmedizin und Neuropathologie in den Komplex einbezogen werden können.

– Mutter-Kind-Zentrum

Die vom Fachbereich geplante Integration der verschiedenen Bereiche der Reproduktionsmedizin sind im Grundsatz wünschenswert, wenn im Bereich der Reproduktionsmedizin ein Forschungsschwerpunkt des

Fachbereichs entwickelt werden soll. Da die Bauplanungen sich im wesentlichen aber auf Bereiche der Krankenversorgung beziehen, kann der Wissenschaftsrat den umfangreichen Neubauplanungen angesichts des forschungsbezogenen Investitionsbedarfs in anderen Bereichen in der gegenwärtigen Situation keinen Vorrang einräumen. Dessen ungeachtet hält der Wissenschaftsrat aber eine Sicherung der neonatologischen Versorgung in der Frauenklinik für erforderlich, wenn Frauen- und Kinderklinik auf absehbare Zeit räumlich getrennt bleiben. Auf dieses Ziel sollten nach Ansicht des Wissenschaftsrates die mittelfristigen Planungen beschränkt werden.

VI. 2. Zur Finanzierung

Der Fachbereich hat seit 1981 aus eigenen Bauunterhaltmitteln im Umfang von insgesamt 314,6 Millionen DM größere Baumaßnahmen (über 500000 DM) finanziert. Der Wissenschaftsrat begrüßt, daß der Fachbereich Medizin in Gießen aus Eigenmitteln einen beträchtlichen Beitrag zum Ausbau der Infrastruktur geleistet hat und auch in Zukunft bereit ist, dies zu tun.

Im Rahmen der Gemeinschaftsaufgabe wurden von 1981 bis 1995 insgesamt 314,6 Millionen DM am Fachbereich investiert. Im 26. Rahmenplan sind, ohne die mittlerweile abgeschlossene Sanierung des Zentrums Chirurgie (Vorhaben Nr. 8034), zudem Vorhaben der Kategorie I in einer Höhe von 13 Millionen DM aufgenommen; die Ansätze für 1996 und 1997 liegen jedoch lediglich bei 5,0 bzw. 5,1 Millionen DM. Das Land weist darauf hin, daß die landesseitige Finanzierung aller von den Fachbereichen als dringlich bezeichneten Vorhaben und das Volumen der Rahmenplananmeldungen für alle drei Medizinischen Fachbereiche gesichert sei. Die veranschlagten Jahresraten für Baumaßnahmen der Medizin im Rahmen der Gemeinschaftsaufgabe für die Jahre 1996 bis 2000 liegen allerdings mehr als doppelt so hoch wie die tatsächlichen Ausgaben in den Jahren 1994 und 1995.

Aufgrund des umfangreichen Sanierungsbedarfs der hessischen Hochschulklinika ist die geplante Erhöhung der Investitionsansätze zu begrüßen. Diese Planung soll nach Auskunft des Landes durch eine Anhebung der Ansätze für die Hochschulmedizin im allgemeinen Hochbauhaushalt des Landes umgesetzt werden. Dabei soll die Investitionsausweitung für die Hochschulmedizin nicht zu Lasten des übrigen Hochschulbaus gehen.

Nach Ansicht des Wissenschaftsrates sollte das Land seine Planungen an der wissenschaftlichen Leistungsfähigkeit der Fachbereiche ausrichten. Insbesondere sollte der weitere Ausbau und der Bestand des leistungsstärksten Fachbereiches in Marburg gesichert sein. Dies gilt in besonderem Maße für die Realisierung der zweiten Baustufe des Klinikums auf den Lahnbergen innerhalb des geplanten Zeitrahmens.

Der Wissenschaftsrat anerkennt ausdrücklich, daß das Land nach dem Besuch des Ausschusses Medizin mit den beiden Medizinischen Fachbereichen in Gießen und Marburg eine intensive und offene Struktur- und Spardiskussion geführt hat, die auch einschneidende Maßnahmen nicht ausklammerte und gravierende Konsequenzen mit sich bringt. Anzumerken ist allerdings, daß diese Diskussion im wesentlichen auf die beiden kleineren Fachbereiche in Gießen und Marburg beschränkt blieb und den größeren Medizinischen Fachbereich in Frankfurt nur am Rande einbezog.

Vor dem Hintergrund der in der Stellungnahme zum Fachbereich Humanmedizin der Universität Marburg erläuterten Einschätzung der strukturellen Vorschläge des Landes hält der Wissenschaftsrat eine weitergehende strukturelle Konzeption für die Hochschulmedizin in Hessen für angeraten, die auch die künftige Entwicklung aller Fachbereiche des Landes einbezieht. Ein wichtiger Punkt dieser Überlegungen wird in der Entscheidung des Landes über die angestrebte Zahl an Studienplätzen für die Humanmedizin liegen. Dabei sollten die möglichen Auswirkungen einer Novellierung der Approbationsordnung der Ärzte berücksichtigt werden. Der Wissenschaftsrat ist sich bewußt, daß die damit angestoßene Diskussion in der gegenwärtigen Situation eine außerordentlich schwierige Aufgabe bedeutet, in der jeder mögliche Lösungsweg neben gewünschten Konsequenzen gleichzeitig auch gravierende Nachteile mit sich bringt. Diese Strukturdiskussion kann nur dann gelingen, wenn alle daran beteiligten Partner Verständnis für anderweitige Positionen entwickeln und übergreifende gemeinsame Ziele im Auge behalten. Der in Hessen bereits erreichte Diskussionsstand, den der Wissenschaftsrat ausdrücklich anerkennt, birgt in diesem Sinne eine wertvolle Chance, auch weitergehende Überlegungen in verantwortlicher Weise fortzuführen. Dringend notwendige Bauprojekte sollten durch diese Diskussion aber nicht verzögert werden. Der Wissenschaftsrat bittet das Land, über das Ergebnis der Beratungen baldmöglichst informiert zu werden und behält sich eine übergreifende Stellungnahme zur längerfristigen Perspektive der Hochschulmedizin in Hessen vor.

C. Zusammenfassende Empfehlungen

Mit den Universitätsklinika in Gießen und Marburg verfügt das Land Hessen über zwei räumlich eng zusammenliegende medizinische Einrichtungen, die beide einen erheblichen Investitionsbedarf haben. Dies war dem Ausschuß Medizin des Wissenschaftsrates Anlaß für einen Besuch an beiden Fachbereichen im Februar 1995. Im Verlauf der weiteren Beratungen legte das Land ein Sparkonzept für die hessische Hochschulmedizin vor, das den laufenden Zuschußbedarf der Fachbereiche verringern soll. Darin wurden Vorschläge für eine Verzahnung der beiden Fachbereiche in Gießen und Marburg im Sinne einer komplementären

Schwerpunktbildung vorgelegt. Da die Bewertung dieser Strukturvorschläge ein wichtiger Bestandteil der Stellungnahme des Wissenschaftsrates zu den beiden Fachbereichen darstellt, sind beide Stellungnahmen in engem Zusammenhang zu sehen. Aus diesem Grund und, um Wiederholungen zu vermeiden, sind Themen, die für beide Fachbereiche von Belang sind, nur in jeweils einer der beiden Stellungnahmen ausführlich behandelt.

Im Mittelpunkt der Sparbemühungen stehen Pläne zur Verringerung der Zulassungszahlen in den Studiengängen Zahn- und Humanmedizin. Der Wissenschaftsrat begrüßt den geplanten Abbau der vorklinischen Teilzulassungen in der Humanmedizin, deren Zahl an allen drei hessischen Fachbereichen außerordentlich hoch ist. Die Zulassungskapazitäten in vorklinischem und klinischem Studium sollten aufeinander abgestimmt sein, nicht zuletzt, weil in der Praxis Teilzulassungen zu einer weiteren Überlastung klinischer Kapazitäten führen. Folgen kann der Wissenschaftsrat auch den Plänen zur Aufgabe einer Zahnklinik in Hessen. Aus Gründen der Wirtschaftlichkeit ist eine solche Lösung gegenüber einer gleichmäßigen Verringerung der Studentenzahlen an allen drei Standorten vorzuziehen. Dies gilt, da die personellen Kapazitäten mit den Zulassungszahlen verknüpft sind, auch mit Blick auf die wissenschaftliche Kapazität. Aufgrund des hohen Sanierungsbedarfs in der Marburger Zahnklinik erscheint die Standortentscheidung für Gießen begründet. Keinen Grund sieht der Wissenschaftsrat hingegen für eine weitere Reduzierung der Zahl der Studienplätze in der Humanmedizin. Dahingehende Überlegungen sollten vom Ergebnis der geplanten Novellierung der Approbationsordnung abhängig gemacht werden. Bei einer weitergehenden Reduzierung der Zulassungszahlen hätte der Wissenschaftsrat die Sorge, daß der dann notwendige Abbau personeller Kapazitäten in der Vorklinik ein Ausmaß erreichen müßte, das die Leistungsfähigkeit dieser Bereiche in der Forschung ernsthaft gefährden würde.

Ein wesentliches Element, die Sparvorgaben zu erfüllen und eine zehnprozentige Verringerung des Landeszuschusses für Lehre und Forschung zu ermöglichen, bildet die geplante Verzahnung der Fachbereiche in Gießen und Marburg im Sinne einer komplementären Schwerpunktbildung. Der Wissenschaftsrat hat dies in seiner Stellungnahme zur Entwicklung der Hochschulmedizin als eine Möglichkeit bezeichnet, den gegenwärtigen finanziellen Rahmenbedingungen Rechnung zu tragen.[22]) Plausibel erscheinen die Pläne des Landes hinsichtlich der vorklinischen und theoretischen Fächer (Rechts-, Arbeits- und Sozialmedizin sowie Geschichte der Medizin in Gießen; Medizinische Soziologie und Psychologie in Marburg), in denen die Lehrleistungen angesichts der geringen Entfernung zwischen beiden Städten auch von Vertretern des benachbarten Fachbereichs erbracht werden können.

22) A.a.O., S. 35.

Differenzierter müssen die Vorschläge des Landes für die klinischen Fächer betrachtet werden. Nicht alle Teilgebiete der klinischen Medizin müssen an jedem Universitätsklinikum als selbständige Einrichtung bzw. als Lehrstuhl vertreten sein. Der Verzicht auf die Zahnklinik in Marburg erscheint unter diesem Gesichtspunkt vertretbar, da die Zahnmedizin nur begrenzte Verbindungen mit den übrigen Disziplinen hat. Nicht folgen kann der Wissenschaftsrat jedoch dem Vorschlag, die Augenklinik bis auf eine Spezialklinik für Schielbehandlung und Neuroophthalmologie künftig nur noch in Marburg vorzuhalten. Angesichts der Bedeutung augenheilkundlicher Fragen für andere Bereiche der Medizin, insbesondere der Inneren Medizin, hält der Wissenschaftsrat eine volle Vertretung der Augenheilkunde an beiden Standorten für erforderlich. Die Überführung der Klinik für Rheumatologie, Physikalische Medizin und Balneologie in Bad Nauheim in die Trägerschaft der Max-Planck-Gesellschaft stellt unter Forschungsgesichtspunkten eine attraktive Lösung dar. Die Beibehaltung des Lehrstuhls am Fachbereich in Gießen erlaubt darüber hinaus eine weitere Einbindung des Faches in den universitären Kontext. Das Land sollte in den Verhandlungen mit der Kerkhoff-Klinik darauf hinwirken, daß die fachliche Ausrichtung der Klinik und ihre Forschungskapazitäten gewährleistet bleiben.

Über diese Schwerpunktbildungen hinaus empfiehlt der Wissenschaftsrat den beiden Fachbereichen in Gießen und Marburg nachdrücklich, die aufgrund der Altersstruktur absehbar hohe Zahl an Neuberufungen in enger Abstimmung zur Schwerpunktbildung auf der Ebene von Spezial- und Subdisziplinen zu nutzen. Der Verzicht auf bestimmte fachliche Differenzierungen stellt nicht in jedem Fall einen Verlust dar; vielmehr sollte sich die Einsicht durchsetzen, daß darin auch eine Möglichkeit zur gezielten Profilbildung liegt, die die wissenschaftliche Leistungsfähigkeit beider Standorte und der Hochschulmedizin-Region insgesamt erhöht. Eine Möglichkeit hierzu sieht der Wissenschaftsrat in der Konzentraion der Kinderonkologie und der Kinderherzchirurgie, die eine überregionale Reputation haben, wie der Herzchirurgie insgesamt in Gießen.

Der Wissenschaftsrat würdigt die Bemühungen des Fachbereichs, neue Forschungsschwerpunkte zu etablieren und befürwortet die geplante Konzentration auf das kardiopulmonale System, auf die Zell-Zell-Interaktion und auf die Reproduktionsmedizin. Dennoch hat er den Eindruck gewonnen, daß am Fachbereich in vielen Bereichen Aspekte der Krankenversorgung deutlich im Vordergrund stehen. Die räumlichen Bedingungen der Forschung, insbesondere der Mangel an Sicherheitslaboratorien, dürften hierzu beigetragen haben. Daher begrüßt der Wissenschaftsrat nachhaltig das Engagement des Fachbereichs, eigene Mittel zur Investition von Bauvorhaben für die Forschung bereitzustellen. Weiter sollte eine leistungsbezogene Vergabe von Personal- und Sachmitteln im Fachbereich zu einem verstärkten Wettbewerb und zu einer größeren Transparenz der aufgewandten Mittel führen. In diesem Zusammenhang hält es der Wissenschaftsrat auch für geboten, die Höhe der laufenden Zuschüssse des Landes für Forschung und Lehre künftig stärker an den

Leistungen der drei Hochschulklinika zu orientieren. Auch könnte ein Teil der Landeszuschüsse zeitlich befristet und leistungsorientiert vergeben werden. Zur Vermeidung umfangreicher Begutachtungsverfahren kann die Höhe der eingeworbenen Mittel der Deutschen Forschungsgemeinschaft ein Bemessungskriterium sein.

Hervorzuheben sind die umfangreichen Bemühungen des Fachbereichs zur Evaluation und Qualitätsverbesserung in der Lehre, die in dieser Intensität an kaum einem medizinischen Fachbereich vorzufinden sind. Gefördert werden könnten diese Anstrengungen weiter durch die Ausweisung eines getrennten Budgets für die Lehre und die leistungsorientierte Vergabe eines Teils dieser Mittel. In der weiteren Bauplanung des Fachbereichs sollte die Ausstattung mit Kleingruppenräumen für den Unterricht, deren Anzahl unzureichend ist, besondere Beachtung finden.

Die Zahl der vollstationären Planbetten orientiert sich mit künftig 1322 an der Zielgröße des Wissenschaftsrates; ihre Verteilung auf einzelne Kliniken sollte sich jedoch stärker nach Gesichtspunkten von Forschung und Lehre richten. Der bauliche Zustand entspricht in vielen Altgebäuden nicht dem Standard einer modernen Krankenversorgung. Defizite bestehen insbesondere in der Inneren Medizin, in der Hautklinik und der Versorgung von Neugeborenen.

Das mittelfristige Ausbaukonzept des Gießener Fachbereichs stellt sich insgesamt konsistent und realistisch dar. Die schrittweise Sanierung des Baubestandes sollte in der bisherigen Weise weitergeführt werden; Belange von Lehre und Forschung solten jedoch stärkere Beachtung finden. Weitere Elemente der Ausbauplanung, deren Dringlichkeit der Wissenschaftsrat anerkennt, sind insbesondere die Sanierung der Inneren Medizin und des OP-Traktes des Chirurgischen Zentrums.

Der Wissenschaftsrat begrüßt, daß das Land dem nachhaltigen Investitionsbedarf an allen drei Standorten durch eine deutliche Erhöhung der Ansätze im Rahmen der Gemeinschaftsaufgabe begegnen will. Die bisherige Strukturdiskussion beschränkt sich weitgehend auf die beiden Fachbereiche in Gießen und Marburg, während der größere Fachbereich in Frankfurt nur in der Frage der laufenden Zuschüsse einbezogen wurde. Künftig sollte eine weitergehende strukturelle Konzeption für die hessische Hochschulmedizin insgesamt entwickelt werden. Der Wissenschaftsrat bittet das Land, über das Ergebnis diesbezüglicher Beratungen informiert zu werden und behält sich eine übergreifende Stellungnahme zur längerfristigen Perspektive der hessischen Hochschulmedizin vor.

Stellungnahme zur weiteren Entwicklung des Fachbereichs Humanmedizin der Universität Marburg

vom Juli 1996

Inhalt

Vorbemerkung

Mit der Hochschulmedizin in Hessen hat sich der Wissenschaftsrat zuletzt im Jahr 1991 in der Stellungnahme zur weiteren Entwicklung des Fachbereichs Humanmedizin der Universität Frankfurt befaßt. Die letzten Empfehlungen zu den Medizinischen Fachbereichen der Universitäten Marburg und Gießen[1]) stammen aus dem Jahr 1979. Damals wurde bereits der jetzt zur Diskussion stehende zweite Bauabschnitt des Klinikums Marburg auf den Lahnbergen in Aussicht gestellt. In den Empfehlungen zum 22. Rahmenplan[2]) hat der Wissenschaftsrat aus diesem Grund einen Besuch des Fachbereichs Humanmedizin der Universität Marburg angekündigt. Die Beratungen zum 24. Rahmenplan[3]) ergaben darüber hinaus, daß auch in Gießen für den Ausbau relevante Strukturfragen bestehen. Angesichts der räumlichen Nähe sprach sich der Ausschuß Medizin dafür aus, beide Fakultäten zum gleichen Zeitpunkt zu besuchen, damit auch Fragen der wechselseitigen Abstimmung angemessen behandelt werden können. Aus diesem Grund und, weil ein vom Land vorgelegtes Sparkonzept für die hessische Hochschulmedizin eine komplementäre Schwerpunktbildung zwischen den Standorten Gießen und Marburg vorsieht, sind die Stellungnahmen zu den Fachbereichen Humanmedizin der Universitäten Gießen[4]) und Marburg im Zusammenhang zu sehen. Um Wiederholungen zu vermeiden, werden einzelne Aspekte, die für beide Fachbereiche von Belang sind, nur in einer der beiden Stellungnahmen ausführlich behandelt.

Der Ausschuß Medizin des Wissenschaftsrates hat den Fachbereich Humanmedizin der Universität Marburg am 10. Februar 1995 besucht und den Stand von Forschung, Lehre und Ausbauplanung mit Vertretern von Land und Universität diskutiert. Ein Besuch des Fachbereichs Humanmedizin der Universität Gießen fand am 9. Februar 1995 in gleicher Weise statt. Auf der Grundlage der Besuche des Ausschusses Medizin sowie der von Land und Universität vorgelegten Unterlagen wurde die folgende, auf die Stellungnahme zur weiteren Entwicklung des Fachbereichs Humanmedizin der Universität Gießen abgestimmte Stellungnahme vom Ausschuß Medizin vorbereitet und am 12. 7. 1996 vom Wissenschaftsrat verabschiedet.

---

1) Wissenschaftsrat: Stellungnahme zur weiteren Entwicklung und zum Ausbau des Fachbereichs Humanmedizin der Universität Frankfurt, in: Empfehlungen und Stellungnahmen 1991, Köln 1992, S. 105-143. Empfehlungen zum 8. Rahmenplan für den Hochschulbau, Köln 1978, Bd. 3, S. H 26. Empfehlung zum Ausbau des Klinikums der Universität Gießen, in: Empfehlungen und Stellungnahmen 1979, Köln 1980, S. 234-242.

2) Wissenschaftsrat: Empfehlungen zum 22. Rahmenplan für den Hochschulbau, Bd. 3, Köln 1992, S. H 39.

3) Wissenschaftsrat: Empfehlungen zum 24. Rahmenplan für den Hochschulbau, Bd. 3, Köln 1994, S. H 50.

4) Wissenschaftsrat: Stellungnahme zur weiteren Entwicklung des Fachbereichs Humanmedizin der Universität Gießen, in diesem Band, S. 227.

A. Ausgangslage

A. I. Anlaß und Gegenstand

Der Fachbereich Humanmedizin der Universität Marburg ist eine der drei hessischen Ausbildungsstätten für Studenten der Human- und Zahnmedizin. Der Fachbereich verfügt über ein Klinikum, das an drei Standorten, im Lahntal, auf den Lahnbergen und am Ortenberg, untergebracht ist. Der erste Abschnitt des Neubaus auf den Lahnbergen wurde im Jahr 1984 fertiggestellt. Ein Neubau für die übrigen, noch im Lahntal untergebrachten Kliniken, ist seitdem beabsichtigt, aber nicht realisiert worden. Diese Planungen sollen nun erneut aufgegriffen werden.5)

Angesichts der auf absehbare Zeit stark eingeschränkten Ressourcen soll bei der Beurteilung der Ausbauplanung der komplementären Abstimmung von Schwerpunkten zwischen den beiden rund 30 km voneinander entfernten Medizinischen Fachbereiche in Gießen und Marburg besondere Aufmerksamkeit gelten. Dabei ist davon auszugehen, daß die jeweiligen Fachbereiche und Klinika als selbständige Einrichtungen bestehen bleiben. Das Land strebt an, die Leistungsfähigkeit der Hochschulmedizin in Hessen insgesamt zu sichern, d. h. auch alle drei Standorte weiter zu führen, sieht sich angesichts der Haushaltslage aber zu strukturellen Einsparungen gezwungen.6) Das Land hat dazu ein Konzept entwickelt, in dessen Mittelpunkt eine Kürzung der laufenden Zuschüsse innerhalb eines Zeitraums von fünf Jahren um 10 %, indexiert gegenüber 1995, steht. Darin eingerechnet ist ein Abbau von 60 Stellen an jeder Fakultät. Hinsichtlich der Investitionen betont das Land hingegen, daß es in der Lage sei, „seine Finanzierungsanteile für alle Investitionsvorhaben, die es zugunsten der drei hessischen Fachbereiche zur Aufnahme in die Gemeinschaftsaufgabe angemeldet hat, entsprechend dem in der Anmeldung vorgesehenen zeitlichen Ablauf zu leisten“. Ein erstes Konzept zur stärkeren Arbeitsteilung zwischen den beiden Standorten Gießen und Marburg wurde den Fachbereichen im Oktober 1995 zur Diskussion gestellt. Das Land gab den Fachbereichen Gelegenheit, bis zum Ende des Wintersemesters 1995/96 kostenneutrale Alternativvorschläge vorzulegen. Im Endergebnis sind folgende Maßnahmen vorgesehen:

a) Verringerung der Zulassungszahlen

Das Land plant eine deutliche Verringerung der Zulassungszahlen für Studienanfänger in den Studiengängen Humanmedizin und Zahnmedizin, um den Anteil der hessischen Universitäten an allen Zulassungen in Deutschland dem hessischen Bevölkerungsanteil anzugleichen. Auf dieser Basis plant das Land, die Zulassungszahl für das Studium der Hu-

5) Schreiben der Hessischen Ministerin für Wissenschaft und Kunst vom 18. Mai 1994 an den Vorsitzenden des Wissenschaftsrates.
6) Schreiben der Ministerin für Wissenschaft und Kunst an den Vorsitzenden des Ausschusses Medizin vom 30. April 1996.

manmedizin von derzeit 1000 (+ 193 vorklinische Teilstudienplätze) auf insgesamt 800, für das Studium der Zahnmedizin von 226 auf 160 zu senken. Neben der durchgängigen Senkung der Zahl der Studienanfänger stellt die beabsichtigte Schließung des Studiengangs Zahnmedizin in Marburg die wesentliche Veränderung dar. Bei den einzelnen Fachbereichen sollen dabei folgende Veränderungen vorgenommen werden:

Übersicht 1

Zulassungskapazitäten in den Studiengängen Humanmedizin und Zahnmedizin in Hessen

Fachbereich	Humanmedizin		Zahnmedizin	
	Ist 1995[1]	Zielwert	Ist 1995	Zielwert
Frankfurt	360 (+60)	300	100	100
Gießen	340 (+69)	250	60	60
Marburg	300 (+64)	250	60+6[2])	–
Zusammen	1 000	800	220+6[2])	160

1) In Klammern: vorklinische Teilstudienplätze.

2) Zusätzliche Zulassungen aufgrund einer Entscheidung des Hessischen Verwaltungsgerichtshofs.

Das Land strebt eine behutsame Umsetzung der Zielplanung über einen längeren Zeitraum an, um die Regelungen der Kapazitätsverordnung und die Rechtsprechung der Verwaltungsgerichte zu beachten. Es weist darauf hin, daß der Abbau von Kapazitäten in der Vorklinik in einer Weise erfolgen soll, die die Leistungskraft von Forschungsschwerpunkten erhöht. Der Diskussionsvorschlag sieht eine allmähliche Umsetzung bis zum Jahr 2000 vor; alle an einem Standort aufgenommenen Studienanfänger sollen ihr Studium an diesem Standort jedoch zu Ende führen können. Der Abbau von Kapazitäten, der durch die Schließung der Zahnmedizin in Marburg in der Vorklinik erforderlich würde, soll durch eine Erhöhung der Studienanfängerzahlen im (ebenfalls zulassungsbeschränkten) Studiengang Humanbiologie kompensiert werden.

b) Verzahnung der Fachbereiche in Gießen und Marburg

Als weitere Maßnahme beabsichtigt das Land, die Arbeitsteilung zwischen den beiden benachbarten Fachbereichen in Gießen und Marburg zu stärken. Gedacht ist dabei an ein zweistufiges Verfahren:

- Bei denjenigen Fächern, die an beiden Standorten in vollem Umfang erhalten bleiben, soll es Absprachen über eine arbeitsteilige Schwerpunktbildung geben, um Doppelungen in klinischen Spezialdisziplinen zu vermeiden.

- Einige Fächer sollen entweder ganz oder mit ihrem überwiegenden Schwerpunkt an einem der beiden Standorte konzentriert werden und von diesem aus in erforderlichem Umfang Dienstleistungen in Lehre, Forschung und Krankenversorgung für den anderen Standort mit erbringen. Das Konzept des Landes sieht nach Erörterung mit den Fachbereichen folgende Lösung vor:

  Im vorklinischen und klinisch-theoretischen Bereich werden die Fächer Arbeitsmedizin, Rechtsmedizin und Geschichte der Medizin ganz in Gießen, die Fächer Medizinische Psychologie und Soziologie vollständig in Marburg konzentriert. Im klinischen Bereich soll die Augenheilkunde in Gießen auf eine Spezialklinik für Schielbehandlung und Neuroophthalmologie zurückgeführt werden. Gleichzeitig soll die Klinik für Rheumatologie, Physikalische Medizin und Balneologie in Bad Nauheim aus dem universitären Verbund ausgegliedert und in andere Trägerschaft weitergeführt werden. Damit folgt das Land dem Vorschlag des Fachbereichs, der diese Lösung gegenüber der vom Land ursprünglich geplanten Aufgabe der HNO-Heilkunde in Gießen präferiert. Außerdem soll das Fach Dermatologie seinen überwiegenden Schwerpunkt in Gießen erhalten und der Studiengang Zahnmedizin in Marburg eingestellt werden.

Der Marburger Fachbereich wandte sich gegen eine Konzentration einzelner klinischer Bereiche an einem Standort und legte ein Konzept vor, das eine Einsparung von 10 % des Landeszuschusses unter Beibehaltung des vollen klinischen Fächerspektrums einschließlich der Zahnmedizin durch Sparbeiträge aller Fachgebiete erreichen will. Das Land folgt diesem Vorschlag nicht und hält die Position, grundsätzlich jedem Fachgebiet proportional Stellen und Mittel zu kürzen, unter Gesichtspunkten der Profilbildung und Qualitätssicherung für wenig geeignet. Das Land legt Wert auf die Feststellung, daß es die Forschungsschwerpunkte der Fachbereiche bei seinen Vorschlägen beachtet und keine Fachgebiete zur Standortverlagerung vorgeschlagen habe, die sich während der letzten Jahre durch überdurchschnittliche Erfolge bei der Einwerbung von Drittmitteln durch die Deutsche Forschungsgemeinschaft ausgezeichnet hätten.

c) Rationalisierung, Reduzierung des Dienstleistungsangebotes

Weitere Einsparmöglichkeiten ohne Qualitätsverlust sieht das Land durch weitere Rationalisierung und die Reduzierung von Dienstleistungen der Universitätskliniken in der Krankenversorgung. Dies gelte in besonderer Weise für die Polikliniken mit ihrem hohen finanziellen Defizit. Daher soll unter der Prämisse, daß eine angemessene Honorierung auch zukünftig verweigert wird, die Zahl der poliklinischen Behandlungsfälle deutlich eingeschränkt werden. Auch im stationären Bereich sieht der hessische Krankenhausbedarfsplan an allen drei Universitätsklinika eine Reduzierung der Bettenzahlen vor. Einvernehmlich sind für das Klinikum Gießen 1322, für das Klinikum Marburg 1255 und für das Klinikum Frankfurt 1415 universitäre Planbetten vorgesehen.[7])

Durch Ausschöpfung von Rationalisierungsreserven hält das Land darüber hinaus weitergehende Ergebnisverbesserungen im laufenden Betrieb der Klinika für realisierbar, die über die jetzt einzusparenden Mittel hinausgehen und den Fachbereichen zur Verstärkung ihrer Etats belassen werden sollen. Bilanzierte Betriebsgewinne fließen nach einer bereits bestehenden Regelung grundsätzlich zu 60 % an die Universitätsklinika zurück. Darüber hinaus kündigt das Land für das Haushaltsjahr 1997 einen Haushaltsvermerk an, der es erlaubt, bis zu 5 % des bewilligten Landeszuschusses aus dem Betriebs- in den Investitionshaushalt umzuschichten.

A. II. Entwicklung, Struktur und Personal

II. 1. Bisherige Struktur

Die Universität Marburg verfügt über einen einheitlichen Fachbereich Humanmedizin. Das Hessische Universitätsgesetz sieht für die Führung von Fakultät und Klinikum eine Personalunion von Dekan und Ärztlichem Direktor vor. Für Marburg gilt insofern eine Ausnahmeregelung, als das Amt des Ärztlichen Direktors und des Dekans z. Zt. kommissarisch von zwei verschiedenen Professoren im Nebenamt ausgeübt wird – eine Praxis, die sich aus Sicht der Fakultät bewährt hat.

Dem Klinikumsvorstand gehören neben dem vorsitzführenden Ärztlichen Direktor der Dekan, der Verwaltungdirektor, die Prodekane für Lehre und für Haushalt sowie die leitende Pflegekraft an. Formal sind dem Klinikumsvorstand weitreichende Kompetenzen eingeräumt, die allerdings in praxi durch eine „Vielzahl von Einwirkungs- und Mitwirkungsrechten“ eingeschränkt werden. Die Fakultät weist hier insbesondere auf die mangelnde Planungssicherheit bei Investitionen, die eingeschränkte Kompetenz in der Personalbewirtschaftung sowie die Abhängigkeit vom öffentlichen Haushaltswesen hin. Im übrigen habe das lange Zurückstellen der baulich notwendigen Sanierungsmaßnahmen eine demotivierende Wirkung auf die Mitarbeiter. Im Hinblick auf den zunehmenden Wettbewerb im Gesundheitswesen sei es unabdingbar, der Klinikumsleitung die betriebswirtschaftlich notwendigen, flexiblen Entscheidungskompetenzen einzuräumen.

---

7) Das Land weist darauf hin, daß die Bettenzahl in Frankfurt nur aufgrund eines umfangreichen regionalen Pflichtversorgungsauftrags in der Psychiatrie mit einer Planbettenzahl von 189 Betten zustande kommt. Das Wissenschaftsministerium strebt an, die Bettenzahl im Fach Psychiatrie zum frühestmöglichen Zeitpunkt um etwa 100 auf die für Forschung und Lehre ausreichende Zielzahl zurückzuführen. Der Wissenschaftsrat hatte seinerzeit eine Zielzahl von 1350 universitären Planbetten empfohlen.

Der Fachbereich gliedert sich in 16 Medizinische Zentren, 6 Medizinische Betriebseinheiten sowie 2 sonstige wissenschaftliche Einrichtungen (vgl. Übersicht 2). Im Medizinischen Zentrum für Operative Medizin I sind drei Chirurgische Kliniken sowie ein Institut für Theoretische Chirurgie, im Medizinischen Zentrum für Operative Medizin II die Kliniken für Urologie und Orthopädie, ein Funktionsbereich für Orthopädische Rheumatologie sowie die Abteilung für Experimentelle Orthopädie zusammengefaßt. Das Interdisziplinäre Medizinische Zentrum umfaßt die Abteilungen für Anästhesie und Intensivtherapie, für Transfusionsmedizin und Gerinnungsphysiologie, für Klinische Chemie und Zentrallabor sowie den Funktionsbereich Klinische Biochemie.

II. 2. Geplante Umstrukturierungen

Im Hinblick auf eine komplementäre Schwerpunktbildung haben die Vorstände der Klinika in Marburg und Gießen im Herbst 1992 einvernehmlich mit dem Hessischen Ministerium für Wissenschaft und Kunst eine gemeinsame Arbeitsgruppe eingerichtet, um vorhandene Strukturen zu überprüfen und Entwicklungsvorstellungen der beiden Fachbereiche stärker aufeinander abzustimmen. Die Arbeitsgruppe hat inzwischen einige Konkretisierungen vorgenommen, die bei der Besetzung freier und freiwerdender Professuren während der nächsten Jahre ansetzen. Dies betrifft insbesondere die folgenden Bereiche:

- Institut für Pharmakologie und Toxikologie

Nach Ausscheiden des Lehrstuhlinhabers für den Bereich Toxikologie hat der Fachbereich angesichts der Schwierigkeiten, die Professur nachzubesetzen, beschlossen, diesen Plan nicht weiterzuverfolgen. Statt dessen wurde die C4-Professur für Pharmakologie für einen Pharmakologen ausgeschrieben, der das gesamte Gebiet der Pharmakologie abdecken kann. Danach sollen eine C3-Professur mit Schwerpunkt Klinische Pharmakologie sowie eine weitere C3-Professur ausgeschrieben werden.

- Medizinisches Zentrum für Hygiene und Medizinische Mikrobiologie mit Medizinaluntersuchungsamt

Einer Wiederbesetzung der C4-Professur für Umwelt- und Krankenhaushygiene scheiterte zweimal sowohl an der begrenzten Zahl qualifizierter Bewerber als auch der unzureichenden räumlichen und personellen Ausstattung des Institutes. Eine von den beiden Fachbereichen in Gießen und Marburg besetzte „ad hoc-Kommission Hygiene“ empfahl, die C4-Professur Hygiene im Fachbereich Humanmedizin der Universität Gießen mit Schwerpunkt Umwelthygiene und Umweltmedizin wiederzubesetzen und in Marburg nach Ausscheiden des bisherigen Stelleninhabers (C3-Professur) die Medizinische Mikrobiologie nach C4 auszuschreiben. Der Bereich der Krankenhaushygiene soll künftig mit einer C3-Professur weiter vertreten sein.

Übersicht 2

Strukturplan des Fachbereichs Humanmedizin der Universität Marburg
Stand: 1996

I. Medizinische Zentren

Medizinisches Zentrum für Augenheilkunde
- Abteilung für Augenheilkunde
- Funktionsbereich Opthalmopathologie
- Abteilung für Schielbehandlung

Medizinisches Zentrum f. Frauenheilkunde und Geburtshilfe
- Abteilung für Gynäkologie, gynäkologische Endokrinologie und Onkologie
- Abteilung für Geburtshilfe und Perinatalmedizin

Medizinisches Zentrum für Hals-, Nasen- und Ohrenheilkunde
- Abteilung für Hals-, Nasen- und Ohrenheilkunde
- Abteilung für Phoniatrie und Pädaudiologie

Medizinisches Zentrum für Hautkrankheiten
- Abteilung für Allgemeine Dermatologie und Venerologie
- Abteilung für Dermatologie mit Schwerpunkt Andrologie

Medizinisches Zentrum für Humangenetik
- Abteilung I: Allgemeine Humangenetik
- Abteilung II: Klinische Genetik

Medizinisches Zentrum für Hygiene und Medizinische Mikrobiologie mit Medizinaluntersuchungsamt
- Institut für Medizinische Mikrobiologie
- Institut für Virologie
- Institut für Immunologie
- Institut für Umwelt- und Krankenhaushygiene
- Institut für Klinische Zytobiologie und Zytopathologie

Medizinisches Zentrum für Innere Medizin
- Abteilung für Innere Medizin, Schwerpunkt Kardiologie
- Abteilung für Innere Medizin, Schwerpunkt Verdauungs- und Stoffwechselkrankheiten
- Abteilung für Innere Medizin, Schwerpunkt Hämatologie, Onkologie und Immunologie
- Abteilung für Endokrinologie und Stoffwechsel
- Abteilung für Nephrologie
- Abteilung für Psychosomatik
- Abteilung Poliklinik

Interdisziplinäres Medizinisches Zentrum
- Abteilung für Anästhesie und Intensivtherapie
- Abteilung für Transfusionsmedizin und Gerinnungsphysiologie
- Abteilung für Klinische Chemie und Zentrallaboratorium
- Funktionsbereich Klinische Biochemie

Medizinisches Zentrum für Kinderheilkunde
- Abteilung I: Allgemeine Kinderheilkunde
- Abteilung II: Stoffwechselerkrankungen und Neuropädiatrie

Medizinisches Zentrum für Nervenheilkunde
- Klinik für Neurologie
- Funktionsbereich Neurochemie
- Klinik für Psychiatrie
- Klinik für Kinder- und Jugendpsychiatrie mit Ärztlich-pädagogischer Jugendhilfe
- Abteilung für Neuroradiologie
- Klinik für Psychotherapie

noch Übersicht 2

Strukturplan des Fachbereichs Humanmedizin der Universität Marburg
Stand: 1996

Medizinisches Zentrum für Operative Medizin I
- Klinik für Allgemeinchirurgie
- Klinik für Unfallchirurgie
- Klinik für Neurochirurgie
- Institut für Theoretische Chirurgie

Medizinisches Zentrum für Operative Medizin II
- Klinik für Urologie
- Klinik für Orthopädie
- Abteilung für Experimentelle Orthopädie
- Klinik für Herzchirurgie (geplante Zuordnung in einem künftigen Zentrum für Operative Medizin)

Medizinisches Zentrum für Pathologie
- Abteilung für Allgemeine Pathologische Anatomie
- Funktionsbereich Pathologische Gastroenterologie
- Funktionsbereich Nephropathologie und Transplantationspathologie
- Abteilung für Neuropathologie

Medizinisches Zentrum für Radiologie
- Abteilung für Strahlentherapie
- Abteilung für Klinische Nuklearmedizin
- Abteilung für Strahlendiagnostik
- Abteilung für Experimentelle Nuklearmedizin

Medizinisches Zentrum für Zahn-, Mund- und Kieferheilkunde
- Klinik für Mund-, Kiefer- und Gesichtschirurgie
- Abteilung für Zahnerhaltungskunde
- Funktionsbereich Kinderzahnheilkunde
- Abteilung Zahnersatzkunde
- Abteilung für Zahnärztliche Propädeutik und Kiefer-Gesichtsprothetik
- Abteilung für Kieferorthopädie
- Abteilung für Parodontologie

Zentrum für Methodenwissenschaft und Gesundheitsforschung (im Aufbau)

- Medizinische Informatik
- Medizinische Biometrie
- Medizinische Psychologie
- Medizinische Soziologie
- Allgemeinmedizin
- Arbeitsmedizin

II. Medizinische Betriebseinheiten

Institut für Anatomie und Zellbiologie
Institut für Molekularbiologie und Tumorforschung
Institut für Normale und Pathologische Physiologie
Institut für Pharmakologie und Toxikologie
Institut für Physiologische Chemie
Institut für Rechtsmedizin

III. Sonstige Einrichtungen

Experimentelle Immunologie
Fachgebiet für Geschichte der Medizin

Quelle: Angaben des Fachbereichs Humanmedizin der Universität Marburg.

– Mutter-Kind-Zentrum

Frauen- und Kinderklinik sind derzeit räumlich getrennt. Dies führt dazu, daß Frühgeborene und kranke Neugeborene aus der Geburtshilfe in die Kinderklinik transportiert werden müssen. In der Universitäts-Frauenklinik finden jährlich 1200–1300 Entbindungen statt, von denen ein hoher Anteil als Risiko- oder Hochrisikogeburten anzusehen ist. Das Medizinische Zentrum für Kinderheilkunde verfügt derzeit nur über 88 Betten, bedingt durch die Tatsache, daß etwa 70 weitere Kinderbetten in fünf verschiedenen, überwiegend operativ tätigen Fachkliniken an vier verschiedenen Orten in Marburg zusätzlich aufgestellt sind. Die räumliche Trennung von Entbindung und neonatologischer Intensivstation, die Zersplitterung des pädiatrischen Bereiches sowie der Zustand der Altbaukliniken wird den Anforderungen in diesem Gebiet nach Einschätzung des Fachbereichs nicht mehr gerecht. Er hält daher den Aufbau eines Mutter-Kind-Zentrums im Rahmen des zweiten Bauabschnitts auf den Lahnbergen für dringlich.

– Zentrum für Innere Medizin

Die weitgehend historisch bedingte Untergliederung der Inneren Medizin in sieben Abteilungen soll in den kommenden Jahren zum Teil rückgängig gemacht werden. Mit dem altersbedingten Ausscheiden des Leiters der Abteilung für Endokrinologie und Stoffwechsel soll diese dem Bereich Verdauungs-und Stoffwechselkrankheiten (Endokrinologie) bzw. Kardiologie (Fettstoffwechsel) zugeordnet werden. Mittel- und langfristig lassen sich nach Angaben des Fachbereichs künftig drei bis vier größere Kliniken im Zentrum für Innere Medizin vorstellen, die jeweils von C4-Professoren geleitet werden.

Gastroenterologie und Endokrinologie sollen in Gießen und Marburg mit jeweils umgekehrtem Schwerpunkt besetzt werden. Die Kardiologie ist an beiden Standorten eine der größten Abteilungen in der Inneren Medizin. Die Hämatologie soll in Marburg Schwerpunkt sein und in Gießen als C3-Abteilung geführt werden. Die Doppelung der Abteilungen für Pneumologie sollte nach Dafürhalten der Marburger Fakultät vorerst erhalten bleiben, da beide Schwerpunkte sowohl in Gießen als auch in Marburg wissenschaftlich renommiert seien und einander ergänzten, so daß ein in der Bundesrepublik einmaliger Forschungsschwerpunkt auf dem Gesamtgebiet von Atmung und Gasaustausch entstanden sei. In der Nachfolge des jetzigen Stelleninhabers für Pneumologie in Marburg sollte nach Ansicht der Fakultät jedoch eine Neuausrichtung dieser Abteilung (z. B. Nephrologie) geprüft werden.

Über die fachliche Ausrichtung der vierten großen Abteilung bzw. Klinik in Marburg wird noch diskutiert. Derzeit gibt es an den Hessischen Universitäten keine C4-Professur für Nephrologie. Es wird daher überlegt, das Gebiet Nephrologie/Rheumatologie mit einer immunologisch ausgerichteten Leitung zu besetzen. Denkbar wäre auch, daß drei von C4-Professoren geleitete Kliniken mit den Schwerpunkten Gastroenterologie, Kardiologie und Hämatologie die übrigen Teilgebiete der Inneren Medizin, d. h. Nephrologie, Pneumologie und Intensivmedizin, Angiologie, Rheumatologie, Stoffwechsel sowie die Medizinische Poliklinik aufnehmen. Zu berücksichtigen ist nach Angaben der Fakultät, daß in einem Zentrum für Innere Medizin der Bereich „Molekulare Medizin" zukünftig vertreten sein sollte.

– Medizinisches Zentrum für Operative Medizin

Mit der Einrichtung der Herzchirurgie als klinischer Abteilung und der kürzlich erfolgten Bildung einer Abteilung für Experimentelle Orthopädie wurde die Bildung eines einheitlichen Medizinischen Zentrums für Operative Medizin eingehend diskutiert und von einer dafür eingesetzten Kommission empfohlen. Die Zusammenfassung biete Vorteile hinsichtlich der Weiterbildung von Ärzten wie auch hinsichtlich Forschung und der OP-Saal-Planung. Fachbereichsrat und Klinikumsvorstand haben sich dieser Empfehlung angeschlossen.

– Neurozentrum

In Anlehnung an die bestehende Organisation des Zentrums für Nervenheilkunde soll mit der bevorstehenden Neubesetzung von Psychiatrie, Neurologie, Neuroradiologie und Neurochirurgie sowie einer entsprechenden Ausrichtung der C4-Professur in der Anatomie ein Neurozentrum gebildet werden.

Im Rahmen der Abstimmung mit dem Fachbereich in Gießen sind darüber hinaus komplementäre Schwerpunktbildungen vorgesehen, die auch Teil des Strukturkonzeptes des Landes sind. Dazu zählen die Aufgabe der Rechtsmedizin und der Geschichte der Medizin als C4-Professur und der Arbeitsmedizin in Marburg zugunsten von Gießen.

Außerdem läuft zur Zeit der Abstimmungsprozeß zur Wiederbesetzung der Professuren für Mund-, Kiefer- und Gesichtschirurgie in Gießen und der Neurochirurgie in Marburg. Dies geschieht nach einem Verfahren, das auch in Zukunft bei allen freiwerdenden Professuren mit Leitungsfunktion praktiziert werden soll: Die Dekane der beiden Fachbereiche benennen jeweils drei Fachvertreter als Mitglieder einer ad hoc-Kommission, welche die zukünftige Ausrichtung der Professur in Forschung und Krankenversorgung festlegen und in ihrer Komplementarität abstimmen soll. Die so entstandene Abstimmung wird in die jeweiligen Gremien eingebracht.

II. 3. Personal

Der Fachbereich Humanmedizin und das Klinikum verfügten Anfang 1996 über insgesamt 3652 Personalstellen, davon 708 Stellen für wissenschaftliches Personal. Bezogen auf die Zahl der Planbetten zum gleichen Zeitpunkt (1222) bedeutet dies, daß 3,0 Personalstellen bzw. 0,6 Wissenschaftlerstellen pro Planbett vorhanden waren. Dies entspricht dem Bundesdurchschnitt. Unter den derzeit 50 C4-Professoren ist eine Frau; unter den derzeit 57 C3-Professoren sind fünf Frauen; von den C2- und C1-Stellen ist je eine mit einer Frau besetzt. Die Verteilung der Personalstellen auf die einzelnen Einrichtungen des Fachbereiches geht aus Übersicht 3 hervor.

55 % der Professoren nach C4 und 42 % der Professoren nach C3 sind älter als 50 Jahre. Von den C4-Professoren sind 17 %, von den C3-Professoren 33 % über 60 Jahre alt. In den kommenden zehn Jahren werden somit rund 50 % der Leitungsfunktionen frei werden.

Seit 1990 haben 20 Wissenschaftler der Fakultät Rufe auf C4-Stellen an anderen Universitäten bzw. äquivalente Positionen im In- und Ausland erhalten. Von diesen wurden 12 Rufe angenommen. Im gleichen Zeitraum wurden 24 Wissenschaftler an den Fachbereich Humanmedizin Marburg berufen. Unter den auf C4-Positionen berufenen Professoren waren keine, unter den 12 auf C3-Positionen berufenen Professoren 6 Hausberufungen, von denen inzwischen 2 auf C4-Stellen anderer Universitäten berufen wurden.

Das Zahlenverhältnis zwischen C4-Stellen und der Gesamtzahl wissenschaftlicher Mitarbeiter beträgt an den Fachbereichen Medizin in Marburg, Gießen und Frankfurt 1:13. Der Bundesdurchschnitt dieser Kennzahl liegt derzeit bei 1:17.

A. III. Forschung

Am Fachbereich Humanmedizin der Universität Marburg existieren drei Sonderforschungsbereiche, drei durch die DFG bzw. die VW-Stiftung geförderte Forschergruppen (darunter zwei Klinische Forschergruppen) sowie ein Graduiertenkolleg. Mit der Gründung des Instituts für Molekularbiologie und Tumorforschung im Jahre 1986/87 und der gleichzeitigen Schaffung von drei Lehrstühlen für Molekularbiologie sowie der Berufung von zell- und molekularbiologisch ausgerichteten Wissenschaftlern als Leiter der Institute für Anatomie, Physiologie, Biochemie, Virologie und Humangenetik wurde nach Einschätzung der Fakultät eine breite Basis für eine molekular orientierte klinische Grundlagenforschung geschaffen.

Übersicht 3

Stellen für wissenschaftliches und nicht-wissenschaftliches Personal an den Kliniken und Instituten des Fachbereichs Humanmedizin der Universität Marburg
Stand: 1996

	C4	C3	C2	Sonstiges wissen-schaft-liches Personal	Nicht-wissen-schaft-liches Personal
Medizinische Zentren					
Augenheilkunde	1,0		1,0	16,5	68,5
Frauenheilkunde und Geburtshilfe	1,0	2,0	2,0	26,5	159,5
Hals-, Nasen- und Ohrenheilkunde	2,0	2,0	1,0	14,0	81,5
Dermatologie	1,0	2,0	1,0	10,0	50,0
Humangenetik	1,0	1,0		7,0	15,0
Hygiene, Med. Mikrobiologie	2,0	5,0	5,0	13,0	66,0
Innere Medizin	4,0	7,0	12,0	73,0	271,0
Interdisziplinäres Med. Zentrum	2,0	2,0		56,0	145,0
Kinderheilkunde	1,0	2,0	2,0	22,0	124,5
Nervenheilkunde	3,0	8,0	3,0	63,0	273,0
Operative Medizin I (Allgemeinchirurgie, Unfallchirurgie, Neurochirurgie, Theoretische Chirurgie)	4,0	2,0	1,0	69,5	221,0
Operative Medizin II (Urologie, Orthopädie, Orthopädische Rheumatologie, Experimentelle Orthopädie)	2,0	2,0	3,0	26,5	109,5
Pathologie	1,0	3,0	1,0	9,0	27,5
Radiologie	2,0	3,0	2,0	28,0	90,5
Zahn-, Mund- und Kieferheilkunde	5,0	3,0		45,0	119,0
Gesamt	32,0	44,0	34,0	479,0	1 821,5

Noch Übersicht 3

Stellen für wissenschaftliches und nicht-wissenschaftliches Personal an den Kliniken und Instituten des Fachbereichs Humanmedizin der Universität Marburg
Stand: 1996

	C4	C3	C2	Sonstiges wissen-schaft-liches Personal	Nicht-wissen-schaft-liches Personal
Medizinische Betriebseinheiten und Sonstige Einrichtungen					
Anatomie und Zellbiologie	2,0	3,0	1,0	11,0	25,0
Molekularbiologie und Tumorforschung	3,0	1,0	2,0	11,0	23,5
Physiologie	3,0	3,0	1,0	10,0	39,5
Pharmakologie und Toxikologie	1,0	2,0	1,0	7,0	26,5
Physiologische Chemie	2,0	2,0		8,5	23,5
Rechtsmedizin	1,0			1,0	9,0
Allgemeinmedizin		1,0			0,5
Arbeitsphysiologie und Rehabilitationsforschung			1,0	1,0	6,0
Immunologie	2,0				4,0
Geschichte der Medizin	1,0		1,0		1,5
Med. Psychologie	1,0			3,0	1,0
Med. Soziologie		1,0		2,0	1,0
Med. Informatik	1,0			6,5	4,0
Med. Biometrie	1,0		1,0	2,0	4,0
Gesamt	18,0	13,0	8,0	63,0	169,0
Sonstige (Verwaltung, Funktionsber. etc.)					923,5
Poolstellen				17,0	30,0
Gesamt Medizinische Zentren, Betriebseinrichtungen, Sonstige medizinische Einrichtungen und Funktionsbereiche	50,0	57,0	42,0	559,0	2 944,0

Quelle: Angaben des Fachbereichs Humanmedizin der Universität Marburg.

Die Forschungsarbeiten im Fachbereich lassen sich zwei größeren Themenbereichen zuordnen:

- Tumorbiologie: Onkogenese und Tumorprogression
- Klinische Neurobiologie: Zentrale Regulationsstörungen vegetativer Systeme.

Ein dritter Schwerpunkt befaßt sich mit dem Themenbereich des operativen Risikos.

III. 1. Schwerpunktprojekte

SFB 215: „Tumor und Endokrinium"

Dieser Sonderforschungsbereich steht im Mittelpunkt des Themenschwerpunktes Tumorbiologie. Sein Grundkonzept bezieht sich auf die ligandenregulierte Signalübertragung und ihre Bedeutung für Transformation und für Tumorprogression. In einem ersten Projektbereich werden drei verschiedene Tumortypen des Menschen im Hinblick auf die mit der Transformation und Progression verbundenen molekularen und zellulären Mechanismen untersucht. Das Thema des zweiten Projektbereiches sind steroidabhängige Tumoren des Menschen, während der dritte Projektbereich die Mechanismen der Transformation an ausgewählten experimentellen Modellen untersucht. Der SFB 215 wird mit ca. 2,7 Millionen DM pro Jahr durch die DFG gefördert.

SFB 286: „Intrazellulärer Transport und Reifung von Proteinen"

Bei den Proteinen, die in den verschiedenen Teilprojekten des Sonderforschungsbereiches untersucht werden, handelt es sich zum einen um endogene Komponenten von Zellen, die durch besonders markante Transportleistungen imponieren, beispielsweise in sekretorischen Zellen des Pankreas und hochpolarisierten Zellen von Nieren- und Darmepithelien. Zum anderen kommen Virusmodelle zum Einsatz. Hier handelt es sich vor allem um Hüllproteine lipoidhaltiger Viren, die als integrale Membranproteine wie ihre zellulären Gegenstücke translatiert, prozessiert, sortiert und zu den jeweiligen Organellen des Wirts transportiert werden, in denen die Zusammenlagerung der Viruspartikel stattfindet. Der SFB 286 umfaßt elf Teilprojekte und wird mit rund 2,4 Millionen DM pro Jahr gefördert.

SFB 1553: „Multifaktorielle Nucleinprotein-Komplexe bei der Transkription und RNA-Prozessierung"

Dieser dritte Sonderforschungsbereich, der 1996 eingerichtet wurde, ging aus der 1995 ausgelaufenen Forschergruppe „Transkriptionskontrolle der Zelldifferenzierung" hervor. Neben Arbeitsgruppen der Medizinischen Fakultät sind in den zehn Teilprojekten der Fachbereich Biologie, das Max-Planck-Institut für physiologische und klinische Forschung in Bad Nauheim sowie das Institut für Genetik in Gießen daran beteiligt. Innerhalb des Sonderforschungsbereichs sollen auf molekularer Ebene wie auch innerhalb biologischer Prozesse die Vorgänge der Transkription und der RNA-Prozessierung im Rahmen der Genexpression untersucht werden. In einem ersten Projektbereich werden Wechselwirkungen, Regulation und Funktion verschiedener Transkriptionsfaktoren auf molekularer Ebene untersucht. Ein zweiter Projektbereich hat die Regulation der Transkription und deren Bedeutung in biologischen Systemen zum Gegenstand.

VW-Forschergruppe: „Neuroimmunologie“

Ziel des Forschungsschwerpunktes „Neuroimmunologie“ ist die wissenschaftliche Bearbeitung der Interaktion des Immunsystems mit dem ZNS, dem autonomen Nervensystem und dem endokrinen System mit molekularbiologisch-zellbiologischem und klinischem Ansatz. Die bisher geförderten Forschungsprojekte sind in der Kinderklinik, in der Klinik für Kinder- und Jugendpsychiatrie sowie in den Bereichen Klinische Immunologie, Physiologie und Biochemie etabliert. Eine verstärkte Zusammenarbeit mit den Bereichen Anatomie und Psychiatrie wird angestrebt. Die Forschergruppe wird von der VW-Stiftung gefördert.

Klinische Forschergruppe „Gastrointestinale Endokrinologie“

Ziel der Klinischen Forschergruppe am Zentrum für Innere Medizin ist es, zur Klärung der funktionellen Wechselwirkungen zwischen hormonalen Signalen aus dem Darm und dem endokrinen Pankreas beizutragen. Die Klinische Forschergruppe zeichnet sich durch ein Methodenspektrum aus, das von der Grundlagenforschung bis hin zur klinischen Forschung reicht. Langfristiges Ziel ist die Bildung eines Forschungsschwerpunktes für „Molekulare Medizin“. Die Klinische Forschergruppe wird mit rund 1,1 Millionen DM pro Jahr durch die DFG unterstützt.

Klinische Forschergruppe „Genetische Mechanismen der Gewichtsregulation unter besonderer Berücksichtigung von Eßstörungen und Adipositas“

Die Arbeiten der Klinischen Forschergruppe im Medizinischen Zentrum für Nervenheilkunde (Kinder- und Jugendpsychiatrie) gehen davon aus, daß Eßstörungen (z. B. Anorexia und Bulimia nervosa sowie Adipositas) als Störungen der Gewichtsregulation aufgefaßt werden können und daß genetische Mechanismen an dieser Gewichtsregulation in erheblichem Maße beteiligt sind. Ziel ist es, Patienten mit Eßstörungen bzw. Adipositas und Probanden mit Unter- und Normalgewicht nach mehreren Dimensionen (internistisch, psychiatrisch, ernährungsphysiologisch und -psychologisch) zu charakterisieren, um auf der Phänotypebene Subgruppenbildungen vornehmen zu können. Der Antrag der Klinischen Forschergruppe wurde mittlerweile durch die DFG bewilligt.

Graduiertenkolleg „Zell- und Tumorbiologie"

Im Rahmen eines interdisziplinären Verbundes von Zell-, Molekular- und Entwicklungsbiologen, Virologen und klinischen Onkologen soll den Absolventen des Diplomstudienganges „Humanbiologie" zusammen mit Medizinern, Biologen und mit Biochemikern eine qualifizierte Ausbildung in der Tumorbiologie vermittelt werden. Das viersemestrige Vorlesungsprogramm ist kombiniert mit der praktischen Ausbildung in Spezialmethoden der Zell- und Molekularbiologie, der Virologie und der Humangenetik sowie mit klinischen Visiten. Das Kolleg vergibt zwölf Stipendien und wird von der DFG mit jährlich 0,4 Millionen DM gefördert.

Über diese bestehenden Forschungsschwerpunkte hinaus bestehen an der Fakultät Pläne zur Beantragung eines weiteren Sonderforschungsbereichs („Mechanismen neuro-immunoendokriner Interaktionen"). Die Etablierung einer Arbeitsgruppe „Immunphysiologie", unterstützt durch die VW-Stiftung und das Land Hessen, bildet eine wesentliche Voraussetzung für die Ausbildung der interdisziplinären Forschung in diesem Bereich. Zur Verstärkung dieser Richtung sind in den letzten Jahren entsprechende Berufungen in verschiedenen Instituten erfolgt. Auch die gegenwärtigen Berufungsverfahren für Lehrstühle der Neurologie, der Neurochirurgie und der Pharmakologie sollen das Forschungspotential des geplanten SFB durch geeignete Kandidaten verstärken.

III. 3. Drittmittelprofil

Der Fachbereich Humanmedizin der Universität Marburg kann Drittmitteleinwerbungen von mehr als 29 Millionen DM im Jahr 1995 vorweisen. Seit 1990 (rund 18,6 Mio. DM) bedeutet dies eine erhebliche Steigerung. Bezogen auf die im Zeitraum 1990-1993 pro Wissenschaftler und pro Jahr eingeworbenen DFG-Mittel liegt der Fachbereich Humanmedizin Marburg mit über 16000 DM derzeit an der Spitze aller Medizinischen Fakultäten. Der Mittelwert dieser Kenngröße liegt für den Bezugszeitraum bei rund 9000 DM, das Minimum bei 3800 DM pro Wissenschaftlerstelle pro Jahr. Bis 1995 hat sich diese Zahl in Marburg auf rund 20000 DM erhöht. Der Anteil der DFG-Mittel an den gesamten vom Fachbereich eingeworbenen Mittel liegt bei rund 47 %.

Besonders hervorzuheben sind die Klinik für Innere Medizin mit jährlich rund 6 Millionen DM im Bezugszeitraum von 1991-1994 (DFG-Anteil: rund 26 %), das Institut für Molekularbiologie und Tumorforschung mit jährlich rund 4,9 Millionen DM (DFG-Anteil: 81 %), das Medizinische Zentrum für Hygiene und Mikrobiologie mit jährlich rund 3,2 Millionen DM (DFG-Anteil: 74 %), das Institut für Anatomie und Zellbiologie mit

Übersicht 4

Drittmittel des Fachbereichs Humanmedizin der Universität Marburg
Durchschnitt pro Jahr; Bezug: 1991–1994

Institut / Klinik	Gesamt	DFG	Öfentl. Fö.	Sonstige
Allgemeinmedizin	23,1	0,0	23,4	–0,5
Anatomie, Zellbiologie	1 682,2	1 028,3	487,5	166,4
Arbeitsphysiologie, Rehabilitation	105,6	17,0	0,0	88,6
Augenklinik	14,2	0,0	0,0	14,2
Dermatologie	233,5	63,8	76,8	93,0
Frauenheilkunde	439,6	167,7	152,1	119,8
Geschichte der Medizin	0,0	0,0	0,0	0,0
HNO-Heilkunde	2,0	0,0	2,0	0,0
Humangenetik	1 380,8	979,7	313,7	87,4
Hygiene, Med. Mikrobiologie	3 249,4	2 396,6	694,7	158,1
Immunologie	144,8	28,6	115,5	0,7
Innere Medizin	6 191,9	1 622,8	698,0	3 871,2
Interdiszipl. Zentrum	502,0	233,2	64,2	204,6
Kinderheilkunde	589,8	120,3	91,6	377,8
Med. Biometrie	23,8	7,4	0,0	16,4
Med. Informatik	88,7	0,0	88,8	–0,1
Med. Psychologie	295,7	0,0	214,2	81,5
Med. Soziologie	84,5	1,4	0,0	83,1
Molekularbiologie, Tumorforschung	4 902,4	3 946,8	554,3	401,3
Nervenheilkunde	374,1	145,8	57,9	170,4
Operative Medizin I	559,9	138,7	59,3	361,9
Operative Medizin II	950,6	95,1	135,3	720,3
Pathologie	73,4	31,7	10,0	31,7
Pharmakologie, Toxikologie	37,3	10,3	2,9	24,1
Physiolog. Chemie	1 226,0	257,0	728,9	240,1
Physiologie	904,4	319,8	125,6	459,1
Radiologie	172,2	0,6	42,9	128,7
Rechtsmedizin	71,6	0,0	0,0	71,6
ZMK-Heilkunde	133,1	46,8	34,3	52,0
Zentrale Mittel	24,0	24,0	0,0	0,0
Sonstige	355,7	187,1	32,4	136,1
Summe	24 835,7	11 870,5	4 806,0	8 159,2

Quelle: Angaben des Fachbereichs.

jährlich rund 1,7 Millionen DM (DFG-Anteil 61 %) sowie das Institut für Humangenetik mit jährlich rund 1,4 Millionen DM (DFG-Anteil: 71 %) sowie das Institut für Physiologische Chemie (rund 1,3 Mio. DM pro Jahr, vgl. Übersicht 4). Nennenswerte Drittmitteleinwerbungen haben darüber hinaus das Institut für Physiologie (0,9 Mio. DM pro Jahr), die Medizinischen Zentren für Operative Medizin, Frauenheilkunde, Kinderheilkunde und Nervenheilkunde und das Interdisziplinäre Zentrum erzielt. Insgesamt wurden im Jahr 1993 rund 97 Stellen für Wissenschaftler, rund 20 Stellen für wissenschaftliche Hilfskräfte sowie rund 90 Stellen für nicht-wissenschaftliches Personal über Drittmittel finanziert.

III. 4. Wissenschaftlicher Nachwuchs

Der Fachbereich vergibt drei Doktortitel: Neben Human- und Zahnmedizin ist für naturwissenschaftliche Absolventen auch eine Promotion in Humanbiologie möglich. Seit 1990 sind 1 018 Promotionen (Jahresdurchschnitt: 170) im Bereich Humanmedizin und 169 Promotionen (Jahresdurchschnitt: 28) in der Zahnmedizin zu verzeichnen. Auf die Humanbiologie entfielen insgesamt 89 Promotionen (Jahresdurchschnitt: 15). Der Anteil der Frauen an den Promotionen im Bereich Humanmedizin betrug 35 %, in der Zahnmedizin 30 % und in der Humanbiologie 46 %.

Die Freistellung von Assistenten und Oberärzten wird von den Zentren und Abteilungen des Fachbereichs ausnahmslos als wesentliche Voraussetzung für eine erfolgreiche wissenschaftliche Tätigkeit betrachtet. Allerdings sei die Umsetzung insbesondere in den klinischen Bereichen begrenzt. Eine ganztätige Freistellung von wissenschaftlichen Mitarbeitern aufgrund eingeworbener Drittmittel wird insbesondere in den Bereichen Innere Medizin, Frauenheilkunde, Kinderheilkunde, Kinder- und Jugendpsychiatrie, Unfallchirurgie, Urologie, Strahlendiagnostik und Klinische Genetik ermöglicht. Die wissenschaftlichen Mitarbeiter der übrigen klinischen Fächer sind lediglich mit Stellenanteilen den Aufgaben in Forschung und Lehre zugeordnet.

Seit 1990 haben sich insgesamt 70 Wissenschaftler am Fachbereich Humanmedizin habilitiert (Durchschnitt pro Jahr: 12), darunter waren 6 Frauen (11 %), die letzte im Jahr 1993. Der Anteil der Kliniker betrug 58 %. Auf die Zahnmedizin entfielen vier der Habilitationen.

III. 5. Ressourcenvergabe

Die Räumlichkeiten für die Forschung sind auf eine Vielzahl von Instituten und Kliniken verteilt. In bestimmten klinischen Bereichen werden die für Forschung zur Verfügung stehenden Flächen als zu gering bewertet. Die Vergabe der Räumlichkeiten für Forschung obliegt dem Klinikumsvorstand. Seit 1994 wird ein Teil der Forschungsflächen im Gebäude der Medizinischen Forschungseinrichtungen zeitlich befristet an klinische

Arbeitsgruppen vergeben. Die Vergabe ist an die Einwerbung von Drittmitteln gebunden und erfolgt nach Prüfung im Forschungsausschuß durch den Fachbereichsrat. Für die Verwaltung der Forschungsressourcen stehen neben den Mitarbeitern der Zentralverwaltung in einer Reihe von Instituten entsprechende Stellen zur Verfügung.

Eine getrennte Vergabe von Mitteln des Landeszuschusses für Forschung einerseits und für Lehre und Krankenversorgung andererseits ist derzeit nicht möglich. Allerdings hat die Fakultät ein internes Verfahren entwickelt, nach dem Allgemeinkosten und Mittel, die durch Lehraktivität begründet sind, differenziert zugewiesen werden. Außerdem gibt es einen Fonds, aus dem Mittel für Forschung anteilig und entsprechend den Drittmitteleinwerbungen des Vorjahres zugewiesen werden. Die Summe dieser Mittel beträgt derzeit 100 000 DM. Im übrigen sollen die Mittel für Forschung nach einem entsprechend gewichteten Schlüssel verteilt werden, wobei allerdings eine Kürzung der in der Vergangenheit zugewiesenen Beträge bisher nicht vorgenommen wurde. Der amtierende Klinikumsvorstand betrachtet diese Verfahren als unzureichend und will künftig eine Umschichtung zugunsten der forschungsaktiven Einheiten vornehmen. Hierfür wurde bereits ein Stellenpool von 17 wissenschaftlichen Mitarbeitern begründet, aus dem den forschungsaktiven Bereichen Stellenmittel zugewiesen werden können.

III. 6. Zentrale Einrichtungen für die Forschung

Am Fachbereich Humanmedizin gibt es eine Reihe von zentralen Einrichtungen, die Serviceleistungen für die übrigen Institute und Kliniken bereitstellen. Hierzu zählen insbesondere das Zentrallabor für Elektronenmikroskopie und Laser-Scanning-Mikroskopie im Institut für Zytobiologie und Zytopathologie, das Zentrallabor für Nukleinsäure- und Proteinbiochemie im Institut für Molekularbiologie und Tumorforschung, Einrichtungen der Tierhaltung (einschl. transgene Tiermodelle), die Methodenberatung zur Statistik und Epidemiologie der Abteilung Medizinische Biometrie sowie Service-Leistungen der Massenspektrometrie des Zentrums für Kinderheilkunde.

A. IV. Lehre

IV. 1. Ausbildungsprofil

Der Fachbereich Humanmedizin der Universität Marburg bietet Studiengänge für Humanmedizin, Zahnmedizin und Humanbiologie an. Im Wintersemester 1995/96 waren insgesamt 2 989 Studierende eingeschrieben, davon 2 377 in Humanmedizin, 396 in Zahnmedizin und 216 in Humanbiologie. Die Zahl der Studienanfänger betrug im Studienjahr 1995/96 376 für Humanmedizin, 68 in der Zahnmedizin sowie 37 im Studiengang Humanbiologie. Im Studiengang Humanmedizin wurden 1995

64 Teilzulassungen für das vorklinische Studium ausgesprochen. Das Land plant eine Reduzierung der Zahl der Studienplätze von 300 auf 250. Gleichzeitig sollen auch die Teilstudienplätze abgebaut werden. Im Jahr 1993 verzeichnete der Fachbereich insgesamt 357 Absolventen, darunter 257 der Humanmedizin, 48 der Zahnmedizin und 52 der Humanbiologie. Die Quote der weiblichen Absolventen betrug in der Human- und Zahnmedizin 44 % bzw. 46 % und rund 60 % im Studiengang Humanbiologie.

Zur Ausbildung von Studierenden im Praktischen Jahr sind der Universität insgesamt fünf Lehrkrankenhäuser in durchschnittlich 100 km Entfernung mit zusammen 252 Ausbildungsplätzen angeschlossen.

Belange der Lehre wurden bisher am Fachbereich durch einen der beiden Prodekane als „Prodekan für Lehr- und Studienangelegenheiten" zusammen mit einer Sachbearbeiterin betreut. Da die koordinativen Aufgaben im Bereich der Lehre stetig zunehmen, hat der Fachbereichsrat Anfang 1993 das Amt des „Studiendekans" eingerichtet. Ihm stehen ein wissenschaftlicher Mitarbeiter (Dauerstelle), ein Verwaltungsbeamter und 1½ Sachbearbeiterinnen zur Verfügung. Das Studiendekanat ist mit einem Etat von zunächst 30 000 DM und entsprechenden Räumlichkeiten ausgestattet. Aus den Kreisen der Hochschullehrer und wissenschaftlichen Mitarbeiter des Fachbereichs werden Beauftragte für Sonderaufgaben zur Unterstützung des Studiendekans herangezogen. In den Zuweisungen von Haushaltsmitteln an die Institutionen des Fachbereichs sind Mittel für die Lehre enthalten. Darüber hinaus konnten Mittel aus dem Programm der Hessischen Landesregierung zur Verbesserung der Lehre eingeworben werden. Der Fachbereich veröffentlicht seit 1993 einen jährlich fortgeschriebenen Lehrbericht.

Die Prüfungsergebnisse der Marburger Studierenden in den bundeseinheitlichen schriftlichen Prüfungen lagen in der Ärztlichen Vorprüfung in den Jahren 1990 bis 1994 jeweils unter dem Durchschnitt. Dies gilt insbesondere für die Fächer Physik, Physiologie und Chemie/Biochemie. Im schriftlichen Teil des ersten Abschnitts der Ärztlichen Prüfung lagen die Ergebnisse im Bereich des Durchschnitts, wobei 1994 ein deutlich besseres Ergebnis erzielt wurde. Überdurchschnittliche Ergebnisse wurden in den Jahren 1992-1994 in den Fächern Pathophysiologie, Humangenetik und Anamnese erzielt, unterdurchschnittliche in den Fächern Mikrobiologie und Biomathematik.[8])

IV. 2. Mittelfristige Planungen für die Lehre

Im Bereich des vorklinischen Unterrichts ist geplant, die Koordination zwischen medizinischen und naturwissenschaftlichen Fächern zu verstärken sowie zusätzliche Veranstaltungen vor Studienbeginn anzubie-

8) Diese Angaben beziehen sich auf die westdeutschen Universitäten; Daten über die Prüfungsergebnisse ostdeutscher Hochschulen liegen erst seit 1994 vor.

ten, um die großen Unterschiede im Wissen der Studienanfänger in den naturwissenschaftlichen Fächern auszugleichen. Auch wird im Hinblick auf die Neufassung der Approbationsordnung überlegt, die Ausbildung in Physik und Chemie an den Unterricht in Physiologie und Biochemie stärker anzubinden. Außerdem gibt es Bemühungen, die klinischen Aspekte in diesem Studienabschnitt zu verstärken. Auf die Schwierigkeiten, die sich in diesem Zusammenhang aus der geltenden Kapazitätsverordnung ergeben, weist der Fachbereich ausdrücklich hin.

Probleme im klinischen Studienabschnitt ergeben sich insbesondere hinsichtlich der Organisation des Kleingruppenunterrichtes. Hier fehlt es vor allem an geeigneten Räumlichkeiten. Engpässe bestehen in einigen Fächern, etwa der Kinderheilkunde und der Dermatologie, auch hinsichtlich der Zahl für den Unterricht geeigneter Patienten. Der Fachbereich verspricht sich für die Organisation des klinischen Unterrichtes Verbesserungen durch den geplanten Neubau auf den Lahnbergen.

Im Studiengang Zahnmedizin ergeben sich Schwierigkeiten insbesondere durch den baulichen Zustand der Zahnklinik. Die Einrichtungen sind veraltet und müßten renoviert und dem Stand der Technik angepaßt werden. Die Phantomarbeitsplätze sind durch häufigen Gebrauch verschlissen und bedürfen dringend der Auswechselung. Für eine angemessene Ausstattung der Zahnklinik mit Behandlungseinheiten und Phantomarbeitsplätzen rechnet der Fachbereich in den nächsten Jahren mit einem Bedarf von 8,8 Millionen DM. Zusätzlich hält er etwa 25 Millionen DM für die Sanierung der Gebäude der Zahnklinik für erforderlich.

Zur Verbesserung der didaktischen Qualifikation der Lehrenden wurde mit der Einrichtung spezieller Seminare und Kurse zur Weiterbildung von Habilitanden sowie der Einrichtung entsprechender Forschungsschwerpunkte begonnen. Als Anreiz hat der Fachbereich 1994 beschlossen, jährlich zwei „Preise für besondere Leistungen in der akademischen Lehre“ für theoretische und klinische Fachgebiete insbesondere an jüngere Hochschullehrer zu vergeben, der aus einer Urkunde und einem Geldbetrag bestehen soll. Darüber hinaus gibt es Bemühungen, die Evaluation der Lehre zu stärken.

Mit der soeben abgeschlossenen Formulierung einer neuen Studienordnung wurde das Studium der Humanbiologie an die Veränderungen im wissenschaftlichen Bereich angepaßt, die sich in den vergangenen Jahren ergeben haben. Darüber hinaus wird beabsichtigt, eine Untersuchung der Arbeitsgebiete im Beruf stehender Humanbiologen durchzuführen.

Anknüpfend an die Konzepte ausländischer „Reformuniversitäten“ soll außerdem in Kooperation mit dem Gießener Fachbereich ein Konzept zur fächer- und institutsübergreifenden Ausbildung erarbeitet werden, wobei insbesondere elektronische Medien zur Unterstützung des Lehrens und Lernens zum Einsatz kommen sollen.

IV. 3. Bibliotheken

In der Zentralen Medizinischen Bibliothek (ZMB I) ist ein großer Teil des Literatur- und Zeitschriftenbestandes einzelner Abteilungen im Klinikum auf den Lahnbergen zusammengeführt. Durch die Nachbarschaft zu den zentralen Bibliotheken für Chemie und Biologie können die Abonnements insbesondere teurer Zeitschriften aufeinander abgestimmt werden. Zur Zeit noch bestehende kleinere Handbibliotheken des Klinikums sollen in die ZMB I integriert werden. Darüber hinaus gibt es im Bereich Ortenberg die Bibliotheken der Medizinischen Zentren der Nervenheilkunde und der Zahn-, Mund- und Kieferheilkunde. Der Bestand ist komplett im Marburger Bibliothekssystem aufgenommen und wird zukünftig von allen entsprechend vernetzten Standorten abrufbar sein. Problematisch ist die Situation im Bereich Lahntal. Dort existieren mehrere dezentrale Instituts- und Fachgebietsbibliotheken, deren Zustand als mangelhaft bezeichnet wird. Beispielsweise ist der dortige Bestand – mit Ausnahme der Bibliotheken der Geschichte der Medizin, der Medizinischen Psychologie und der Hygiene – nicht fachgerecht katalogisiert.

Für das künftige medizinische Bibliothekssystem plant der Fachbereich den Ausbau der Zentralen Medizinischen Bibliothek im Zuge des weiteren Ausbaus auf den Lahnbergen, eine Konzentrierung der Bibliotheken im Bereich Ortenberg, die Einrichtung einer zweiten Zentralen Medizinischen Bibliothek (ZMB II) im Lahntal und eine erweiterte Nutzung moderner Informationstechnologien.

A. V. Krankenversorgung

Das Klinikum der Universität Marburg verfügte im Jahr 1994 über insgesamt 1320 vollstationäre Planbetten, 1995 waren es noch 1222. Zusammen mit Tagesbetten (Psychiatrie, Pädiatrie) hat das Klinikum insgesamt 1255 Planbetten. Eine Schließung der Dermatologie, wie vom Land vorgesehen, würde eine weitere Reduzierung der stationären Planbettenzahl auf 1182 bedeuten. Die Verteilung auf die einzelnen Kliniken ist aus Übersicht 5 zu entnehmen. Im Rahmen der Fortschreibunng des Krankenhausplanes für das Land Hessen ergab sich für das Jahr 1995 eine Reduktion der Planbetten in den Kliniken für Frauen-, HNO-, Haut-, Augen- und Kinderheilkunde sowie Psychotherapie um insgesamt 65 Betten. Der Anteil der Intensivbetten lag mit 61 Intensiv-Therapiebetten und 42 Intensiv-Überwachungsbetten bei insgesamt 7,8 %. Funktionsbetten werden im Zusammenhang mit ambulantem Operieren in der Augen- und Frauenklinik sowie den operativ tätigen Disziplinen vorgehalten. Gleiches ist für die Hautklinik geplant.

Für die Mitte 1994 eingerichtete Klinik für Herzchirurgie stehen insgesamt 24 Betten, davon 5 Intensiv-Therapie- und 4 Intensiv-Überwachungsbetten zur Verfügung. Die Zahl der Intensiv-Therapiebetten soll kurzfristig auf 7-8 Betten erhöht werden. Für die Versorgung in diesem

Bereich ist eine Zielzahl von 600 HLM-Eingriffen vorgesehen und mit den Kostenträgern vereinbart. Eine Erweiterung des Planbettenbestandes zu Lasten anderer Bereiche ist nicht vorgesehen. Die bisherigen Investitionen (u. a. für OP-Säle und Großgeräte) wurden landesseitig großenteils aus Spendenmitteln aufgebracht. Eine Abstimmung mit Gießen wurde dahingehend getroffen, daß in Marburg ein Herzlaser eingesetzt wird, während in Gießen Transplantationen durchgeführt werden.

Die Zahl der jährlich in den Kliniken stationär behandelten Patienten hat zwischen 1991 und 1993 leicht zugenommen. 40522 Patienten im Jahr 1991 standen 41839 im Jahr 1993 gegenüber. Knapp 90 % der Patienten stammten aus dem Bundesland Hessen, weitere 8 % aus Nordrhein-Westfalen. In der ambulanten Krankenversorgung betrug die Zahl der Neuzugänge im Jahr 1993 103485. Gegenüber dem Jahr 1990 ist damit eine Verminderung um rund 3500 Erstbehandlungsfälle eingetreten. Das Land strebt zur Verringerung des Defizits im ambulanten Bereich eine weitere Verringerung der Zahl der poliklinischen Neuzugänge an. Die Zahl der ambulanten Gesamtbehandlungsfälle (einschl. Mehrfachbehandlungen) hat im gleichen Zeitraum jedoch um rund 22500 zugenommen.

Das Klinikum Marburg ist mit den Aufgaben eines regionalen und überregionalen Tumorzentrums betraut und Mitglied in der Arbeitsgemeinschaft Deutscher Tumorzentren. Eine Kooperation und Abstimmung mit den onkologischen Aktivitäten am Klinikum Gießen erfolgt durch Integration in einen gemeinsamen Förderverein.

Aus den Unterlagen des Fachbereiches ist zu entnehmen, daß eine Reihe von Kliniken an Aktivitäten zur internen und externen Qualitätssicherung teilnimmt bzw. die Teilnahme beabsichtigt. Zur Realisierung eines wirtschaftlichen Umgangs mit Ressourcen im ärztlichen und pflegerischen Bereich wird seit einiger Zeit eine interne Budgetierung praktiziert.

A. VI. Ausbauplanung und Finanzierung

Der derzeitige Ausbaustand ist geprägt durch die räumliche Trennung der Klinikumsbereiche, wobei die Zentren für Innere Medizin, Operative Medizin und Radiologie einschließlich der Forschungsbereiche sowie ein zur Vorklinik zählendes Gebäude mit zentralen medizinischen Forschungseinheiten auf den Lahnbergen, die Zentren für Nervenheilkunde und ZMK-Heilkunde im Stadtteil Ortenberg und die sogenannten Altkliniken sowie die vorklinischen und theoretischen Fächer im Stadtzentrum untergebracht sind.

Die räumliche Trennung führt zu einem erhöhten logistischen Aufwand, insbesondere bei Patiententransporten, konsiliarärztlichen Untersu-

Übersicht 5

Planbetten, Auslastung der aufgestellten Betten und Verweildauer der Kliniken des Fachbereichs Humanmedizin der Universität Marburg im Jahr 1995

Klinik	Plan-betten	Auslastung in %			Verweildauer in Tagen		
		Marburg	Bund	Diff.	Marburg	Bund	Diff.
Anästhesiologie	6						
Innere Medizin	219	91,4	86,6	+ 4,8	7,2	9,5	-2,3
Chirurgie	178	81,0	84,7	- 3,7	10,1	9,9	+0,2
Neurochirurgie	30	78,8	87,6	- 8,8	8,6	11,1	-2,5
Urologie	60	87,8	81,6	+ 6,3	7,4	9,1	-1,7
Orthopädie	66	91,9	88,3	+ 3,6	12,4	14,4	-2,0
Radiologie	20	57,4	81,6	-24,2	9,8	13,2	-3,4
Nuklearmedizin	4	115,7	69,7	+46,0	8,1	10,9	-2,8
Frauenklinik	120	66,3	80,4	-14,1	6,4	7,4	-1,0
Kinderklinik	76	69,2	74,9	- 5,7	4,9	7,5	-2,6
HNO-Klinik	66	67,5	82,6	-15,1	7,6	8,5	-0,9
Augenklinik	70	65,6	84,0	-18,4	6,4	7,5	-1,1
Hautklinik	40	58,5	83,0	-24,5	10,8	13,9	-3,1
Psychiatrie	160	86,5	92,0	- 5,5	41,4	40,3	-1,1
Neurologie	77	83,5	88,9	- 5,4	16,8	14,5	+2,3
MKG-Chirurgie	30	77,8	79,0	- 1,2	7,8	8,6	-0,8
Gesamt	1 222	80,0	84,3	- 4,3	9,0	10,7	-1,7

1) Darin enthalten: Psychotherapie sowie Kinder- und Jugendpsychiatrie.
Quelle: Angaben des Fachbereichs Humanmedizin der Universität Marburg.
Vergleichsdaten: Deutsches Krankenhaus-Institut 1991 (Bezugsjahr 1990).

chungen sowie Service- und Versorgungsleistungen. Besondere Flächendefizite, die auch durch eine Sanierung am jetzigen Standort nicht behoben werden können, zeichnen sich für die Kinderklinik, die Frauenklinik und die Klinik für ZMK-Heilkunde ab. Sanierungsbedarf besteht auch für alle anderen im Lahntal befindlichen Altkliniken. Aus finanziellen Gründen und wegen der grundsätzlichen Sanierungsfähigkeit der Haut-, HNO- und Augenklinik sowie der Abteilung für Neurologie im Zentrum für Nervenheilkunde konzentriert sich die aktuelle Planung insbesondere auf die Frauen- und Kinderklinik sowie die Abteilung für MKG-Chirurgie des Zentrums für ZMK-Heilkunde.

- Zweiter Bauabschnitt auf den Lahnbergen (Nr. 8028)

Zum 26. Rahmenplan meldete das Land eine erste Stufe des zweiten Bauabschnitts des Klinikums Lahnberge neu an, die folgende Einrichtungen aufnehmen soll:

- das Medizinische Zentrum für Frauenheilkunde,
- das Medizinische Zentrum für Kinderheilkunde,
- die Klinik für MKG-Chirurgie,
- das Institut für Medizinische Mikrobiologie sowie
- Lehr- und Forschungseinrichtungen.

Für diese Einrichtungen soll ein Anbau in direkter Anbindung an das bestehende Klinikum auf den Lahnbergen erstellt werden. Das Vorhaben wurde vom Wissenschaftsrat entsprechend der Anmeldung des Landes mit einem Kostenvolumen von 240 Millionen DM grundsätzlich zur Aufnahme in den Rahmenplan empfohlen (Kategorie II). Mit der Fertigstellung des Neubaus ist im Jahr 2004 zu rechnen.

In weiteren Baustufen soll die Apotheke separat auf dem Gelände neu gebaut werden. Zentrale Einrichtungen wie Röntgen, Labor, Blutbank etc., die im ersten Bauabschnitt untergebracht sind, können grundsätzlich mitbenutzt werden. Allerdings sind dazu und wegen der bisherigen Leistungsentwicklung zum Teil abteilungsbezogene Flächenerweiterungen notwendig.

Das Raumprogramm für den ersten Teil des zweiten Bauabschnittes auf den Lahnbergen umfaßt eine Gesamtfläche von rund 21 000 m^2, für die eine Summe von rund 240 Millionen DM an reinen Baukosten veranschlagt ist. Hinzu kommen geschätzte 33 Millionen DM für die Ersteinrichtung sowie rund 10 Millionen DM für den Neubau der Apotheke (Nr. 7071), der bereits zum 24. Rahmenplan angemeldet wurde und in Kategorie II eingestuft ist.

Für die Frauenheilkunde wird ein Flächenbedarf zugrundegelegt, der sich an einer Ausstattung mit 120 Betten (davon 8 Betten Intensivpflege) ausrichtet. Der Flächenbedarf für die Kinderheilkunde orientiert sich an insgesamt 115 Betten für die konservative und chirurgische Behandlung. Die pädiatrische Intensivstation soll insgesamt 15 Betten, darunter 9 Intensivbetten für Neugeborene erhalten. Neben 85 Allgemeinpflegebetten sind 15 Neonatal-Überwachungsbetten sowie 5 tagesklinische Plätze vorgesehen. Für die MKG-Chirurgie werden 30 Allgemeinpflegebetten und insgesamt 885 m^2 vorgesehen. Die für den OP-Bereich angesetzte Fläche umfaßt einen weiteren OP-Raum der Herzchirurgie. Die ausgewiesenen Forschungsflächen verteilen sich auf den Bedarf der Medizinischen Zentren (30 %) und zentrale Verfügungsflächen (70 %).

Für die Lehre werden im Zusammenhang mit der Verlegung der Frauen- und Kinderklinik ein kleiner zusätzlicher Hörsaal sowie mehrere Kleingruppenräume geplant. Außerdem ist vorgesehen, die Zentrale Medizinische Bibliothek auszubauen und eine Lernbibliothek für Studenten einzurichten. Angegliedert werden sollen Räume für die Hebammen- und Kinderkrankenpflegeschule. Für die Medizinische Mikrobiologie sind pauschal 1500 m^2 einkalkuliert.

- Funktionsverbesserung der vorklinischen und klinisch theoretischen Institute im Lahntal (Nr. 8070)

Die meisten der teilweise denkmalgeschützten Lahntal-Institute sind vor der Jahrhundertwende erbaut worden. Sie entsprechen teilweise weder von ihrer Größe noch der technischen Ausstattung her den Erfordernissen einer modernen Medizinausbildung. Während einige der Institute im Zuge von Berufungsverhandlungen umgebaut und modernisiert werden konnten, sind andere auf Vorkriegsniveau stehengeblieben.

Für die Funktionsverbesserung der theoretischen und vorklinischen Institute hat das Land zum 24. Rahmenplan 50 Millionen DM veranschlagt. Das Vorhaben wurde wegen des Planungsstandes zunächst nicht zur Aufnahme in den Rahmenplan empfohlen (Kategorie III). Planungskosten in Höhe von 2 Millionen DM wurden zur Aufnahme in den Rahmenplan (Kategorie I) empfohlen.

Die bisherige Planung für die Sanierung geht davon aus, daß das Institut für Rechtsmedizin dem Institut für Pathologie im Klinikum räumlich und institutionell assoziiert wird und die freiwerdenden Räume durch andere Arbeitsgruppen, beispielsweise des Instituts für Humangenetik, genutzt werden. Die Institute für Medizinische Psychologie, Soziologie, Informatik und Biometrie sollen auch räumlich zu einem Zentrum für Methodenwissenschaften und Gesundheitsforschung zusammengefaßt werden, dem im zweiten Aufbauschritt die Fachgebiete Arbeitsphysiologie/Rehabilitationsforschung und Allgemeinmedizin eingegliedert werden sollen. Als Standort ist das Gebäude Bunsenstraße 3 vorgesehen.

Im Lahntal verbleiben darüber hinaus die folgenden Institute: Anatomie und Zellbiologie, Hygiene, Humangenetik, Physiologie sowie Molekularbiologie und Tumorforschung. Über die strukturelle Zuordnung der Bereiche Klinische Biochemie und Experimentelle Immunologie ist noch nicht entschieden.

Zur Verbesserung der Situation der Lehre hält der Fachbereich die Einrichtung eines Lernzentrums im Lahntal für sinnvoll. Dieses soll bestehen aus

- zwei kleinen Seminarräumen (je 25 Plätze),
- einem großen Seminarraum (40 Plätze),
- einem Multimedia-Arbeitsraum (30 Arbeitsplätze),

- einem Bibliotheksbereich (ca. 1000 Lehrbücher) und
- einem Arbeitsbereich für das Selbststudium (30 Arbeitsplätze).

Die Unterbringung des Lernzentrums ist noch nicht abschließend geklärt; in Frage kommt nach Ansicht des Fachbereichs das Gebäude des Instituts für Arbeitsphysiologie und des Betriebsärztlichen Dienstes nach deren Verlagerung.

VI. 3. Finanzierung

Für den Fachbereich Humanmedizin der Universität Marburg wurde die letzte große Baumaßnahme mit dem ersten Bauabschnitt auf den Lahnbergen im Jahr 1984 fertiggestellt. Dem folgten eine Reihe kleiner Vorhaben. Im Rahmen des HBFG-Verfahrens wurden seit 1980 insgesamt rund 660 Millionen DM in Baumaßnahmen investiert. Die Summe der über das HBFG beschafften Großgeräte beträgt für den Zeitraum 1990-1994 insgesamt 17,7 Millionen DM. Für kleinere Umbau- und Erweiterungsmaßnahmen wurden nach Angaben der Fakultät seit 1980 insgesamt rund 79 Millionen DM, davon im Zeitraum 1990-1994 rund 160000 DM bereitgestellt.

Die für den 26. Rahmenplan vorgesehenen Anmeldungen umfassen derzeit für Neubauten und Sanierungen einen Finanzbedarf von rund 318 Millionen DM, davon rund 240 Millionen DM für den Neubau des ersten Teils der zweiten Baustufe auf den Lahnbergen. Von seiten des Landes wird bestätigt, daß die Investitionen für den zweiten Bauabschnitt des Marburger Fachbereichs nach den anstehenden Baumaßnahmen für das Klinikum Frankfurt hohe Priorität haben und die landesseitige Finanzierung entsprechend der vorgesehenen Zeitabläufe gesichert sei.

Der Betriebskostenzuschuß für den Fachbereich Medizin und das Klinikum der Universität Marburg belief sich im Jahr 1996 auf insgesamt 124,9 Millionen DM (zusätzlich 14,5 Mio. DM Finanzplanmittel für kleinere Investitionen). Dieser Zuschuß dient zum einen dazu, Aufwendungen für Forschung und Lehre des Fachbereichs, insbesondere auch im vorklinischen und klinisch-theoretischen Bereich, zu decken. Zum anderen werden über den Betriebskostenzuschuß aus der Krankenversorgung resultierende Kosten, die nicht durch die Kostenträger im Gesundheitswesen getragen werden, ausgeglichen. Hierunter fallen auch Mehraufwendungen für den durch Forschung und Lehre entstehenden Bedarf in der Krankenversorgung. Eine differenzierte Zuordnung des Landeszuschusses zu einzelnen Kostenarten wird bislang auch in Marburg nicht praktiziert.

B. Stellungnahme

Die Stellungnahmen zu den Fachbereichen Humanmedizin der Universitäten Marburg und Gießen[9]) sind in einem engen Zusammenhang zu sehen, da der komplementären Schwerpunktbildung zwischen beiden Standorten eine besondere Bedeutung zukommt. Um Wiederholungen zu vermeiden, werden einzelne Aspekte, die für beide Fachbereiche von Belang sind, nur in einer der beiden Stellungnahmen ausführlich behandelt.

Angesichts der Entwicklung der Gemeinschaftsaufgabe Hochschulbau in den vergangenen Jahren mit entsprechenden Folgen für die Hochschulmedizin insgesamt sowie der Implikationen des Gesundheitsstrukturgesetzes (GSG) für die Universitätsklinika hat der Wissenschaftsrat mehrfach verschiedene Möglichkeiten der Umstrukturierung skizziert.[10]) Als Alternativen hat er die Ausgliederung von Einrichtungen, die für Lehre und Forschung von nachrangiger Bedeutung sind, komplementäre Schwerpunktbildungen insbesondere zwischen räumlich benachbarten Klinika (wie im Falle Gießen und Marburg) und eine stärkere Beachtung des Leistungsprinzips bei der Vergabe von Mitteln genannt. Als weitestgehende Möglichkeit schloß er auch die Aufgabe ganzer Standorte nicht aus.

Das Sparkonzept des Landes Hessen beinhaltet in unterschiedlicher Gewichtung Elemente dieser Strukturalternativen. Das Land hat die Diskussion mit den Medizinischen Fachbereichen in Gießen und Marburg in einer bemerkenswert offenen Debatte geführt, die auch bislang ungewohnte, aber sachgerechte Schwerpunktentscheidungen einschloß. Der Wissenschaftsrat sieht in diesem Ansatz eine zukunftweisende Perspektive und ermutigt das Land, den eingeschlagenen Weg fortzusetzen. Eine Bewertung des jetzt gefundenen Konzepts kann aber nicht nur standortspezifische Aspekte der Fachbereiche in Gießen und Marburg berücksichtigen, sondern muß auch die Auswirkungen für die gesamte Hochschulmedizin in Hessen und den Zusammenhang zwischen den drei Medizinischen Fachbereichen betrachten, die in unterschiedlicher Weise von den Einsparungen betroffen sind.

B. I. Zum Sparkonzept des Landes

Im Mittelpunkt der Überlegungen des Landes steht die Absenkung der laufenden Zuschüsse der drei Klinika. Während das Land betont, daß die Finanzierung der geplanten Investitionsvorhaben – zumindest soweit sie bereits zur Aufnahme in den Rahmenplan angemeldet sind – landesseitig

9) Vgl. Stellungnahme zur weiteren Entwicklung des Fachbereichs Humanmedizin der Universität Gießen, in diesem Band, S 227.
10) Vgl. Wissenschaftsrat: Stellungnahme zur Entwicklung der Hochschulmedizin, in: Empfehlungen und Stellungnahmen 1995, Köln 1996, Bd. I, S. 77 ff.

im geplanten Umfang gesichert sei, sollen die laufenden Zuschüsse an die drei Klinika reduziert werden. Das wichtigste Element hierbei ist die Absenkung der Zulassungszahlen. Darüber hinaus sollen komplementäre Schwerpunktbildungen zu weiteren Einsparungen führen. Und schließlich sollen Rationalisierungsreserven ausgeschöpft und das Dienstleistungsangebot der Kliniken in der Krankenversorgung reduziert werden.

a) Kürzung der laufenden Zuschüsse

Nach Beschluß des Landes sollen die laufenden Zuschüsse an die drei Kliniken innerhalb von fünf Jahren um 10% (gegenüber 1995) reduziert werden. Aus fiskalischen Gründen erfolgt die Umsetzung dieser Vorgabe aber bereits zur Hälfte im Jahre 1996. Der Wissenschaftsrat weist darauf hin, daß die Landeszuschüsse der hessischen Universitätsklinika im bundesweiten Vergleich nicht sehr hoch sind. Eine Kürzung um 10% bedeutet insbesondere in Marburg, daß sich die Höhe des Zuschusses ans untere Ende des Spektrums der Hochschulklinika der alten Länder bewegt. Der Wissenschaftsrat verkennt nicht die finanzielle Situation der Länder. Wenn aber drei Standorte der Hochschulmedizin in Hessen aufrecht erhalten bleiben sollen, dürfen finanzielle Kürzungen nicht dazu führen, daß alle drei Klinika Gefahr laufen, die untere Grenze ihrer Funktions- und Leistungsfähigkeit zu unterschreiten.

In die Kürzungen des Landeszuschusses eingerechnet wird an jedem Fachbereich ein Abbau von 60 Stellen mit äquivalenten Kosten von jeweils rund 75000 DM. Positiv zu werten ist die Tatsache, daß nicht pauschal ohne Berücksichtigung wissenschaftlicher Belange frei werdende Stellen eingezogen werden, sondern die Fachbereiche die einzusparenden Stellen entsprechend ihren Prioritäten benennen können.

b) Senkung der Zulassungszahlen

Zentrale Bedeutung im Sparkonzept kommt der beabsichtigten Absenkung der Zulassungszahlen in der Human- und der Zahnmedizin zu. Das Land plant, die Umsetzung dieses Vorhabens über einen längeren Zeitraum zu strecken, damit alle Studienanfänger ihr Studium am jeweiligen Fachbereich noch beenden können. Das Konzept umfaßt einen vollständigen Abbau der vorklinischen Teilstudienplätze an allen drei Fachbereichen, eine Reduzierung der Zahl der (Voll-) Studienplätze von 1000 auf 800 und den Abbau der 60 Studienplätze im Studiengang Zahnmedizin in Marburg. Um den Umfang des Abbaus personeller Kapazitäten in der Vorklinik abzumildern, soll parallel in Marburg die Zulassungszahl im Studiengang Humanbiologie um 20 erhöht werden. Der Gesamtumfang der Kapazitätsreduzierung erreicht einen erheblichen Umfang: In Frankfurt sollen 23%, in Gießen 34% und in Marburg 41% (ohne Humanbiologie) der vorklinischen Studienplätze abgebaut werden. Im gesamten Land summiert sich dies auf 453 vorklinische Studienplätze. Damit erreicht der Abbau die Größenordnung einer ganzen Vorklinik. Für den Standort Marburg hätte der geplante Abbau vorklinischer Studienplätze die weitaus einschneidendsten Konsequenzen. Entsprechend den Berechnungsverfahren der Kapazitätsverordnung wäre nach Angaben des Fachbereichs in diesem Zusammenhang rechnerisch die Streichung von rund 21 wissenschaftlichen Stellen[11]) erforderlich. Bislang sind 52,5 Wissenschaftlerstellen dem Bereich der Vorklinik zugeordnet. Da auch der Gießener Fachbereich von der Ausdünnung der vorklinischen Fächer in ähnlicher Weise betroffen wäre, muß befürchtet werden, daß im Endeffekt zwei nur noch bedingt überlebensfähige Vorkliniken bestehen blieben, zumal bei diesen Überlegungen eine mögliche weitere Reduktion der vorklinischen Kapazität im Zuge der geplanten Novellierung der Approbationsordnung noch nicht berücksichtigt ist.

Nach Angaben des Landes ist ein der Kapazitätsreduzierung proportionaler Stellenabbau in der Vorklinik nicht beabsichtigt. Er werde von den kapazitätsrechtlichen Vorschriften auch nicht erzwungen. Diese erforderten zwar eine entsprechende Verringerung des Ergebnisses der Kapazitätsberechnung auf der Lehrangebotsseite in der Lehreinheit Vorklinische Medizin für den Studiengang Humanmedizin, doch lasse sich die Korrektur des Rechenergebnisses im Rahmen des Kapazitätsrechts auch durch andere Maßnahmen als Stellenabzüge, beispielsweise durch Stellenumwidmungen oder Neuzuordnung der in der Lehreinheit Vorklinische Medizin wahrgenommenen Funktionen zu Stellen außerhalb der Lehre, erreichen.[12]) Der Wissenschaftsrat begrüßt, daß das Land alle Möglichkeiten nutzen möchte, um die Auswirkungen eines Abbaus der Teilzulassungen und des Studienganges Zahnmedizin in Marburg zu kompensieren. Bei einem weitergehenden Abbau von Studienplätzen wären die kapazitätsbedingten Folgen für die Vorkliniken allerdings so gravierend, daß der Wissenschaftsrat dem Land empfiehlt, hiervon Abstand zu nehmen.

In diesem Zusammenhang könnten Überlegungen zur Zusammenlegung der vorklinischen Bereiche angestellt worden sein, für die aus räumlichen Gründen in erster Linie Gießen und Marburg in Frage kämen. Mit Blick auf die Integration von vorklinischem und klinischem Studium und die bevorstehende Novellierung der Approbationsordnung, die diese Unterteilung weitgehend aufhebt, ergibt eine solche Lösung aus Sicht des Wissenschaftsrates aber keinen Sinn. Aufgrund der Dichte der Vorlesungen und Praktika im vorklinischen Studium wäre eine gemeinsame Vorklinik der beiden 30 km entfernten Standorte nicht zu realisieren. Hierbei ist auch zu berücksichtigen, daß die beiden Fakultäten in einem ländlichen Umfeld liegen, dessen Möglichkeiten des öffentlichen Nahverkehrs ein gegebenenfalls mehrfach tägliches Pendeln nicht erlauben.

---

11) Bezogen auf ein Lehrdeputat von 7 Stunden pro Stelle.
12) Nach Angaben des Landes führt die Erhöhung der Zulassung im Studiengang Humanbiologie um 20 Studienanfänger pro Jahr unter gleichen Annahmen rechnerisch zu einem Mehrbedarf von 5 Wissenschaftlerstellen.

Denkbar wäre auch die Möglichkeit, einen vorklinischen Bereich vollständig aufzugeben. Dann aber müßte nach Ansicht des Wissenschaftsrates auch die Frage nach dem Fortbestehen des zugehörigen Klinikums gestellt werden. Dies entspricht jedoch nicht dem Willen des Landes, das sich ausdrücklich zur Weiterführung dreier Universitätsklinika bekennt.

Der Wissenschaftsrat lehnt das vorgeschlagene Konzept gleichwohl nicht gänzlich ab. Insbesondere begrüßt er den geplanten Abbau der Teilzulassungen, da hierdurch ein erhebliches Ungleichgewicht zwischen vorklinischem und klinischem Bereich entsteht und die beabsichtigte Verzahnung dieser Unterrichtsbereiche sehr erschwert wird. Im übrigen führt die mit der Teilzulassung verbundene Garantie eines klinischen Studienplatzes häufig dazu, daß die klinische Studienkapazität stillschweigend und zum Nachteil der Ausbildungsqualität ausgeweitet wird. Diese gängige Praxis lehnt der Wissenschaftsrat ab. Um die Teilzulassungen abzubauen, müssen allerdings kapazitätsrelevante Stellen in der Vorklinik reduziert werden. Das Schwergewicht sollte dabei, wie vom Land beabsichtigt, auf Umwidmungen liegen. Darüber hinaus ist für den Wissenschaftsrat aus wissenschaftspolitischer Sicht aber kein Grund für eine weitergehende Reduzierung von Ausbildungskapazitäten ersichtlich. Der Bezug auf den Bevölkerungsanteil eines Landes kann nicht das alleinige und ausschlaggebende Argument für den Umfang der Bereitstellung von Studienplätzen darstellen, zumal insbesondere der Fachbereich in Marburg gemessen an den Studentenzahlen zu den kleineren in den alten Ländern zu rechnen ist. Eine weitere Reduzierung der Zulassungszahlen sollte nur im Zusammenhang mit der möglichen Novellierung der Approbationsordnung diskutiert werden.

Solange in Hessen drei Standorte für die Hochschulmedizin bestehen bleiben sollen, müssen diese personell und finanziell so ausgestattet sein, daß die Bedingungen für die Lehre hinreichend sind und die Fachbereiche in der Forschung leistungs- und wettbewerbsfähig sind. Wenn die Priorität des Landes Hessen jedoch auf einer Kosteneinsparung und einer deutlichen Reduzierung der Ausbildungskapazitäten liegt, dann muß die Frage nach der Zahl der Standorte gestellt werden. In einem Kompromiß, alle Standorte zu erhalten, entsprechend ihre Ausstattung und ihren Unterhalt aber nicht hinreichend zu sichern, kann nach Ansicht des Wissenschaftsrates keine Lösung liegen.

c) Verzahnung Gießen – Marburg

Der Wissenschaftsrat begrüßt die Initiative des Landes, eine komplementäre Schwerpunktbildung zwischen den Fachbereichen in Gießen und Marburg über die von den Fachbereichen bereits abgestimmten Maßnahmen hinaus anzustoßen. Dies gilt zum einen hinsichtlich der Abstimmung in Disziplinien, die weiter an beiden Standorten vertreten sein sollen. Beispiele hierfür sind die Herzchirurgie, in der eine arbeitsteilige Schwerpunktsetzung erfolgt und die Pneumologie, wo eine enge Kooperation der Abteilungen in Gießen und Marburg angestrebt werden sollte.

Bezüglich derjenigen Fächer, die künftig ganz oder überwiegend nur noch an einem Standort aufrecht erhalten werden sollen, ist eine differenzierte Betrachtung erforderlich.

– Psychologie und Soziologie der Medizin

Im Rahmen des Gesamtkonzeptes hält der Wissenschaftsrat die geplante Verlagerung der Medizinischen Psychologie und Medizinischen Soziologie nach Marburg für vertretbar. In Marburg sind beide Disziplinen in das neugeschaffene Zentrum für Methodenwissenschaften und Gesundheitsforschung integriert. Die Einbettung in das Zentrum für Psychosomatik in Gießen erscheint unter Forschungsgesichtspunkten demgegenüber weniger zwingend.

– Arbeitsmedizin, Rechtsmedizin, Geschichte der Medizin

Diese Disziplinen sollen in umgekehrter Lösung künftig in Gießen konzentriert werden. Dort sind Arbeits- und Rechtsmedizin in das Zentrum für Ökologie eingebettet, das zu den drittmittelstärkeren Zentren des Gießener Fachbereichs zählt. Genauso wie bei der Medizinischen Psychologie und der Medizinischen Soziologie handelt es dabei um Fächer, in denen Dienstleistungen in der Lehre für den anderen Fachbereich vergleichsweise gut möglich sind.

Weitere komplementäre Standortlösungen sieht das Konzept des Landes auch für den klinischen Bereich vor. In Marburg sind die Dermatologie und die Zahnheilkunde davon betroffen. Dabei vertritt der Fachbereich in Marburg die Ansicht, daß die Bedeutung der Universitätsklinika in Gießen und Marburg für die regionale Krankenversorgung es nicht zuläßt, einzelne klinische Bereiche ohne schwerwiegende Nachteile nur noch an einem Standort vorzuhalten. Dieser ausschließlich auf Aspekte der Krankenversorgung gestützten Begründung vermag sich der Wissenschaftsrat allerdings nicht anzuschließen, er hält eine differenzierte Bewertung der Auswirkungen auf Forschung und Lehre für ausschlaggebend.

– Augenklinik

Die Augenheilkunde soll nach Vorstellung des Landes zukünftig bis auf eine kleine Spezialklinik für Schielbehandlung und Neuroophtalmologie, die in Gießen verbleiben soll, nur noch in Marburg vertreten sein. Hierzu hat der Wissenschaftsrat sich in der komplementären Stellungnahme zum Fachbereich Medizin in Gießen ebenso wie zu der geplanten Ausgliederung der Klinik für Rheumatologie, physikalische Medizin und Balneologie in Bad Nauheim ausführlich geäußert.[13])

13) Vgl. Wissenschaftsrat: Stellungnahme zur weiteren Entwicklung des Fachbereichs Humanmedizin der Universität Gießen, in diesem Band, S. 227.

– Dermatologie

Die Dermatologie soll ihren überwiegenden Schwerpunkt künftig in Gießen erhalten. Dabei hat das Land ein ähnliches Modell wie für die Augenklinik auch für die Dermatologie ins Spiel gebracht. Der Fachbereich in Gießen lehnte den Vorschlag in dieser Form ab, skizzierte in seiner Stellungnahme gegenüber dem Land aber ein differenziertes Konzept, das auf eine komplementäre Schwerpunktbildung zielt. Während die Dermatologie in Gießen gegenwärtig bereits wissenschaftlich stark andrologisch ausgerichtet ist, schlägt der Fachbereich für Marburg eine „klassisch" dermatologische Orientierung bei gleichzeitiger Beibehaltung zweier selbständiger Kliniken vor.

Einer Etablierung der Dermatologie an nur einem Standort, die über eine solche Abstimmung der wissenschaftlichen Schwerpunktsetzung zwischen beiden Fachbereichen hinausgeht, kann der Wissenschaftsrat nicht zustimmen. Die Verschränkung von dermatologischen mit anderen Krankheitsbildern ebenso wie bei Etablierung molekularbiologischer Forschungsansätze in der Dermatologie läßt diese als klinische Disziplin erscheinen, die im Fächerspektrum eines Universitätsklinikums keineswegs randständig erscheint.

Im Bereich der klinischen Fächer der Humanmedizin sollte eine komplementäre Schwerpunktbildung in Forschung und Krankenversorgung in Abstimmung zwischen den beiden Fachbereichen vielmehr auf der Ebene klinischer Subdisziplinen erfolgen.[14]) Dies gilt beispielsweise und in besonderem Maße für die Transplantationsmedizin (vgl. auch B.II.1.).

– Zahnmedizin

Eine der kontroversesten Fragen zwischen Land und Marburger Fakultät stellt die geplante Schließung des Studiengangs Zahnmedizin in Marburg dar. Dadurch sollen die zahnmedizinischen Ausbildungskapazitäten in Hessen von gegenwärtig 220 auf 160 Studienanfänger pro Jahr zurückgefahren werden. Das Land weist darauf hin, daß der vorgegebene Abbau von 60 Stellen in Marburg überwiegend im Bereich der Zahnmedizin erfolgen könne, andere Bereiche somit weitgehend von Kürzungen verschont blieben. Der Wissenschaftsrat begrüßt die Zusage des Landes, daß die Stellen der Zahnklinik, soweit sie nicht vom Fachbereich im Rahmen dieses Kontingentes zur Streichung vorgeschlagen werden, dem Fachbereich verbleiben sollen und von diesem entsprechend eigener Prioritäten zugeordnet werden können. Damit bietet sich dem Fachbereich mit Schließung der Zahnklinik die Möglichkeit zur Stärkung des eigenen Forschungsprofils.

14) Vgl. Stellungnahme zur weiteren Entwicklung des Fachbereichs Humanmedizin der Universität Gießen, a.a.O., S. 257.

Unter finanziellen Gesichtspunkten kann der Wissenschaftsrat der Entscheidung des Landes, eine zahnmedizinische Ausbildung künftig nur noch an zwei Standorten durchzuführen, folgen. Mit Blick auf das große Investitionsvolumen, das zur Sanierung der Zahnklinik in Marburg erforderlich wäre, und auf die gute Bausubstanz der Zahnklinik in Gießen ist auch die Entscheidung für Gießen als Standort nachzuvollziehen. Standortentscheidungen, die aus finanziellen Überlegungen heraus getroffen werden, sollten jedoch grundsätzlich nicht dazu führen, daß der wissenschaftlich leistungsstärkere Standort geschlossen wird. Nach Ansicht des Wissenschaftsrates sprechen mehrere Argumente für eine Fusionierung, zumindest in Teilen, beider Zahnkliniken am Standort Gießen anstelle einer ersatzlosen Schließung am Standort Marburg.

Beide Zahnkliniken gehen in ihrer Struktur mit sechs (Marburg) bzw. acht (Gießen) Abteilungen (plus MKG-Chirurgie) über den Mindeststandard von vier Lehrstühlen hinaus. Dies kann unter Gesichtspunkten der wissenschaftlichen Differenzierung des Faches begrüßt werden.[15]) Wenn eine Entscheidung für nur einen Standort getroffen wird, sollten die leistungsstarken Bereiche beider Standorte erhalten bleiben. Damit wären die Voraussetzungen für die Etablierung eines zahnmedizinischen Forschungsschwerpunktes gegeben, den der Wissenschaftsrat angesichts der bestehenden Defizite in der zahnmedizinischen Forschung für dringend wünschenswert hält. Der Wissenschaftsrat empfiehlt die Einsetzung einer gemeinsamen Fusionierungskommission beider Fachbereiche, die ein Konzept zur Abstimmung der Schwerpunkte und Lehrstühle erarbeiten soll. Die beiden Fachbereiche und das Land sollten einen Konsens hinsichtlich der Größe des neuen Zentrums für Zahnheilkunde anstreben.

Die Vergrößerung der zahnmedizinischen Ausbildungskapazität in Gießen, die mit einer solchen Teilfusionierung einhergeht, muß auch bei den Überlegungen zur Vorklinik am Fachbereich in Gießen berücksichtigt werden. Unter Abwägung verschiedener Randbedingungen qualitativer wie finanzieller Art hat der Wissenschaftsrat eine Kapazität von 80 Studienanfängern pro Jahr als Optimum angesehen.[16])

B. II. Zur Struktur des Fachbereichs Humanmedizin der Universität Marburg

II. 1. Struktur

Die Struktur der hessischen Universitätsklinika wird in hohem Maße durch die Medizinischen Zentren geprägt. Die Funktionalität der Zu-

15) Vgl. Wissenschaftsrat: Empfehlungen zur weiteren Entwicklung der Hochschulmedizin in Mecklenburg-Vorpommern, in diesem Band, S. 129 ff.
16) Vgl. Stellungnahme zur weiteren Entwicklung der Hochschulmedizin in Mecklenburg-Vorpommern, a.a.O., S. 195 ff.

sammenfassung von Abteilungen und Kliniken zu Zentren hängt nach Ansicht des Wissenschaftsrates wesentlich von der Kooperation innerhalb der Zentren ab. Diese wird durch eine Zentrumsstruktur mit einer Vielzahl von Abteilungen jedoch erschwert. Aus diesem Grund sollte in Marburg insbesondere die Zersplitterung der Inneren Medizin, die in einem Zentrum mit sieben Abteilungen institutionalisiert ist, wie vom Fachbereich beabsichtigt, rückgängig gemacht werden. Als sinnvollen Grad der Differenzierung betrachtet der Wissenschaftsrat maximal vier bis fünf Abteilungen. Die Vereinbarung der beiden Medizinischen Fakultäten hinsichtlich der künftigen Struktur in der Inneren Medizin findet die Zustimmung des Wissenschaftsrates. Die Doppelung im Bereich der Pneumologie, die an beiden Standorten mit Forschungsschwerpunkten unterschiedlicher inhaltlicher Ausrichtung etabliert ist, wird mit Blick auf die gegenwärtige, profilierte Besetzung beider Lehrstühle ebenfalls befürwortet.[17]) Bei künftig anstehenden Neuberufungen könnte allerdings auch für diesen Bereich eine Schwerpunktbildung erwogen werden.

Die Schwerpunktsetzung im Bereich der Kardiochirurgie erscheint ebenfalls sinnvoll, zumal die Konzentration auf Transplantationen am Standort Gießen und auf die Arbeit mit dem Herzlaser am Standort Marburg gewährleistet, daß an beiden Zentren die größtmögliche Erfahrung mit den jeweiligen Verfahren gesammelt wird. Dies setzt gleichzeitig aber auch eine enge Kooperation voraus.

Zur Einführung des CO_2-Herzlasers in der Herzchirurgie ist allerdings zu bemerken, daß es sich bei der transmyokardialen Laserrevaskularisation um ein Verfahren handelt, dessen Wirksamkeit bisher klinisch noch nicht validiert ist. Entsprechend einer Anregung des Apparateausschusses der Deutschen Forschungsgemeinschaft haben sich demzufolge fünf Herzzentren, darunter auch Marburg, zusammengeschlossen und ein gemeinsames Studienprotokoll zur Evaluierung der Methode im Rahmen einer multizentrischen prospektiven Studie entwickelt. Der Wissenschaftsrat befürwortet diese bereits im Vorfeld der Großgerätebeschaffungen erfolgte Abstimmung ausdrücklich. Auf diese Art ist es möglich, neue kostenintensive Verfahren vor einem möglicherweise breiten Einsatz in der Praxis im Rahmen der hochschulmedizinischen Forschung zu überprüfen. Voraussetzung ist allerdings, daß entsprechende Großgeräteinvestitionen zunächst auf die an der Studie teilnehmenden Zentren beschränkt bleiben. Der Wissenschaftsrat bittet die Deutsche Forschungsgemeinschaft darauf zu achten, daß weitere Großgeräteanträge anderer Zentren bis zum Abschluß der Studie zurückgestellt werden. Gleichzeitig fordert er das Land Hessen auf, den von der Universität Marburg im Großgerä-

17) Siehe hierzu Teil B.II. der Stellungnahme zum Fachbereich Medizin der Universität Gießen, in diesem Band, S. 227 ff.

teverfahren angemeldeten und von der Deutschen Forschungsgemeinschaft befürworteten Herzlaser baldmöglichst zu beschaffen.[18])

Im Sinne einer künftigen komplementären Abstimmung von Schwerpunkten könnte in Marburg beispielsweise die Einrichtung eines Trauma-Zentrums angedacht werden, das neben in Marburg bereits bestehenden Fächern (wie z. B. Neurochirurgie, MKG-Chirurgie, HNO-Heilkunde) auch fachliche Erweiterungen (wie z. B. Plastische und Wiederherstellungschirurgie) umfassen könnte.

II. 2. Personal

Beim Fachbereich Humanmedizin der Universität Marburg handelt es sich um einen kleineren Fachbereich, der aber über eine relativ große Zahl an Abteilungen verfügt. Gleichzeitig zeigt das Verhältnis von 13 Stellen für wissenschaftliches Personal je C4-Lehrstuhl aber eine eher knappe Ausstattung der einzelnen Lehrstühle an. Insbesondere im Bereich der Vorklinik und der Klinischen Theorie, die gleichwohl wesentlich zu den Forschungsschwerpunkten beitragen, verfügt der Fachbereich im Vergleich zum Fachbereich an der Universität Gießen, auch unter Berücksichtigung der Studienanfängerzahlen, über eine geringere Zahl an Stellen für wissenschaftliches Personal (C4/C3: 33 im Vergleich zu 40; übriges wissenschaftliches Personal: 106 im Vergleich zu 145). Bezogen auf die Zahl der Planbetten liegt sowohl die Zahl der wissenschaftlichen als auch die Gesamtzahl der Stellen jedoch an beiden Fachbereichen geringfügig unter dem Durchschnitt der alten Länder.

Der geplante Abbau von 174 vorklinischen Studienplätzen in der Human- und Zahnmedizin erfordert rechnerisch einen Abbau von etwa 21 Stellen mit durchschnittlichem Lehrdeputat, wenn die Kapazitätsreduzierung in proportionaler Weise über Stellenabzüge umgesetzt würde. Dies würde angesichts der Größe des Marburger Fachbereichs jedoch einen Abbau von Personalkapazitäten in der Vorklinik in der Größenordnung von 40 % bedeuten. Einer derart drastischen Reduktion könnte der Wissenschaftsrat wegen der damit gegenwärtig zwangsläufig verbundenen Einschränkung der Vorklinik nicht befürworten. Akzeptabel erscheint die Einstellung des Ausbildungsgangs Zahnmedizin, dringend wünschenswert der Abbau der Teilzulassungen. Auch damit wird es zu deutlichen Einschnitten im Bereich der Vorklinik kommen. Der Abbau vorklinischer Kapazitäten, der durch die Einstellung des Studiengangs Zahnmedizin erforderlich würde, soll nach den Plänen des Landes durch eine Erhöhung der Zulassungszahlen im ebenfalls zulassungsbeschränkten Studiengang Humanbiologie um 20 Plätze kompensiert werden. Um die Forschungskapazität in der Vorklinik nicht in einer Weise zu beschneiden, die ihre Leistungsfähigkeit gefährdet, bittet der Wissen-

18) Drucksachen-Nummer wird nach Abschluß des aktuellen Umlaufverfahrens eingetragen.

schaftsrat das Land nachdrücklich, den Abbau von Wissenschaftlerstellen in der Vorklinik in Abstimmung mit dem Fachbereich durch die vorgesehenen Maßnahmen auf ein Minimum zu beschränken.

Die Altersstruktur der Professoren am Fachbereich ist teilweise unausgeglichen. Bei den C4-Professoren ist ein deutlich überproportionaler Anteil zwischen 55 und 60 Jahre alt. Dadurch wird sich auch der Ersatzbedarf zeitlich nicht gleichmäßig verteilen. Eine erhöhte Zahl von Emeritierungen ist entsprechend in den ersten Jahren nach der Jahrtausendwende zu erwarten.

B. III. Zur Forschung

Der Fachbereich Humanmedizin der Universität Marburg stellt sich als forschungsstarker Fachbereich mit profilierten Schwerpunkten dar, wie an der Existenz jeweils dreier Sonderforschungsbereiche und Forschergruppen sowie eines Graduiertenkollegs deutlich wird. Die Forschungsorientierung wird durch eine zielgerichtete Berufungspolitik unterstützt. Der Fachbereich weist insgesamt hohe Drittmitteleinwerbungen auf, die 1995 einen neuen Höchststand erreicht haben; insbesondere bei Mitteln der Deutschen Forschungsgemeinschaft steht er in der Spitzengruppe der Medizinischen Fachbereiche in Deutschland. Das Drittmittelaufkommen insgesamt, vor allem aber an DFG-Mitteln, ist in Marburg das höchste der drei hessischen Fachbereiche.

Die Drittmitteleinwerbung stellt sich allerdings auch in Marburg sehr ungleichgewichtig dar. 57 % der gesamten Drittmittel und 67 % der DFG-Mittel entfallen auf die Medizinischen Zentren für Innere Medizin, für Hygiene und Medizinische Mikrobiologie und auf das Institut für Molekularbiologie und Tumorforschung, das mit durchschnittlich 3,9 Millionen DM die höchsten DFG-Einwerbungen zu verzeichnen hat. Auf der anderen Seite konnten einige Abteilungen und Zentren in den letzten Jahren jeweils nur sehr geringe Drittmittel einwerben, insbesondere bei der Deutschen Forschungsgemeinschaft. Das Schwergewicht im Drittmittelprofil liegt eindeutig auf vorklinischen und klinisch-theoretischen Abteilungen. Die Kliniken sind bis auf die Innere Medizin, die Operative Medizin II (mit der Herzchirurgie) und die Kinderklinik deutlich weniger stark am Drittmittelaufkommen des Fachbereichs beteiligt. Zwar sind einzelne klinische Abteilungen an den Sonderforschungsbereichen beteiligt, doch sollte die Kooperation zwischen theoretischer und klinischer Forschung intensiviert werden.

Der Wissenschaftsrat weist an dieser Stelle erneut darauf hin, daß der Abbau von vorklinischer Kapazität in dem Umfang, wie er infolge des geplanten Abbaus von vorklinischen Studienplätzen erforderlich sein wird, wenn er über proportionale Stellenabzüge erfolgt, die Leistungsfähigkeit der Marburger Vorklinik, die wesentlich zum Forschungsprofil des Fachbereichs beiträgt, erheblich beeinträchtigen muß.

Der Fachbereich hat in den letzten Jahren mit der Entwicklung leistungsorientierter Verfahren der Ressourcenallokation begonnen. Der Wissenschaftsrat sieht darin einen weiteren Weg zur Schärfung des Forschungsprofils des Fachbereichs. So wird ein Teil der Forschungsflächen im Gebäude der Medizinischen Forschungseinrichtungen zeitlich befristet an klinische Arbeitsgruppen vergeben. Darüber hinaus gibt es einen Fonds, aus dem Mittel für Forschung entsprechend den Drittmitteleinwerbungen zugewiesen werden. Die Höhe der flexibel zur Verfügung stehenden Mittel ist allerdings noch zu gering, um in einem größeren Maße Effekte zu erzielen. Der Anteil der flexibel und leistungsorientiert zu verteilenden Ressourcen sollte daher schrittweise weiter erhöht werden. Auch darf eine spätere Umverteilung einmal gewährter Mittel kein Tabu sein. In diesem Zusammenhang ermutigt der Wissenschaftsrat den Fachbereich zur Weiterentwicklung der Ansätze zur getrennten Budgetierung der Mittel für Forschung und für Lehre. Zur Stärkung der klinischen Forschung sollte die Anreizförderung insbesondere für Nachwuchswissenschaftler im klinischen Bereich genutzt und verstärkt werden. Der Wissenschaftsrat begrüßt die Schaffung eines Pools von 17 Wissenschaftlerstellen zur befristeten Vergabe an forschungsaktive Bereiche. Dieses Instrument sollte gezielt auch von den Kliniken genutzt werden, um eine Freistellung von Aufgaben der Krankenversorgung zu ermöglichen.

Mit Blick auf die Drittmitteleinwerbungen ist der Landeszuschuß für das Marburger Klinikum im Vergleich zu Gießen und Frankfurt gering. In der Bemessung der Landeszuschüsse sind nach Einschätzung des Wissenschaftsrates keine Leistungsanreize zu erkennen. Statt dessen orientiert sich deren Höhe stärker an der Zahl der Planstellen, die sich zu einem großen Teil aus den Aufgaben in der Krankenversorgung ableitet. Die Zuschüsse des Landes an die drei Klinika für Forschung und Lehre sollten sich in stärkerem Maße an den Leistungen der Fachbereiche in Forschung und Lehre orientieren. Hierzu könnte ein Teil der Landeszuschüsse zeitlich flexibel und leistunsorientiert vergeben werden. Um umfangreiche Begutachtungsverfahren zu vermeiden, könnte die Höhe der Einwerbungen von Drittmitteln der Deutschen Forschungsgemeinschaft als Verteilungsmaßstab herangezogen werden.

B. IV. Zur Lehre

Der Fachbereich Humanmedizin der Universität Marburg gehört gemessen an den Studenten- und Absolventenzahlen zu den kleineren medizinischen Ausbildungsstätten. Der Wissenschaftsrat begrüßt die Entwicklung eines Verfahrens, nach dem Allgemeinkosten und Mittel, die durch Lehraktivitäten begründet sind, differenziert zugewiesen werden. Zur Verbesserung der Qualität der Lehre empfiehlt der Wissenschaftsrat, einen Teil dieses Budgets für besondere Leistungen in der Lehre flexibel zu vergeben. Der Wissenschaftsrat begrüßt weiter die Einführung eines Prodekanats für Lehr- und Studienangelegenheiten, das mit Personal- und Sachmitteln in bescheidenem Umfang ausgestattet ist.

Nimmt man die Prüfungsleistungen der Marburger Studierenden in den schriftlichen Prüfungsteilen zum Maßstab, erscheint die Lehre in vielen Bereichen jedoch verbesserungsfähig. In der Ärztlichen Vorprüfung lagen sie in den vergangenen Jahren jeweils unter dem Durchschnitt aller Medizinischen Fakultäten der alten Länder. Im ersten und zweiten Abschnitt der ärztlichen Prüfung lagen die Ergebnisse im Bereich des Durchschnitts. Der Fachbereich sollte daher das Gespräch mit Studierenden über Verbesserungsmöglichkeiten in der Lehre suchen und intensivieren.

Zur Verbesserung der Rahmenbedingungen für die Lehre sollten in ausreichender Zahl Räume für den Kleingruppenunterricht geschaffen werden, die bislang in vielen Bereichen fehlen. Dies sollte insbesondere beim geplanten Neubau der 2. Baustufe des Klinikums auf den Lahnbergen berücksichtigt werden. Der Wissenschaftsrat unterstützt die Pläne des Fachbereichs zu Errichtung eines Lernzentrums im Lahntal. Für dringend erforderlich hält er den Ausbau und die weitere Konzentration der Bibliotheken.

B. V. Zur Krankenversorgung

Seit 1994 wurden im Klinikum der Universität Marburg rund 100 vollstätionäre Planbetten abgebaut. Mit gegenwärtig 1222 Planbetten liegt das Klinikum im unteren Bereich des Spektrums der Hochschulklinika. Dies gilt um so mehr, als eine Schließung der Hautklinik, die im Sparkonzept des Landes vorgesehen ist, eine weitere Reduzierung auf 1182 Planbetten bedeutet.

Einige Kliniken weisen allerdings eine deutlich unterdurchschnittliche Auslastung auf. Die geringste Auslastung weist die Hautklinik auf, die in Marburg allerdings auch nicht weitergeführt werden soll. Ebenfalls schlecht ausgelastet ist die HNO-Klinik. Auffällig ist weiter die geringe Auslastung der Frauen- und der Kinderklinik. Dies dürfte nicht zuletzt auf den schlechten Bauzustand und funktionale Defizite in beiden Kliniken zurückzuführen sein. Insbesondere die räumliche Trennung von Frauenklinik und Neonatologie, die in der Kinderklinik untergebracht ist, wirft gravierende Probleme auf. Abhilfe soll in beiden Bereichen durch den Neubau der 2. Baustufe auf den Lahnbergen erfolgen, der beide Kliniken umfaßt.

Das Land plant zur Verringerung des Defizits aus der ambulanten und poliklinischen Krankenversorgung eine Reduzierung der Zahl der poliklinischen Behandlungsfälle. Auch der Wissenschaftsrat hat sich dafür ausgesprochen, das Ausmaß der poliklinischen Versorgung auf den Bedarf von Forschung und Lehre zu beschränken. Dafür sprechen vor allem auch wirtschaftliche Gründe, zumal poliklinische Leistungen mit Blick auf den Nutzen für Forschung und Lehre nach einem nicht kostendeckenden Pauschaltarif entgolten werden. In der Realität können

Hochschulklinika die ambulante Versorgung jedoch nicht auf diesen Patientenkreis beschränken. In vielen Spezialbereichen, in denen niedergelassene Ärzte im regionalen Einzugsbereich die erforderlichen Versorgungsleistungen nicht oder nicht in angemessener Qualität erbringen können, müssen die meisten Hochschulklinika auch Aufgaben wahrnehmen, die zur Sicherstellung der medizinischen Versorgung unentbehrlich sind. Daraus ergibt sich der Anspruch auf eine kostendeckende Vergütung dieser Leistungen, die nur über Ermächtigungen zur Teilnahme an der vertragsärztlichen Versorgung möglich ist. Dies gilt auch für Bereiche der mittelbaren Krankenversorgung, insbesondere Radiologische Diagnostik, Klinische Chemie, Mikrobiologie, Virologie und Pathologie. Leider zeigt die Erfahrung, daß Universitätsklinika bei der Vergabe von abteilungs- oder personenbezogenen Ermächtigungen vielfach benachteiligt werden, um ihre Teilhabe an der budgetierten Gesamtvergütung der niedergelassenen Ärzte so niedrig wie möglich zu halten. Diese Praxis führt dazu, daß ambulante Leistungen – wenn Patienten nicht abgewiesen werden sollen – lediglich nach dem nicht kostendeckenden Poliklinktarif bezahlt werden, woraus sich erhebliche Defizite der Universitätsklinika ergeben.

B. VI. Zur Ausbauplanung und Finanzierung

VI. 1. Ausbauplanung

Das Land verfolgte den Ausbau seiner Medizinischen Fachbereiche und Universitätsklinika in der Vergangenheit durch zeitlich versetzte Schwerpunktsetzungen. Nachdem die Investitionsplanung des Landes mit dem Neubau des Klinikums auf den Lahnbergen bis Mitte der 80er Jahre erhebliche Mittel für den Fachbereich Humanmedizin der Universität Marburg bereitgestellt hat, haben sich die Investitionen in Marburg in den 90er Jahren auf ein Minimum reduziert.[19]) Der Wissenschaftsrat begrüßt die temporäre Prioritätensetzung, da auf diese Weise auch die Umsetzung größerer Bauvorhaben möglich gewesen ist, zuletzt beispielsweise die Sanierung des Zentrums Chirurgie in Gießen. Sie sollte jedoch nicht dazu führen, daß für einen Standort über einen längeren Zeitraum nur marginale Investitionsmittel zur Verfügung stehen.

Im Mittelpunkt der Planungen des Fachbereichs Humanmedizin in Marburg steht der Neubau der 2. Baustufe des Klinikums auf den Lahnbergen (Vorhaben Nr. 8028). Daneben sind umfangreiche Sanierungs- und Verbesserungsmaßnahmen für die Institute im Lahntal (Nr. 8070) vorgesehen, die bislang allerdings nicht zur Aufnahme in den Rahmenplan empfohlen worden sind. Darüber hinaus plant der Fachbereich einen weiteren Ausbau und die Konzentration der Bibliotheken sowie die Einrichtung eines Lernzentrums.

19) Vgl. Stellungnahme zur weiteren Entwicklung des Fachbereichs Humanmedizin der Universität Gießen, in diesem Band, S. 227 ff.

Der Wissenschaftsrat begrüßt nachhaltig die Anmeldung der 2. Baustufe des Klinikums zum 26. Rahmenplan. Er bittet das Land, die Planungen des grundsätzlich aufgenommenen Vorhabens (Kategorie II) zügig fortzusetzen, damit eine baldige Realisierung möglich wird. Mit dem Bauprogramm werden die gravierendsten Defizite im Altbaubereich im Lahntal beseitigt. Dies gilt insbesondere mit Blick auf die Frauen- und Kinderklinik, die das wesentliche Element der 2. Baustufe darstellen. Durch ihre Integration kann insbesondere die unhaltbare Situation der Neugeborenenversorgung behoben werden. Mit der Einbeziehung der Medizinischen Mikrobiologie können die Defizite an Forschungsflächen in diesem Bereich abgebaut werden. Die Berücksichtigung der Mund-, Kiefer- und Gesichtschirurgie ermöglicht deren Integration mit den anderen operativen Fächern im Klinikum Lahnberge.

Der Wissenschaftsrat sieht mittelfristig die Notwendigkeit eines weiteren Ausbaus und einer weiteren Konzentration der Bibliotheken. Gutgeheißen werden auch die Pläne zur Einrichtung eines Lernzentrums im Lahntal. Bei der weiteren Planung sollte die Möglichkeit einer Anbindung an die Bibliothek berücksichtigt werden. Der Wissenschaftsrat bittet das Land, die Planung für die Sanierung und für Funktionsverbesserungen der Institute im Lahntal stufenweise weiterzuführen. Dabei sollten Forschungsgesichtspunkte prioritär Berücksichtigung finden.

VI. 2. Finanzierung

Die Bauplanung für die drei hessischen Klinika setzt eine deutliche Steigerung der Investitionen für die Medizin voraus. Angesichts des in den vergangenen Jahren eher unterdurchschnittlichen finanziellen Engagements für die Hochschulmedizin befürwortet der Wissenschaftsrat diese Steigerung ausdrücklich.

Für Marburg sieht die Planung des Landes in den nächsten Jahren eine Steigerung der Investitionsausgaben im Rahmen der Gemeinschaftsaufgabe vor. Die Finanzierung der 2. Baustufe des Klinikums auf den Lahnbergen ist zu drei Viertel in der Zeit nach dem Jahr 2000 veranschlagt. Der Wissenschaftsrat bittet das Land, bei den Anmeldungen zum 27. Rahmenplan eine Übersicht über die Investitionsplanung mit Blick auf die 2. Baustufe des Klinikums, die Sanierungsmaßnahmen für die Institute im Lahntal (Nr. 8070) und die Bibliothek sowie das Lernzentrum vorzulegen.

Der Wissenschaftsrat sieht mit Sorge, daß, sollte sich die Umsetzung der Ausbauplanung des Landes in den nächsten Jahren als nicht finanzierbar erweisen, bei der geplanten Bauabfolge in der hessischen Hochschulmedizin möglicherweise die Ausbauplanung für den Standort Marburg in besonderem Maße betroffen wäre. Daher sollte auf den geplanten Baubeginn für die zweite Stufe des Klinikums in Marburg im Jahre 1998 mit Nachdruck hingearbeitet werden.

Seit Inkrafttreten des Gesundheitsstrukturgesetzes haben auch für die Hochschulklinika wirtschaftliche Gesichtspunkte erheblich an Stellenwert gewonnen. Mit der Abkehr vom Selbstkostenprinzip stieg auch das Interesse an einer Differenzierung der Landeszuschüsse hinsichtlich der Anteile für Forschung, Lehre und Krankenversorgung. Bislang ist diese wünschenswerte Transparenz jedoch noch nicht erreicht. Beim Vergleich der Zuschüsse an die Medizinischen Fachbereiche und Klinika der hessischen Universitäten läßt sich weder ein Bezug zu erbrachten Leistungen in der Lehre noch zu den insgesamt eingeworbenen Drittmitteln herstellen. Auffallend ist allerdings eine umgekehrte Proportionalität zu den eingeworbenen Mitteln der Deutschen Forschungsgemeinschaft.

Der Wissenschaftsrat hält das so praktizierte Zuschußverfahren für nicht mehr zeitgemäß. Ein pauschaler, lediglich auf Fortschreibung von Haushaltsdaten beruhender Finanzausgleich ist nicht geeignet, tatsächlich erbrachte Leistungen in Forschung, Lehre und Krankenversorgung angemessen zu honorieren. Vielmehr steht zu erwarten, daß Zuschüsse, die trotz geringerer Leistungen auf einem dieser Gebiete gewährt werden, in Umkehr des Anreizprinzips zu einem nachlassenden Engagement führen. Der Wissenschaftsrat empfiehlt daher, einen schrittweise steigenden Anteil der Landeszuschüsse an tatsächlich erbrachte Leistungen in Forschung und Lehre zu binden. Innerhalb eines Medizinischen Fachbereichs wird eine leistungsbezogene Vergabe von Personal- und Sachmitteln – und in Verbindung damit von Räumlichkeiten für die Forschung – zu einem verstärkten Wettbewerb und zu einer größeren Transparenz der aufgewendeten Mittel führen.

Die Forderung nach einer Anerkennung nachweislicher Leistungen in Forschung und Lehre gilt in gleicher Weise auch für die Bezuschussung der Medizinischen Fachbereiche auf Landesebene. Eine lediglich auf den Ausgleich ansonsten nicht gedeckter Kosten der Klinika zielende Alimentierung vermag weder zu einer wirtschaftlicheren Krankenversorgung beizutragen noch dem unterschiedlichen Leistungsprofil in Forschung und Lehre gerecht zu werden. Dies gilt mit Blick auf die durchaus verschiedenen Ergebnisse der hochschulmedizinischen Einrichtungen des Landes Hessen in Forschung und Lehre in ganz besonderer Weise. Der Wissenschaftsrat empfiehlt dem Land daher dringend, die bisherige Praxis zu überprüfen und ein System der leistungsgerechten und für die Betroffenen transparenten Zuschußvergabe zu etablieren.

C. Zusammenfassende Empfehlungen

Mit den Universitätsklinika in Gießen und Marburg verfügt das Land Hessen über zwei räumlich eng zusammenliegende medizinische Einrichtungen, die beide einen erheblichen Investitionsbedarf haben. Dies war dem Ausschuß Medizin des Wissenschaftsrates Anlaß für einen Besuch an beiden Fachbereichen im Februar 1995. Im Verlauf der weiteren Beratungen legte das Land ein Sparkonzept für die hessische Hochschulmedizin vor, das den laufenden Zuschußbedarf der Fachbereiche verringern soll. Darin wurden Vorschläge für eine Verzahnung der beiden Fachbereiche in Gießen und Marburg im Sinne einer komplementären Schwerpunktbildung vorgelegt. Da die Bewertung dieser Strukturvorschläge ein wichtiger Bestandteil der Stellungnahme des Wissenschaftsrates zu den beiden Fachbereichen darstellt, sind beide Stellungnahmen in engem Zusammenhang zu sehen. Aus diesem Grund und um Wiederholungen zu vermeiden, sind Themen, die für beide Fachbereiche von Belang sind, nur in jeweils einer der beiden Stellungnahmen ausführlich behandelt.

Im Mittelpunkt der Sparbemühungen stehen Pläne zur Verringerung der Zulassungszahlen in den Studiengängen Zahn- und Humanmedizin. Der Wissenschaftsrat begrüßt den geplanten Abbau der vorklinischen Teilzulassungen in der Humanmedizin, deren Zahl an allen drei hessischen Fachbereichen außerordentlich hoch ist. Die Zulassungskapazitäten in vorklinischem und klinischem Studium sollten aufeinander abgestimmt sein, nicht zuletzt, weil in der Praxis Teilzulassungen zu einer weiteren Überlastung klinischer Kapazitäten führen. Folgen kann der Wissenschaftsrat auch den Plänen zur Aufgabe einer Zahnklinik in Hessen. Aus Gründen der Wirtschaftlichkeit ist eine solche Lösung gegenüber einer gleichmäßigen Verringerung der Studentenzahlen an allen drei Standorten vorzuziehen. Dies gilt, da die personellen Kapazitäten mit den Zulassungszahlen verknüpft sind, auch mit Blick auf die wissenschaftliche Kapazität. Aufgrund des hohen Sanierungsbedarfs in der Marburger Zahnklinik erscheint die Standortentscheidung für Gießen begründet. Keinen Grund sieht der Wissenschaftsrat hingegen für eine weitere Reduzierung der Zahl der Studienplätze in der Humanmedizin. Dahingehende Überlegungen sollten vom Ergebnis der geplanten Novellierung der Approbationsordnung abhängig gemacht werden.

Bei einer weitergehenden Reduzierung der Zulassungszahlen hätte der Wissenschaftsrat die Sorge, daß der dann notwendige Abbau personeller Kapazitäten in der Vorklinik ein Ausmaß erreichen müßte, das die Leistungsfähigkeit dieser Bereiche in der Forschung ernsthaft gefährden würde. Der Beschluß des Landes, die Zulassungszahlen im Studiengang Humanbiologie zu erhöhen, um den durch den Wegfall der Zahnmedizin entstehenden Kapazitätsüberhang in der Vorklinik zu kompensieren, wird daher begrüßt. Eine Möglichkeit, das Forschungsprofil des Fachbereichs in Marburg weiter zu stärken, sieht der Wissenschaftsrat in der Zusage des Landes, daß über das vereinbarte Kontingent im Rahmen des Sparkonzeptes hinausgehende Stellen der Zahnklinik dem Fachbereich zur flexiblen Zuordnung verbleiben sollen.

Ein wesentliches Element, die Sparvorgaben zu erfüllen und eine zehnprozentige Verringerung des Landeszuschusses für Lehre und Forschung zu ermöglichen, bildet die geplante Verzahnung der Fachbereiche in Gießen und Marburg im Sinne einer komplementären Schwerpunktbildung. Der Wissenschaftsrat hat dies in seiner Stellungnahme zur Entwicklung der Hochschulmedizin als eine Möglichkeit bezeichnet, den gegenwärtigen finanziellen Rahmenbedingungen Rechnung zu tragen.[20]) Plausibel erscheinen die Pläne des Landes hinsichtlich der vorklinischen und theoretischen Fächer (Rechts-, Arbeits- und Sozialmedizin sowie Geschichte der Medizin in Gießen; Medizinische Soziologie und Psychologie in Marburg), in denen die Lehrleistungen angesichts der geringen Entfernung zwischen beiden Städten auch von Vertretern des benachbarten Fachbereichs erbracht werden können. Differenzierter müssen die Vorschläge des Landes für die klinischen Fächer betrachtet werden. Nicht alle Teilgebiete der klinischen Medizin müssen an jedem Universitätsklinikum als selbständige Einrichtung bzw. als Lehrstuhl vertreten sein. Der Verzicht auf die Zahnklinik in Marburg erscheint unter diesem Gesichtspunkt vertretbar, da die Zahnmedizin nur begrenzte Verbindungen mit den übrigen Disziplinen hat. Nicht folgen kann der Wissenschaftsrat jedoch dem Vorschlag, die Dermatologie künftig nur noch am Standort Gießen vorzuhalten. Sowohl die Einbindung in die Forschung als auch die interdisziplinären Bezüge des Faches in der Klinik lassen keinen Verzicht auf dieses Fach im Fächerspektrum eines Universitätsklinikums zu.

Gleichwohl empfiehlt der Wissenschaftsrat den beiden Fachbereichen in Gießen und Marburg nachdrücklich, die aufgrund der Altersstruktur absehbar hohe Zahl an Neuberufungen in enger Abstimmung zur Schwerpunktbildung auf der Ebene von Spezial- und Subdisziplinen zu nutzen. Der Verzicht auf bestimmte fachliche Differenzierungen stellt nicht in jedem Fall einen Verlust dar; vielmehr sollte sich die Einsicht durchsetzen, daß darin auch eine Möglichkeit zur gezielten Profilbildung liegt, die die wissenschaftliche Leistungsfähigkeit beider Standorte und der Hochschulmedizin-Region insgesamt erhöht. Eine Möglichkeit hierzu sieht der Wissenschaftsrat in der Einrichtung eines traumatologischen Zentrums, für das in Marburg günstige Voraussetzungen bestehen. Neben bereits vertretenen Fachrichtungen könnten hierzu auch fachliche Erweiterungen (z. B. Plastische und Wiederherstellungschirurgie) beitragen.

Der Fachbereich Humanmedizin der Universität Marburg gehört zu den drittmittelstärksten medizinischen Fachbereichen in Deutschland, insbesondere was die Einwerbung von Mitteln der Deutschen Forschungsgemeinschaft betrifft, und weist ein klares Forschungsprofil aus, das in der Existenz dreier Sonderforschungsbereiche und zweier Klinischer Forschergruppen zum Ausdruck kommt. Der Fachbereich sollte die mittelfristig freiwerdenden personellen Ressourcen der Zahnklinik als Chance zur weiteren Stärkung der Forschung betrachten. In diesem Zu-

---

20) A.a.O., S. 35.

sammenhang hält es der Wissenschaftsrat für geboten, die Höhe der laufenden Zuschüssse des Landes für Forschung und Lehre künftig stärker an den Leistungen der drei Hochschulklinika zu orientieren. Auch könnte ein Teil der Landeszuschüsse zeitlich befristet und leistungsorientiert vergeben werden. Zur Vermeidung umfangreicher Begutachtungsverfahren kann die Höhe der eingeworbenen Mittel der Deutschen Forschungsgemeinschaft ein Bemessungskriterium sein. Auch innerhalb des Fachbereichs sollte eine leistungsbezogene Vergabe von Personal- und Sachmitteln zu einem verstärkten Wettbewerb und zu einer größeren Transparenz der aufgewandten Mittel führen.

Mit gegenwärtig 1222 vollstationären Planbetten liegt das Klinikum in Marburg im unteren Bereich des Spektrums der Hochschulklinika. Nur durch die geplanten zweite Baustufe des Klinikums auf den Lahnbergen können die unzumutbaren baulichen Zustände in der Frauen- und der Kinderklinik, insbesondere in der neonatologischen Versorgung, beseitigt werden. Der Wissenschaftsrat begrüßt, daß das Land diese seit langem geplante zweite Baustufe des Klinikums auf den Lahnbergen nunmehr in die Ausbauplanung aufgenommen hat. Er appelliert an das Land, die Planung für dieses Vorhaben zügig weiterzuführen, damit der geplante Baubeginn im Jahr 1998 eingehalten werden kann.

Der Wissenschaftsrat begrüßt weiterhin, daß das Land dem nachhaltigen Investitionsbedarf an allen drei Standorten durch eine deutliche Erhöhung der Ansätze im Rahmen der Gemeinschaftsaufgabe begegnen will. Nach Ansicht des Wissenschaftsrates sollte dadurch insbesondere die Ausbauplanung des forschungsstärksten Fachbereichs in Marburg gesichert sein. Die bisherige Strukturdiskussion beschränkt sich weitgehend auf die beiden Fachbereiche in Gießen und Marburg, während der größere Fachbereich in Frankfurt nur in der Frage der laufenden Zuschüsse einbezogen wurde. Künftig sollte eine weitergehende strukturelle Konzeption für die hessische Hochschulmedizin insgesamt entwickelt werden. Der Wissenschaftsrat bittet das Land, über das Ergebnis diesbezüglicher Beratungen informiert zu werden und behält sich eine übergreifende Stellungnahme zu längerfristigen Perspektive der hessischen Hochschulmedizin vor.

Stellungnahme zum Museum für Naturkunde, Berlin, und zur Projektierung Entomologie, Eberswalde

vom Juli 1996

Inhalt

Vorbemerkung

Das Museum für Naturkunde, Berlin, ist ein Zentralinstitut der Humboldt-Universität zu Berlin und wird gegenwärtig mit Mitteln des Landes finanziert. Die Projektgruppe Entomologie in der Fachhochschule Eberswalde ist aus dem Deutschen Entomologischen Institut hervorgegangen und wird derzeit mit Mitteln des Wissenschaftler-Integrationsprogramms und Projektmitteln des Landes Brandenburg sowie weiterer Zuwendungsgeber gefördert.

Das Land Berlin hat im Einvernehmen mit dem Land Brandenburg den Wissenschaftsrat gebeten, gutachtlich zu der Frage Stellung zu nehmen, ob das Museum für Naturkunde, Berlin, und die Projektgruppe Entomologie, Eberswalde, die Voraussetzungen für eine gemeinsame Förderung durch Bund und Länder als Institut der Blauen Liste erfüllen. Bei den Einrichtungen der Blauen Liste handelt es sich um selbständige Forschungseinrichtungen von überregionaler Bedeutung und gesamtstaatlichem wissenschaftspolitischem Interesse, die auf der Grundlage der Rahmenvereinbarung zwischen Bund und Ländern über die gemeinsame Förderung der Forschung nach Artikel 91b des Grundgesetzes vom 28.11.1975 (Rahmenvereinbarung Forschungsförderung) gefördert werden.[1])

Der Wissenschaftsrat hat zur Erarbeitung einer Stellungnahme zu beiden Einrichtungen eine Arbeitsgruppe eingesetzt, der auch Sachverständige angehörten, die nicht Mitglieder des Wissenschaftsrates sind. Ihnen ist der Wissenschaftsrat zu besonderem Dank verpflichtet. Die Arbeitsgruppe hat das Museum für Naturkunde und die Projektgruppe Entomologie im Februar 1995 besucht[2]) und in zwei weiteren Sitzungen die folgende Stellungnahme vorbereitet.

Der Wissenschaftsrat hat die Stellungnahme am 12. Juli 1996 verabschiedet.

1) Vgl. Wissenschaftsrat: Empfehlungen zur Neuordnung der Blauen Liste, in: Empfehlungen und Stellungnahmen 1993, Köln 1994, S. 453-488.
2) Zu diesem Zeitpunkt hatte der Ausschuß Blaue Liste des Wissenschaftsrates, der die seit 1996 zur Aufnahme in die Blaue Liste vorgeschlagenen Institute bewertet, seine Arbeit noch nicht aufgenommen.

A. Ausgangslage

A. I. Museum für Naturkunde

I. 1. Gründungsgeschichte und Entwicklung

Das Museum für Naturkunde (MfN) geht auf das Zoologische und das Mineralogische Museum zurück, die im Jahre 1810 zeitgleich mit der heutigen Humboldt-Universität unter Beteiligung von Wilhelm und Alexander von Humboldt als Universitätsmuseen gegründet und im Hauptgebäude der Universität Unter den Linden untergebracht wurden. Die ältesten Objekte des Museums stammen aus im 18. Jahrhundert angelegten Sammlungen des Königlichen Mineralienkabinetts und der Preußischen Akademie der Wissenschaften. Die kontinuierliche Erweiterung der Sammlungsbestände folgte der wissenschaftlichen Entwicklung im Verlauf des 19. Jahrhunderts. Zur Mineralogie im engeren Sinne kamen Kristallographie, Petrographie, Geologie und Paläontologie. Die Ausdehnung der Sammeltätigkeit auf alle Regionen der Erde mit Hilfe staatlich geförderter Expeditionen führte zu einer erheblichen Zunahme der Sammlungen, so daß ein Neubau notwendig wurde. Im Jahre 1889 wurden die zoologischen, geologisch-paläontologischen und mineralogischen Sammlungen der Universität in einem neuen, bis heute genutzten Gebäude in der Invalidenstraße untergebracht. Sie erhielten die Bezeichnung „Museum für Naturkunde". Erstmals wurden nun die wissenschaftlichen Sammlungen von der Schausammlung getrennt und ein Ausstellungskonzept für ein breiteres Publikum entwickelt.

Bis zur Mitte dieses Jahrhunderts kam dem MfN die Rolle des führenden deutschen Naturkundemuseums zu, in dem vor allem auch zahlreiche Aufsammlungen aus den ehemaligen Kolonien deponiert wurden. Auf diese Weise spielte das Museum für Naturkunde bereits zu einem frühen Zeitpunkt eine herausragende Rolle bei der Erfassung und Dokumentation der tropischen Biodiversität. Seit der Mitte des letzten Jahrhunderts und insbesondere seit den zwanziger Jahren dieses Jahrhunderts waren am MfN zahlreiche international anerkannte Wissenschaftler tätig.

Im Zweiten Weltkrieg wurde das Museum schwer beschädigt, der Ostflügel blieb bis heute völlig zerstört. Der Verlust an wissenschaftlichen Sammlungen war gleichwohl gering, da die wertvollsten Bestände ausgelagert und geschützt werden konnten. Das Museum für Naturkunde verfügt heute über eine Sammlung von rund 29 Millionen zoologischer, paläontologischer, mineralogischer und geologischer Objekte. Es wurde in den zurückliegenden vier Jahren als Forschungsinstitut neu organisiert und als Zentralinstitut der Humboldt-Universität zu Berlin (HUB) eingerichtet.[3]) Das Museum trägt den Namen „Naturhistorisches For-

3) Beschluß des Kuratoriums der Humboldt-Universität zu Berlin vom 8.12.1993 und Gesetz über das Museum für Naturkunde der Humboldt-Universität vom 6.4.1995.

schungsinstitut – Museum für Naturkunde – Zentralinstitut der Humboldt-Universität zu Berlin".

Als Universitätsinstitut war das Museum nicht in die 1990/91 vom Wissenschaftsrat durchgeführte Begutachtung der außeruniversitären Forschung auf der Grundlage von Artikel 38 des Einigungsvertrages einbezogen.

Der Wissenschaftsrat hat in seiner Stellungnahme zu den mathematisch-naturwissenschaftlichen Fachbereichen der Universitäten in Berlin und Potsdam (1993) betont, daß er nach vollzogener Neuordnung des Museums einem Antrag auf Aufnahme in die Blaue Liste entgegensehe, wobei auch die Modalitäten der Übernahme des Deutschen Entomologischen Instituts zu klären seien.[4])

I. 2. Aufgaben und Organisation

Das MfN erfüllt nach § 1 Abs. 1 des Gesetzes über das Museum für Naturkunde Aufgaben der Forschung, der wissenschaftlichen Sammlung naturkundlicher Objekte sowie der damit verbundenen öffentlichen Bildung. Die Arbeiten umfassen gemäß § 2 der Satzung des MfN im einzelnen:

- Forschungen in allen Bereichen der Naturkunde auf der Grundlage der im Museum vorhandenen wissenschaftlichen Sammlungen,
- Pflege und Erweiterung der wissenschaftlichen Sammlungen nach dem neuesten Stand der Erkenntnis sowie Bereitstellung der Sammlungen für die internationale wissenschaftliche Forschung,
- Vermittlung naturkundlicher wissenschaftlicher Erkenntnisse und Zusammenhänge durch Dauer- und Sonderausstellungen und durch öffentliche Unterrichtsveranstaltungen,
- Ausbildung von Präparatoren zoologischer und geowissenschaftlicher Ausrichtung.

Der Status des Museums für Naturkunde als Zentralinstitut der Universität, die sonst in Fakultäten gegliedert ist, soll die Selbständigkeit und Eigenverantwortung des Museums gewährleisten.

Das MfN gliedert sich in drei Forschungsinstitute mit den zugehörigen wissenschaftlichen Sammlungen (Systematische Zoologie, Paläontologie, Mineralogie), eine Abteilung für öffentliche Ausstellungen sowie einen Bereich Direktion und Zentrale Verwaltung. Zur Erbringung von wissenschaftlichen Dienstleistungen werden außerdem zentrale Serviceeinrich-

---

4) Wissenschaftsrat: Stellungnahme zu den mathematisch-naturwissenschaftlichen Fachbereichen der Universitäten in Berlin und Potsdam (Januar 1993), in: Empfehlungen zur künftigen Struktur der Hochschullandschaft in den neuen Ländern und im Ostteil von Berlin, Teil V, Köln 1994, S. 157-256, hier S. 202.

tungen betrieben (Bibliothek, Zentrallabore, Werkstätten, Historische Arbeitsstelle).

Das Museum für Naturkunde wird von einem Direktor geleitet, der zugleich Direktor eines der Forschungsinstitute ist. Die Leiter der Institute und der Abteilung öffentliche Ausstellungen bilden das Direktorium, in dem der Direktor den Vorsitz führt. Das Direktorium beschließt über alle grundsätzlichen Fragen der Arbeit des Museums. Die Forschungsarbeit und die wissenschaftliche Betreuung der Sammlungen liegt in der Verantwortung der Direktoren und leitenden Wissenschaftler der Forschungsinstitute, wobei den Kustoden eine weitgehende Eigenverantwortung für die Sammlungen zukommt. Zur Mitwirkung der Mitglieder des MfN besteht ein gewählter Museumsrat, der aus drei Professoren, drei wissenschaftlichen Mitarbeitern und drei nichtwissenschaftlichen Mitarbeitern besteht. Der Museumsrat kann Empfehlungen gegenüber dem Direktorium aussprechen, die auch Fragen der Forschung betreffen können.

Die wissenschaftlichen und nichtwissenschaftlichen Mitarbeiter des MfN besitzen aktives und passives Wahlrecht zu den Gremien der Universität (Senat, Kuratorium, Konzil). Die Professoren gehören den Mathematisch-naturwissenschaftlichen Fakultäten an.

Der Haushaltsplan des MfN einschließlich des Stellenplans wird vom Kuratorium der Humboldt-Universität, das aus Vertretern der Universität, der zuständigen Senatsverwaltungen, des Abgeordnetenhauses und gesellschaftlicher Gruppen besteht, beschlossen und als gesondertes Kapitel im Universitätshaushalt eingestellt.

Dem Wissenschaftlichen Beirat des Museums gehören derzeit sechs externe Wissenschaftler an, darunter je einer aus Großbritannien und Schweden. Der Beirat soll die Arbeiten in den Bereichen Forschung, Sammlungen und Ausstellungen sowie die Planungen bewerten. Er soll später auf sieben Mitglieder erweitert werden, wobei auch die Verbindung mit dem Entomologischen Institut berücksichtigt werden soll. Vertreter des MfN und der Leiter der Projektgruppe Entomologie nehmen mit Gaststatus an Sitzungen des Beirates teil.

I. 3. Ausstattung

Der Haushalt 1995 des Museums für Naturkunde beläuft sich insgesamt auf 19,3 Millionen DM. Davon entfallen 56 % auf Personalkosten, 20 % auf Betriebskosten, 13 % auf Sachkosten und 10 % auf Investitionsmittel für Baumaßnahmen (vgl. nachfolgende Aufstellung).

Haushalt in TDM

	1995	1996
Personalkosten	10856	10623
Betriebskosten	3911	4121
Sachkosten		
(Geräte, Verbrauch, Reisemittel)	1228	1141
Großgeräte	995	778
Geräte zwischen 10 und 100 TDM	130	100
Bibliotheksmittel	200	200
Investitionsmittel für Baumaßnahmen	1960	1500
Summe	19280	18463

Die personelle Ausstattung des MfN (Stellenplan) umfaßt insgesamt 156 Stellen für wissenschaftliche und nichtwissenschaftliche Mitarbeiter:

3 C4-Professuren,
4 C3-Professuren,
47 wissenschaftliche Mitarbeiter,
72 technische Angestellte im wissenschaftlichen Dienst,
30 Stellen für Verwaltungspersonal.

Im Zuge der Hochschulerneuerung und der Reorganisation des Museums sind bisher zwei C4- und drei C3-Professuren besetzt worden. Mit Stand von März 1995 waren von 54 Stellen für Wissenschaftler 18 nicht besetzt, darunter die C4-Professur des Instituts für Systematische Zoologie, für die im Januar 1996 eine Berufung ausgesprochen wurde. Nach Darstellung des MfN steht die Berufung kurz vor dem Abschluß.

Ebenfalls nicht besetzt sind eine C3-Professur im Institut für Mineralogie sowie eine Reihe von A13-Stellen. Die Mehrzahl der freien Stellen ist inzwischen ausgeschrieben worden und soll nach Auskunft des Museums in Kürze besetzt werden. 13 Stellen wurden seit 1991 neu geschaffen. Mit 26 Stellen für Wissenschaftler verfügt das Institut für Systematische Zoologie über die Hälfte aller Stellen; 5 wissenschaftliche Mitarbeiter des Instituts für Zoologie sind Entomologen. Die übrigen Wissenschaftlerstellen des Museums entfallen auf Paläontologie 15, Mineralogie 8, öffentliche Ausstellungen 3 und Zentrale Serviceeinrichtungen 2 (vgl. Übersicht 1). Seit 1990 sind 16 Wissenschaftler aus dem MfN ausgeschieden; 19 Wissenschaftler wurden neu eingestellt. Nach Darstellung des Museums ist die personelle Fluktuation, abgesehen von der Phase der Umstrukturierung des MfN, insgesamt gering.

Übersicht 1

Personalzahlen nach Abteilungen –
Stellen für wissenschaftliche Mitarbeiter

Stellen	besetzt	nicht besetzt	davon neue Stellen seit 1991	eingeleitete Besetzungsverfahren	Summe Stellen
Zoologie					
C 4	–	1	–	1	1
C 3	2	–	1	–	2
A 14	2	3	1	1	5
A 13	10	3	2	1	13
C 1	–	–	–	–	–
BAT IIa	1	4	2	2	5
Zwischensumme	15	11	6	5	26
Paläontologie					
C 4	1	–	–	–	1
C 3	1	–	–	–	1
A 14	3	–	–	–	3
A 13	5	2	2	2	7
C 1	1	–	–	–	1
BAT IIa	1	1	1	1	2
Zwischensumme	12	3	3	3	15
Mineralogie					
C 4	1	–	–	–	1
C 3	–	1	1	–	1
A 14	1	1	2	1	2
A 13	2	–	–	–	2
C 1	1	–	1	–	1
BAT IIa	–	1	–	1	1
Zwischensumme	5	3	4	2	8
Öffentliche Ausstellungen					
A 15	1	–	–	–	1
A 13	1	1	–	–	2
Zwischensumme	2	1	–	–	3
Zentrale Service-Einrichtungen					
A 14	1	–	–	–	1
A 13	1	–	–	–	1
Zwischensumme	2	–	–	–	2
Summe	36	18	13	10	54

Stand: März 1995

Die Anzahl der nichtwissenschaftlichen Mitarbeiter und deren Zuordnung zu den Arbeitsbereichen ist in Übersicht 2 wiedergegeben.

Die Wissenschaftler der Institute haben in den Jahren 1991–1995 insgesamt 8,4 Millionen DM Drittmittel eingeworben, die sich wie folgt auf die Institute aufteilen (vgl. Übersicht 3):

- Systematische Zoologie 723 TDM
- Paläontologie 3305 TDM
- Mineralogie 4377 TDM

Übersicht 2

Personalzahlen nach Abteilungen
– Stellen für nichtwissenschaftliche Mitarbeiter –

Institut	besetzt	nicht besetzt	davon neue Stellen seit 1991	eingeleitete Besetzungsverfahren	Summe Stellen
Zoologie	24	8	6	4	32
Paläontologie	15	–	1	–	15
Mineralogie	7	–	3	–	7
Öffentliche Ausstellungen	21	–	3	–	21
Zentrale Service-Einrichtungen	10	–	1	–	10
Zentrale Verwaltung	16	1	–	1	17
Summe	93	9	14	5	102

Stand: März 1995

Das MfN verfügt zur Zeit über eine Hauptnutzfläche von rund 28 900 m^2, die sich aufteilen in Nutzflächen für

– die drei Forschungsinstitute	3 852 m^2
– Arbeitsräume und Werkstätten der Ausstellungsabteilung	852 m^2
– die Ausstellungen	6 658 m^2
– die Sammlungen inkl. Bibliothek	15 528 m^2
– Direktion, Verwaltung, zentrale Serviceeinrichtungen, Hörsäle und Betriebstechnik	2 052 m^2
	28 942 m^2

Die Forschungsinstitute des MfN verfügen über eine Reihe von Großgeräten, die überwiegend in den vergangenen beiden Jahren angeschafft oder von den neu berufenen Wissenschaftlern aus Drittmittelprojekten eingebracht wurden (u. a. Elektronenmikroskope (ATEM, REM), Röntgendiffraktometer, Elektronenstrahl-Mikrosonde, Röntgenfloureszenz-Spektrometer, Bildanalysesystem).

Die Ausstattung des molekularbiologischen Labors erlaubt neben Isoenzymanalysen auch die Isolierung und Amplifikation nukleärer und mitochondrialer DNA sowie RAPD-Analysen. DNA-Sequenzierungen werden zur Zeit noch am Institut für Zoo- und Wildtierforschung in Berlin durchgeführt. Die für DNA-Sequenzierungen erforderliche apparative Ausstattung wird anläßlich der Berufung des Direktors des Instituts für Systematische Zoologie beschafft.

Ausgehend von den Interessen der leitenden Wissenschaftler haben sich im Laufe der Geschichte des MfN verschiedene reichhaltige Sammlungsschwerpunkte herausgebildet. Die außerordentlich umfangreiche Sammlung an zoologischen Objekten enthält wichtiges Typenmaterial mit den regionalen Schwerpunkten Europa, Asien und Afrika. Spezielle Sammlungsschwerpunkte in der Zoologie umfassen Wirbeltiere, vor allem Säuger und Vögel, außerdem Amphibien, Reptilien und Fische, Mollusken sowie Insekten, insbesondere Käfer. In der Paläontologie liegen die Schwerpunkte auf Wirbeltieren, Mikrofossilien und Karbonpflanzen, andere Forschungsschwerpunkte führten zur Vermehrung von Objekten aus dem Bereich der Saurier, Graptolithen und Kleinwirbeltiere. Die Bestände an Meteoriten bilden einen wichtigen Schwerpunkt in den mineralogischen Sammlungen. Die Sammlungsausstattung der Forschungsinstitute ist in Übersicht 4 dargestellt.

Übersicht 3

Eingeworbene Drittmittel nach Instituten, übergreifenden Projekten, Forschungsförderern und Jahren

Institute	Forschungsförderer	Drittmittel in TDM					Summe
		1991	1992	1993	1994	1995	
1. Zoologie	DFG		60	9	198,4	32	299,4
	WIP				170	170	340
	HEP		10	38	36		84
Summe			70	47	404,4	202	723,4
2. Paläontologie	DFG	99,3	4,6	86,7	137,3	209,6	537,5
	Land	34,1					34,1
	EU				1,9		1,9
	Schweizerischer Nationalfonds	444,4	103,3	855,5	44,4	77,8	1 525,4
	USA (NSF)	445,5	598	5,2	35		1 083,7
	AvH, DAAD		10	3,3		110	123,3
Summe		1 023,3	715,9	950,7	218,6	397,4	3 305,9
3. Mineralogie	DFG[1]	903,1	930,4	841,4	682,6	700,6	4 058,1
	WIP				85	85	170
	EU		9	9	14,5	29	61,5
	Sonstige	29	29	15	15		88
Summe		932,1	968,4	865,4	797,1	814,6	4 377,6
Gesamt		1 955,4	1 754,3	1 863,1	1 420,1	1 414	8 406,9

[1] Darin sind Mittel des Leibniz-Förderpreises enthalten (Laufzeit 1990-1995)

Übersicht 4
Sammlungsausstattung

Institut	Objekte
Zoologie	
Säugetiere	150 000
Amphibien/Reptilien	200 000
Fische	100 000
Vogelbälge	125 000
Vogelskelette	3 000
Vogeleier	41 000
Krebse	27 000
Mollusken	8 000 000
Übrige marine Tiere	40 000
Würmer	20 000
Käfer	ca. 6 000 000
Insekten (ohne Käfer)	ca. 9 700 000
Gesamtzahl	ca. 24 400 000
Mineralogie	
Mineralien	220 000
Gesteine	100 000
Meteorite	2 400
Gesamtzahl	322 400

Institut	Objekte
Paläontologie	
Paläozoologische/geologische Sammlung	
Vögel und Säugetiere	ca. 60 000
Fische, Amphibien, Reptilien	80 000
Reste von Kleinwirbeltieren dieser Gruppe	1 100 000
Mollusken	300 000
Brachiopoden	40 000
Trilobiten	17 000
Stachelhäuter	26 000
Graptolithen	50 000
Korallen	14 000
restl. Invertebraten	190 000
Mikrofossilien	11 000 Proben
Ehrenberg-Sammlung	40 000 Präparate
Bernstein	20 000
Geschiebe	34 000
Stratigraphische Devon-Sammlung	180 000
Geologische Sammlung	50 000
Sonstige Sammlungen	70 000
Teilsumme	2 282 000
Paläobotanische Sammlung	
Paläophytikum	130 000
Mesophytikum	5 000
Känophytikum	65 000
Rezent-Sammlung	26 000
Teilsumme	226 000
Gesamtzahl	> 2 500 000

I. 4. Veröffentlichungen, Ausstellungen, Lehre und Zusammenarbeit

(1) Veröffentlichungen und Ausstellungen

Das MfN präsentiert seine Arbeitsergebnisse der wissenschaftlichen Öffentlichkeit in internationalen Fachzeitschriften und Proceedings internationaler Konferenzen, die einem Review-System unterliegen, sowie in Fachbüchern oder Beiträgen dazu und in seinen eigenen Zeitschriften.

Das MfN gibt drei Zeitschriften mit internationaler Verbreitug auf Gebieten der Zoologie heraus:

- Mitteilungen des Zoologischen Museums Berlin,
- Annalen für Ornithologie,
- Deutsche Entomologische Zeitschrift.

Eine geowissenschaftliche Reihe ist geplant. Für die eigenen Zeitschriften wurde kürzlich ein Begutachtungssystem mit externen Referenten eingeführt; außerdem erscheinen die Artikel künftig in deutscher oder englischer Sprache.

Übersicht 5 informiert über Publikationen von Mitarbeitern des MfN (1991-1995).

Übersicht 5

Publikationen 1991–1995

Institut		1991	1992	1993	1994	1995	Summe
Zoologie	Monographien	1	1	3	1	1	7
	Aufsätze*	49 (11)	41 (3)	44 (6)	38 (6)	39 (3)	211 (29)
Paläontologie	Monographien	4	6	5	4	6	25
	Aufsätze*	51 (25)	45 (21)	44 (33)	37 (23)	33 (17)	210 (119)
Mineralogie	Monographien					1	1
	Aufsätze*	11 (9)	8 (6)	9 (5)	9 (7)	9 (8)	46 (35)
Öffentliche Ausstellungen	Monographien						
	Aufsätze*	3	2	3 (2)	4	4	16 (2)

* in Zeitschriften und Sammelwerken (in Klammern: davon in referierten Zeitschriften)

Ein erheblicher Teil der Publikationen wird in international führenden Zeitschriften veröffentlicht, darunter in Nature und Science sowie zahlreichen spezialisierten Journalen der Zoologie, Paläontologie und Mineralogie. (Zoologie: 95 Publikationen seit 1991 in 15 verschiedenen Zeitschriften; Paläontologie: 40 Publikationen in 18 Zeitschriften; Mineralogie: 27 Publikationen in 15 Zeitschriften).

Mitarbeiter des MfN nahmen seit 1991 an 205 wissenschaftlichen Fachtagungen mit eigenen Beiträgen teil, davon 25 auf Kosten der Veranstalter; sie haben insgesamt rund 360 Gutachten verfaßt.

Zur Vermittlung naturkundlicher Zusammenhänge wendet sich das Museum an eine breitere Öffentlichkeit durch die Veranstaltung von Vortragsreihen im Museum und Vorträge in Bildungsstätten, durch Aktivitäten des museumspädagogischen Dienstes und schließlich durch Beiträge in populärwissenschaftlichen Zeitschriften.

Die Ausstellung des MfN ist überwiegend nach systematischen Gesichtspunkten aufgebaut und zeigt die Naturobjekte nur bedingt in ihrem ökologischen Zusammenhang. Deshalb wurde mit Firmen für Museumsarchitektur und -design sowie Medientechnik Anfang 1994 eine neue Konzeption für zukünftige Ausstellungen des Museums entwickelt. Die noch weitgehend mit den Charakteristika von Naturalienkabinetten behaftete Ausstellung soll grundlegend verändert und ausgeweitet werden (von 6600 m^2 auf etwa 10500 m^2). Die neue Ausstellungskonzeption steht unter dem Leitgedanken einer ganzheitlichen Darstellung der belebten und unbelebten Natur. Die Ausstellung soll inhaltlich und didaktisch in zwei Hauptteile gegliedert werden, nämlich in einen zentralen Rundgang und in Ausstellungsbereiche mit speziellen Ergänzungen und Vertiefungen.

Die öffentlichen Ausstellungen des MfN stoßen – jeweils abhängig von den Themen – auf ein durchweg reges, zum Teil großes Interesse; in den Jahren 1991–1995 wurden insgesamt rund 1,4 Millionen Besucher gezählt.

(2) Lehre und Zusammenarbeit

Die Hochschullehrer der Institute für Systematische Zoologie und für Paläontologie nehmen an der Lehre (Grund- und Hauptstudium) im Institut für Biologie der Humboldt-Universität teil und sind an der Ausbildung zum Diplom/Lehramt und an der Promotion beteiligt. Ihre Lehrveranstaltungen sind Bestandteile des Studiengangs Biologie und konzentrieren sich auf Themen der Systematischen Zoologie. Wissenschaftler des Instituts für Zoologie kooperieren mit dem Zoologischen Institut der FU Berlin, vorwiegend durch Kolloquien und gemeinsame Tagungen. Mitarbeiter der Paläontologie halten regelmäßig Lehrveranstaltungen an der FU Berlin im Diplomstudiengang Geologie ab. Hochschullehrer und wissenschaftliche Mitarbeiter des Instituts für Mineralogie führen Lehrveranstaltungen im Wahlnebenfach „Planetologie" für Studenten der TU Berlin und der FU Berlin durch. Geplant ist ein Nebenfach „Geowissenschaftliche Planetenkunde" im Rahmen des Fachs Geographie an der HUB. Alle Hochschullehrer haben eine reduzierte Lehrverpflichtung von zwei Semesterwochenstunden.

Das MfN unterhält weltweit zahlreiche Kontakte zu Wissenschaftlern aller naturkundlichen Fächer aus Hochschulen sowie Forschungseinrichtungen und -museen. Es kann damit an Traditionen der wissenschaftlichen Zusammenarbeit anknüpfen, die trotz erheblicher Hemmnisse bereits vor 1990 mit Kooperationspartnern in außereuropäischen (Kanada, Australien) und europäischen Ländern (Schweden, Österreich, Italien) gepflegt wurden. Im Rahmen der Forschungsschwerpunkte der einzelnen Institute wurden überwiegend längerfristige Kooperationen etabliert. Zu den wichtigsten internationalen Kooperationspartnern des Instituts für Zoologie einschließlich der Entomologie zählen The Natural History Museum, London, Zoologisches Institut der Akademie der Wissenschaften, St. Petersburg, American Museum of Natural History, New York, Bishop Museum, Honolulu/Hawaii, The National Musem of Namibia, Windhoek.

Forschungsarbeiten des Instituts für Paläontologie sind in Programme z.B. der International Union of Geological Sciences eingebunden. Kooperationsbeziehungen bestehen u.a. mit der University of Geosciences und dem Institute of Vertebrate Palaeontology and Palaeoanthropology, beide Peking, sowie mit den Universitäten Prag, Athen und Cansas in Lawrence (USA).

Die wichtigsten internationalen Kooperationspartner des Instituts für Mineralogie sind das Institute of Geophysics and Planetology, Honolulu, und die University of California, Berkeley. Außerdem ist das Institut an verschiedenen internationalen Programmen beteiligt, darunter an dem Scientific Network „Impact Cratering and Evolution of Planet Earth" der European Science Foundation.

Generell nutzen Naturkundemuseen im In- und Ausland Untersuchungsmaterial des Museums für Naturkunde für ihre systematische Arbeit. Interesse und Bedarf an diesem Material und an der Expertise der systematisch-taxonomisch tätigen Wissenschaftler besteht auch bei Forschungs- und Universitätsinstituten, die über keine Sammlungen verfügen. Weitere Interessenten sind staatliche Stellen wie Geologische Landesämter, die rohstoffgewinnende Industrie und im Bereich Zoologie Organisationen des Umwelt-, Natur- und Artenschutzes sowie wissenschaftliche Institutionen in Entwicklungsländern, die an wissenschaftlichen Erkenntnissen über ihre Fauna interessiert sind. So führten die Initiativen zur Erfassung der Biodiversität der Entomofauna der Äthiopischen Region zu Kooperationsabkommen mit dem Plant Protection Research Institute, Pretoria, Südafrika, und dem National Museum of Namibia, Windhoek.

Vor diesem Hintergrund kann das Museum eine kontinuierlich hohe Zahl von auswärtigen Wissenschaftlern verzeichnen, die das Museum zu Forschungszwecken aufsuchen.

Im Bereich Zoologie wurden seit 1991 drei Promotionen, im Bereich Paläontologie zwei Promotionen abgeschlossen; drei Promotionen sind zur Zeit in Arbeit. Im Bereich Mineralogie wurden in der Arbeitsgruppe des Leiters (bis 1993 in Münster) im selben Zeitraum zehn Promotionen abgeschlossen, und es werden drei vorbereitet. Am MfN befinden sich zur Zeit insgesamt sechs Habilitationen in Vorbereitung (Zoologie: 2, Paläontologie: 3, Mineralogie: 1). Die Arbeiten wurden jeweils zwischen 1993 und 1995 begonnen und sollen 1997/98 abgeschlossen werden.

A. II. Projektgruppe Entomologie in Eberswalde

II. 1. Gründungsgeschichte und Entwicklung

Bei der „Projektgruppe Entomologie" in der Fachhochschule Eberswalde handelt es sich um eine insektenkundliche Einrichtung. Als Folgeeinrichtung des „Deutschen Entomologischen Instituts" (DEI) blickt sie auf eine über einhundertjährige, wechselvolle Geschichte zurück. Das Institut wurde 1886 in Berlin als private Stiftung unter dem Namen „Deutsches Entomologisches National-Museum" gegründet, deren Grundstock insbesondere die entomologischen Sammlungen und die umfangreiche wissenschaftliche Bibliothek des Berliner Entomologen Kraatz bildeten. Das DEI war mit wechselnder Trägerschaft insgesamt rund 70 Jahre in Berlin angesiedelt, von 1922 bis 1946 als Institut der Kaiser-Wilhelm-Gesellschaft zur Förderung der Wissenschaften. Im Jahre 1964 zog es nach Eberswalde um. Vor 1989/90 war die Einrichtung als Abteilung „Taxonomie der Insekten" dem Institut für Pflanzenschutzforschung Kleinmachnow der Akademie der Landwirtschaftswissenschaften eingegliedert. Sie wurde 1990 als Deutsches Entomologisches Institut wiedergegründet und vom Wissenschaftsrat als Bestandteil der kurzzeitig installierten, nur bis Ende 1991 bestehenden Biologischen Zentralanstalt begutachtet. Der Wissenschaftsrat stellte fest, daß das Institut über eine bedeutende Insektensammlung verfüge und auf dem Gebiet der Taxonomie führend sei. Er empfahl, diese Einrichtung zu erhalten und ihr Potential durch moderne Methoden zu ergänzen. Das DEI sei mit einer Personalstärke von 8 Wissenschaftlern und 8 technischen Angestellten als weiteres selbständiges Institut dem Naturkundemuseum Berlin anzugliedern. Der Standort Eberswalde sollte beibehalten werden.[5)]

Die vom Wissenschaftsrat benannten Wissenschaftlergruppen werden seit 1992 als Projektgruppe im Wissenschaftler-Integrationsprogramm gefördert. Mit Unterstützung des Landes Brandenburg kam es 1994 schließlich zur befristeten Eingliederung in die neugegründete Fachhochschule Eberswalde. Die Arbeitsverträge laufen bis Ende 1996. Das DEI kann nach Ausstattung und Aufgabenstellung als ein wissenschaft-

5) Wissenschaftsrat: Stellungnahmen zu den außeruniversitären Forschungseinrichtungen der ehemaligen DDR auf dem Gebiet der Agrarwissenschaften, Köln 1992, S. 103.

liches Institut arbeiten, stellt aber keine selbständige Forschungseinrichtung im juristischen Sinn dar.

II. 2. Aufgaben und Organisation

Die Projektgruppe Entomologie arbeitet als ein speziell der Entomologie gewidmetes Forschungs- und Informationszentrum, das als Grundlage für seine Untersuchungen naturwissenschaftliche Sammlungen und Laboratorien, eine Tierhaltung und eine Bibliothek einschließlich Archiven, zum Teil in einer Ausstellung auch öffentlich zugänglich unterhält. Für Lehrzwecke und Examensarbeiten werden Hochschulen Leistungen angeboten. Eine wesentliche Aufgabe besteht in einer Mittlerfunktion zwischen entomologischer Grundlagenforschung und deren Anwendung.

Die Projektgruppe Entomologie gliedert sich in eine Forschungsabteilung mit drei wissenschaftlichen Arbeitsgruppen (Phytophage, Parasitoide, Entomohistorie), eine Abteilung für Dienstleistungen (Entomologische Bibliothek und Ausstellungen) sowie die Verwaltung. Die Projektgruppe wird von einem vom Land Brandenburg bestellten Wissenschaftler geleitet. Die Themen der taxonomischen und phylogenetisch-systematischen Arbeiten und die zu bearbeitenden Insektengruppen werden von den Wissenschaftlern bestimmt. Schwerpunkte der Forschung werden auch aus dem Praxisbezug hergeleitet (ökologische Aspekte, Naturschutzmanagement). Es bestehen keine Gremien, die zur Beratung und Bewertung der Projektgruppe eingerichtet wurden.

II. 3. Ausstattung

Da die Projektgruppe Entomologie derzeit mit Fördermitteln des Wissenschaftler-Integrationsprogramms (WIP) sowie Projektmitteln verschiedener Zuwendungsgeber finanziert wird, verfügt sie nicht über einen Personal- und Haushaltsplan.

Die Förderung im Rahmen des Wissenschaftler-Integrationsprogramms erfolgt personenbezogen, wobei ein Personalkostenanteil von 77 TDM und Sachkosten von 20 TDM pro Wissenschaftler sowie 50 TDM Personalkosten pro technischem Mitarbeiter veranschlagt werden. Im Jahre 1995 wurde der Sachkostenanteil auf insgesamt 43 TDM reduziert. Die Projektgruppe Entomologie warb von 1992–1995 zusätzliche Fördermittel in Höhe von 4,4 Millionen DM ein:

Personalmittel	2597 TDM
Sachmittel	1133 TDM
Technische Zuschüsse zur Gebäudeerhaltung und für Rechnerausstattung	446 TDM
Bibliotheksmittel	185 TDM
Mittel für Forschungsreisen	68 TDM
	4429 TDM

39 % dieser Mittel stammen vom Ministerium für Wissenschaft, Forschung und Kultur des Landes Brandenburg, 26 % aus Zuwendungen des Arbeitsamtes und 8,5 % vom Bundesministerium für Ernährung, Landwirtschaft und Forsten. Weitere Mittel wurden von anderen Landes- und Bundesministerien sowie von der Deutschen Forschungsgemeinschaft zur Verfügung gestellt (DFG: 5 %, BMBF: 4 %).

In der Projektgruppe sind insgesamt 32 Mitarbeiter beschäftigt, 11 Wissenschaftler und 21 nichtwissenschaftliche Mitarbeiter (Stand: 31. Dezember 1995, inkl. Projektmittel). Seit 1991 konnten 7 wissenschaftliche Mitarbeiter neu gewonnen werden, 5 Wissenschaftler verließen seither das Institut. Die Fluktuation beruht auf der Befristung von zusätzlichen Stellen oder altersbedingten Veränderungen.

Die Projektgruppe (und ihre Vorläufereinrichtungen) ist seit Anfang der sechziger Jahre in einem Gebäude mit einer Gesamtnutzfläche von 2360 m^2 untergebracht, die sich auf Arbeits- und Laborräume von 430 m^2, Sammlungen 275 m^2, Bibliothek 494 m^2, Ausstellung/Tierhaltung 136 m^2, Verwaltung 159 m^2, Nebenräume 245 m^2, Flure etc. 619 m^2 aufschlüsseln.

Die Projektgruppe verfügt über eine Insektensammlung mit rund 3 Millionen Exemplaren in 275000 Arten; dies entspricht einem Viertel aller beschriebenen Insektenarten. Der Schwerpunkt dieser Sammlung liegt in regionaler Hinsicht in der Paläarktis, während das Museum für Naturkunde hauptsächlich über entomologische Bestände aus den Tropen verfügt.

Die Bibliothek hat einen Bestand von 65500 Bänden, darunter 25000 Monographien, 110000 Sonderdrucke und 800 laufend gehaltene Zeitschriften zur Entomologie. Der jährliche Zuwachs beläuft sich auf rund 1500 Einheiten. Die Bibliothek wird seit 1991 durch die DFG gefördert und betreut als überregionale Spezialbibliothek in Abstimmung mit dem Forschungsinstitut Senckenberg Frankfurt/Main das Sondersammelgebiet Entomologie.

Die Projektgruppe strebt an, die wesentlichen Funktionsbereiche, die bisher über Projektmittel finanziert werden, in einem Stellenplan zu verankern sowie zusätzliche drittmittelfinanzierte Beschäftigungsmöglichkeiten für wissenschaftliche Mitarbeiter und Doktoranden zu erschließen. Die Grundausstattung mit Geräten konnte nach Darstellung der Projektgruppe wesentlich verbessert werden; gleichwohl sei ein international üblicher Standard noch nicht erreicht.

II. 4. Veröffentlichungen und Zusammenarbeit

Wissenschaftliche Arbeitsergebnisse der Projektgruppe werden als Einzelveröffentlichungen, Aufsätze in Sammelwerken und wissenschaftlichen Fachzeitschriften publiziert sowie in Vorträgen und im Rahmen von Lehrveranstaltungen zugänglich gemacht. Die wissenschaftlichen Mitarbeiter der Projektgruppe haben seit 1990 17 Monographien sowie 145 Aufsätze in externen Zeitschriften veröffentlicht. Die Projektgruppe nutzt zudem die Möglichkeiten, mit Artikeln in Schriftenreihen und Journalen sowie mit Medienbeiträgen eine interessierte Öffentlichkeit mit den Ergebnissen ihrer Tätigkeit bekanntzumachen. Die Projektgruppe gibt zwei internationale, mehrsprachige Fachzeitschriften heraus, die Beiträge zur Entomologie (1995: 45. Jahrgang) und die Nova Supplementa Entomologica (1995: Band 7). Sie bilden die Grundlage des Schriftentausches mit 400 Partnern in 60 Ländern, womit ständig rund 800 Zeitschriften erworben werden.

Die Gruppe kooperiert weltweit mit systematisch-taxonomisch orientierten Forschungsinstituten und -museen und hat dazu Gemeinschaftsprojekte entwickelt. Wichtige internationale Kooperationspartner in den zurückliegenden Jahren waren das Nationalparkinstitut des Hauses der Natur, Salzburg, das Naturhistorische Reichsmuseum Stockholm und das Finnische Museum für Naturkunde an der Universität Helsinki sowie im Rahmen des mit DFG-Mitteln geförderten Projekts „Diversität der Fauna des fernen Ostens" das Biologisch-bodenkundliche Institut Vladivostok und das Zoologische Institut St. Petersburg. Außerdem sind seit 1992 zahlreiche auswärtige Wissenschaftler betreut worden, die die Projektgruppe zu Forschungszwecken in Eberswalde aufsuchen.

Als Mitveranstalter oder verantwortlicher Träger wirkt die Projektgruppe regelmäßig bei Tagungen mit, z. B. bei Tagungen des Naturschutzbundes sowie der Arbeitskreise „Systematik und Taxonomie" und „Parasitoide" der Deutschen Gesellschaft für allgemeine und angewandte Entomologie.

Die wissenschaftlichen Mitarbeiter sind als Gutachter und Betreuer für Diplomarbeiten und Promotionen sowie als Fachberater für Gesetzesvorlagen, Naturschutzeinrichtungen und für Forschungsinstitutionen tätig.

A. III. Gemeinsame Forschungskonzeption

Ausgehend von der Empfehlung des Wissenschaftsrates, die Projektgruppe Entomologie dem MfN anzugliedern, haben beide Einrichtungen eine gemeinsame Forschungskonzeption auf der Grundlage des vorhandenen Untersuchungsmaterials entwickelt. Ihre langfristigen Forschungsarbeiten lassen sich unter das Thema „Evolution der Erde und des Lebens - planetologische und biologische Komponenten des Evolutionsprozesses und deren Wechselwirkung“ stellen. Innerhalb dieses Rahmenthemas stehen zwei Forschungsaspekte im Vordergrund:

- planetologische und kosmochemische Ausgangsbedingungen und Prozesse der frühen anorganischen und präbiotischen Evolution sowie Rolle extraterrestrischer Einflüsse auf die biotische Evolution (planetologisch-mineralogischer Arbeitsbereich),

- Taxonomie und Systematik der Lebensformen und ihre wissenschaftliche Dokumentation, biotische Evolution, Stammesgeschichte und Probleme der rezenten Biodiversität (zoologisch-paläontologischer Arbeitsbereich).

Durch eine enge Kooperation beider fachwissenschaftlicher Säulen werden Wechselwirkungen zwischen der anorganischen (planetar-geologischen) Evolution der Erde und der Evolution der Organismen erforscht, um zu einem besseren Verständnis der Faktoren zu gelangen, die die Evolutionsvorgänge bestimmen oder vorantreiben.

Geordnet nach historischen Gesichtspunkten werden Grundfragen der Evolution schwerpunktartig in zwei zeitlich definierten Entwicklungsphasen der Erde bearbeitet. In der frühen, präbiotischen Entwicklungsphase geht es zum einen um Ursprung und Zusammensetzung der aus dem Solarnebel entstandenen festen anorganischen und organischen Materie, wie sie sich heute noch unverändert in Asteroiden (Meteoriten) und Kometen manifestiert, und um deren Rolle bei der Entstehung der Erde. Zum anderen werden die Einflüsse der interplanetaren Kollisionen auf die frühe geologische Entwicklung der terrestrischen Körper, insbesondere der Erde, untersucht. In der späteren, biotischen Entwicklungsphase liegen die Forschungsschwerpunkte des MfN auf dem Gebiet der phanerozoischen Entwicklung des Lebens, bei der auch die jüngere Kollisionsgeschichte der Erde eine Rolle spielt, und in umfassender Weise auf dem Gebiet der Erforschung der rezenten Lebensformen.

Im Rahmen der Erforschung der fossilen Lebensformen sind irdische und extraterrestrische Ursachen der diskontinuierlichen Evolutionsschritte aufzuklären, Grundfragen der Verwandtschaftsbeziehungen zwischen systematischen Großgruppen zu beantworten und offene Probleme der Stammesentwicklung, Biostratigraphie und Paläoökologie zu lösen. Bei der Erforschung der rezenten Lebensformen steht die Dokumentation, Taxonomie und Systematik der rezenten Biodiversität unter Einbeziehung moderner biochemisch-molekulargenetischer Methoden im Vordergrund. Außerdem sollen das Verständnis der Faunen- und Florengeschichte geographischer Regionen der Erde (spezielle Ökosysteme) verbessert und Ursachen und Mechanismen der Entstehung der Arten und der Biodiversität in Verbindung mit experimentellen Analysen von Artenbildungsprozessen und verbesserter Theorien und Methoden der Rekonstruktion der Phylogenese geklärt werden.

III. 1. Forschungsschwerpunkte der Institute

(1) Institut für Systematische Zoologie

Vergleichend-morphologische Untersuchungen an den Objekten der zoologischen Sammlungen bilden in Verknüpfung mit ontogenetischen und biochemisch-molekularbiologischen Studien an lebenden Tieren die Grundlage für die Projekte im Rahmen des ersten Forschungsschwerpunktes „Rekonstruktion der Stammesgeschichte von Arten und Abstammungsgemeinschaften". Es werden objektiv überprüfbare Hypothesen über die Verwandtschaftsbeziehungen der lebenden Arten der untersuchten höheren Taxa entwickelt. Die phylogenetisch-systematische Forschung basiert auf einem ganzheitlichen Organismuskonzept, das die gesamte Anatomie und Ontogenie lebender Systeme mit einschließt. Dieser ontogenetische Ansatz reicht vom Erbmaterial bis zur Morphologie erwachsener Tiere. Wegen der Aussagekraft moderner genetischer Analyseverfahren stellt die Anwendung der in rascher Entwicklung begriffenen molekularbiologischen Methoden einen wesentlichen Teilaspekt dieser Aufgabe dar. Das noch weithin gebräuchliche, auf subjektiven Ähnlichkeitsabschätzungen beruhende typologische System ist durch ein phylogenetisch begründetes zu ersetzen (Phylogenetische Systematik). Die evolutive Transformation ist im Rahmen eines konstruktiv begründeten Organismuskonzepts zu rekonstruieren.

Im Rahmen dieses Forschungsschwerpunktes konnten bereits wichtige Ergebnisse durch die Untersuchung ausgewählter Tiergruppen (Wirbeltiere und Wirbellose) erzielt werden, wie z. B. die Entdeckung eines hochrangigen Schlangen-Taxons, die Aufklärung von Domestikationsprozessen beim Hausschaf durch molekulargenetische Untersuchungen und die Klärung der phylogenetischen Beziehungen verschiedener Taxa innerhalb der Amphibien (Wasserfrösche), Krebstiere (Amphipoda) und Insekten (Teilgruppen der Libellen, Kurzflügelkäfer, Blattwespen, Köcherfliegen).

Im zweiten Forschungsschwerpunkt „Analysen evolutiver Abwandlungen morphologischer Strukturen und funktioneller Veränderungen in der Ontogenese von Tieren" werden mit den Methoden der vergleichenden Morphologie und Ontogenie die Merkmale individueller Entwicklungsabläufe von der Zygote bis zum reifen Tier im Detail erfaßt und Faktoren der Individualentwicklung aufgeklärt. Modellorganismen, an denen diese „life-cycle"-Studien durchgeführt werden, stammen z. B. aus der Verwandtschaftsgruppe der Eierlegenden Säugetiere, Beuteltiere und Plazentatiere. Das wichtigste Ziel des Forschungsschwerpunktes besteht darin, aus den Befunden der Ontogenese der bearbeiteten Tiergruppen neue Beiträge zur Phylogenie der Tiere zu leisten und das Institut für Systematische Zoologie zu einem Zentrum vergleichend-morphologischer Forschung zu entwickeln.

Bei den Forschungsarbeiten wurden vor allem Fortschritte auf dem Gebiet der Ultrastrukturforschung an verschiedenen parasitischen und freilebenden Wurmgruppen, wie z. B. Nematoden, Kinorhynchen und Priapuliden erzielt. Dadurch können neue Merkmale in die phylogenetische Diskussion einbezogen werden.

Alle Arbeiten im Rahmen eines dritten Forschungsschwerpunktes „Systematische und regionale Erfassung, Beschreibung und Dokumentation von Wirbeltieren und Wirbellosen und Aufklärung von Ausbreitungs- und Artenbildungsvorgängen" fußen auf dem wissenschaftlichen Potential der Sammlungen sowie der Bestände der Forschungsmuseen des In- und Auslandes, mit denen das Institut für Systematische Zoologie einen intensiven Leihverkehr unterhält. Sammlungsgebundene Forschungsthemen dieser Art sind in ihrer Mehrzahl internationale Gemeinschaftsprojekte von Spezialisten aus mehreren Einrichtungen. Die wichtigste Aufgabe dieses komplexen Forschungsschwerpunktes besteht in der taxonomisch-systematischen Erfassung der Artenvielfalt bestimmter Tiergruppen oder Faunen ausgewählter terrestrischer und mariner Gebiete.

Eine zentrale Stellung in diesem Schwerpunkt nimmt das Projekt „Diversität und Genese der Entomofauna des südlichen Afrikas" ein, zu dem bereits insgesamt 40 Veröffentlichungen vorliegen. Eine geplante Synthese der Ergebnisse wird durch ein vom MfN organisiertes Symposium im Jahr 1998 und ein evtl. daraus entstehendes Buchprojekt mit entsprechenden Veröffentlichungen realisiert werden.

(2) Entomologie

Das Museum für Naturkunde und die Projektgruppe Entomologie beabsichtigen, die bestehenden Forschungsgruppen in diesem Gebiet zu einer neuen, gemeinsamen entomologischen Einrichtung zusammenzuführen. Beide Einrichtungen haben zu diesem Zweck ein gemeinsames Forschungskonzept ausgearbeitet.

Der erste Schwerpunkt „Artenbildung, Stammesgeschichte und Verbreitung ausgewählter Insektengruppen" stützt sich insbesondere auf die umfangreichen historischen und rezenten Sammlungen von Insekten aus allen Regionen der Erde. Dabei werden die Artenvielfalt vergleichend erfaßt und dokumentiert sowie die Verwandtschaftsbeziehungen höherer Taxa sowie Ursachen und Abläufe von Artenbildungsprozessen untersucht. Mit diesen Untersuchungen werden eine genauere Kenntnis der Zahl, der Merkmale und der wissenschaftlichen Bedeutung der rezent existierenden Arten von Insekten angestrebt und Hypothesen über den Prozeß der Stammesgeschichte der Insekten geprüft. Schließlich sollen die gewonnenen Erkenntnisse in ein phylogenetisch begründetes System übertragen werden.

Aufgrund von Untersuchungen an Insekten auf jungen vulkanischen Inseln (Hawaii) konnte im Rahmen eines DFG-Projekts ein wichtiger Beitrag zur Grundfrage der Artenbildungsprozesse (Bedeutung der speziellen Vegetationsdynamik auf aktiven Vulkanen) geleistet werden.

Aufgabe des zweiten Schwerpunktes „Funktion bestimmter Insektengruppen in speziellen Ökosystemen" ist die Klärung der Rolle von Insekten in ökologischen Groß- und Kleinsystemen. In diesem Rahmen werden Struktur und Dynamik von Lebensgemeinschaften untersucht, der Einfluß abiotischer und biotischer Faktoren auf die Insektenfauna natürlicher und anthropogen beeinflußter Standorte ermittelt sowie schließlich Koevolutionsprozesse zwischen Insekten und ihren Wirtsorganismen und die ihnen zugrunde liegenden Faktoren aufgeklärt. Die Arbeiten in diesem umfangreichen Schwerpunkt dienen dem Ziel, die Rolle von Insekten in ökologischen Groß- und Kleinsystemen besser zu verstehen (Nahrungsnetze, Gildenstruktur und Populationsdynamik ausgewählter Lebensgemeinschaften). Untersuchungen zu den Wechselwirkungen zwischen Insekten und ihren Wirtsorganismen ermöglichen ein besseres Verständnis der kausalen Zusammenhänge ihrer gemeinsamen Evolution (Koadaptation, Koevolution). Die Arbeiten zur Ökologie von Insekten in natürlichen und anthropogen beeinflußten Standorten bilden wichtige Grundlagen für eine ökologisch verträgliche Landnutzung sowie für die Konzipierung von Schutzmaßnahmen.

Der dritte Schwerpunkt „Forschungen zum Informations- und Sammlungsmanagement" trägt der Tatsache Rechnung, daß die enorme Mannigfaltigkeit der Insekten und ihrer Lebensprozesse nur durch ein optimiertes Informationsmanagement beherrschbar wird. Dies muß daher selbst Gegenstand der Forschung sein. Es werden standardisierte Instrumentarien bereitgestellt, die den internationalen Austausch und damit die einheitliche Bearbeitung taxonomischer Komplexe großer Faunenregionen ermöglichen und die Verfügbarkeit der in den Sammlungen enthaltenen Daten optimieren. Dazu zählen auch wissenschaftshistorische Analysen.

(3) Institut für Paläontologie

Der erste Forschungsschwerpunkt „Historische Aspekte der Evolution des Lebens" befaßt sich mit der empirischen Aufnahme und Dokumentation von Faunen- und Floren-Sequenzen ausgewählter Zeitepochen. Er konzentriert sich auf bestimmte Faunen und auf die Floren des Karbons, der Oberkreide und des Tertiärs. Aus den bearbeiteten Sequenzen sind sowohl der Evolutionsablauf zu rekonstruieren als auch die ökologischen Faktoren zu bestimmen, die zu Änderungen der Verbreitung der Organismen führen. Auf dieser Basis werden detaillierte biostratigraphische Datierungssysteme entwickelt. Die Arbeiten haben zum Ziel, die zeitliche Einstufung abiotischer Prozesse (z. B. Klimaverschiebungen, Meeresspiegelschwankungen), die Altersbestimmung von Organismengruppen mit eingeschränkter Fossilüberlieferung und die zeitliche Festlegung phylogenetischer Ereignisse zu ermöglichen und allgemein den zeitlichen Verlauf von Evolutionsprozessen aufzuklären. Eine besondere Rolle spielen die in internationale Programme eingebundenen Arbeiten zu überwiegend abiotisch verursachten Phasen der Massenextinktion, die ein noch wenig verstandenes „makroevolutionäres Regime" darstellen.

In den Projekten des zweiten Forschungsschwerpunktes „Verwandtschaftsbeziehungen und Ursprung systematischer Großgruppen" wird mit Methoden der vergleichenden Morphologie, der Entwicklung konstruktionsmorphologischer Modelle und nach Prinzipien des Aktualismus gearbeitet. Dabei werden morphologische Merkmale hinsichtlich ihres Aussagewerts für Verwandtschaftsbeziehungen geprüft. Aussagen über Homologiebeziehungen und die Merkmalsbewertung sind von besonderer Wichtigkeit bei Gruppen mit diskontinuierlicher Fossilüberlieferung. Die Arbeiten dieses Forschungsschwerpunktes werden exemplarisch an zwei ausgewählten Großgruppen (gnathostome Fische und präquartäre Floren) mit dem Ziel durchgeführt, tatsächliche Verwandtschaftsbeziehungen aufzudecken, den phylogenetischen Ursprung systematischer Großgruppen zu klären und eine der Phylogenie konsequent entsprechende Systematik zu erstellen.

Der dritte Forschungsschwerpunkt „Rekonstruktion vorzeitlicher Ökosysteme und deren Wandel in Raum und Zeit" baut auf der historischen Stellung fossiler Faunen und Floren sowie auf den im Sediment überlieferten Daten zu den Lebens- und Ablagerungsbedingungen auf. Im Vordergrund steht die Rekonstruktion fossiler Biotope sowie deren Evolution als Folge klimatischer, paläogeographischer, ozeanographischer und ökologischer Veränderungen. Die Forschungsarbeiten konzentrieren sich auf drei besonders aussagekräftige Ökosysteme: Konservat-Lagerstätten des Permokarbons, die Saurier-Fundstätte Tendaguru in Tansania und die tertiären und quartären Faunen und Floren Europas. Mit den Untersuchungen werden grundlegende Prozesse bei der Veränderung von Ökosystemen und der Beziehungen zwischen Ökosystem-Entwicklung und Phylogenese aufgeklärt. Die Arbeiten tragen auch zu einem besseren Verständnis und zur Prognose der sich heute vollziehenden Umwelt- und Klimaveränderungen bei.

(4) Institut für Mineralogie

Der erste Schwerpunkt „Frühe Evolution des Sonnensystems bis zur Akkretion anorganischer und organischer Materie zu protoplanetaren Körpern" stützt sich vor allem auf die bedeutende Meteoritensammlung des

Museums und auf die z. T. mit Raumfahrtmissionen verbundene Erforschung der an organischen Verbindungen reichen Kometen (z. B. ROSETTA-Mission der ESA) und des interplanetaren Staubs. In diesem Schwerpunkt werden die Zusammensetzung der primären festen anorganischen und organischen Verbindungen des Sonnensystems, ihre Eigenschaften als Kondensate und Resublimate des Solargases und des präsolaren Mediums sowie ihre Akkretionsgefüge in den „meteoritischen" protoplanetaren Körpern erforscht. Dadurch läßt sich das Verständnis von Herkunft und Bildungsbedingungen der festen Materie im Solarnebel, von ihrer Entwicklung und Veränderung bei der Akkretion zu protoplanetaren Körpern und deren Rolle bei der Bildung und Frühgeschichte der terrestrischen Planeten, z. B. der Erde, deutlich verbessern. Neueste Forschungsergebnisse zu diesem Thema betreffen den erstmaligen, für astrophysikalische Modelle bedeutenden Nachweis von primären Akkretionsgefügen in primitiven kohligen Meteoriten und die Entdeckung einer für das Verständnis der frühen Entwicklung des Solarnebels wichtigen neuen Meteoritengruppe (Rumuruti-Chondrite), der in Zukunft verstärkt Aufmerksamkeit gewidmet werden soll.

Der zweite Schwerpunkt „Die Kollisionsgeschichte der terrestrischen planetaren Körper und ihre Rolle in der Evolution der Biosphäre und Lithosphäre der Erde" beinhaltet einerseits Meteoritenforschung (Asteroiden als Mutterkörper der Meteorite und als Bausteine der terrestrischen planetaren Körper) und andererseits die Erforschung von Impaktprozessen auf der Erde und deren Auswirkung auf die Evolution der Erdkruste und der Biosphäre. Im Rahmen dieses Themas werden auch Untersuchungen zum natürlichen und experimentellen Verhalten von Mineralien unter ultrahohen dynamischen Drücken und Temperaturen durchgeführt, die als Basis für die zuvor genannten Arbeiten unabdingbar sind. Die Aufgabe des Schwerpunkts ist die Erfassung der empirischen Grundlagen zur Theorie und zur Mechanik von Impaktprozessen und deren geologischen Wirkungen als Funktion der Zeit und der Größenskala. Die Arbeiten in diesem Schwerpunkt dienen der

- Verbesserung der Kenntnis der Kollisionshäufigkeit im Asteroidengürtel und Aufklärung der mechanischen und thermischen Effekte interplanetarer Kollisionen auf die frühe geologische Entwicklung der Asteroiden und der präbiotischen, archäischen Erdkruste,
- Vertiefung des Verständnisses der Impaktmechanik und ihrer Wirkung auf Kruste und Mantel bei irdischen Mega-Impakten und
- Aufklärung der kausalen Zusammenhänge zwischen der Kollisionsgeschichte der Erde und der Entwicklung der Biosphäre und der Atmosphäre.

Wichtige Fortschritte in diesem Schwerpunkt, die in den vergangenen zwei Jahren erzielt wurden, beziehen sich auf die experimentelle Verifikation der in Meteoriten beobachteten Impaktmetamorphose, auf die Erkenntnis der Bedeutung der Diamant-Bildung in Impaktkratern, die Entdeckung von neuen Impaktindikatoren an der Kreide/Tertiär- und an der Eozän/Oligozän-Grenze und die weitere Verifizierung der Chicxulub-Impaktstruktur als Verursacher des kataklysmischen Ereignisses an der Kreide/Tertiär-Grenze vor 65 Millionen Jahren. Die Frage nach der möglichen Impaktgenese der irdischen Diamanten des Präkambriums (Carbonados) wird sich zu einem wichtigen neuen Forschungsziel entwickeln.

Im Rahmen des dritten Forschungschwerpunkts „Wissenschaftliche Nutzung der mineralogisch petrographischen Sammlungen" soll das außerordentlich große wissenschaftliche Potential der Sammlungen, den größten dieser Art in Deutschland, unter Einsatz modernster analytischer Methoden genutzt werden. Zu diesem Zweck werden spezielle Forschungsprojekte – überwiegend in Kooperationen mit in- und ausländischen Wissenschaftlern – nach kristallographisch-materialkundlichen, regionalen und technischen Gesichtspunkten entwickelt.

III. 2. Institutsübergreifende Forschungsarbeiten

Die Institute des MfN und die Projektgruppe Entomologie haben ergänzend zu den Schwerpunkten in den Instituten folgende interdisziplinäre und institutsübergreifende Kooperationsprojekte innerhalb des Rahmenthemas „Evolution der Erde und des Lebens" entwickelt:

(1) Institute für Paläontologie und Mineralogie

„Impaktprozesse und die Genese von Faunenschnitten und Massenextinktionen in der Erdgeschichte": Das offene Problem einer generellen Kausalität zwischen großen Impaktereignissen und Massenextinktionen in der Erdgeschichte ist Gegenstand dieses Kooperationsprojekts. Die Aufgabe besteht darin, Abfolgen von Sedimentgesteinen, in denen bedeutende globale Faunenschnitte bekannt sind, einer umfassenden und systematischen Untersuchung mit paläontologischen, sedimentologischen, stratigraphischen, geochemischen und mineralogischen Methoden zu unterziehen. Es ist das Ziel, die kausale Verknüpfung von physikalischen, chemischen (abiotischen) und von biotischen Ursachen für die Diskontinuitäten der biotischen Evolution der Erde in ihrer Gesamtheit zu analysieren und die gekoppelte Wirkung kurzfristiger, z. T. kataklysmischer extraterrestrischer (Impaktprozesse) und terrestrischer Prozesse (Vulkanismus, ozeanographische Veränderungen) auf die Lebensbedingungen der Organismen besser zu verstehen.

(2) Institute für Systematische Zoologie und Paläontologie

„Verwandtschaftsbeziehungen und Evolution der europäischen Grünfrösche": Unter den Wasserfröschen ist es durch eine besondere Form der Bastardierung zur Ausbildung von fertilen Hybridformen gekommen, die wie normale Arten dauerhaft existieren. Es ist die Aufgabe dieses von Zoologen des MfN bereits seit längerem verfolgten Projekts unter

Berücksichtigung der paläontologischen Befunde die genetischen, immun-, verhaltens- und evolutionsbiologischen Erscheinungen der Hybridogenese aufzuklären. In diesem Projekt wird das Ziel verfolgt, das vernetzte (retikuläre) Muster der Grünfroschphylogenese zu rekonstruieren, für das im Tierreich keine Parallele bekannt ist.

„Vergleichend-morphologische Untersuchungen lebender und fossiler Knochenfische als Beitrag zur Rekonstruktion ihrer Stammesgeschichte": Das Projekt hat die Aufgabe, die Ontogenie des gesamten Schwanzskeletts ursprünglicher und fortschrittlicher Vertreter höherer Taxa der fossilen und rezenten heringsähnlichen Fische zu untersuchen. Es wird das Ziel verfolgt, für die Verwandtschaftsbeziehungen der höheren Knochenfische hochauflösende Kladogramme zu entwickeln, welche die evolutiven Abfolgen anagenetischer Um- und Neubildungen sichtbar machen und zu fundierten phylogenetischen Hypothesen führen.

„Frühentwicklung neognather Vögel": In diesem Kooperationsprojekt besteht die Aufgabe, durch vergleichend-osteologische Untersuchungen einen Stammbaum dieser Vogelgruppen zu entwerfen, um Erkenntnisse über die noch unzulänglich bekannte Evolution der baumbewohnenden Vögel zu gewinnen.

(3) Institute für Systematische Zoologie und Entomologie

„Die Genese der afrotropischen und orientalischen Fauna: Stammes- und Ausbreitungsgeschichte (Phylogeographie) ausgewählter Gruppen": In diesem Projekt soll die Phylogenese ausgewählter afrotropischer und orientalischer Taxa (Wirbeltiere und Wirbellose) mit dem Ziel rekonstruiert werden, deren Verbreitungsmuster unter Berücksichtigung bekannter geologischer und paläoklimatischer Modelle zu erklären.

Mittelfristig sollen weitere Kooperationsprojekte zwischen beiden Instituten vereinbart werden. Es besteht insbesondere die Notwendigkeit, sich Themen zu widmen, die im Gesamtkontext der zoologischen Evolutionsforschung bisher unzureichend beachtet wurden. Mögliche Themen solcher zukünftiger Forschungsschwerpunkte sind vergleichend-ontogenetische Untersuchungen an Krebsen, Spinnen und Insekten sowie Koevolution von Wirt-Parasit-Assoziationen am Beispiel von parasitischen Einzellern, Würmern, Krebsen und Insekten.

B. Stellungnahme

B. I. Zur wissenschaftlichen Bedeutung und künftigen Struktur

Das Museum für Naturkunde (MfN) ist das größte und traditionsreichste naturhistorische Forschungsmuseum in Deutschland. Es zählt mit seinen Sammlungen von über 29 Millionen Objekten zu den fünf größten Naturkundemuseen der Welt, zu denen auch das Natural History Museum in London, das American Museum of Natural History in New York und das National Museum of Natural History, Smithsonian, in Washington gehören. Mit der Berufung des Direktors und weiterer renommierter Wissenschaftler wurden die zoologischen, paläontologischen und mineralogischen Arbeitsbereiche des MfN seit 1992 neu gestaltet. Es wurden bereits überzeugende Forschungsleistungen erbracht, die durch beachtliche Publikationen belegt sind.

Der Neuordnung des MfN lagen Empfehlungen des Wissenschaftsrates sowie der Landeshochschulstrukturkommission und der Struktur- und Berufungskommission des Fachbereichs Biologie der Humboldt-Universität zugrunde. Mit den neu gebildeten Forschungsschwerpunkten und den interdisziplinär angelegten Forschungsvorhaben wurden die Arbeiten der historisch gewachsenen und durch einzigartige Sammlungen zu internationaler Bedeutung gelangten Institute auf übergeordnete Zielsetzungen ausgerichtet. Die Forschungskonzeption wurde vom MfN entworfen, hinsichtlich der entomologischen Arbeitsschwerpunkte gemeinsam vom MfN und von der Projektgruppe Entomologie.

Mit den Forschungsschwerpunkten und -projekten werden sowohl der Kooperation auf nationaler Ebene als auch der internationalen Zusammenarbeit neue Perspektiven eröffnet. Zu den Themen können zahlreiche bio- und geowissenschaftliche Institutionen Beiträge liefern, so daß sich vielfältige Möglichkeiten der Zusammenarbeit mit externen Einrichtungen bieten, die bereits intensiv genutzt werden. Innerhalb des übergreifenden Themas, das die planetologischen und biologischen Komponenten des Evolutionsprozesses und deren Wechselwirkungen umfaßt, sind – wie im Forschungskonzept vorgesehen – stets ausgewählte Schwerpunkte zu bearbeiten.

Die Projektgruppe Entomologie, Eberswalde, verfügt über bedeutende Sammlungsbestände mit zahlreichen Typen sowie Bibliotheks- und wissenschaftliche Archivbestände, die in ihrer über einhundertjährigen Geschichte angelegt wurden. Im Vordergrund der wissenschaftlichen Arbeit der Projektgruppe stehen die spezialisierte taxonomische Arbeit und die Grundlagenforschung zu phylogenetisch-systematischen, evolutionsbiologischen und zoogeographischen Themen. Die entomologischen Sammlungen zählen mit rund 3 Millionen Exemplaren zu den bedeutendsten in Europa und zeichnen sich durch einen in anderen Einrichtungen nicht erreichten Stand der Erschließung und Dokumentation der Bestände aus. Ebenfalls von international herausragender Bedeutung sind die Leistungen des Deutschen Entomologischen Instituts und später der Projektgruppe auf dem Gebiet der Literaturerschließung und -dokumentation sowie der biographischen und entomohistorischen Dokumentation. Die erarbeiteten Bibliographien werden weltweit in allen großen Forschungsmuseen mit entsprechenden Arbeitsrichtungen intensiv genutzt. Die internationale Bedeutung der Einrichtung schlägt sich ferner in Gemeinschaftsprojekten und Arbeitskontakten mit ausländischen Forschungsinstituten sowie in einer regen Nachfrage nach Leihgaben der Insektensammlung nieder.

Der Wissenschaftsrat empfiehlt, das Museum für Naturkunde und die Projektgruppe Entomologie institutionell zusammenzuführen. Damit können zusätzlich zu den bestehenden Arbeitsschwerpunkten die Forschungs-, Sammlungs- und Lehrtätigkeiten auf dem Gebiet der Entomologie gebündelt und gestärkt werden. Zu diesem Zweck soll im MfN neben den bestehenden Instituten für Zoologie, Paläontologie und Mineralogie ein Institut für systematische und ökologische Entomologie als vierte wissenschaftliche Einheit geschaffen werden, die den Namen „Deutsches Entomologisches Institut (DEI)" tragen soll. Die Einrichtung eines entomologischen Instituts neben dem Institut für Zoologie und damit die organisatorische Ausgliederung der Entomologie aus der Zoologie ist mit der besonderen Artenvielfalt der Insekten und ihrem überragenden quantitativen Anteil an der Organismenwelt zu begründen und wird den sammlungsspezifischen und forschungsgeschichtlichen Voraussetzungen gerecht. Das neue Institut soll das vorhandene entomologische Potential des MfN in Berlin und der Projektgruppe Entomologie, Eberswalde, zusammenführen. Der Standort in Eberswalde soll als Teilstandort des neuen Instituts bestehen bleiben. Mittel- und längerfristig ist die systematische Entomologie in Berlin, der ökologisch arbeitende Teil in Eberswalde zu konzentrieren, wobei die entsprechenden Forschergruppen und Sammlungsbestände an den jeweiligen Standorten unterzubringen sind.

Das Konzept des neuen Entomologischen Instituts soll von einem von den Ländern Berlin und Brandenburg einzurichtenden Gründungskomitee entwickelt werden, das aus externen Experten bestehen und seine Arbeit noch im Jahr 1996 aufnehmen und zügig abschließen soll. Die Zusammenführung der Projektgruppe Entomologie mit dem MfN macht es erforderlich, für die Leitung des entomologischen Forschungsinstituts eine C4-Stelle in der Universität einzurichten, deren Inhaber auch dort seine Lehraufgaben wahrnimmt. Die systematisch bzw. ökologisch ausgerichteten Forschungsarbeiten werden an den jeweiligen Standorten durchgeführt.

Das MfN und die Projektgruppe Entomologie haben eine überzeugende Forschungskonzeption und geeignete Forschungsschwerpunkte entwickelt, zu denen im folgenden ausführlich Stellung genommen wird (vgl. B. II.). Die reichhaltigen und wertvollen Sammlungen an naturkundlichen Objekten, die zu großen Teilen unersetzlich sind und die darauf bezogene Forschung des Museums einschließlich der künftig zu intensivierenden Biodiversitäts- und Ökologieforschung sind von überregionaler Bedeutung und gesamtstaatlichem wissenschaftspolitischem Interesse. Das MfN ist von den beiden naturkundlichen Museen deutlich abgegrenzt, die bereits im Rahmen der Blauen Liste gefördert werden, dem Zoologischen Forschungsinstitut und Museum Alexander Koenig, Bonn, und dem Forschungsinstitut Senckenberg, Frankfurt am Main, da diese aus forschungs- und sammlungsgeschichtlichen Gründen andere Arbeitsschwerpunkte haben.[6]) Die umfangreichen Aufgaben des MfN in den Bereichen Forschung, Sammlung und Ausstellung sowie in der internationalen Kooperation überschreiten die Möglichkeiten herkömmlicher Universitätsinstitute bei weitem. Universitäre Einrichtungen mit verwandten Forschungsschwerpunkten verfügen stets über wesentlich kleinere Sammlungen, deren längerfristige Existenz überdies nicht in jedem Falle gesichert ist.

Der Wissenschaftsrat empfiehlt die gemeinsame Finanzierung des Museums für Naturkunde einschließlich des Instituts für systematische und ökologische Entomologie durch Bund und Länder im Rahmen der Blauen Liste. Der Forschungsanteil des Museums für Naturkunde mit dem Deutschen Entomologischen Institut liegt bei 80 % der gesamten Aktivitäten. Dies schließt die umfangreichen systematischen Arbeiten ein, die zu den Forschungsaufgaben zu zählen sind. Die Ausstellungstätigkeit ist darin nicht enthalten.

B. II. Zu den Arbeitsschwerpunkten

II. 1. Forschungsschwerpunkte

Zu den zentralen Aufgaben des MfN zählen die Pflege der einzigartigen Sammlungen und die sammlungsbezogene Forschung, insbesondere die langfristig angelegte, taxonomisch-systematisch orientierte Grundlagenforschung. Dabei sind neue analytische Methoden kontinuierlich einzuführen und weiterzuentwickeln. Auf dieser Basis werden Forschungsthemen aufgegriffen, die sich mit aktuellen wissenschaftlichen Problemen und Fragestellungen befassen. Beispielsweise liefert die Paläontologie zeitlich fixierte Daten über den tatsächlichen Ablauf der Evolution, während die Zoologie einschließlich der molekularbiologischen Analyse die Stammesgeschichte aus dem heutigen Artenbestand retrospektiv rekonstruiert. Insofern besteht ein enger Bezug zwischen dem mineralogisch-geologischen Langzeitbild der Erdgeschichte und dem vollständigeren und experimentell testbaren Momentbild der Rezent-Biologie. Die vom MfN konzipierten Forschungsschwerpunkte ermöglichen es, solche komplementären wissenschaftlichen Vorhaben unter einem Dach zu bearbeiten. Thematisch ist in der Mehrzahl der Schwerpunkte und Projekte ein Bezug zum übergreifenden Thema „Evolution" gegeben. Eine Einordnung von geeigneten Vorhaben in das Evolutionskonzept ist sinnvoll. Es darf jedoch nicht als ein Mantel für isoliert betriebene naturkundliche Forschungsarbeiten mißverstanden werden. Aufgrund der Breite dieser Rahmenthematik müssen die Schwerpunkte und Projekte im MfN so

6) Vgl. Wissenschaftsrat: Stellungnahme zum Zoologischen Forschungsinstitut und Museum Alexander König (1986), in: Stellungnahmen zu den Einrichtungen des Sektors Museen der Blauen Liste, Köln 1992, S. 145-166 und Wissenschaftsrat: Stellungnahme zum Forschungsinstitut Senckenberg (1990), in: Stellungnahmen zu biologischen Forschungseinrichtungen außerhalb der Hochschulen, Köln 1992, S. 41-70.

konzipiert werden, daß sie einerseits die Forschungsarbeiten deutlich fokussieren, andererseits aber auch die Möglichkeiten interdisziplinärer Zusammenarbeit ausschöpfen. Das vorgelegte Forschungskonzept trägt dem Rechnung.

Die Bedeutung von Forschungsarbeiten zum Informations- und Sammlungsmanagement selbst nimmt national und international zu. Eine entsprechende Forschung sollte für alle sammlungsintensiven Arbeiten verstärkt werden und nicht auf einzelne Institute beschränkt bleiben.

Der Wissenschaftsrat hat anläßlich seiner Stellungnahme zum Forschungsinstitut Senckenberg festgestellt, daß taxonomische und systematische Forschung ein zentraler Bestandteil der biologischen Forschung insbesondere auch im Bereich des Biotop- und Artenschutzes ist, aber auf nationaler Ebene in der Vergangenheit stark vernachlässigt wurde. Durch Untersuchungen über die Zusammenhänge zwischen dem Vorkommen und der Entwicklung von Tier- und Pflanzenarten und ihren jeweiligen lebensräumlichen Bedingungen leisten Taxonomie und Systematik einen wichtigen Beitrag zu einem umfassenden Verständnis von Lebensprozessen. Zugleich bilden sie eine wichtige Voraussetzung für viele Anwendungsgebiete der Biowissenschaften, z. B. in der Ökologie.

Naturhistorische Museen bewahren in ihren wissenschaftlichen Sammlungen außerdem die Bestände, die die erforderliche Vergleichsbasis für eine deskriptive Erfassung und systematische Ordnung von Tier- und Pflanzenarten sind. Durch die aus der Pflege und Bearbeitung von Sammlungen entstehenden Kenntnisse und Erfahrungen sind sie die geeigneten Einrichtungen für taxonomisch-systematische Forschung. Die daraus resultierende Arbeitsteilung in den Biowissenschaften zwischen den vorwiegend morphologisch arbeitenden Museen und den vorwiegend experimentell arbeitenden Universitäten hat sich bewährt. Dabei ist darauf zu achten, daß der notwendigen wechselseitigen Ergänzung durch Austausch und Kooperation entsprochen wird.[7]) Für das MfN ergibt sich daraus insbesondere die Aufgabe, die Kooperation mit den Universitäten in Berlin und Brandenburg weiter auszubauen.

Paläontologie

Die Forschungsschwerpunkte des Instituts für Paläontologie orientieren sich an den umfangreichen Sammlungen. Deren Systematik hat im MfN ein großes Gewicht und liefert wichtige Beiträge zur Erfassung der Biodiversität im Laufe der Erdgeschichte. Für die Leitung des Instituts konnte ein renommierter Paläontologe gewonnen werden, der zuvor über einen längeren Zeitraum an der University of Cansas, USA, tätig war und über entsprechende internationale Erfahrung verfügt. Die Forschungsschwerpunkte werden in Kooperation mit auswärtigen Wissen-

---

7) Vgl. Wissenschaftsrat: Stellungnahme zum Forschungsinstitut Senckenberg, a. a. O., S. 58.

schaftlern betrieben. In den überwiegend interdisziplinären Vorhaben werden aktuelle Themen bearbeitet, die im Mittelpunkt der internationalen Forschung stehen. Die Arbeiten ordnen sich in die übergeordnete Forschungskonzeption ein.

Einen wichtigen Arbeitsschwerpunkt bilden wirbeltierpaläontologische Untersuchungen, die auf die reichhaltigen Sammlungsbestände des MfN zurückgreifen können und die teilweise gemeinsam mit ausländischen Forschern bearbeitet werden. Dies gilt auch für die Untersuchungen zur Paläobotanik des Tertiärs mit weithin beachteten Ergebnissen zur Klimageschichte. Diese Arbeiten basieren auf taxonomisch-systematischen Untersuchungen und erfordern enge Kontakte zu Zoologie und Botanik; hinsichtlich grundsätzlicher Probleme der Taxonomie und Phylogenie sollten sich künftig auch Verbindungen zu Forschungsarbeiten des Entomologischen Instituts ergeben. Als ein weiterer zukunftsträchtiger Arbeitsschwerpunkt ist das interdisziplinär angelegte Projekt zur Untersuchung des Einflusses von Impaktgeschehnissen extraterrestrischer Körper in der Erdgeschichte zu bewerten. Impakt-Ereignisse spielten in der Geschichte des Lebens eine wichtige Rolle, wobei dem ökologischen Zustand der Biosphäre im Augenblick der Katastrophe eine ebenso große Bedeutung wie der Größe des Einschlagkörpers zukommt. Deshalb gehören Klimageschichte und Evolution vor dem Ereignis ebenso zum Verständnis von Faunenschnitten, wie die Radiationen danach. Weil zu solchen Studien eine hohe stratigraphische Auflösung erforderlich ist, sollten die „traditionellen“ biostratigraphischen Arbeiten der Gruppe auf Phasen des evolutiven Umbruchs konzentriert werden.

Neben diesen im Zentrum internationaler bio- und geowissenschaftlicher Forschung angesiedelten Schwerpunkten sollten auch die traditionellen Arbeitsbereiche des MfN wie zum Beispiel Untersuchungen zur Paläobiogeographie weiterhin gepflegt werden. Um die Nahtstellen zu den Nachbardisziplinen zu betonen, können Projekte sowohl zur Biomineralisation als auch zur Paläo-Entomologie (bzw. zur frühen Diversifikation der Arthropoden) in Angriff genommen werden.

Mineralogie

Im Institut für Mineralogie, das über eine sehr große Meteoritensammlung verfügt, sind die Forschungsarbeiten neu geordnet und zugeschnitten sowie zwei wichtige neue Forschungsrichtungen, nämlich kosmische Mineralogie und Kosmochemie, etabliert worden. Mit dem neuen Leiter wurde ein Wissenschaftler gewonnen, der mit seiner Forschungsgruppe auf dem Gebiet terrestrischer und extraterrestrischer Impakt-Prozesse sowie auf dem Gebiet der Meteoritenkunde grundlegende, international stark beachtete Forschungsbeiträge geleistet hat. Die Gruppe ist an mehreren nationalen und internationalen Schwerpunktprogrammen aktiv beteiligt oder hat diese mit konzipiert, wie z. B. das DFG-Schwerpunktprogramm „Kleine Körper im Sonnensystem“. Ihre umfangreichen Erfahrungen, ihre Dynamik und weitreichenden wissenschaftlichen Kontakte sind für das Museum von großem Vorteil. Das MfN wird so in die Lage versetzt, durch seine Forschungsleistungen einen seinen Sammlungsbeständen entsprechenden internationalen Rang einzunehmen. Es werden wissenschaftliche Fragestellungen bearbeitet, die für eine Zusammenarbeit von Planetologie und Paläontologie bzw. Mineralogie und Biologie ertragreich sind. Dazu zählt z. B. die Untersuchung organischer Materie in Meteoriten als von außen kommenden Bausteinen des Lebens. Die fachliche Ausrichtung des Instituts sollte sich gleichwohl nicht auf die Planetologie beschränken, sondern auch Fragestellungen aus der Petrologie und Geochemie terrestrischer Gesteine, z. B. von Produkten des Vulkanismus, aufgreifen. Durch die Gewinnung eines geeigneten Wissenschaftlers könnte insbesondere bei den attraktiven fachübergreifenden Projekten der interdisziplinäre Charakter noch verstärkt werden.

Zoologie

Der Wissenschaftsrat begrüßt, daß Arbeiten zur Systematik der Zoologie in ihrer gesamten Breite und methodischen Vielfalt ein großes Gewicht erhalten (dies gilt auch für die Paläontologie). Damit wird ein Forschungsfeld in den Vordergrund gestellt, das in den vergangenen Jahrzehnten national und international stark vernachlässigt wurde.[8]) Systematik und Taxonomie der Organismen erlangen – gerade auch im Zusammenhang mit den Bemühungen um eine Erfassung und Erhaltung der Biodiversität – gegenwärtig wieder einen besonders hohen Stellenwert. Nicht zuletzt stehen die in diesen Bereichen bearbeiteten Forschungsfragen in enger Verbindung mit dem Bemühen, ökologische Prozesse in ihren räumlich-zeitlichen Zusammenhängen fundierter zu verstehen.

In den beiden Forschungsschwerpunkten des Instituts für Zoologie „Rekonstruktion der Stammesgeschichte von Arten und Abstammungsgemeinschaften" und „Analysen evolutiver Abwandlungen morphologischer Strukturen und funktioneller Veränderungen in der Ontogenese von Tieren" werden grundlegende Aufgaben der Biologie bearbeitet, die nichts an Aktualität und fundamentaler Bedeutung verloren haben und die nur sehr langfristig im nationalen und vor allem auch internationalen Verbund gelöst werden können. Die Arbeiten beider Schwerpunkte stehen in engem sachlichen Zusammenhang zueinander und sind von Themen anderer Einrichtungen deutlich abgegrenzt. Molekularbiologische Methoden sind für neue Erkenntnisse unabdingbar; sie sollten künftig verstärkt eingesetzt werden. Der dritte Forschungsschwerpunkt „Systematische und regionale Erfassung, Beschreibung und Dokumentation von Wirbeltieren und Wirbellosen und Aufklärung von Ausbreitungs- und Artenbildungsvorgängen" erscheint insgesamt noch zu breit angelegt; deshalb sind gezieltere regionale und ökologische Fragestellungen erforderlich, die in angemessenen Zeiträumen bearbeitet werden können.

8) Wissenschaftsrat: Stellungnahme zur Umweltforschung in Deutschland, Band II, Köln 1994, S. 68.

Es wird eine zentrale Aufgabe des neuen Leiters sein, die Forschungskonzeption für das zoologische Institut weiterzuentwickeln und die Mitarbeiter noch stärker in die übergreifenden Projekte des MfN und in die internationale „scientific commmunity" einzubinden. Dabei sollte die Chance genutzt werden, das über viele Jahrzehnte vernachlässigte Gebiet der Biodiversitätsforschung mit seiner Basis in einer modernen systematischen Forschung unter Nutzung und Ausbau der wertvollen Sammlungen im MfN sowie darüber hinausgehend in der Forschungslandschaft zu verankern. Andere biologische Forschungsmuseen sollten mittel- und längerfristig an einer übergreifenden Kooperation beteiligt werden. Neben sammlungsbezogener Arbeit sollte auch die eigene Feldforschung einen hohen Stellenwert erhalten. Eine Kooperation mit ökologisch arbeitenden Gruppen, insbesondere in den Tropen, ist besonders wünschenswert. Hierbei ist zu berücksichtigen, daß auf diesem Gebiet traditionelle Arbeitsverfahren der vergleichenden Biologie eine spezifische Rolle spielen und nicht in jeder Hinsicht durch neuere Methoden ersetzt werden können. Außerdem ist eine methodische Erweiterung auch in die mit den heutigen Möglichkeiten der Biochemie und Molekularbiologie gegebenen Bereiche hinein anzustreben.

Entomologie

Insekten sind in ihrer Artenzahl, in der ökologischen Vielfalt und damit in ihrem evolutiven Erfolg die mit Abstand dominierende Tiergruppe auf der Erde. Ihr Studium vermittelt neue Einsichten zum Wesen und zu den Mechanismen der Evolution. Die Kenntnis der Insektenarten, ihrer Eigenschaften, Verbreitung und Stammesgeschichte bildet darüber hinaus eine wesentliche Basis für das Verständnis der Grundfunktionen von Ökosystemen und ihrer Dynamik. Dieses Verständnis ist erforderlich, um z. B. mit gezielten Maßnahmen dem massenhaften Aussterben von Arten entgegenzuwirken. Der besondere Vorzug für Forschungen an entomologischen Objekten ergibt sich aus der Möglichkeit, die großen Sammlungen mit Freiland- und Laborexperimenten zu verbinden.

Der Wissenschaftsrat begrüßt, daß die entomologisch arbeitenden Gruppen des MfN und die Projektgruppe Entomologie gemeinsam Forschungsschwerpunkte für das einzurichtende Institut für Entomologie sowie Kooperationsprojekte mit dem Institut für Zoologie konzipiert haben; sie können dabei auf erfolgreichen eigenen Arbeiten aufbauen. Die beiden Schwerpunkte „Artenbildung, Stammesgeschichte und Verbreitung ausgewählter Insektengruppen" sowie „Funktionen bestimmter Insektengruppen in speziellen Ökosystemen" sind von hoher Relevanz. Die kurz- und mittelfristigen Arbeitsziele sind allerdings noch deutlicher herauszuarbeiten. Ein Teil der Arbeiten des erstgenannten Schwerpunktes zielt auch in den zoologischen Bereich; hier sollte eine engere Kooperation gesucht werden. Beim zweiten Schwerpunkt sind die Ökosysteme im Umfeld von Eberswalde einzubeziehen, also vor allem das Biosphärenreservat Schorfheide. Die Themen des Schwerpunktes „Forschungen zum Informations- und Sammlungsmanagement" umfassen teilweise serviceorientierte Forschungsarbeiten, die generell für das Museum für Naturkunde von Bedeutung sind.

Eine wichtige Aufgabe des einzurichtenden Gründungskomitees für die Entomologie liegt darin, die Forschungskonzeption dieses Instituts prägnanter auszuarbeiten. Künftig sollen verstärkt auch zell- und molekularbiologische Methoden angewandt werden. Außerdem müssen in der Forschung Fragen der entomologischen Tropenökologie stärker berücksichtigt und intensiver auf ökologisch orientierte Freilandarbeiten ausgerichtet werden. Bezogen auf die genannten Schwerpunkte könnten zukünftig folgende Aufgaben im Vordergrund der Arbeit des Entomologischen Instituts stehen:

- biosystematische Grundlagenforschung, deren Spannweite von der Taxonomie der Arten über die Theorie und Praxis phylogenetischer Forschung bis hin zu biochemisch-molekularbiologischen Analysen reichen sollte,
- taxonomische und ökologische Bearbeitung anwendungsorientierter entomologischer Probleme,
- entomologische Grundlagenforschung zur Rolle der Insekten in den mitteleuropäischen naturnahen und anthropogen stark überformten Systemen, einschließlich eines langfristigen Monitoring spezieller Ausschnitte von Entomofaunen zur Erfassung der Effekte natürlicher und anthropogener Veränderungen der Lebensbedingungen,
- überregionale Koordinierungsfunktion bei der Auswertung und Erschließung des eingetragenen Sammlungsmaterials,
- maßgebliche Beteiligung bei der Entwicklung von und Koordination der Arbeit mit entomologischen Datenbanken,
- Fortführung der Bibliothek des DEI als überregionale Referenzbibliothek für das entomologische Schrifttum und in Verbindung damit Fortsetzung der weltweit bedeutenden bibliographischen und entomohistorischen Arbeiten.

Der Standort Eberswalde soll zu einem Zentrum für die Anwendung der Biodiversitätsforschung im Arten- und Naturschutz sowie für eine ökologische Grundlagenforschung zur Rolle der Insekten im Naturhaushalt ausgebaut werden. Längerfristig ist der systematische Teil des neuen Instituts mit den taxonomischen Sammlungen in Berlin, der ökologische Teil mit einer Forschungssammlung in Eberswalde zu konzentrieren. Ausgehend von diesen Aufgaben des Entomologischen Instituts bieten sich Möglichkeiten zur Kooperation mit anderen Instituten des MfN in Forschung und Lehre sowie bei Ausstellungen für die Öffentlichkeit und bei publizistischen Tätigkeiten an.

Das für dieses neu zu bildende Institut einzurichtende Gründungskomitee sollte diese Aspekte zusätzlich zum vorgelegten erfolgsversprechenden Forschungskonzept berücksichtigen.

II. 2. Wissenschaftliche Sammlungen

Sowohl das Museum für Naturkunde als auch die Projektgruppe Entomologie verfügen über außergewöhnlich wertvolle Sammlungen, die die Grundlage für die Forschungsarbeiten in den Instituten sowie für die nationale und internationale Zusammenarbeit bilden. So umfassen die großen zoologischen, paläontologischen und geologischen Sammlungen des MfN zahlreiche Objekte, die heute nicht mehr beschafft werden können. Diese vorzüglichen Sammlungen sind bei taxonomisch-systematischen Arbeiten unumgänglich notwendig und dienen zusammen mit der Expertise der Fachleute im MfN weltweit Wissenschaftlern zur Charakterisierung ihres Untersuchungsmaterials. Die Sammelschwerpunkte der Zoologie des MfN zählen zu den bedeutendsten der Welt, sie sind von unschätzbarem Wert für die moderne biosystematische und tropenökologische Grundlagenforschung, insbesondere für den afrikanischen und ostasiatischen Raum. Sie verfügen zum Beispiel über in Deutschland einmalige Sammlungen mariner Wirbelloser mit der Dokumentation zahlreicher forschungsgeschichtlich bedeutsamer Expeditionen. Die Wirbeltiersammlungen haben besonders hohe Bedeutung für die vergleichende Forschung, weil sie in dieser Vollständigkeit und in diesem Umfang sowohl wegen der rasch voranschreitenden Zerstörung tropischer Lebensräume als auch aus Gründen des Tier- und Umweltschutzes nie wieder zusammengebracht werden können. Sie sind daher immer wieder als Informationsquelle über Strukturen, Eigenschaften und Geschichte der Biosphäre heranzuziehen. Aufgrund ihres hohen Wertes bedürfen sie einer intensiven Pflege, die einen hohen Aufwand erfordert.

Der Wissenschaftsrat unterstützt die Absicht des MfN, seinen Bestand an naturkundlichen Objekten durch adäquate konservatorische Betreuung zu erhalten und gleichzeitig einer Forschung mit modernen Methoden noch stärker zu öffnen. Dazu sind eine effektive Pflege der Sammlung im Sinne eines „collection managements“, eine qualitative und quantitative Erfassung mit neuen Methoden und schließlich auch ein Anschluß an internationale Datennetzwerke notwendig. Eine langfristige Umstellung und Modernisierung sowie Erhöhung der Effektivität der derzeitigen Sammlungsmagazinierung ist daher unerläßlich und muß bei der Erarbeitung eines Raumprogrammes mit hoher Priorität berücksichtigt werden. Hierbei sind die Möglichkeiten der Kompakt-Magazinierung und der EDV-gestützten Sammlungsverwaltung zu nutzen.

Neben der Pflege der wissenschaftlichen Sammlungen kommt den Schausammlungen im Rahmen der Öffentlichkeitsarbeit und der Ausstellungstätigkeiten an beiden Standorten große Bedeutung zu. Schausammlungen bieten die Möglichkeit, Besucher über ausgewählte Bestände und aktuelle wissenschaftliche Arbeiten zu informieren. Das MfN sollte auch diesem Teil seines Tätigkeitsspektrums angemessene Aufmerksamkeit schenken.

II. 3. Bibliotheken und Archive

Die getrennt untergebrachten Institutsbibliotheken des MfN verfügen über umfangreiche, zum Teil historisch außerordentlich wertvolle Bestände. Der Wissenschaftsrat begrüßt die erfolgreichen Bemühungen der Bibliotheken des MfN, Anschluß an die modernen Formen der Titel- und Sacherschließung sowie des Datenaustauschs zu gewinnen. Das MfN hat in kurzer Zeit beispielhafte Arbeit in dieser Richtung geleistet. Die bestehende Trennung der Bibliotheken führt jedoch zu höherem Aufwand für die Betreuung und die Benutzung. Der Wissenschaftsrat empfiehlt, sie mittelfristig zusammenzuführen und die Kataloge zu integrieren.

Die Bibliothek der Projektgruppe Entomologie soll zumindest mittelfristig in Eberswalde verbleiben. Eine enge Abstimmung mit den Berliner Bibliotheken des MfN ist auch hier unerläßlich.

B. III. Zu Veröffentlichungen und Zusammenarbeit

Die Mitarbeiter des MfN und der Projektgruppe Entomologie dokumentieren ihre Forschungsergebnisse kontinuierlich in zahlreichen Aufsätzen sowie in Monographien. Sie veröffentlichen die Mehrzahl ihrer Arbeiten in referierten Zeitschriften und in einem breiten Spektrum international führender Zeitschriften. Dazu gehören sowohl Nature und Science als auch Journal of Natural History, Journal of Morphology, Palaeontology, Geochimica et Cosmochimica Acta sowie Earth and Planetary Science Letters. Insbesondere die Institute für Paläontologie und Mineralogie, für die neue Direktoren gewonnen wurden, haben nach Qualität und Umfang beachtliche kontinuierliche Publikationsleistungen erbracht. Das Institut für Zoologie sollte den Anteil der Veröffentlichungen in referierten Zeitschriften erhöhen. Der Wissenschaftsrat verkennt nicht die besondere Funktion hauseigener Publikationsorgane für den Literaturtausch und die sich hierdurch ergebenden Möglichkeiten der Literaturbeschaffung, die gerade für biosystematische Forschungseinrichtungen in angemessener fachlicher Breite notwendig ist. Die Herausgabe eigener Zeitschriften und Publikationen ist jedoch auf zentrale Aufgaben zu beschränken, wobei hohe Qualitätsmaßstäbe anzulegen sind. Der Wissenschaftsrat begrüßt, daß das MfN ein Begutachtungssystem für die eigenen Zeitschriften und Reihen geschaffen hat, dem externe Gutachter angehören.

Die nationale und internationale Bedeutung des MfN und der Projektgruppe Entomologie wird durch die Vielzahl der bereits bestehenden Projekte, Kontakte und die Nutzung der Sammlungen dokumentiert. Der Wissenschaftsrat unterstützt die Aktivitäten des MfN zum weiteren Ausbau der nationalen und internationalen Zusammenarbeit. Neben der Nutzung der Sammlungen und der Informations- und Dokumentationsdienste sind hierfür insbesondere längerfristig angelegte Projekte mit in- und ausländischen Hochschuleinrichtungen und Forschungsmuseen,

Forschungsprogramme auf europäischer Ebene sowie eine verstärkte Kooperation mit auswärtigen Wissenschaftlern und Gastwissenschaftlern geeignet; so beteiligt sich das MfN z. B. am International Continental Deep Drilling Project und an dem erwähnten Programm der European Science Foundation. Der Wissenschaftsrat hält es für unerläßlich, daß die Wissenschaftler des MfN einschließlich der Projektgruppe weitaus mehr als bisher auch als Gäste in auswärtigen und ausländischen Instituten arbeiten. Das MfN sollte künftig auch international als Veranstalter und Ausrichter von Kongressen, Symposien und Workshops auf seinen Arbeitsgebieten hervortreten.

Der Schwerpunkt der regionalen Kooperation der Institute des MfN lag bisher vor allem auf Fachbereichen der Humboldt-Universität. Darüber hinaus arbeiten sie mit Wissenschaftlern der TU Berlin und der FU Berlin sowie mit außeruniversitären Einrichtungen (Institut für Planetenerkundung, DLR, und Geoforschungszentrum Potsdam) zusammen. Bei der Aufnahme und Pflege von Kooperationen in der Forschung und – soweit möglich in der Lehre – sollte das MfN vermehrt weitere geeignete Fachbereiche der Universitäten und außeruniversitäre Forschungseinrichtungen des Umlands berücksichtigen. Zur Nutzung von geologischen Sammlungen sollte das Institut für Mineralogie mit der Außenstelle der Bundesanstalt für Geowissenschaften und Rohstoffe in Berlin zusammenarbeiten. Da bei molekularbiologischen Vorhaben Arbeiten an lebenden Tieren durchgeführt werden, bietet sich auch eine Zusammenarbeit mit Zoologischen Gärten an.

B. IV. Zur Organisation

In seiner Stellungnahme zu den mathematisch-naturwissenschaftlichen Fachbereichen der Universitäten in Berlin und Potsdam (1993) hat der Wissenschaftsrat die von Land und Universität angestrebte relative Verselbständigung des Museums für Naturkunde gegenüber der Universität unterstützt. Als Zentralinstitut der Humboldt-Universität, das keinem Fachbereich zugeordnet ist, ist das Museum für Naturkunde Teil der Hochschule und verfügt zugleich über eine Eigenständigkeit, die sich auch im separaten Haushaltskapitel äußert. Für ein Institut der Blauen Liste ist eine angemessene Selbständigkeit unerläßlich. Sie muß jedoch nicht in jedem Fall in einer rechtlichen Selbständigkeit bestehen; es gibt mehrere Institute der Blauen Liste, die Teile von Universitäten sind.[9]) Notwendig sind aber in jedem Fall insbesondere eine haushaltsrechtliche Selbständigkeit, Finanzhoheit, eine eigene personalrechtliche Vertretung sowie die bei gemeinsamen Berufungen übliche Beteiligung bei Berufungsverfahren. Nach Auffassung des Wissenschaftsrates läßt sich dies am ehesten durch ein Institut an der Humboldt-Universität erreichen.

9) Zentralbibliothek der Medizin, Universität zu Köln, Deutsche Zentralbibliothek für Landbauwissenschaft, Universität Bonn, Zentralstelle für Psychologische Information und Dokumentationen, Universität Trier.

Die Einrichtung eines Wissenschaftlichen Beirates für das Museum für Naturkunde ist zu begrüßen. Der Beirat sollte, entsprechend den Empfehlungen des Wissenschaftsrates zur Neuordnung der Blauen Liste, Arbeit und Forschungsleistungen der Institute des MfN begleiten und regelmäßig bewerten.[10]) In die Beratung und Bewertung durch den Beirat ist das künftige Entomologische Institut einzubeziehen. Der Wissenschaftliche Beirat sollte deshalb um einen Entomologen ergänzt werden.

Im Rahmen der Zusammenführung der Entomologie ist eine Organisationsstruktur zu entwickeln, die die Empfehlungen des Wissenschaftsrates zu den Arbeitsschwerpunkten sowie zur personellen und räumlichen Ausstattung berücksichtigt. Die Organisationsstruktur ist Teil des Konzepts und von dem Gründungskomitee auszuarbeiten. Es sollte dem Wissenschaftlichen Beirat zur Prüfung vorgelegt werden.

Der Wissenschaftsrat hält es für erforderlich, die am MfN traditionell vorherrschende, auf spezifische Sammlungsaktivitäten bezogene Forschung der einzelnen Wissenschaftler durch disziplinenübergreifende und problemorientierte Forschungsaktivitäten zu ergänzen. Die nach Disziplinen und systematischen Gruppen organisierte Gliederung des MfN ist durch die Einrichtung von zeitlich begrenzten Projektgruppen zu erweitern. In dieser Hinsicht wurden bereits mehrere erfolgversprechende Projekte ins Leben gerufen. Das übergreifende Thema „Evolution“ bietet dafür vielfältige Ansatzpunkte. Das Konzept wird sich nur dann als tragfähig erweisen, wenn die Kooperation innerhalb und zwischen den Abteilungen und mit externen Partnern mit dem notwendigen Engagement realisiert und auf klar definierte Schwerpunkte hin orientiert wird. Im MfN sollten deshalb auch regelmäßige und für die Mitarbeiter verpflichtende Kolloquien unter Beteiligung auswärtiger Wissenschaftler veranstaltet werden, um die Arbeiten auf gemeinsame, übergeordnete Themen zu fokussieren.

B. V. Zu Ausstattung und Finanzierung

V. 1. Personal

Die Ausstattung des (bisherigen) MfN mit Stellen für wissenschaftliche und nichtwissenschaftliche Mitarbeiter wird den umfangreichen Aufgaben einschließlich der Betreuung der Sammlungen gerecht. Aufgrund zur Zeit noch nicht besetzter Stellen und der Altersstruktur des Personals des MfN ist in den kommenden Jahren eine Reihe von Stellen neu zu besetzen. Falls es nicht gelingen sollte, geeignete Wissenschaftler, insbesondere für die Taxonomie zu gewinnen, sollte nach geeigneten Bewerbern im Ausland gesucht werden. Bei Neueinstellungen sollten wissenschaft-

10) Vgl. Wissenschaftsrat: Empfehlungen zur Neuordnung der Blauen Liste, in: Empfehlungen und Stellungnahmen 1993, Köln 1994, S. 453-488, insb. S. 468 f.

liche Mitarbeiter zunächst grundsätzlich für fünf Jahre befristet beschäftigt werden. Unbefristeten Verträgen sollte auf jeden Fall eine ausreichende Bewährung vorausgehen. Eine Verbeamtung von Kustoden ist nicht erforderlich und bei einem Institut der Blauen Liste auch nicht zu empfehlen, sie soll künftig nicht mehr erfolgen.

Die Möglichkeit, zusätzliche Mitarbeiter aus Projektmitteln zu beschäftigen, wurde bisher kaum genutzt. Der Zufluß von Drittmitteln im Institut für Mineralogie war vor allem bedingt durch den Leibniz-Preis des Leiters stetig auf hohem Niveau. Im Institut für Paläontologie ist dagegen ein Rückgang der Drittmittel insgesamt festzustellen, die DFG-Mittel haben jedoch kontinuierlich zugenommen. Einige der anspruchsvollen Forschungsprojekte können jedoch nur durch verstärkte Beteiligung von Drittmittelpersonal zum Erfolg geführt werden. Die Einbeziehung einer größeren Zahl modern ausgebildeter Nachwuchskräfte in Zusammenarbeit mit erfahrenen Projektleitern ist dazu unerläßlich. Der Wissenschaftsrat empfiehlt daher, die Förderung von Nachwuchswissenschaftlern zu intensivieren. Dazu könnte auch ein Graduiertenkolleg, an dem sich mehrere Berliner Universitäten beteiligen, ein geeignetes Mittel sein. Insgesamt muß der Anteil drittmittelbeschäftigter Wissenschaftler und Gastwissenschaftler sowie des Annexpersonals (einschließlich Diplomanden und studentischer Hilfskräfte) und damit der Anteil der mit Drittmitteln finanzierten Forschung an den Arbeiten im MfN deutlich erhöht werden. Dies gilt insbesondere für das Institut für Zoologie.

Eine rasche Besetzung der C4-Professur für Systematische Zoologie, für die bereits ein Ruf ausgesprochen wurde, ist grundlegende Voraussetzung für die weitere Entwicklung und Planung der Forschungsarbeiten einschließlich der Gewinnung neuer Mitarbeiter. Vor dem Hintergrund der Einrichtung eines neuen eigenständigen Entomologischen Instituts im Museum für Naturkunde soll kein Entomologe für die Leitung der Zoologie berufen werden.

Die gegenwärtige Größe der Institute ist wohlbegründet und sollte bestehen bleiben. Abgesehen von den Veränderungen durch die Neuordnung der Entomologie gilt dies auch für die Zoologie. Der Wissenschaftsrat betont, daß national und international in der Forschung zur systematischen Zoologie eine Vielzahl von ungelösten Aufgaben besteht, so daß eine entsprechende Schwerpunktbildung am MfN sinnvoll ist.

Bei der Einrichtung des Entomologischen Instituts sind die personellen Ressourcen der Entomologie des MfN und der Projektgruppe Entomologie zusammenzuführen. Der Wissenschaftsrat empfiehlt, für den Leiter des Deutschen Entomologischen Instituts eine C4-Stelle im Haushalt der Humboldt-Universität einzurichten. Die Stelle des Leiters ist auf dem Wege einer gemeinsamen Berufung zu besetzen. Für die bisherige Projektgruppe Entomologie sind zusätzlich zur Stelle des Leiters jeweils acht Stellen für wissenschaftliche und nichtwissenschaftliche Mitarbeiter einzurichten. Die Fortführung des Sondersammelschwerpunktes

Entomologie erfordert außerdem drei Stellen für Bibliothekskräfte, die auch Verwaltungsarbeiten mit übernehmen können.

V. 2. Räumliche und sachliche Ausstattung

Der Wissenschaftsrat hält es aus systematischen Gründen für erforderlich, Forschung und Sammlung des Museums für Naturkunde auch künftig gemeinsam unterzubringen, wofür der bisherige Standort gut geeignet ist. Eine Verlagerung der Naturwissenschaftlichen Fakultäten der Humboldt-Universität nach Berlin-Adlershof würde zu keiner grundsätzlich anderen Situation führen und die Forschungskooperation voraussichtlich nicht entscheidend beeinträchtigen. Abhängig von den künftig bestehenden Verkehrsverbindungen dürfte der Fahrtaufwand für Hochschullehrer und Studierende vertretbar sein.

Insgesamt ist das aus dem letzten Jahrhundert stammende Gebäude für das MfN und seine Sammlungen hinreichend geräumig; Schäden aus dem zweiten Weltkrieg und den folgenden Jahrzehnten machen jedoch umfangreiche Sanierungsarbeiten erforderlich. Der bauliche Zustand konnte bisher nur punktuell, zum Beispiel in Verbindung mit Berufungszusagen, verbessert werden. Aufbauend auf seinem Forschungs-, Sammlungs- und Ausstellungskonzept sollte das MfN ein Raumkonzept entwickeln, in dem der Bedarf an Flächen nach Instituten und Abteilungen zu begründen ist (Räume für Mitarbeiter, Laboratorien, Sammlungen, Ausstellungen etc.). Eine Entscheidung über die erforderlichen Investitionen kann erst nach Prüfung des Raumkonzepts getroffen werden. Dazu liegen Anmeldungen zum Rahmenplan für den Hochschulbau vor.[11]) Nach einer Aufnahme des MfN in die Blaue Liste können keine Investitionen über das Hochschulbauförderungsgesetz (HBFG) mehr erfolgen. Vorher auf diesem Weg erhaltene Bundesmittel müssen bei Aufnahme in die Blaue Liste dann nicht zurückgezahlt werden, wenn ein institutionell abgesicherter bestimmender Einfluß der Universität in den wichtigsten Gremien des MfN besteht. Einzelheiten und mögliche Übergangslösungen sind zwischen dem Bund und den beteiligten Ländern zu regeln.

Wichtige Fortschritte konnten bereits bei der Geräteausstattung des MfN erzielt werden. Auch künftig werden weitere Investitionen nötig sein. Ein eigenes Transmissionselektronenmikroskop für die Paläontologie ist allerdings nicht erforderlich.

Das derzeit von der Projektgruppe in Eberswalde genutzte Gebäude ist für alle einschlägigen Arbeiten geeignet. Falls das Gebäude nicht mehr zur Verfügung stehen sollte, ist für eine angemessene Unterbringung in Eberswalde für die wissenschaftlichen und nichtwissenschaftlichen Mit-

---

11) Wissenschaftsrat: Empfehlungen zum 26. Rahmenplan für den Hochschulbau, 1997-2000, Bd. 4, S. B. 39-43.

arbeiter, für Sammlung, Bibliothek und Archive sowie für Laboratorien und Arbeitsmöglichkeiten für Gastwissenschaftler, Annex- und Drittmittelpersonal zu sorgen. Es sollte ein auf dem Arbeits- und Forschungsplan beruhendes Raumkonzept ausgearbeitet und die notwendigen Investitionen ausgewiesen werden.

V. 3. Finanzierung

Mit der Aufnahme in die Blaue Liste ist eine gemeinsame Finanzierung des MfN durch Bund und Sitzländer verbunden. Das Land Berlin hat den weit überwiegenden Landesanteil für das MfN zu tragen. Das Land Brandenburg ist jedoch in angemessener Weise an der Finanzierung des Entomologischen Instituts des MfN zu beteiligen: Die für das Zentrum in Eberswalde erforderlichen Personal- und Sachmittel sowie Investitionen sind bezüglich des Landesanteils vom Land Brandenburg zu tragen. Dazu zählen auch die Mittel für die Stelle des Leiters des Instituts für Entomologie, der eine C4-Professur an der Humboldt-Universität innehaben soll.

Bis zur Aufnahme des Museums für Naturkunde in die Blaue Liste ist mit einer Übergangsphase zu rechnen. Deshalb empfiehlt der Wissenschaftsrat, für eine Übergangsfinanzierung Sorge zu tragen. Dabei könnten Projektmittel des Bundes und der Länder Berlin und Brandenburg eine wichtige Rolle spielen.

B. VI. Zusammenfassung

Das Museum für Naturkunde (MfN) ist das größte naturhistorische Forschungsmuseum in Deutschland und zählt mit seinen Sammlungen von über 29 Millionen Objekten zu den fünf größten Naturkundemuseen der Welt. Die Arbeitsbereiche der historisch gewachsenen und durch einzigartige Sammlungen zu internationaler Bedeutung gelangten Institute für Mineralogie, Paläontologie und Zoologie wurden seit 1992 neu gestaltet. Es wurde eine überzeugende Forschungskonzeption mit geeigneten zukunftsweisenden Schwerpunkten entwickelt. Mit den neu gebildeten Forschungsschwerpunkten und den interdisziplinär angelegten Forschungsvorhaben wurden die Arbeiten auf übergeordnete Zielsetzungen ausgerichtet. Damit werden sowohl der internen Zusammenarbeit als auch der Kooperation auf nationaler und internationaler Ebene neue Perspektiven eröffnet. An einer Reihe nationaler und internationaler Vorhaben ist das MfN führend beteiligt. Es wurden bereits überzeugende Forschungsleistungen erbracht, die durch beachtliche Publikationen belegt sind.

Bei der Projektgruppe Entomologie, Eberswalde, handelt es sich um die einzige rein insektenkundliche Einrichtung in Deutschland. Sie blickt auf eine über einhundertjährige Geschichte zurück und verfügt über bedeutende Sammlungsbestände mit zahlreichen Typen sowie Bibliotheks- und wissenschaftliche Archivbestände. Die entomologischen Sammlungen zählen mit rund 3 Millionen Exemplaren zu den größten in Europa. Aufgrund ihrer wissenschaftlichen Bedeutung sollte die Projektgruppe Entomologie in eine institutionelle Förderung überführt werden.

Der Wissenschaftsrat empfiehlt, das Museum für Naturkunde und die Projektgruppe Entomologie institutionell zusammenzuführen. Zu diesem Zweck soll im MfN neben den drei bestehenden Instituten ein Institut für systematische und ökologische Entomologie als vierte wissenschaftliche Einheit geschaffen werden. Das Institut soll das vorhandene entomologische Potential des MfN in Berlin und der Projektgruppe Entomologie, Eberswalde, zusammenfassen. Der Standort in Eberswalde soll als Teilstandort des neuen Instituts bestehen bleiben. Mittel- und längerfristig ist die systematische Entomologie in Berlin, der ökologisch arbeitende Teil in Eberswalde zu konzentrieren. Das Konzept des neuen Entomologischen Instituts soll von einem von den Ländern Berlin und Brandenburg einzurichtenden Gründungskomitee entwickelt werden, das aus externen Experten bestehen soll.

Die Forschungsarbeiten und Sammlungen des Museums für Naturkunde einschließlich des Instituts für Entomologie sind von überregionaler Bedeutung und von gesamtstaatlichem wissenschaftspolitischem Interesse. Der Wissenschaftsrat empfiehlt deren gemeinsame Finanzierung durch Bund und Länder im Rahmen der Blauen Liste. Der Forschungsanteil liegt bei 80% der gesamten Aktivitäten. Nach Auffassung des Wissenschaftsrates ist die für ein Institut der Blauen Liste erforderliche Selbständigkeit für das MfN am ehesten durch den Status eines Instituts an der Humboldt-Universität zu erreichen.

Die Ausstattung des bisherigen MfN mit Stellen für wissenschaftliche und nichtwissenschaftliche Mitarbeiter wird dem umfangreichen Aufgaben einschließlich der wissenschaftlichen Betreuung der Sammlungen gerecht. Bei der Einrichtung des Entomologischen Instituts sind die personellen Ressourcen der Entomologie des MfN und der Projektgruppe Entomologie zusammenzuführen. Der zu berufene Leiter des entomologischen Instituts soll an der Humboldt-Universität lehren, die systematisch bzw. ökologisch ausgerichteten Forschungsarbeiten werden an den jeweiligen Standorten in Berlin und Eberswalde durchgeführt.

Der Wissenschaftsrat hält es für erforderlich, die interne Zusammenarbeit der Institute und Abteilungen im Museum für Naturkunde durch interdisziplinär angelegte, institutsübergreifende Projekte weiter zu verbessern. Das Forschungskonzept mit dem Rahmenthema „Evolution" bietet dafür und für die weiter auszubauende Kooperation mit den Universitäten in Berlin und Brandenburg vielfältige Ansatzpunkte.

Für das MfN sind umfangreiche Sanierungsarbeiten erforderlich. Der bauliche Zustand konnte bisher nur punktuell verbessert werden. Aufbauend auf seinem Forschungs-, Sammlungs- und Ausstellungskonzept sollte das MfN ein Raumkonzept entwickeln, in dem der Bedarf an Flächen nach Instituten und Abteilungen zu begründen ist.

Mit der Aufnahme in die Blaue Liste ist eine gemeinsame Finanzierung des MfN durch Bund und Sitzländer verbunden. Das Land Berlin hat den weit überwiegenden Landesanteil für das MfN zu tragen. Das Land Brandenburg ist jedoch in angemessener Weise an der Finanzierung des DEI als Institut des MfN zu beteiligen.

Anhang

Verzeichnis der verwendeten Unterlagen

Museum für Naturkunde:

- Antworten auf die Fragen des Wissenschaftsrates (Dezember 1994)
- Dokumentation zur Organisation, Ausstattung und zu den Aufgaben des Museums für Naturkunde der Humboldt-Universität zu Berlin (Dezember 1994)
- Antworten auf die ergänzenden Fragen des Wissenschaftsrates (Oktober 1995 und Juni 1996)

Projektgruppe Entomologie:

- Antworten auf den Fragenkatalog des Wissenschaftsrates (Dezember 1994)
- Selbstdarstellung, Haushaltsplan, Personalausstattung (Dezember 1994)
- Jahresbericht 1993
- Antworten auf die ergänzenden Fragen des Wissenschaftsrates (Oktober 1995)

Museum für Naturkunde und Projektgruppe Entomologie:

- Aufgabenstellung und Forschungsplan des Museums für Naturkunde der Humboldt-Universität zu Berlin und der Projekt gruppe Entomologie, Eberswalde (Januar 1996)

Empfehlung zur Einrichtung weiterer Sonderforschungsbereiche ab Juli 1996

vom Mai 1996

Inhalt

Vorbemerkung

Einrichtung, Förderung und Beendigung von Sonderforschungsbereichen sind in der Verfahrensordnung geregelt, die die Deutsche Forschungsgemeinschaft und der Wissenschaftsrat im Jahre 1977 beschlossen haben. Danach prüft die Deutsche Forschungsgemeinschaft die Qualität des Antrags auf Einrichtung eines neuen Sonderforschungsbereichs. Wenn diese Begutachtung zu einem positiven Votum führt, entscheidet der Wissenschaftsrat unter wissenschaftspolitischen Gesichtspunkten, ob er der Einrichtung des neuen Sonderforschungsbereichs zustimmt. Die endgültige Entscheidung über Einrichtung und Finanzierung eines Sonderforschungsbereichs trifft die Deutsche Forschungsgemeinschaft.

Der Wissenschaftsrat hat im Jahr 1985 eine Stellungnahme zur Entwicklung des Programms der Sonderforschungsbereiche verabschiedet.[1]) Die darin dargelegten Gesichtspunkte hat er seither seinen Empfehlungen zur Einrichtung neuer Sonderforschungsbereiche zugrundegelegt. Sie haben auch für die vorliegende Empfehlung Gültigkeit.

Mit dieser Empfehlung nimmt der Wissenschaftsrat zu Sonderforschungsbereichen Stellung, die ab Juli 1996 in die Förderung aufgenommen werden sollen. Sie wurde vom Forschungsausschuß vorbereitet und vom Wissenschaftsrat am 10. Mai 1996 verabschiedet.

I. Stand der Förderung und vorliegende Anträge

Mit Stand vom Januar 1996 werden 218 Sonderforschungsbereiche an 57 Hochschulen gefördert. Darunter sind 19, die im Jahre 1996 eingerichtet wurden.

Die Entwicklung der Einrichtung und Beendigung von Sonderforschungsbereichen seit 1987 zeigt Übersicht 1.

Übersicht 1

Einrichtung und Beendigung von Sonderforschungsbereichen

	1987	1988	1989	1990	1991	1992	1993	1994	1995	1996	1997	1998
Beendigung	11	10	8	4	3	11	2	13	20	23[1)]	19[1)]	14[1)]
Einrichtung	16	7	21	11	11	8	18	22	23	19[1)]		

1) Nach den Entscheidungen der Deutschen Forschungsgemeinschaft bis Ende 1995.

1) Wissenschaftsrat: Empfehlungen und Stellungnahmen 1985, Köln 1986, S. 89 ff.

Etwa die Hälfte der derzeit geförderten Sonderforschungsbereiche (110 von 218) wurde seit 1990 eingerichtet. In den nächsten Jahren wird wiederum eine relativ hohe Zahl von Sonderforschungsbereichen beendet werden. Wie sich die Zahl neuer Sonderforschungsbereiche entwickeln wird, ist offen. Gegenwärtig rechnet die Deutsche Forschungsgemeinschaft damit, daß etwa 38 Anträge auf Einrichtung und Finanzierung von neuen Sonderforschungsbereichen mit Wirkung für 1997 zur Entscheidung anstehen könnten, von denen 5 aus den neuen Ländern stammen.

Insgesamt sind der Deutschen Forschungsgemeinschaft bis Mitte März 1996 77 Initiativen in den alten Ländern und 12 (13 %) Initiativen in den neuen Ländern für die Gründung neuer Sonderforschungsbereiche bekanntgeworden; im März 1995 waren dies 89 für die alten und 16 für die neuen Länder.

Den Gutachtern der Deutschen Forschungsgemeinschaft haben 19 Anträge auf Einrichtung und Finanzierung neuer Sonderforschungsbereiche ab 1. Juli 1996 vorgelegen. 14 Sonderforschungsbereiche werden vom Senatsausschuß der Deutschen Forschungsgemeinschaft für die Angelegenheiten der Sonderforschungsbereiche zur Einrichtung vorgeschlagen. Die Gutachter haben von den für diese Sonderforschungsbereiche beantragten Mitteln knapp zwei Drittel zur Bewilligung empfohlen.

Das Verhältnis der von den Hochschulen und beteiligten Einrichtungen eingebrachten Grundausstattung zur beantragten Ergänzungsausstattung wird von der Deutschen Forschungsgemeinschaft bei den zur Einrichtung vorgeschlagenen Sonderforschungsbereichen als angemessen angesehen, wenn die Hochschulen und Länder die aufgrund der Empfehlungen und Forderungen der Gutachter der Deutschen Forschungsgemeinschaft zugesagten Stellen und Mittel zur Verstärkung der Grundausstattung bereitstellen.

II. Zu den neuen Sonderforschungsbereichen im einzelnen

II. 1. Sonderforschungsbereich 1516 „Informationstechnik in der Medizin: Rechner- und sensorgestützte Chirurgie", Karlsruhe/Heidelberg

An dem geplanten Sonderforschungsbereich wollen sich Wissenschaftler der Universitäten Karlsruhe und Heidelberg sowie der Abteilung Medizinische und Biologische Informatik des Deutschen Krebsforschungszentrums in Heidelberg beteiligen. An der Universität Karlsruhe sind die Institute für Prozeßrechentechnik und Robotik, für industrielle Informationstechnik sowie für Algorithmen und Kognitive Systeme beteiligt. An der Universität Heidelberg wirken die Chirurgische Klinik (Herzchirurgie), die Kopfklinik, die Kliniken für Mund-, Zahn- und Kieferkrankheiten, für Mund-, Kiefer- und Gesichtschirurgie, die Radiologische Klinik und das Interdisziplinäre Zentrum für wissenschaftliches Rechnen mit. Sprecherhochschule ist die Universität Karlsruhe.

Zentrales Anliegen des geplanten Sonderforschungsbereichs ist es, am Beispiel von Pilotprojekten in der Herzchirurgie und der Mund-Kiefer-Gesichtschirurgie Problemlösungen und Prototypensysteme für rechnerintegrierte Methoden zur Unterstützung von Chirurgen zu entwickeln und zu implementieren. Dies soll nach Maßgabe medizinisch definierter Ziele in enger Zusammenarbeit von Chirurgen, Ingenieuren, Informatikern und Mathematikern erfolgen.

Aus den sehr verschiedenen Anforderungen der Gesichtschirurgie, die vor allem Knochenchirurgie ist, und der Herzchirurgie, in der besonders Weichgewebe und das Kreislaufsystem betroffen sind, sollen allgemein brauchbare rechnergestützte Werkzeuge sowie ein integriertes Gesamtsystem zur Integration aller Aktivitäten von der Diagnose über die Planung, Vorbereitung und Durchführung bis zur Nachbehandlung von Operationen entwickelt werden. Auf der Basis digitalisierter Bilddaten soll ein geschlossenes Simulations- und Eingriffssystem entwickelt werden, das neben der 3D- und 4D-Darstellung auch funktionelle Aspekte (als fünfte Dimension) einbezieht.

Insbesondere sollen die Ergebnisse dazu führen,

- die operativen Risiken zu vermindern,
- die Operationsplanung effizienter zu gestalten,
- die Operationszeiten zu verkürzen,
- die Belastung für die Patienten zu vermindern,
- eine intelligente Herz-Kreislauf-Unterstützung zu ermöglichen,
- die Behandlung transparenter zu machen,
- die Qualität und Dokumentation von Diagnose und Therapie zu verbessern und
- einen Transfer der Resultate in Lehre und Weiterbildung zu sichern.

Der geplante Sonderforschungsbereich gliedert sich in drei Projektbereiche. Die beiden klinischen Bereiche mit den Anwendungsgebieten Herz und Kopf werden von einem Projektbereich mit Querschnittsprojekten ergänzt. Ziel der Querschnittsprojekte ist es, auf der Basis vorhandener Techniken ein System für die Planung, Simulation und Operationsunterstützung für chirurgische Eingriffe in den beiden Anwendungsgebieten zu entwickeln.

Nach Auffassung der Gutachter der Deutschen Forschungsgemeinschaft handelt es sich um ein zukunftsträchtiges Vorhaben im Berührungsfeld von anwendungsorientierter klinischer und ingenieurwissenschaftlich-informationstechnischer Forschung. Die Qualität der beantragten Projekte wurde übereinstimmend als gut bis sehr gut bezeichnet. Die Projektbereiche seien konsequent aufgebaut, und auch die Abstimmung zwischen den Anwendungsgebieten und dem Querschnittsbereich sei stimmig. Hervorgehoben wurde die als einzigartig bezeichnete Vorgehensweise, mehrere Technologien in einem Sonderforschungsbereich zusammenzufassen und auf eine anspruchsvolle Thematik anzuwenden. Die Standorte Karlsruhe und Heidelberg seien für das Forschungsprogramm in besonderer Weise geeignet, da neben der wissenschaftlichen Kompetenz in hohem Maße eine Bereitschaft zur Zusammenarbeit über die Grenzen der Disziplinen zu erkennen sei. Für den Nachwuchs schätzen die Gutachter die Berufschancen in der Industrie als ausgesprochen günstig ein, insbesondere für die Ingenieure. Überlappungen mit anderen Sonderforschungsbereichen wurden nicht gesehen.

Aus forschungspolitischer Sicht ist der mögliche Beitrag zur Entwicklung zukunftsträchtiger Hochtechnologien im Bereich der Medizintechnik hervorzuheben. Die ausgeprägte Kooperation zwischen den beteiligten Standorten läßt die Abweichung vom Ortsprinzip fachlich begründet erscheinen. Positiv zu werten ist auch die mit der Beteiligung des Deutschen Krebsforschungszentrums geplante Einbindung einer Großforschungseinrichtung.

II. 2. Sonderforschungsbereich 1526 „Lebensdauerorientierte Entwurfskonzepte unter Schädigungs- und Deteriorationsaspekten", Bochum

An dem geplanten Sonderforschungsbereich wollen sich Wissenschaftler der Fachbereiche Bauingenieurwesen, Maschinenbau, Mathematik, Chemie und – nach der Anlaufphase – Wirtschaftswissenschaften beteiligen. Ausgangspunkt ist die Annahme, daß die Negierung von Deteriorations- und Schädigungsaspekten beim Tragwerksentwurf zum einen zur Verschwendung von Kapital und sich zunehmend verknappenden Ressourcen führt – etwa wenn eine Fabrikationsstätte für eine zeitlich befristete Produktionslinie nach gleichen Grundsätzen wie eine Staumauer entworfen wird –, zum anderen bei einem nach heutigen technischen Regeln entworfenen Brückenbauwerk ohne laufende Inspektions- und ggf. Erhaltungsaufwendungen die vorgesehene Lebensdauer nicht gesichert ist.

Das Forschungsziel besteht darin, zukünftige Baukonstruktionen bei Beachtung höchster bautechnischer Sicherheitsstandards und zur volkswirtschaftlichen Ressourcenschonung auf ihre voraussichtliche Nutzungsdauer hin zu planen und zu entwerfen. Besondere Aufmerksamkeit soll in diesem Zusammenhang den steigenden Einwirkungspotentialen, den sich ausbildenden Schädigungsprozessen und sich langzeitig verändernden Materialeigenschaften gelten. Bereits vorhandene Bausubstanz soll bei der Entwicklung wertsichernder Lebensdauerstrategien maßgeblich berücksichtigt werden.

Angestrebt wird ein qualitativer Kenntnissprung beim Entwurf allgemeiner Stahlbeton- und Stahl-Tragwerke des konstruktiven Hoch- und

Industriebaus, bei denen das Tragwerk im Vordergrund steht und die Lebensdauer vom Tragwerk selbst – nicht vom Ausbau – dominiert wird. Da bereits spezifische Forschungsaktivitäten dem Sonderbereich des Brückenbaus gewidmet sind, will man auf dieses Gebiet verzichten, aber tangierende Querverbindungen mit in die Betrachtung einbeziehen.

Gegenstand des Projektbereichs „Modelle zur Quantifizierung von Lebensdauereinflüssen" sind die Problemkreise Kenntnis der Einwirkungsprozesse, auf denen jede Schädigungsanalyse beruht, und Vorstellung über die Entwicklung der Schädigung im Material. Da jede Lebensdauersteuerung von Tragwerken die Kenntnis der tatsächlich im Tragwerk auftretenden Beanspruchungen in Verbindung mit Diagnosen und Prognosen der sich ausbildenden Schädigungen erfordert, widmet sich der Projektbereich „Methoden zur Verfolgung von Lebensdauereinflüssen in Tragwerken" primär den beiden hierfür verfügbaren grundsätzlichen Methoden zur Informationsgewinnung: nichtlinearen Computersimulationsmethoden und experimentellen Vorgehensweisen. Im Projektbereich „Zukünftige, lebensdauerorientierte Entwurfsstrategien" geht es um neu zu konzipierende Entwurfsstrategien, die eine vorgegebene Lebensdauer prognostisch avisieren und mit entsprechender Zuverlässigkeit in die künftige Realität umsetzen.

Nach Auffassung der Gutachter der Deutschen Forschungsgemeinschaft ist die Thematik der lebensdauerorientierten Entwurfskonzepte unter Schädigungs- und Deteriorationsaspekten aus wissenschaftlicher Sicht von hohem Interesse, da auf diese Weise ein bestehendes Defizit beim systematischen Zugang zur Lebensdauerkomponente von Tragwerken behoben werden solle. Entsprechend sei das Themengebiet innovativ und langfristig tragfähig. Darüber hinaus sprächen volkswirtschaftliche Gesichtspunkte für eine Behandlung dieses Themengebiets, weil die Untersuchung der Lebensdauereinflüsse bei Tragwerken ein erhebliches Einsparungspotential aufzeigen könne. Die Universität Bochum wurde als hervorragend geeigneter Standort bezeichnet, zumal dort bereits die Sonderforschungsbereiche 96 „Zuverlässigkeitstheorie der Bauwerke" und 151 „Tragwerksdynamik" angesiedelt waren, deren Ergebnisse in den geplanten Sonderforschungsbereich einfließen sollten. Die wissenschaftliche Qualität der Teilprojekte wurde positiv bewertet. Da die Gesamtkonzeption im Hinblick auf die Kohärenz noch Defizite aufweist, empfehlen die Gutachter zunächst eine vorläufige Einrichtung für zwei Jahre.

Die Sonderforschungsbereiche 319 „Stoffgesetze für das inelastische Verhalten metallischer Werkstoffe – Entwicklung und Technische Anwendung" an der Technischen Universität Braunschweig und 298 „Deformation und Versagen bei metallischen und granularen Strukturen" an der Technischen Hochschule Darmstadt wiesen nur geringe thematische Schnittmengen mit dem geplanten Sonderforschungsbereich auf, die für dessen Einrichtung keineswegs hinderlich seien.

Aus forschungspolitischer Sicht ist hervorzuheben, daß die Berufsaussichten für den wissenschaftlichen Nachwuchs infolge der sich verknappenden Ressourcen und der daraus resultierenden Dringlichkeit einer Berücksichtigung von Schädigungs- und Deteriorationsaspekten bei Tragwerksentwürfen als gut beurteilt werden und die volkswirtschaftliche Relevanz des Forschungsgegenstandes außer Frage steht.

II. 3. Sonderforschungsbereich 1538 „Molekularpathologie der Proliferation", Saarbrücken

In dem geplanten Sonderforschungsbereich wollen Wissenschaftler aus der Human- und Zytogenetik, der Molekularbiologie, der Biochemie, der Zellbiologie, der Pathologie, der Neuropathologie, der Virologie und aus Neurochirurgie, Medizinischer Klinik und Urologischer Klinik, die alle zur Medizinischen Fakultät der Universität des Saarlandes in Homburg gehören, zusammenarbeiten.

Zentrales Anliegen ist es, die molekularen Mechanismen zu untersuchen, die zu einer Störung des biologischen Gleichgewichts zwischen der Proliferation und Differenzierung von Zellen beitragen oder in differenziertem Gewebe zu weiterer Proliferation führen. Dies soll durch einen Verbund onkologischer und nichtonkologischer Forschungsmodelle erreicht werden.

Der geplante Sonderforschungsbereich gliedert sich in zwei Projektbereiche, von denen sich der erste mit den Auswirkungen von Genomveränderungen auf die Proliferation beschäftigt. Dabei sollen genetische Veränderungen auf chromosomaler und subchromosomaler Ebene in ihren Auswirkungen auf Prozesse der Proliferation und Differenzierung untersucht werden. Der Schwerpunkt liegt auf Studien zur Tumorheterogenität, wobei die Analyse der klonalen Evolution von proliferationsrelevanten Chromosomenveränderungen im Vordergrund steht. Gegenstand der Projekte dieses Teilbereichs sind genomische Veränderungen in Tumoren des Zentralen Nervensystems, das Hodgkin-Lymphom, Prostatakarzinome und rheumatoide Arthritis. Die Projekte verbinden in ihrem Untersuchungsdesign klassische zytogenetische Methoden mit Verfahren der kompetitiven genomischen Hybridisierung.

Im zweiten Projektbereich steht die Rolle zellulärer und viraler Proteine für die Proliferation im Mittelpunkt. Dabei sollen sowohl Protein-Protein- als auch Protein-Nukleinsäure-Wechselwirkungen viraler und zellulärer Proteine auf ihre Funktion bei der Regulation der Proliferation untersucht werden. Grundlegend ist dabei die in den letzten Jahren gewonnene Erkenntnis, daß nicht alle genetischen Veränderungen zu einem Verlust aller Funktionen eines von dem betroffenen Gen codierten Proteins führen müssen; oft sind nur einzelne definierte Funktionen betroffen. Mehrere Teilprojekte befassen sich mit dem Wachstumssuppressorprotein p53, das die genomische Stabilität im Organismus überwacht.

Desweiteren sollen DNA Tumorviren untersucht werden, die über Protein-Protein- und Nukleinsäure-Protein-Wechselwirkungen zelluläre Funktionen modulieren, wobei ihr Eingreifen in zelluläre Regulationsmechanismen bislang noch weitgehend ungeklärt ist. Ein Beispiel hierfür ist das Epstein-Barr-Virus.

Nach Auffassung der Gutachter der Deutschen Forschungsgemeinschaft widmet sich der beantragte Sonderforschungsbereich dem wissenschaftlich und gesundheitspolitisch wichtigen und international kompetitiv bearbeiteten Feld der Erforschung krankheitsrelevanter Gene. Die geplanten Arbeiten der zur Förderung empfohlenen Teilprojekte seien mehrheitlich sehr gut und böten fundierte Forschungsansätze mit teilweise innovativen Methoden. Dabei könne in Homburg an vorhandene Traditionen wie die molekulargenetische Analyse von Hirntumoren angeknüpft werden. Hervorzuheben sei die gute Vernetzung der einzelnen Arbeitsgruppen, die einen regen Austausch auch zwischen den Projektbereichen erwarten lasse. Mit Blick auf die Schwerpunktsetzung wurden Überschneidungen mit anderen onkologischen Sonderforschungsbereichen von den Gutachtern als geringfügig bezeichnet.

Aus forschungspolitischer Sicht ist insbesondere die enge Kooperation von theoretischer und klinischer Forschung hervorzuheben, die für Deutschland beispielhaft ist. Die Einrichtung des Sonderforschungsbereichs verdeutlicht, daß die Universität erfolgreich Anstrengungen unternommen hat, den Empfehlungen des Wissenschaftsrates aus dem Jahr 1991[2]) für eine Stärkung der klinischen Forschung Rechnung zu tragen.

II. 4. Sonderforschungsbereich 1552 „Chemische und biologische Synthese und Transformation von Naturstoffen und Naturstoff-Analoga", Göttingen

In dem geplanten Sonderforschungsbereich wollen Wissenschaftler der Universität Göttingen zusammenarbeiten. Beteiligte Fachrichtungen sind neben der Organischen Chemie auch Mikrobiologie, Immunologie, Molekulare Genetik und Strukturchemie. Ein Projekt soll von einem Forscher an der Technischen Universität Clausthal beigetragen werden.

Ziel des Sonderforschungsbereichs sind Synthese und Design biologisch aktiver Naturstoffe und Analoga sowie deren Transformation. Die Naturstoffchemie ist in vielfältiger Weise mit anderen Bereichen der Naturwissenschaft verknüpft. Insbesondere für die Medizin ist ihr Zugang zu dem großen Reservoir der Naturstoffe von großer Bedeutung.

---

2) Wissenschaftsrat: Stellungnahme zur weiteren Entwicklung und zum Ausbau der Medizinischen Einrichtungen der Universität des Saarlandes in Homburg/Saar, in: Empfehlungen und Stellungnahmen 1991, Köln 1992, S. 79 ff.

Die Naturstoffchemie entwickelt sich gegenwärtig rasch. Viele neu isolierte Naturstoffe wie z. B. die Taxane werden direkt als Pharmaka verwendet. Eine noch größere Bedeutung haben Naturstoffe jedoch als Leitstrukturen für die Entwicklung von Wirkstoffen erlangt. Die mit großem Erfolg bei der Behandlung der akuten Leukämie von Kindern eingesetzten dimeren Indolalkaloide Vincristin und Vinblastin sowie das bei Organtransplantationen verwendete immunsuppressive Cyclosporin sind herausragende Beispiele.

Im ersten Projektbereich sind sowohl chemische als auch enzymatische Synthesen und Transformationen von Naturstoffen sehr unterschiedlicher Struktur mit hoher biologischer Aktivität geplant. Wesentliche Ziele hierbei sind die Herstellung von Strukturanaloga mit verbesserter pharmakologischer Wirkung und die Entwicklung von effizienten Methoden zur Darstellung dieser Verbindungen. In diesem Zusammenhang wird z. B. die Entwicklung neuartiger Zytostatika mit höherer Selektivität und potentiell größerer therapeutischer Breite angestrebt. Im Mittelpunkt der Arbeiten im zweiten Projektbereich soll die biologisch orientierte Synthese und Transformation von Naturstoffen und deren Analoga durch Verwendung von Organismen, natürlichen Enzymen, gentechnisch manipulierten Enzymen und katalytischen monoklonalen Antikörpern stehen. Dabei sollen z. B. Forschungen zur biologischen Oxidation durch membrangebundene Dehydrogenasen von Gluconobacter oxydans sowie Untersuchungen zur Erzeugung neuer Naturstoffe durch gezielte genetische Manipulation bakterieller Polyketid-Produzenten durchgeführt werden.

Nach Auffassung der Gutachter der Deutschen Forschungsgemeinschaft verspricht der geplante Sonderforschungsbereich eine sinnvolle und innovative Ergänzung der Forschungsaktivitäten auf dem Gebiet der Naturstoffchemie, das in den letzten Jahren vor allem in den USA und in Japan bearbeitet worden ist. Dabei wurde insbesondere auf die übergreifende, verschiedene Ansätze verbindende Ausrichtung des Forschungsprogramms verwiesen. Die durch entsprechende Vorarbeiten der beteiligten Wissenschaftler abgesicherte integrative Herangehensweise verleiht dem geplanten Sonderforschungsbereich nach Ansicht der Gutachter ein eigenständiges Profil, das ihn deutlich von thematisch verwandten Sonderforschungsbereichen wie z. B. dem Aachener Sonderforschungsbereich 380 „Asymmeterische Synthesen mit chemischen und biologischen Methoden“ abhebt. Auch im Hinblick auf die Heranbildung des wissenschaftlichen Nachwuchses und dessen künftige Berufschancen wurden die Entwicklungsperspektiven als gut beurteilt.

Aus wissenschaftspolitischer Sicht ist hervorzuheben, daß der Sonderforschungsbereich wesentlich zu einer Stärkung der naturstoffchemischen Forschung beitragen kann, der insbesondere im Hinblick auf pharmazeutische Anwendungen auch große wirtschaftliche Bedeutung zukommt. Angesichts der integrativen Ausrichtung des Forschungsprogramms sollte entsprechend der Empfehlung der Gutachter die Verbindung zur Biologie gestärkt werden. Land und Universität sollten dies durch entsprechende Besetzungen von Professuren unterstützen.

II. 5. Sonderforschungsbereich 1561 „Dynamik thermohaliner Zirkulationsschwankungen", Kiel

An dem geplanten Sonderforschungsbereich wollen sich überwiegend Wissenschaftler des Instituts für Meereskunde an der Universität Kiel beteiligen sowie einige Vertreter des Leibniz-Labors für Altersbestimmung und Isotopenforschung der Universität und des Forschungszentrums für marine Geowissenschaften (GEOMAR). Diese umfassen im wesentlichen die Fachrichtungen Theoretische und Regionale Ozeanographie, Meeresphysik, Meereschemie und Meteorologie. Das Institut für Meereskunde an der Universität Kiel ist ein Institut der Blauen Liste. Die an ihm tätigen Hochschullehrer sind im Etat der Universität ausgewiesen; die wissenschaftlichen Mitarbeiter sind korporationsrechtliche Mitglieder der Universität.

Hauptziel des Sonderforschungsbereichs soll es sein, die Schwankungen der Wassermassenbildungs- und Transportprozesse im subpolaren Nordatlantik zu untersuchen und zu einem Verständnis ihrer Bedeutung für die Dynamik der thermohalinen Umwälzbewegungen und der ozeanischen Aufnahme des anthropogenen CO_2-Signals beizutragen. Ausgangspunkt der geplanten Untersuchungen ist die Annahme, daß etwa zwei Drittel des Nettotransportes an Nordatlantischem Tiefenwasser ihren Ursprung im subpolaren Nordatlantik haben, sei es durch Einmischung in die am Boden einströmenden Overflow-Wassermassen aus der Island- und Norwegensee, sei es als Folge tiefer winterlicher Konvektionsprozesse in der Labrador- und eventuell Irmingersee. Es sollen quantitative Kenntnisse dieser Mechanismen gewonnen werden. Diese sind auch für das Verständnis der Ursachen und Auswirkungen anthropogener und natürlicher Schwankungen des Systems und die Simulation verbesserter Klimamodelle notwendig. Ebenso soll ihre Bedeutung für das System Ozean-Atmosphäre erforscht werden.

Der geplante Sonderforschungsbereich ist in die Projektbereiche „Thermohaline Prozesse und Zirkulation des Tiefenwassers" und „Variabilität der Wechselwirkung Ozean-Atmosphäre" gegliedert.

Die Gutachter der Deutschen Forschungsgemeinschaft sprachen sich übereinstimmend für die Einrichtung des Sonderforschungsbereichs aus, der sich nicht nur von der gewählten Thematik und regionalen Eingrenzung hervorragend in die aktuelle internationale Forschung einpasse, sondern auch über international ausgewiesene Forscher verfüge. Dieser Sonderforschungsbereich werde dazu beitragen, die internationale Stellung der deutschen Meeresforschung zu stärken. Zwischen den Teilprojekten bestehe eine starke Kohärenz.

Aufgrund der weitreichenden Vorarbeiten und der gelungenen Übernahme von Ergebnissen des beendeten Sonderforschungsbereichs 133 sei ein schneller Start ins Forschungsprogramm vorhersehbar. Die Initiative zeichne sich durch eine Kombination beobachtender und modellierender Elemente aus und vereine in vorbildlicher Weise sowohl die Ozeanographie, Meteorologie, Geologie, Meeresphysik und -chemie zu den Themen Tiefenwasserbildung und Aufnahme von CO_2. Er befinde sich methodisch auf dem neuesten Stand. Eine Neuentwicklung stelle die meteorologische Modellierung dar, die zu einem eigenen Bereich ausgebaut werden sollte. Paläoklimatische Untersuchungen bildeten berechtigterweise nur einen kleinen Teil der geplanten Forschungsvorhaben, da sie vom Umfang her geeignet seien, einen gesonderten Forschungsbereich zu ergeben. Über die Erforschung der ozeanischen Konvektion werde auch eine Verbindung zur atmosphärischen Konvektion ermöglicht. Die zu erwartenden Aussagen über Klimaschwankungen in größeren Zeitskalen könnten auch eine gewisse gesellschaftliche Relevanz für sich beanspruchen.

Eine inhaltliche Verbindung zum 1994 ausgelaufenen Kieler Sonderforschunungsbereich 133 „Warmwassersphäre des Atlantiks“ bestehe ausschließlich in technischer Hinsicht. Thematische Überschneidungen seien weder zu diesem noch zum Hamburger Sonderforschungsbereich 318 „Klimarelevante Prozesse im System Ozean-Atmosphäre-Kryosphäre“ erkennbar, der auch die Erforschung der Kryosphäre einschließe und das Gesamtspektrum der Prozesse im dreifachen System bearbeite. Zusammen mit dem nunmehr geplanten Sonderforschungsbereich entstehe ein Fokus der internationalen Beobachtung, in dem jeweils wichtige Beiträge zur subpolaren Zirkulation zu erwarten seien.

Aus wissenschaftspolitischer Sicht ist hervorzuheben, daß der Sonderforschungsbereich besonders gute Voraussetzungen für eine eng verzahnte, interdisziplinäre Bearbeitung der Fragestellung bietet. Der wissenschaftliche Nachwuchs dürfte besonders mit Blick auf diesen konsequenten interdisziplinären Ansatz optimal gefördert werden. Die Einbindung des Instituts für Meereskunde in die universitäre Lehre ist sehr eng,[3]) so daß man auch auf dieser Ebene von einem guten Wissenstransfer aus dem Sonderforschungsbereich ausgehen kann.

II. 6. Sonderforschungsbereich 1562 „Starkbeben: Von geowissenschaftlichen Grundlagen zu Ingenieurmaßnahmen“, Karlsruhe

In dem geplanten Sonderforschungsbereich wollen Geo- und Ingenieurwissenschaftler der Universität Karlsruhe zusammenarbeiten. Beteiligt sind das Geophysikalische, das Geologische, das Geodätische und das Mineralogische Institut sowie die Institute für Petrographie und Geoche-

3) Vgl. Wissenschaftsrat: Stellungnahme zum Institut für Meereskunde an der Universität Kiel, in: Stellungnahmen zur Meeresforschung, Köln 1989, S. 131 ff.

mie, für Photogrammetrie und Fernerkundung, für Boden- und Felsmechanik, für Maschinenwesen im Baubetrieb, für Massivbau und Baustofftechnologie sowie das Forschungszentrum Umwelt. Das Ziel des Vorhabens besteht darin, für Starkbeben der Vrancea-Region in Rumänien den Bogen von den Ursachen bis zu den Hilfsmaßnahmen zu schlagen. Es sollen Starkbebenparameter und die Auswirkungen der Erdbeben auf Gebäude vorhergesagt werden, um adäquate vorbeugende und reaktive Maßnahmen treffen zu können. Dabei bildet die gemeinsame Instrumentierung eines Freifeld/Boden/Bauwerk-Komplexes einen zentralen Punkt. Die Ortsfestigkeit der Erdbeben-Ereignisse und die hohe Wahrscheinlichkeit für ein Starkbeben weisen Rumänien als sehr geeignetes Gebiet für die Entwicklung eines lernfähigen überprüfbaren Expertensystems zur Beherrschung der Folgen von Starkbeben aus.

Der geplante Sonderforschungsbereich wird in drei Projektbereiche unterteilt. Der Projektbereich „Lithosphärisches Szenario" untersucht die tektonischen Ursachen der Beben, die thermodynamischen Bedingungen in der Herdregion sowie die geometrischen Verhältnisse und die Physik der abtauchenden Platte. Mit einer hochauflösenden Tomographie soll die Geometrie der Lithosphäre bis in Tiefen von 400 Kilometern bestimmt werden, um u. a. Aufschluß darüber zu erhalten, ob die Beben an den Rändern der Platte oder innerhalb der subduzierten Lithosphäre auftreten. Im Projektbereich „Rezente Kinematik und Dynamik" werden regionale Streß- und Strainkarten zur großräumigen Erfassung des krustalen Spannungs- und Deformationsfeldes erstellt. Aufbauend auf seismischen Vorhersagen werden im Projektbereich „Erdbebenauswirkungen und Ingenieurmaßnahmen" präventive bauliche Maßnahmen (erdbebensichere Auslegung von Neubauten, nachträgliche Ertüchtigung des Bestandes) sowie die Voraussetzungen für reaktive Maßnahmen (Katastrophenmanagement, neue Bergungstechnologien und Verfahrenstechnik der Wiederherstellung, automatische Bildauswertung) entwickelt und erprobt. Für die Ingenieurprojekte ist die Vrancea-Region in Rumänien besonders interessant, da dort neben der guten Verifizierbarkeit der zu erarbeitenden Ergebnisse durch die nahezu ortsfeste seismische Quelle sowohl ländliche Gebiete als auch die Großstadt Bukarest erfaßt werden können. Generell gilt für diesen Projektbereich, daß die Ergebnisse allgemeingültig sind und somit auch auf andere Lokalitäten übertragen werden können.

Die Gutachter der Deutschen Forschungsgemeinschaft hoben hervor, daß der geplante Sonderforschungsbereich thematisch im Zentrum dessen stehe, was die Geowissenschaften gesellschaftlich zu leisten hätten. Insgesamt werde man in einem Bereich tätig sein, in dem international intensiv geforscht werde. Dabei werde allerdings meist auf einzelne, wirtschaftlich relevante Teilaspekte gezielt und nicht auf eine lückenlose Ursachen- und Wirkungsreihe. Damit stehe der Sonderforschungsbereich zur Zeit ohne Vergleich da. Unumstritten sei die fachliche Kompetenz der Antragsteller, so daß an einer erfolgreichen Durchführung der Projekte kein Zweifel bestehe.

Die bereits langjährig bestehende Zusammenarbeit mit entsprechenden Instituten in Rumänien stelle ein gutes Fundament dar. Außerdem werde auf Erfahrungen von laufenden Sonderforschungsbereichen der Ingenieur- und Geowissenschaften in Karlsruhe aufgebaut. Positiv zu bewerten sei die geplante Zusammenarbeit von Geo- und Ingenieurwissenschaften, wobei mit einer gegenseitigen Befruchtung gerechnet werden könne. Allerdings fehle die Hydro- und Ingenieurgeologie, der eine Scharnierfunktion für die beiden beteiligten Fachbereiche zukomme. Es handele sich insgesamt um ein umsichtiges und tragfähiges Konzept, das nach Auffassung der Gutachter mit den rundum engagierten Mitarbeitern letztendlich zu Konvergenz führen werde. Der geplante Sonderforschungsbereich grenze sich deutlich von thematisch verwandten Forschungsaktivitäten in Deutschland ab. Die vier Sonderforschungsbereiche mit Bezügen zu Katastrophen verfolgten andere Forschungsziele als Starkbeben.

Aus wissenschaftspolitischer Sicht ist die sonst seltene Kooperation von Geo- und Ingenieurwissenschaften hervorzuheben, die ein gesellschaftlich relevantes Gebiet betrifft. Das Thema wird in Deutschland erstmalig angegangen und stellt somit fachlich eine Herausforderung dar. Die Interdisziplinarität des Projektes sollte besonders auch von den jungen Wissenschaftlern realisiert werden, wozu ein interfakultatives Doktorandenseminar beitragen kann. Auch die Planungen für ein Graduiertenkolleg könnten dies unterstützen.

II. 7. Sonderforschungsbereich 1575 „Struktur und Dynamik nanoskopischer Inhomogenitäten in kondensierter Materie“, Halle

In dem Sonderforschungsbereich wollen Wissenschaftler aus der experimentellen und theoretischen Physik sowie der anorganischen Chemie und der Werkstoffwissenschaft der Universität Halle-Wittenberg mit Wissenschaftlern des Max-Planck-Instituts für Mikrostrukturphysik in Halle zusammenarbeiten. Das Ziel besteht darin, die Wechselbeziehungen zwischen strukturellen und dynamischen Eigenschaften von Festkörpern zu studieren und daraus Möglichkeiten für die Steuerung des makroskopischen Verhaltens neuer Materialien zu erarbeiten. Man möchte sich vor allem mit Verbundsystemen, Keramiken, Gläsern, glasartigen Systemen und Polymeren befassen, wobei speziell die Wirkung von Grenzflächen, Defekten und Sekundärphasen untersucht werden soll. Aus der Analyse der im Nanometerbereich ablaufenden Prozesse sollen das kooperative molekulare Verhalten und das damit verbundene Eigenschaftsspektrum erklärt werden. Dabei ist zum einen die Verknüpfung der vielfältigen Mikroprozesse mit dem Makroverhalten der Materialien von Interesse. Zum anderen soll die technologische Anwendung berücksichtigt werden, die zunehmend komplexer werdende Anforderungen an neue Materialien stellt.

Der Sonderforschungsbereich ist in zwei Projektbereiche untergliedert. Der Projektbereich „Nanostrukturen, Kinetik und Grenzflächen“ ist auf strukturelle Untersuchungen ausgerichtet. Komplexe Anordnungen von Atomen und Molekülen im Größenbereich von Nanometern bis Mikrometern sollen in fester Phase, in Lösungen sowie an Grenz- und Oberflächen von Festkörpern charakterisiert werden. Dabei sollen zeitliche Veränderungen der Nanostrukturen und die Kinetik ablaufender Prozesse studiert werden. Durch ein verbessertes Verständnis der Eigenschaften möchte man Möglichkeiten für deren gezielte Veränderung eröffnen. Dabei sollen vor allem elektronenmikroskopische Methoden sowie Raster-Tunnel-Mikroskopie und verschiedene Varianten der Elektronenspektroskopie eingesetzt werden.

Der Projektbereich „Dynamik kooperativer Prozesse“ wird sich mit der theoretischen Behandlung statischer und dynamischer Eigenschaften von Systemen ohne erkennbare Fernordnung (Gläser, Polymere) befassen. Ausgewählte Experimente zum dynamischen Glasübergang in ungeordneten Systemen und zu Transport- und Wachstumsprozessen sollen zur quantitativen Untermauerung der theoretischen Ansätze dienen.

Die Gutachter der Deutschen Forschungsgemeinschaft sprachen sich übereinstimmend für die Einrichtung des Sonderforschungsbereiches aus. Die Thematik folge dem aktuellen Trend der Werkstoff-Forschung, Struktur und Eigenschaften zu korrelieren. Die Kenntnis der besonderen Eigenschaften nanoskaliger Materialien sei für Anwendungen etwa in der Mikromechanik oder der Mikrosensorik von Bedeutung. Hervorzuheben sei auch die Verknüpfung von theoretischen und experimentellen Untersuchungen, die dazu beitragen können, ausgeprägte Lücken im theoretischen Verständnis zu schließen, die bei der Beschreibung von Materialien zwischen dem Nano- und dem Mikrometerbereich bestünden. Bei den experimentellen Methoden werde ein breites Spektrum abgedeckt, zu dem die elektronenmikroskopischen Methoden des beteiligten Max-Planck-Instituts entscheidend beitrügen.

Die besondere wissenschaftliche Aktualität, die die Untersuchung nanoskaliger Materialien besitzt, zeigt sich nach Ansicht der Gutachter an einer ganzen Reihe von Sonderforschungsbereichen zu dieser Thematik. Der in Halle geplante Sonderforschungsbereich habe jedoch ein eigenes Profil, in dem die Schwerpunktsetzung auf Festkörperreaktionen an inneren Grenzflächen sowie die Auswahl der Materialien eine klare Abgrenzung von den anderen Aktivitäten erlaube. So stellten etwa die Sonderforschungsbereiche 345 „Festkörper weit weg vom Gleichgewicht“ in Göttingen, 262 „Glaszustand und Glasübergang nichtmetallischer amorpher Materialien“ in Mainz sowie 341 „Physik mesoskopischer niedrigdimensionaler Systeme“ in Köln/Aachen/Jülich komplementäre Schwerpunktsetzungen dar, die interessante Ergänzungen und fruchtbare Kooperationen ermöglichten.

Antragsgemäß empfahlen die Gutachter eine vorläufige Einrichtung des Sonderforschungsbereichs.

Aus wissenschaftspolitischer Sicht ist die konsequente Schwerpunktsetzung der Universität Halle-Wittenberg im Bereich der Materialwissenschaft hervorzuheben. Entsprechende Pläne wurden frühzeitig entwickelt[4]) und durch die Einrichtung des Graduiertenkollegs „Heterogene Polymere" und des Innovationskollegs „Neue Polymermaterialien durch gezielte Modifizierung der Grenzschichtstrukturen/Grenzschichteigenschaften in heterogenen Systemen" ausgebaut. Diese thematische Fokussierung erleichtert das Zusammenwachsen der verschiedenen Bereiche, aus denen die jetzigen Fachbereiche der Universität entstanden sind. Außerdem wird die erfreuliche Zusammenarbeit zwischen der Universität und dem Max-Planck-Institut für Mikrostrukturphysik gestärkt, die der Wissenschaftsrat kürzlich hervorgehoben hat.[5])

II. 8. Sonderforschungsbereich 1576 „Molekulare Aspekte der Pathogenese, Diagnostik und Therapie des Morbus Hodgkin und verwandter Erkrankungen", Köln

Wissenschaftler der Institute für Genetik, für Pathologie und für Neurophysiologie sowie der Klinik für Innere Medizin der Universität Köln wollen in dem geplanten Sonderforschungsbereich zusammenarbeiten. Außerdem sind Zoologen der Universität Bonn und ein kürzlich nach Frankfurt berufener Pathologe an jeweils einem Teilprojekt beteiligt. Darüber hinaus sind weitere Gruppen aus den Instituten für Genetik, für Klinische Chemie, für Biochemie und für Virologie sowie der Klinik für Dermatologie assoziiert, die nach erfolgreich verlaufenden Vorarbeiten in der zweiten Antragsperiode einbezogen werden sollen. Vorangegangen war die Zusammenarbeit in der Forschergruppe „Immundysregulation und maligne Lymphome", deren Förderung im Jahr 1996 ausläuft.

Im Mittelpunkt der geplanten Forschungsarbeiten stehen das Hodgkin Lymphom und verwandte Erkrankungen. Durch Chemotherapie und Strahlentherapie sind beim Hodgkin Lymphom Heilungsraten von über 50 % erzielt worden, die man verbessern möchte. Um eine möglichst frühzeitige Identifizierung der Patienten zu ermöglichen, sollen entsprechende molekulare Marker charakterisiert werden. Außerdem ist die Entwicklung neuer therapeutischer Modalitäten vorgesehen. Das Hodgkin Lymphom könnte ein wichtiges Modell für die Entwicklung neuer Strategien der Immun- und Gentherapie auch bei anderen malignen Erkrankungen darstellen.

---

4) Vgl. Wissenschaftsrat: Stellungnahme zu den mathematisch-naturwissenschaftlichen Fachbereichen an den Universitäten der neuen Länder, in: Empfehlungen zur künftigen Struktur der Hochschullandschaft in den neuen Ländern und im Ostteil von Berlin, Teil IV, Köln 1992, S. 201 ff.
5) Wissenschaftsrat: Stellungnahme zur außeruniversitären Materialwissenschaft, Köln 1996, S. 117 f.

Das Forschungsprogramm ist in die Projektbereiche „Pathogenese" und „Diagnostik" sowie „Immuntherapie" gegliedert. Zur Klärung grundlegender Probleme der molekularen Pathogenese des Hodgkin Lymphoms sollen auch die normalen Entwicklungs- und Differenzierungsprozesse in die Untersuchungen einbezogen werden, da nur auf deren Basis die Eigenschaften maligner Lymphome verstanden werden können. Die Lymphomentstehung soll im Wechselspiel mit dem Immunsystem des Patienten betrachtet werden. Dabei möchte man Erfahrungen aus dem Maussystem auf das humane Immunsystem übertragen. Die molekulare Diagnostik hat durch die Entwicklung von monoklonalen Antikörpern gegen Differenzierungsantigene sowie durch genetische Untersuchungen deutliche Fortschritte gemacht. Künftig soll die klinische Bedeutung der molekulargenetisch nachweisbaren Veränderungen untersucht werden. Außerdem möchte man klären, ob eine benige Vorstufe des Hodgkin Lymphoms existiert. Im Projektbereich „Immuntherapie" möchte man monoklonale Antikörper und deren Konjugate anwenden sowie zelluläre Techniken nutzen, die auf eine Tumor-spezifische Vakzination zielen. Molekularbiologische Verfahren eröffnen zusätzliche Möglichkeiten, die Zielzellen zu modifizieren, um das Immunsystem des Patienten effektiver zu aktivieren. Die wissenschaftlichen Aktivitäten der Initiative werden ergänzt durch die multizentrische deutsche Hodgkin Studiengruppe, die von Köln aus geleitet wird.

Die Gutachter der Deutschen Forschungsgemeinschaft bezeichneten die Kölner Aktivitäten zum Morbus Hodgkin als eine in Deutschland einmalige Schwerpunktsetzung, die auch international Beachtung findet. Es sei ein stringentes Forschungsprogramm geplant, das einen konsequenten Weg von den Grundlagen einer Tumorerkrankung bis hin zur Therapie erkennen lasse. Es handle sich um ein gutes Beispiel der Verknüpfung von theoretischer und klinischer Forschung. Bemerkenswert sei auch, daß nicht nur international bestens ausgewiesene Gruppen aus der Immunologie und der Genetik beteiligt seien, sondern auch in den Kliniken gute klinische Forschung unter Einbeziehung von Naturwissenschaftlern betrieben werde. Außerdem sei eine ausgezeichnete Gruppe jüngerer Wissenschaftler beteiligt. Zur nächsten Antragsphase sei eine gewisse Ausweitung der fachlichen Breite anzustreben. Durch die klare Fokussierung auf das Hodgkin Lymphom grenze sich die Kölner Initiative deutlich von anderen Schwerpunktbildungen ab.

Aus wissenschaftspolitischer Sicht ist die durch langjährige Vorarbeiten im Rahmen der Forschergruppe gewachsene Kooperation zwischen Klinik und theoretischen Instituten aus der Biologie bemerkenswert, die als gelungenes Beispiel für erfolgversprechende klinische Forschung anzusehen ist. Dazu trägt auch das anregende wissenschaftliche Umfeld bei, zu der zwei vom Institut für Genetik getragene Sonderforschungsbereiche sowie das kürzlich mit Mitteln des Bundesministeriums für Bildung, Wissenschaft, Forschung und Technologie geförderte Zentrum für Molekularbiologische Medizin Köln gehören. Das Umfeld bietet anregende Bedingungen für die Nachwuchsförderung.

II. 9. Sonderforschungsbereich 1581 „Sensomotorik: Analyse biologischer Systeme, Modellierung und medizinisch-technische Nutzung", München

An dem geplanten Sonderforschungsbereich wollen sich Neurologen der Neurologischen Klinik der Universität und der Technischen Universität München, Neuropathologen, Neurophysiologen und Physiologen der Universität, Nachrichten- wie Informationstechniker, Mechaniker sowie Steuerungs- und Regelungstechniker der TU sowie Psychologen des Max-Planck-Instituts für Psychologische Forschung beteiligen. Sprecherhochschule ist die Universität München.

Dem beantragten Sonderforschungsbereich geht es um die Integration von anwendungsorientierter neurobiologischer Grundlagenforschung und Sinnesphysiologie einerseits und der Modellbildung informationsverarbeitender Systeme andererseits. Verbindendes Ziel ist die Bearbeitung der Frage, wie zentrale Strukturen sensorische Informationen aufnehmen und wie diese multisensorische Information aufgaben- und zielgerichtet in motorische Aktivität umgesetzt wird. Bei der gemeinsamen Bearbeitung sensomotorischer Systeme im biologisch-medizinischen und im technisch-theoretischen Bereich wird der neurologische Patient im Vordergrund stehen.

Generell wird ein besseres Verständnis der normalen und pathologischen zentralnervösen Abläufe angestrebt. Im theoretisch-technischen Bereich will man biologienahe Modelle, Simulationen und verbesserte Steuerungsmöglichkeiten artifizieller Systeme erreichen. Entsprechend soll die Übertragung theoretisch-technischer Erkenntnisse auf Biologie und Medizin es erlauben, komplexe zentralnervöse Funktionen zu erfassen und zu analysieren. Insbesondere für die Medizin sollen sich hieraus therapeutische wie diagnostische Fortschritte ergeben.

Die methodische Ordnung des Forschungsprogramms umfaßt die drei folgenden Bereiche: Analyse biologischer Sensomotorik, Modellbildung und Simulation, Mensch und Maschine. Im Projektbereich „Haltung und Bewegung" soll es im Rahmen klinisch-technischer Projekte u. a. um die funktionelle neuromuskuläre Stimulation Querschnittgelähmter oder von Patienten mit Hemiparese gehen. Im umfangreichsten Projektbereich „Okulomotorik" werden Mechanismen der Steuerung von Augenbewegungen tierexperimentell sowie bei Probanden und Patienten untersucht. Der Projektbereich „Auge-Hand-Koordination" versucht, die bisherigen Modelle, die für menschliche und technische Greifsysteme weitgehend getrennt entwickelt wurden, zu integrieren und den Einfluß sensorischen Feedbacks und motorischer Kontrollstrukturen zu untersuchen.

Aus Sicht der Gutachter der Deutschen Forschungsgemeinschaft handelt es sich um ein exzellentes, äußerst erfolgversprechendes Projekt mit hohem Originalitätsanspruch. Insbesondere sein technischer, anwendungsorientierter Aspekt, der sich von der internationalen Konkurrenz abhebe, mache dieses Vorhaben einzigartig. Die deutsche Forschung, die schon gegen Ende des 19. Jahrhunderts bei der Begründung der Sensomotorik eine führende Rolle gespielt habe, habe mit diesem Programm den neuesten Stand der Forschung auf diesem Gebiet aufgegriffen. Sie folge dem internationalen Trend, die Technik in den Bereich der Medizin, insbesondere die Sensomotorik, mit einzubeziehen. Zudem sei damit auch die Psychologie mit neuer Konzeption in einen Forschungsbereich zurückgekehrt, aus dem sie sich zuvor habe verdrängen lassen. Eine ungewöhnliche Konzentration von Forscherpersönlichkeiten der verschiedensten Bereiche lasse einen erfolgreichen Verlauf des Projektes erwarten. Zudem biete der Raum München personell wie räumlich optimale Voraussetzungen für den erfolgreichen Verlauf eines solchen Projektes. Die bereits bestehende Münchener Arbeitsgruppe „Sensomotorik bei Mensch und Maschine“ (BMBF-Schwerpunkt), die klinische Forschergruppe „Vestibuläres System und Okulomotorik“ sowie das Graduiertenkolleg „Sensorische Interaktion in biologischen und technischen Systemen“ garantierten einen fruchtbaren und ergänzenden Dialog und Methodenaustausch vor Ort.

Aus forschungspolitischer Sicht ist auf die besondere Tragweite des Themas hinzuweisen. Dies betrifft neben der internationalen Konkurrenzfähigkeit vor allem den engen Bezug der Analyse komplexer sensomotorischer Vorgänge zur medizinisch-technischen Umsetzung. Eine gleichermaßen enge Zusammenarbeit von Neurowissenschaftlern und Ingenieurwissenschaftlern, wie sie hier angestrebt wird, ist bisher an keinem anderen Ort der Bundesrepublik anzutreffen. Die Attraktivität des stimulierenden und kompetitiven Münchener Umfeldes wird vor allem dem wissenschaftlichen Nachwuchs zugute kommen, dessen berufliche Chancen, insbesondere im klinischen Bereich, zudem steigen dürften. Der Wissenschaftsrat hat sich in seiner Stellungnahme zur weiteren Entwicklung der Medizinischen Fakultät der Universität München und ihrer beiden Klinika für eine Stärkung des Forschungsstandortes Großhadern ausgesprochen.[6]) Die oben gezeichnete Entwicklung ist ein wichtiger Schritt in diese Richtung.

II. 10. Sonderforschungsbereich 1584 „Protein- und Membrantransport zwischen zellulären Kompartimenten“, Göttingen

An dem beantragten Sonderforschungsbereich wollen sich Wissenschaftler der Fachgebiete Biochemie, Entwicklungsbiologie, Molekularbiologie, Zellbiologie, Molekulargenetik, Pflanzenphysiologie, Neurobiologie und Biophysik der Fachbereiche Medizin und Biologie der Universität Göttingen sowie der beiden Göttinger Max-Planck-Institute für biophysikalische Chemie und experimentelle Medizin beteiligen.

6) Wissenschaftsrat: Stellungnahme zur weiteren Entwicklung der Medizinischen Fakultät der Universität München und ihrer beiden Klinika, in: Empfehlungen und Stellungnahmen 1995, Köln 1996, S. 139 ff.

Mit dem Vorhaben möchte man zum molekularen Verständnis von Proteintransport- und -sortierungsmechanismen im Hinblick auf die Regulation der intrazellulären Kompartimentierung in eukaryontischen Zellen beitragen. Aufbauend auf der Erkenntnis, daß grundlegende Prinzipien von Membran- und Proteinfluß in allen eukaryontischen Zellen vergleichbar sind und daß jedes System Vor- und Nachteile bei der experimentellen Analyse hat, wollen die beteiligten Arbeitsgruppen diese Problematik in tierischen, pflanzlichen und Hefezellen untersuchen. Mittelfristige Ziele sind die Identifizierung von bislang unbekannten Komponenten der geregelten Exozytose in tierischen Zellen sowie die Isolierung und Charakterisierung von Komponenten der endozytotischen Transportmaschinerie in tierischen, pflanzlichen und Hefezellen. Hierbei kommen klassische genetische, molekulargenetische und zytologische Arbeitsweisen mit unterschiedlicher Priorität zur Anwendung.

Bislang ist eine Vielzahl von Proteinen bekannt, die an gerichteten Transportprozessen von Membranen und Makromolekülen beteiligt sind. Verschiedene Teilprojekte verfolgen daher das Ziel, deren Zusammenspiel im Prozeß der Biogenese von Membranen und Organellen besser zu verstehen. Ein Fernziel in diesem Zusammenhang ist die Rekonstitution einzelner Transportschritte aus Einzelkomponenten. Das Programm des Sonderforschungsbereichs gliedert sich in die beiden Projektbereiche Protein- und RNA-Sortierung sowie Vesikulärer Transport.

Nach Auffassung der Gutachter der Deutschen Forschungsgemeinschaft zeichnet sich der beantragte Sonderforschungsbereich durch hohe thematische Kohärenz und eine große Zahl an herausragenden Projekten aus, in denen Pionierarbeit geleistet werde. Den beteiligten Wissenschaftlern wurde hohe wissenschaftliche Kompetenz bescheinigt; es seien ausgezeichnete Vorarbeiten erbracht worden. Übereinstimmend hoben die Gutachter die gelungene Verknüpfung der verschiedenen Methoden und Objekte hervor. Von der Anlage her sei ein zukunftsträchtiger Sonderforschungsbereich entstanden, der hohen internationalen Stellenwert besitze. Die lokale personelle Konstellation für die Bearbeitung dieser Thematik sei optimal, die Antragsteller bildeten ein gutes Team, und es seien mehrere Nachwuchswissenschaftler als selbständige Teilprojektleiter eingebunden.

Die Thematik sei auf einem weit ausdifferenzierten Forschungsgebiet angesiedelt, welches kompetent an mehreren Orten bearbeitet werde. Die Abgrenzung des beantragten Sonderforschungsbereichs gegenüber anderen Initiativen liege in den drei Schwerpunkten Kernzytoplasmatransport, Membranfusion und der Einbeziehung der pflanzlichen Zelle, durch die ein unverwechselbares Profil entstehe. Das Thema wurde als sehr entwicklungsfähig bezeichnet, es beinhalte medizinische und ökologische Relevanz. Der Sonderforschungsbereich besitze ein Potential für 15 Jahre; eine Erweiterung sei nach einer Phase von etwa sechs Jahren, in der die Klärung der grundlegenden Mechanismen des Protein- und Membrantransports zu erwarten sei, in Richtung Strukturbiologie und Entwickungsbiologie denkbar.

Aus forschungspolitischer Sicht ist zu bemerken, daß die biomedizinische Forschung in Göttingen geprägt ist von einer engen Kooperation von Arbeitsgruppen der Universität und der beiden Max-Planck-Institute. Der geplante Sonderforschungsbereich intensiviert diese Zusammenarbeit. Als grundlegend für die Vorbereitung des Sonderforschungsbereichs erweist sich die Einrichtung des Graduiertenkollegs „Signalvermittelter Transport von Proteinen und Vesikeln", das seit 1990 besteht. Es ist zu erwarten, daß der geplante Sonderforschungsbereich eine hohe überregionale Anziehungskraft auf Postdoktoranden ausüben wird. Er böte ein gutes Umfeld für Nachwuchsgruppen, deren Einrichtung geplant ist und deren Bewilligung bei der nächsten Begutachtung geprüft werden sollte.

II. 11. Sonderforschungsbereich 1586 „Pathogenese HIV-induzierter Erkrankungen", München

An dem geplanten Sonderforschungsbereich wollen sich unterschiedliche vorklinische und klinische Bereiche der Universität München beteiligen, darunter das Institut für Immunologie, das Laboratorium für Molekulare Biologie des Genzentrums, das Max von Pettenkofer Institut, die Medizinische Poliklinik, die Augenklinik und die Neuorologie des Klinikums Großhadern. Ein Projekt ist am Institut für Medizinische Mikrobiologie und Hygiene der Technischen Universität München angesiedelt. Zwei weitere Projekte sind am GSF-Forschungszentrum für Umwelt und Gesundheit lokalisiert. Darüber hinaus arbeitet die Abteilung Virusforschung des Max-Planck-Instituts für Biochemie mit.

Im Zentrum der Forschungen stehen Fragen nach den Pathomechanismen der HIV-bedingten zellulären Immundefizienz mit den resultierenden Sekundärinfektionen und -tumoren. Ausgangspunkt ist die durch empirische Befunde gestützte Vorstellung von einer unmittelbaren zytopathogenen Rolle des HIV. Die Forschungen setzen folglich bei der direkten Interaktion zwischen dem Virus und CD4-Zellen an. Ungeklärt sind auch die pathogenetischen Effekte des Virus auf andere Zellsysteme wie das Nerven- und Gefäßsystem. Diese Lücken im Verständnis der Pathogenese gilt es zu schließen, da sie bisher die Entwicklung einer effektiven Therapie verhindern.

Der Sonderforschungsbereich gliedert sich in drei Projektbereiche. Der Projektbereich „HIV-Immunpathogenese" untersucht das Immunsystem und seine Reaktion auf die Virusinfektion. Unter anderem werden in diesem Bereich strukturelle und funktionelle Änderungen der Lymphknotenarchitektur, Prozesse der Bindung der HI-Virionen an den CD4-Rezeptor, Mechanismen der Zellaktivierung durch Superantigene etc. untersucht. Der Projektbereich „HIV-Enzephalopathie und -Vaskulopathie“ konzentriert sich auf die Erforschung der Pathogenese der HIV-Enzephalopathie. Neben Studien zur Kinetik der Virusexpression von Zellen des Zentralnervensystems treten Untersuchungen zur Rolle des Gefäßsystems an der Entwicklung der HIV-Enzephalopathie. Darüber hinaus wird die molekularbiologische Charakterisierung der Genexpression von Endothelzellen bei HIV-Infektion angestrebt. Im Projektbereich „Erregerabhängige Pathogenese“ werden sowohl die Replikationsgeschwindigkeit durch virale und zelluläre Aktivatoren in unterschiedlichen HIV-1-Subtypen als auch die Rolle zellulärer Transkriptionsfaktoren und deren Stimulierung bzw. Inaktivierung erforscht.

Die Gutachter der Deutschen Forschungsgemeinschaft befürworteten die Einrichtung des Sonderforschungsbereichs. Es gebe in Deutschland in der Forschung zur HIV-Pathogenese einen Nachholbedarf. Der Standort München verfüge über Voraussetzungen, die an keinem anderen Ort in Deutschland anzutreffen seien. Der geplante Sonderforschungsbereich schließe an zwei vom BMBF finanzierte Forschungsverbundprojekte an („Molekulare Grundlagen der Vaccine und Therapieentwicklung bei HIV-Infektion“; „HIV-Infektion und Nervensystem. Klinik – Pathogenese – Therapie“). Langfristig sichere er die Kontinuität der AIDS-Forschung in München. Das Schwergewicht des Sonderforschungsbereichs liege im Vergleich zu den Verbünden stärker in der theoretischen, grundlagenorientierten Forschung. Dies gelte auch für die klinische Forschung; vier der fünf Projekte im klinischen Bereich seien der Grundlagenforschung zuzurechnen.

Die Qualität der Forschungsprojekte wurde als gut bis sehr gut beurteilt. Die Gutachter sahen jedoch noch einen Kooperationsbedarf der beteiligten Gruppen, um das Konzept stärker zu konturieren. Alle Voraussetzungen für eine positive Entwicklung lägen vor. Für die zukünftige Entwicklung sei es von zentraler Bedeutung, daß der klinische Anteil nicht zurückgehe, sondern gestärkt werde. Die starke Grundlagenorientierung der klinischen Forschung lasse eine anspruchsvolle Forschung mit großer Patientennähe jedoch noch vermissen. Die Abgrenzung zu dem geplanten Sonderforschungsbereich 1593 „Lymphoproliferation und virale Immundefizienz“ in Erlangen sei eindeutig gegeben, weil der klinische Anteil in München größer sei und die Erlanger Initiative sich nicht auf die AIDS-Problematik konzentriere (vgl. S. 388).

Aus forschungspolitischer Sicht ist hervorzuheben, daß der Sonderforschungsbereich die Entwicklung Münchens zu einem Standort langfristig angelegter HIV-Forschung vorantreibt. Er fördert die vom Wissenschaftsrat empfohlene stärkere Kooperation der Medizinischen Fakultäten von Universität und Technischer Universität München.[7]) Der Son-

7) Vgl. Wissenschaftsrat: Stellungnahme zur weiteren Entwicklung der Medizinischen Fakultät der Universität München und ihrer beiden Klinika sowie Stellungnahme zur weiteren Entwicklung der Fakultät für Medizin der Technischen Universität München und des Klinikums rechts der Isar, in: Empfehlungen und Stellungnahmen 1995, Köln 1995, S. 139 ff.

derforschungsbereich verfügt zudem über sehr gute Ansätze, klinische und vorklinische Forschung zu integrieren. Darüber hinaus nutzt er das am Ort vorhandene Potential der außeruniversitären Einrichtungen. In Zukunft wäre eine intensivere Förderung des Nachwuchses wünschenswert.

II. 12. Sonderforschungsbereich 1590 „Mechanismen der Entzündung: Interaktionen von Endothel, Epithel und Leukozyten", Münster

In dem geplanten Sonderforschungsbereich wollen Wissenschaftler der Fachbereiche Medizin, Biologie und Chemie der Universität Münster zusammenarbeiten, unter anderem aus den Instituten für Zellbiologie, für Biochemie, für Medizinische Mikrobiologie, für Physiologische Chemie und Pathobiochemie sowie der Klinik und Poliklinik für Dermatologie und für Kinderheilkunde. Beteiligt sind auch einige der im Zentrum für Molekularbiologie der Entzündung (ZMBE) zusammengeschlossenen Wissenschaftler. Das Ziel besteht darin, die Mechanismen der Entzündung über das Immunsystem hinaus zu analysieren. Dabei soll zunächst die Wechselwirkung zwischen Blutleukozyten und Endothel einerseits und zwischen Blutleukozyten und Epithel andererseits untersucht werden. Anschließend sollen die vermuteten Wechselbeziehungen zwischen dem Epithel und dem Endothel erforscht werden, da möglicherweise gerade in der Initiierung von Entzündungsreaktionen die ersten Signale vom Epithel an das Kapillarendothel gehen, das seinerseits die Rekrutierung von Entzündungszellen einleitet. Mit dem Sonderforschungsbereich wird der Versuch unternommen, im Hinblick auf die überwältigende Fülle der zum großen Teil identischen Syntheseleistungen des Endothels, des Epithels und der Leukozyten ein Konzept für die Induktion, den Verlauf und die Beendigung von Entzündungsreaktionen zu entwickeln.

Der geplante Sonderforschungsbereich wird in zwei Projektbereiche unterteilt. Im ersten Projektbereich soll die Interaktion von Leukozyten mit Endothel und dessen unmittelbarer Umgebung untersucht werden. Ein Teilprojekt hat z. B. zum Ziel, die molekularen Mechanismen der E- und B-Selektin-vermittelten Zelladhäsion zu studieren. Ein weiteres Teilprojekt untersucht die Rolle der Zelladhäsionsmoleküle und der Proteoglykane bei der Ausbildung endothelialer bzw. epithelialer Zell-Zell-Kontakte und dem Mechanismus einer Passage von Entzündungszellen selbst bzw. des erhöhten Transportes von Serumbestandteilen über die Blut-Hirn-Schranke. Der zweite Projektbereich umfaßt Teilprojekte, die sich mit Aspekten der Epithel-Leukozyten-Interaktion beschäftigen. Dabei wird vorausgesetzt, daß das Epithel sowohl der Haut als auch des Darmes ebensowenig wie das Endothel der Gefäße nicht nur als passive, mechanische Barrierezelle anzusehen ist, sondern es eine große Vielfalt von Funktionen ausübt. Zwei Teilprojekte untersuchen z. B. die Auslösephase des allergischen Kontaktekzems bzw. die Regulation der Immunantwort durch Proopiomelanocortin-Peptidhormone. In einem weiteren

Teilprojekt wird eine Struktur der Epidermis untersucht, die als Autoantigen bei bestimmten blasenbildenden Dermatosen identifiziert wurde.

Nach Auffassung der Gutachter der Deutschen Forschungsgemeinschaft zeichnet sich der geplante Sonderforschungsbereich durch seine Grundlagenorientierung aus. Hervorgehoben wurde, daß das Thema essentiell und sehr aktuell sei. Die Mechanismen der Entzündung über das Immunsystem hinaus zu analysieren, habe sowohl für die Grundlagen- als auch für die Klinische Forschung große Bedeutung. Münster biete als Hochschulort für Forschungsaktivitäten im Bereich der Entzündung aufgrund einer vielgestaltigen Forschungsinfrastruktur optimale strukturelle Voraussetzungen. Innerhalb der Medizinischen Fakultät habe sich dort die Entzündungsforschung zu einem thematischen Schwerpunkt entwickelt. Unumstritten sei die fachliche Kompetenz der Antragsteller, so daß von einer erfolgreichen Durchführung der Projekte ausgegangen werden könne. Die klinische Umsetzung der Ergebnisse müsse allerdings stärker verfolgt werden. Insgesamt handele es sich um ein tragfähiges erfolgversprechendes Konzept, das eventuell Möglichkeiten zur Entwicklung therapeutischer Ansätze für chronisch-entzündliche Erkrankungen biete.

Mit dem Münsteraner Sonderforschungsbereich 310 „Intra- und interzelluläre Erkennungssysteme" bestünden außer in allgemeinen zell- und molekularbiologischen Methoden und Fragestellungen keine Überschneidungen. Auch zu thematisch verwandten Sonderforschungsbereichen in Hannover (SFB 244: Chronische Entzündung), Erlangen (SFB 263: Immunologische Mechanismen bei Infektion, Entzündung und Autoimmunität) und Lübeck (SFB 367: Molekulare Mechanismen entzündlicher und degenerativer Prozesse) seien keine Überschneidungen gegeben.

Unter forschungspolitischen Gesichtspunkten ist die gezielte Schwerpunktsetzung im Bereich der Entzündungsforschung seitens der Medizinischen Fakultät, der Universität und des Landes hervorzuheben. Dazu zählt auch die Gründung des Zentrums für Molekularbiologie der Entzündung (ZMBE), die vom Wissenschaftsrat seinerzeit begrüßt wurde.[8]) Bemerkenswert ist ferner, daß fast 90 % der an dem geplanten Sonderforschungsbereich beteiligten Professoren erst innerhalb der vergangenen fünf Jahre berufen worden sind. Die Verknüpfung von Medizin mit Biologie und Chemie eröffnet den beteiligten Doktoranden interdisziplinäre Arbeitsmöglichkeiten, die ihre Berufschancen verbessern. Darüber hinaus soll ein Austausch mit einem thematisch eng verbundenen Graduiertenkolleg vorangetrieben werden.

8) Vgl. Wissenschaftsrat: Empfehlungen zum 21. Rahmenplan für den Hochschulbau 1992-1995, Bd. 4, S. NW 105 ff.

II. 13. Sonderforschungsbereich 1591 „Entwicklung und Manipulation pluripotenter Zellen", Würzburg

An dem beantragten Sonderforschungsbereich wollen sich Wissenschaftler der Fachrichtungen Molekularbiologie, Zellbiologie, Neurobiologie, Entwicklungsbiologie, Immunologie, Dermatologie und Biochemie beteiligen, die weit überwiegend der Medizinischen Fakultät der Universität Würzburg angehören.

Der geplante Sonderforschungsbereich befaßt sich mit der Erforschung der molekularen Grundlagen von Entwicklungsentscheidungen pluripotenter Zellen. Die Fähigkeit, Zellen unterschiedlicher Differenzierungsstufen verschiedener Gewebe zu kultivieren, genetisch zu verändern und zu transplantieren, bildet die Voraussetzung für die Entwicklung neuer Therapien menschlicher Krankheiten, deren Grundlage Gewebeverlust, Fehlfunktion oder dysreguliertes Wachstum sind. Im Mittelpunkt der Initiative steht die Untersuchung des Mechanismus der Zelltypbestimmung in toti- und pluripotenten Vorläuferzellen. Ziel ist die Charakterisierung der biologischen Prozesse, die eine Zelle in ihrer Proliferation beeinflussen, um sie auf einen Differenzierungsschritt vorzubereiten, sowie die Analyse der Wirkungsweise von Faktoren, welche Differenzierungsprogramme kontrollieren. Dabei sollen die Kultivierung pluripotenter Zellen verschiedener Gewebetypen verbessert und Methoden für die genetische Veränderung von Vorläuferzellen für autologe Transplantationen entwickelt werden.

Zentrales Thema der Initiative ist die Untersuchung von Aspekten der Signalübertragung und Steuerung der Genexpression hinsichtlich ihrer entwicklungsbiologischen Effekte in Vorläufer- und Stammzellsystemen. Dabei wird das langfristige Ziel verfolgt, die zellbiologischen Voraussetzungen für gentherapeutische Strategien und Maßnahmen zur Geweberekonstruktion zu schaffen. Die einzelnen Teilprojekte widmen sich neben der Hämatopoese einer Vielzahl verschiedener Gewebe. Die Projektleiter ergänzen sich hinsichtlich ihrer Expertise und Fokussierung auf verschiedene Zellsysteme.

Nach Auffassung der Gutachter der Deutschen Forschungsgemeinschaft widmet sich der geplante Sonderforschungsbereich einem zukunftsweisenden Forschungsgebiet. Die Vorarbeiten zeigten, daß hier qualitativ hochstehende Forschung geleistet werde, die auch im internationalen Vergleich durchaus konkurrenzfähig sei. Die einzelnen Teilprojekte seien sehr gut ausgewählt und vorbereitet. Die Initiative sei aus der langjährigen Arbeit im Bereich der Signaltransduktionsmechanismen entstanden und zeichne sich durch die Kohärenz aus, mit der diese Thematik verfolgt werde. Ein vergleichbarer Forschungsschwerpunkt mit diesem Profil existiere andernorts nicht; Überschneidungen mit den bestehenden medizinischen Sonderforschungsbereichen und Klinischen Forschergruppen in Würzburg seien nicht erkennbar. Positiv vermerkt wurde die Leitung mehrerer Teilprojekte durch Nachwuchswissenschaftler, die als Postdoktoranden aus den USA zurückkehrten. Langfristig sei die Einbeziehung eines Onkologen oder Infektionsbiologen zu empfehlen.

In forschungspolitischer Hinsicht ist die hohe Konzentration von insgesamt vier biomedizinisch orientierten Sonderforschungsbereichen, mit denen ein enger fachlicher Austausch angestrebt ist, und drei Klinischen Forschergruppen an der Universität Würzburg hervorzuheben. Weitere Anregungen werden sich durch das geplante BMBF-Zentrum im Bereich der Klinischen Medizin ergeben. Es ist zu erwarten, daß von diesem Forschungsumfeld eine synergistische Wirkung ausgeht, wodurch die Verbindung zwischen grundlagenorientierter biomedizinischer und klinischer Forschung gefördert wird. Der geplante Sonderforschungsbereich könnte ein gutes Umfeld für eine Nachwuchsgruppe darstellen, deren Einrichtung bei der nächsten Begutachtung geprüft werden sollte.

II. 14. Sonderforschungsbereich 1593 „Lymphoproliferation und virale Immundefizienz", Erlangen-Nürnberg

An dem geplanten Sonderforschungsbereich wollen Virologen, Molekularbiologen, Dermatologen und Pathologen der Universität Erlangen-Nürnberg zusammenarbeiten. Beteiligt sind zudem der Lehrstuhl für Struktur und Chemie der Biopolymere der Universität Bayreuth und das Pathologische Institut der Universität Würzburg.

Der beantragte Sonderforschungsbereich will an Grundfragen der molekularen Biologie von Lymphozytenaktivierung, lymphoproliferativen Krankheiten und retrovirusbedingter Immundefizienz (AIDS) arbeiten. Er zielt darauf, grundlegende Mechanismen der erworbenen Immundefizienz, der normalen Aktivierung von T-Zellen und der malignen Transformation von Lymphozyten zu untersuchen.

Lymphozytenaktivierung und Zelldestruktion folgen weitgehend gleichen Signalketten. Das Immunsystem ist durch ein komplexes Wechselspiel von Lymphozytenaktivierung und Apoptose geregelt. Aktivierende Signale lösen Zelltod aus, wenn sie nicht fein balanciert sind, und können zu unkontrollierter Proliferation entgleisen. Dysregulation durch virale Genprodukte oder Mutationen in zellulären Genen resultiert in Lymphozyten-Proliferation oder Immundefizienz.

Die Schritte, welche signalinduzierte Lymphoproliferation, lymphozytäre Dysregulation und maligne Proliferation determinieren, sind noch in weiten Teilen unverstanden, wie es ebenso noch am Verständnis der Pathogenese von AIDS mangelt. Es ist weitgehend unklar, welche der Parameter, die auf zellulärer Ebene oder im Organismus sichtbar werden, die allmähliche Entgleisung des Immunsystems bewirken und welche Änderungen im Immunsystem nur Epiphänomene darstellen.

Der beantragte Sonderforschungsbereich baut auf einer engen Verbindung von Hämatoonkologie und molekularer Virus-Forschung auf. Ausgehend von Struktur- und Funktionsuntersuchungen an viralen Regulationsproteinen, von der Untersuchung virusbedingter onkogener Transformation, von normalen Lymphozyten und lymphoiden Tumorzellen sowie von der Modulation der T-Zell-Funktionen durch das Immunsystem wollen die einzelnen Teilprojekte ein umfassendes Forschungsprogramm erarbeiten. Es soll Aufschluß geben über die virologischen, zellbiologischen und immunologischen Grundlagen normaler und onkogener Lymphoproliferation und Immunparalyse.

Der Projektbereich „Retrovirale Effektoren“ befaßt sich mit Struktur und Funktion von Regulations- und Virionproteinen der Immundefizienzviren. Im Projektbereich „Signalketten der T-Zell-Aktivierung und -Destruktion“ wird die zentrale Frage untersucht, inwieweit die virusbedingte Destruktion von Lymphozyten und die Wachstumstransformation von T-Lymphozyten durch gemeinsame Signalketten vermittelt werden. Der Projektbereich „Lymphozytentransformation und maligne Progression“ schließlich beinhaltet Vorhaben über in vitro-Transformation von T-Lymphozyten und Proliferationsmechanismen lymphatischer Tumoren.

Das Konzept des vorgesehenen Sonderforschungsbereichs, so die Gutachter der Deutschen Forschungsgemeinschaft, sei von sehr guter Qualität und auch längerfristig tragfähig. Es widme sich dem bedeutsamen Thema der Interaktion von Viren und Zellen, das für viele Felder der Wissenschaft von Relevanz sei. National gesehen gebe es an keinem anderen Ort eine so gelungene Koordinierung der verschiedenen Aspekte wie in Erlangen. International betrachtet handele es sich um kompetente und vor allem konkurrenzfähige Projekte, die den Anschluß an die internationale AIDS-Forschung ermöglichen könnten. Der Antrag weise eine große Homogenität auf und lasse Entwicklungsmöglichkeiten, beispielsweise in Richtung Humangenetik, aufscheinen. Positiv hervorgehoben wurde zudem die gelungene Mischung von erfahrenen, international bekannten Wissenschaftlern und jungen, zum Teil auslandserfahrenen Nachwuchswissenschaftlern. Die Kooperation zwischen Medizinischer und Naturwissenschaftlicher Fakultät der Universität sei gut etabliert. Kritisch betrachtet wurde lediglich die bewußte Ausgrenzung des Therapiebereichs durch die stark molekulare, theoretisch experimentelle Ausrichtung der Projekte. Die Möglichkeiten einer stärkeren Integrierung der Kliniker wurden allerdings als positiv bewertet.

Aus forschungspolitischer Sicht ist hervorzuheben, daß sich der Sonderforschungsbereich in einem relevanten und zukunftsträchtigen Feld der biomedizinischen Forschung bewegt. In der Bundesrepublik haben sich bisher nur wenige Arbeitsgruppen etabliert, die sich mit den virologischen Grundlagen der Immundefizienz befassen; in der molekularen AIDS-Forschung gibt es im nationalen Rahmen deutliche Defizite. Die Erlangener Initiative verspricht die Möglichkeit eines Anschlusses an internationales Forschungsniveau. Für den wissenschaftlichen Nachwuchs bietet der geplante Sonderforschungsbereich exzellente Promotionsmöglichkeiten, die durch ein bereits existierendes Graduiertenkolleg zur RNA-Synthese und Prozessierung sowie einen neuen Studiengang in Molekular- und Zellbiologie ergänzt werden.

III. Zur Finanzierung

Bund und Länder stellen der Deutschen Forschungsgemeinschaft im Haushaltsjahr 1996 für die Förderung der Sonderforschungsbereiche in alten und neuen Ländern 529,6 Millionen DM zur Verfügung. Sie haben außerdem vereinbart, für die Jahre 1997 bis 1999 ihre Zuwendungen für die Deutsche Forschungsgemeinschaft um jeweils 5 % zu erhöhen. Der Wissenschaftsrat begrüßt diese mittelfristige Festlegung, ermöglicht sie es doch der Deutschen Forschungsgemeinschaft, ihre Förderungsentscheidungen auf eine verläßliche Grundlage zu stellen.

In Übersicht 2 sind die vom Senatsausschuß der Deutschen Forschungsgemeinschaft für die Angelegenheiten der Sonderforschungsbereiche empfohlenen Förderbeträge für die 14 zur Einrichtung ab Juli 1996 vorgesehenen Sonderforschungsbereiche dargestellt. Nach Angaben der Deutschen Forschungsgemeinschaft werden die Fördermittel in der oben genannten Höhe sowohl für die Finanzierung des laufenden Programms als auch für die zusätzliche Finanzierung der neuen Sonderforschungsbereiche ausreichen. Weiterhin soll aus diesen Mitteln ein neu einzurichtender Transferbereich (TFB) finanziert werden.[9])

Die Zahl der Anträge auf Einrichtung neuer Sonderforschungsbereiche für 1997 und die Folgejahre, die der Deutschen Forschungsgemeinschaft zur Zeit vorliegen oder die erwartet werden, ist mit insgesamt 89 Initiativen weiterhin sehr hoch und entspricht dem Stand vom September 1995. Die Antragszahl hat sich somit auf hohem Niveau stabilisiert. Da in den Jahren 1996 und 1997 die Förderung von jeweils etwa 20 Sonderforschungsbereichen endet und mit dem oben dargestellten Mittelzuwachs zu rechnen ist, hält die Deutsche Forschungsgemeinschaft auch im Jahr 1997 eine angemessene Förderung neuer Initiativen für möglich.

Sonderforschungsbereiche sind ein wichtiges Instrument für die Schwerpunktbildung und Profilierung der Hochschulen. Sie tragen in erheblichem Maße zur wünschenswerten interdisziplinären Zusammenarbeit

9) Der Senatsausschuß der Deutschen Forschungsgemeinschaft für die Angelegenheiten der Sonderforschungsbereiche hat beschlossen, den Beginn von Modellversuchen für Transferbereiche zu empfehlen und für einen ersten Transferbereich, den die Universität Stuttgart beantragt hat, eine Förderempfehlung abgegeben und darin auch die Rollen von Deutscher Forschungsgemeinschaft und Wissenschaftsrat im Prüfungs- und Bewilligungsverfahren einzubeziehen.

Übersicht 2

Mittelbedarf der neuen Sonderforschungsbereiche nach den Beratungen des Senatsausschusses für die Angelegenheiten der Sonderforschungsbereiche

Kennziffer	Kurzbezeichnung, Ort	empfohlene Förderungsmittel in Mio DM[1]			
		1996 2. Halbj.	1997	1998	1999 1. Halbj.
1516	Informationstechnik in der Medizin: Rechner- und sensorgestützte Chirurgie, Karlsruhe/Heidelberg	1,6	2,2	2,2	1,1
1526	Lebensdauerorientierte Entwurfskonzepte unter Schädigungs- und Deteriorationsaspekten, Bochum	0,8	1,7	0,8	–
1538	Molekularpathologie der Proliferation, Saarbrücken	1,3	2,3	2,4	1,2
1552	Chemische und biologische Synthese und Transformation von Naturstoffen und Naturstoff-Analoga, Göttingen	1,0	2,0	1,5	0,7
1561	Dynamik thermohaliner Zirkulationsschwankungen, Kiel	1,4	2,2	2,2	1,1
1562	Starkbeben: Von geowissenschaftlichen Grundlagen zu Ingenieurmaßnahmen, Karlsruhe	1,2	2,0	1,6	0,7
1575	Struktur und Dynamik nanoskopischer Inhomogenitäten in kondensierter Materie, Halle	0,5	0,9	0,8	0,4
1576	Molekulare Aspekte der Pathogenese, Diagnostik und Therapie des Morbus Hodgkin und verwandter Erkrankungen, Köln	1,1	2,1	2,0	1,0
1581	Sensomotorik: Analyse biologischer Systeme, Modellierung und medizinisch-technische Nutzung, München	1,3	1,8	1,7	0,8
1584	Protein- und Membrantransport zwischen zellulären Kompartimenten, Göttingen	1,0	1,6	1,8	0,9
1586	Pathogenese HIV-induzierter Erkrankungen, München	0,8	1,7	1,7	0,8
1590	Mechanismen der Entzündung: Interaktionen von Endothel, Epithel und Leukozyten, Münster	1,5	1,6	1,6	0,8
1591	Entwicklung und Manipulation pluripotenter Zellen, Würzburg	1,2	2,1	2,1	1,1
1593	Lymphoproliferation und virale Immundefizienz, Erlangen-Nürnberg	1,2	2,6	2,6	1,3
	Insgesamt	15,9	26,8	25,0	11,9

[1] Rundungsdifferenzen
Quelle: Deutsche Forschungsgemeinschaft

und zur internationalen Vernetzung der Wissenschaft bei. Die Deutsche Forschungsgemeinschaft sollte auch in einer finanziell angespannten Situation dafür Sorge tragen, daß auch künftig neue Anträge und Fortsetzungsanträge für Sonderforschungsbereiche im Prinzip gleich behandelt werden. Der Wissenschaftsrat hält es für unerläßlich, daß auch weiterhin neue Initiativen aus neuen und alten Ländern aufgegriffen werden können. Die Deutsche Forschungsgemeinschaft hat durch strenge Maßstäbe bei den Begutachtungen bei Neu- und Fortsetzungsanträgen dazu beigetragen, daß Spielraum für neue Initiativen erhalten bleibt.

Der Wissenschaftsrat empfiehlt Bund und Ländern, die für die Jahre 1996 bis 1999 beschlossene Finanzausstattung für das Programm der Sonderforschungsbereiche ohne Abstriche zur Verfügung zu stellen. Nur so kann die erfreulich hohe Zahl neuer Initiativen aus alten und neuen Ländern in Ergänzung zu den bereits laufenden Sonderforschungsbereichen finanziert werden. Ohne eine angemessene Finanzausstattung wäre es erforderlich, positiv beurteilte Anträge erst zu einem späteren Zeitpunkt in die Förderung aufzunehmen, was angesichts der ohnehin langen Vorbereitungs-, Planungs- und Begutachtungszeiten große Probleme für die Leistungsfähigkeit und Dynamik innovativer Initiativen mit sich brächte.

IV. Votum

Nach Maßgabe der vorstehenden Überlegungen stimmt der Wissenschaftsrat der Einrichtung von 14 neuen Sonderforschungsbereichen in Bochum, Erlangen-Nürnberg, Halle, Göttingen (2), Karlsruhe (2), Kiel, Köln, München (2), Münster, Saarbrücken und Würzburg zu.

Empfehlung zur Einrichtung eines weiteren Sonderforschungsbereichs ab Juli 1996

vom Juni 1996

Vorbemerkung

Der Wissenschaftsrat hat am 10. Mai 1996 eine Empfehlung zur Einrichtung weiterer Sonderforschungsbereiche ab Juli 1996 verabschiedet, mit der der Einrichtung von 14 neuen Sonderforschungsbereichen zugestimmt wurde.[1])

Der Wissenschaftsrat hat seinen Forschungsausschuß ermächtigt, eine Empfehlung zur Einrichtung des Sonderforschungsbereichs „Seltenerd-Übergangsmetallverbindungen: Struktur, Magnetismus und Transport“ an der Universität Dresden abzugeben, damit dieser zügig eingerichtet werden kann. Der Senatsausschuß der Deutschen Forschungsgemeinschaft für die Angelegenheiten der Sonderforschungsbereiche hat die Einrichtung des Sonderforschungsbereichs vorgeschlagen.

Die vorliegende Empfehlung wurde vom Forschungsausschuß im Auftrag des Wissenschaftsrates am 25. Juni 1996 verabschiedet.

Sonderforschungsbereich 1583 „Seltenerd-Übergangsmetallverbindungen: Struktur, Magnetismus und Transport“, Dresden

An dem beantragten Sonderforschungsbereich wollen sich Wissenschaftler der Institute für Theoretische Physik, für Tieftemperaturphysik, für Kristallographie und Festkörperphysik, für Oberflächen- und Mikrostrukturphysik, für Angewandte Physik und Didaktik sowie für Kristallographie und Festkörperphysik der Technischen Universität Dresden beteiligen. Mehrere Teilprojekte werden vom Institut für Festkörper- und Werkstofforschung Dresden, das zur Wissenschaftsgemeinschaft Blaue Liste gehört, ein weiteres vom kürzlich gegründeten Max-Planck-Institut für Physik komplexer Systeme getragen.

Untersuchungen zur Struktur- und Phasenbildung von Seltenerd-Übergangsmetallverbindungen sowie das Studium der Zusammenhänge von strukturellen und elektronischen Eigenschaften dieser Systeme stehen im Mittelpunkt der geplanten Forschungsarbeiten. Intermetallische Phasen erlauben durch die Wahl ihrer Zusammensetzung und durch geeignete Strukturierung des Materials eine gezielte Veränderung der physikalischen und chemischen Eigenschaften über weite Bereiche. Bei den hier untersuchten Seltenerd-Verbindungen ist es vor allem der Lokalisie-

1) In diesem Band, S. 363.

rungsgrad der f- und d-Elektronen, der zu sehr unterschiedlichen elektronischen, magnetischen und Transporteigenschaften dieser Materialien führt. Speziell die magnetischen Eigenschaften haben große technologische Bedeutung für Dauermagnete und Speichermedien. Daneben sind die supraleitenden Eigenschaften von Interesse. Außerdem treten in diesen Materialien Korrelationsphänomene auf, die theoretisch noch wenig verstanden sind.

Das Forschungsvorhaben gliedert sich in zwei Projektbereiche. Der erste Projektbereich beschäftigt sich mit der Präparation und Charakterisierung der zu untersuchenden intermetallischen Phasen. Der Schwerpunkt der Präparation liegt in einem zentralen Kristallabor, wo mit schmelzmetallurgischen Verfahren einphasiges polykristallines Material sowie Einkristalle hergestellt werden sollen. Die Zentralisierung der Probenpräparation soll die Vergleichbarkeit der in den verschiedenen Teilprojekten erhaltenen Untersuchungsergebnisse sichern. Im Vordergrund stehen Seltenerd-Übergangsmetall-Borcarbide und -nitride. Als alternative Herstellungsverfahren möchte man Intensivmahlen und mechanisches Legieren anwenden. Durch verschiedene strukturanalytische Methoden wie Röntgenbeugung, EXAFS und Elektronenmikroskopie sollen vor allem Stöchiometrie- und Strukturabweichungen studiert werden.

Der Projektbereich „Elektronische Eigenschaften“ befaßt sich mit dem Einfluß von Struktur und Zusammensetzung auf die elektronischen Eigenschaften der betrachteten Seltenerd-Verbindungen. Mit Hilfe eines breiten Methodenspektrums, das von Elektronenspektroskopie, Magnetisierungs- und Leitfähigkeitsmessungen bis zur Neutronenbeugung reicht, sollen die elektronische Struktur, die magnetischen Eigenschaften und die Transportphänomene aufgeklärt werden. Neben sechs dafür vorgesehenen experimentellen Teilprojekten sind drei theoretische Teilprojekte geplant, die auf die Experimente bezogen sind. Von besonderem Interesse ist das Auftreten von Supraleitung und ihr Zusammenspiel mit magnetischen Eigenschaften. Daneben sollen die hartmagnetischen Eigenschaften optimiert und Valenzinstabilitäten und Hybridisierungseffekte der f-Elektronen untersucht werden.

Die Gutachter der Deutschen Forschungsgemeinschaft sahen aufgrund der im Mittelpunkt der Untersuchungen stehenden neuen Substanzgruppe der Seltenerd-Übergangsmetall-Borcarbide große Entwicklungschancen für den geplanten Sonderforschungsbereich, da über die Herstellung und die genauen Eigenschaften dieser vielversprechenden Materialsysteme wenig bekannt sei. Es ergäben sich interessante neue Fragestellungen für Experiment und Theorie. Dresden biete sich durch seine lange Tradition bei der Untersuchung intermetallischer Phasen und den in den letzten Jahren erfolgten Neuaufbau als gut geeigneter Standort an. Wenn geeignete Materialproben zur Verfügung stünden, könnten weitere physikalische Eigenschaften mit dem am Ort vorhandenen Potential untersucht werden. Auch die sehr gut in das Forschungsprogramm einbezogenen theoretischen Arbeiten könnten künftig noch ausgebaut werden.

Die Gutachter bezeichneten die neue Initiative als klar abgegrenzt von bestehenden Sonderforschungsbereichen. Die an der Universität Augsburg mit Mitteln des Bundesministeriums für Bildung, Wissenschaft, Forschung und Technologie geförderten Arbeiten seien komplementär.

Aus forschungspolitischer Sicht ist darauf hinzuweisen, daß der beantragte Sonderforschungsbereich bereits der dritte für die Technische Universität Dresden sein wird. Entscheidend für das Gelingen ist die Zusammenarbeit zwischen der TU Dresden und den beteiligten außeruniversitären Forschungseinrichtungen, die bereits eng, aber noch ausbaufähig ist.[2]) Der Wissenschaftsrat erwartet, daß sich die TU künftig noch breiter am Sonderforschungsbereich beteiligt, wobei insbesondere an die Festkörperchemie zu denken ist. Die Grundausstattung der beteiligten Gruppen der TU sollte den Erfordernissen des Sonderforschungsbereichs angepaßt werden.

Der Mittelbedarf des neuen Sonderforschungsbereichs beträgt nach den Empfehlungen der Gutachter der Deutschen Forschungsgemeinschaft 0,7 Millionen DM für das II. Halbjahr 1996, 1,8 Millionen DM für 1997, 1,4 Millionen DM für 1998 und 0,6 Millionen DM für das I. Halbjahr 1999.

Nach Maßgabe der vorstehenden Überlegungen stimmt der Wissenschaftsrat der Einrichtung des neuen Sonderforschungsbereichs in Dresden zu.

2) Vgl. Wissenschaftsrat: Stellungnahme zur außeruniversitären Materialwissenschaft, Köln 1996, S. 216 f.

Empfehlung zur Einrichtung weiterer Sonderforschungsbereiche ab Januar 1997

vom November 1996

Inhalt

Vorbemerkung

Einrichtung, Förderung und Beendigung von Sonderforschungsbereichen sind in der Verfahrensordnung geregelt, die die Deutsche Forschungsgemeinschaft und der Wissenschaftsrat im Jahre 1977 beschlossen haben. Danach prüft die Deutsche Forschungsgemeinschaft die Qualität des Antrags auf Einrichtung eines neuen Sonderforschungsbereichs. Wenn diese Begutachtung zu einem positiven Votum führt, entscheidet der Wissenschaftsrat unter wissenschaftspolitischen Gesichtspunkten, ob er der Einrichtung des neuen Sonderforschungsbereichs zustimmt. Die endgültige Entscheidung über Einrichtung und Finanzierung eines Sonderforschungsbereichs trifft die Deutsche Forschungsgemeinschaft.

Der Wissenschaftsrat hat im Jahr 1985 eine Stellungnahme zur Entwicklung des Programms der Sonderforschungsbereiche verabschiedet.[1]) Die darin dargelegten Gesichtspunkte hat er seither seinen Empfehlungen zur Einrichtung neuer Sonderforschungsbereiche zugrundegelegt. Sie haben auch für die vorliegende Empfehlung Gültigkeit.

Mit dieser Empfehlung nimmt der Wissenschaftsrat zu Sonderforschungsbereichen Stellung, die ab Januar 1997 in die Förderung aufgenommen werden sollen. Sie wurde vom Forschungsausschuß vorbereitet und vom Wissenschaftsrat am 15. November 1996 verabschiedet.

1) Wissenschaftsrat: Empfehlungen und Stellungnahmen 1985, Köln 1986, S. 89 ff.

I. Stand der Förderung und vorliegende Anträge

Mit Stand vom Juli 1996 werden 233 Sonderforschungsbereiche an 57 Hochschulen gefördert.[2]) Darunter sind 34, die im Jahre 1996 eingerichtet wurden.[3])

Die Entwicklung der Einrichtung und Beendigung von Sonderforschungsbereichen seit 1988 zeigt Übersicht 1.

Übersicht 1

Einrichtung und Beendigung von Sonderforschungsbereichen

	1988	1989	1990	1991	1992	1993	1994	1995	1996	1997	1998	1999
Beendigung	10	8	4	3	11	2	13	20	23	19[1])	14[1])	3[1])
Einrichtung	7	21	11	11	8	18	22	23	34			

1) Nach den Entscheidungen der Deutschen Forschungsgemeinschaft bis Ende 1996.

Etwa die Hälfte der derzeit geförderten Sonderforschungsbereiche (116 von 233) wurde seit 1991 eingerichtet.[4]) In den nächsten Jahren wird wiederum eine relativ hohe Zahl von Sonderforschungsbereichen beendet werden. Wie sich die Zahl neuer Sonderforschungsbereiche entwickeln wird, ist offen. Gegenwärtig rechnet die Deutsche Forschungsgemeinschaft damit, daß neben den im folgenden dargestellten 26 Anträgen (darunter 3 in den neuen Ländern) etwa 25 weitere Anträge auf Einrichtung und Finanzierung von neuen Sonderforschungsbereichen mit Wirkung für 1997 zur Entscheidung anstehen könnten, von denen 2 aus den neuen Ländern stammen.

Insgesamt sind der Deutschen Forschungsgemeinschaft bis Ende September 1996 82 Initiativen in den alten Ländern und 9 (10 %) Initiativen in den neuen Ländern für die Gründung neuer Sonderforschungsbereiche bekanntgeworden; im September 1995 waren dies 76 für die alten und 12 für die neuen Länder.

Den Gutachtern der Deutschen Forschungsgemeinschaft haben 29 Anträge auf Einrichtung und Finanzierung neuer Sonderforschungsbereiche ab Januar 1997 vorgelegen. 26 Sonderforschungsbereiche werden vom Senatsausschuß der Deutschen Forschungsgemeinschaft für die Angelegenheiten der Sonderforschungsbereiche zur Einrichtung vorgeschlagen. Die Gutachter haben von den für diese Sonderforschungsbereiche beantragten Mitteln etwa zwei Drittel zur Bewilligung empfohlen.

2) Vgl. Tabellen 1 und 2 im Anhang.
3) Vgl. Tabelle 3 im Anhang.
4) Vgl. Tabelle 4 im Anhang.

Das Verhältnis der von den Hochschulen und beteiligten Einrichtungen eingebrachten Grundausstattung zur beantragten Ergänzungsausstattung wird von der Deutschen Forschungsgemeinschaft bei den zur Einrichtung vorgeschlagenen Sonderforschungsbereichen als angemessen angesehen, wenn die Hochschulen und Länder die aufgrund der Empfehlungen und Forderungen der Gutachter der Deutschen Forschungsgemeinschaft zugesagten Stellen und Mittel zur Verstärkung der Grundausstattung bereitstellen.

II. Zu den neuen Sonderforschungsbereichen im einzelnen

II. 1. Sonderforschungsbereich 1492 „Flugmeßtechnik – Modellierung dynamischer Systeme", Braunschweig

An dem geplanten Sonderforschungsbereich wollen sich Wissenschaftler der Technischen Universität Braunschweig aus den Fachbereichen Maschinenbau und Elektrotechnik sowie der Universität Hannover aus dem Institut für Meteorologie und Klimatologie beteiligen. Einbezogen sind außerdem das Institut für Flugmechanik der Deutschen Forschungsanstalt für Luft- und Raumfahrt (DLR) sowie die Physikalisch-Technische Bundesanstalt (PTB), jeweils Braunschweig.

Wesentliches Ziel des geplanten Sonderforschungsbereichs ist die Erhöhung der Genauigkeit beim Messen in dynamisch „unfreundlicher" Umgebung durch Verbesserung des Meßaufbaus. Flugzeuge gelten als ein Beispiel für besonders komplexe dynamische Fahrzeuge, die – im Vergleich zu stationären Labormessungen physikalischer Größen – umfangreiche präzise Meßtechnik erfordern. Als Meßplattformen wurden sie zunächst überall dort erfolgreich eingesetzt, wo bodenbezogene Messungen schwierig, unmöglich oder weniger wirtschaftlich sind. Neben der Verbesserung einzelner Sensoren soll durch Modellierung des dynamischen Verhaltens einzelner Sensoren und Sensorsysteme die Qualität der Messung erhöht werden. Ausgegangen wird dabei davon, daß Meßfehler modelliert und anschließend eliminiert werden können. Bei vollständiger Kenntnis der Fehlermodelle ist somit prinzipiell fehlerfreies Messen möglich. Der Nachweis der Realisierbarkeit der theoretischen Methoden und Modelle setzt neben Simulationsrechnungen auch Flugversuche voraus.

Der geplante Sonderforschungsbereich gliedert sich in vier Projektbereiche. Im Projektbereich „Luftdaten" sollen bekannte Meßverfahren zur Ermittlung der Luftdaten (Druck, Temperatur etc.) optimiert sowie neue Konzepte untersucht werden, um die Meßgenauigkeit zu verbessern. Der Projektbereich „Bahn- und Felddaten" beschäftigt sich primär mit der Verbesserung der Messung der Windgeschwindigkeit, wofür eine genaue Bahngeschwindigkeitsbestimmung mit den globalen Navigationssystemen GPS und GLONASS Voraussetzung ist. Im Projektbereich „Datenerfassung und -verarbeitung" sollen unter Echtzeitanforderungen die Struktur und Dynamik komplexer Multisensorsysteme untersucht werden. Hinzu kommt der Projektbereich „Systemintegration und Flugversuch" mit der Aufgabe, wissenschaftliche Großgeräte (Meßflugzeuge) zu betreiben und die zeitliche Zusammenarbeit der Teilprojekte zu koordinieren.

Die Gutachter der Deutschen Forschungsgemeinschaft waren sich einig, daß es sich um ein uneingeschränkt förderungswürdiges Projekt handelt, das sich mit einer aktuellen und international gesehen bedeutsamen Thematik befaßt. Hervorgehoben wurde zum einen die Integration von Meßtheorie und Anwendung, zum anderen die Erfassung des Flugzeugeinflusses auf die Messungen selbst. Als wissenschaftlich besonders interessant erachteten die Gutachter die Miniaturisierung der Druckgeber, die optische Strömungsmessung, Luftdichtemessungen, die Präzisionsortung und die Fluggravimetrie. Allerdings sei zusätzlich zu den geplanten Messungen auch die Einbeziehung von Feuchtemessungen wünschenswert. Unumstritten sei die fachliche Kompetenz der Antragsteller, so daß von einer erfolgreichen Durchführung der Projekte ausgegangen werden könne. Mit dem geplanten thematisch verwandten Sonderforschungsbereich in Aachen (SFB 1580: Strömungsbeeinflussung und Strömungs-Struktur-Wechselwirkung an Tragflügeln)[5]) seien keine Überschneidungen vorhanden. Braunschweig sei als Standort für den geplanten Sonderforschungsbereich aufgrund seiner optimalen Infrastruktur in diesem Forschungsfeld überaus geeignet. Insgesamt liege ein kohärentes Forschungsprogramm vor, das eine gute Grundlage für die Zusammenarbeit zwischen den Teilprojekten biete.

Unter forschungspolitischen Gesichtspunkten ist hervorzuheben, daß sich für den wissenschaftlichen Nachwuchs aufgrund des attraktiven und international beachteten Themas vielfältige Qualifikationsmöglichkeiten bieten. In Braunschweig besitzt die verfolgte Forschungsrichtung Tradition an verschiedenen Einrichtungen, wodurch dort insgesamt eine ausgezeichnete Infrastruktur vorhanden ist.

II. 2. Sonderforschungsbereich 1504 „Ressourcenorientierte Gesamtbetrachtung von Stoffströmen metallischer Rohstoffe", Aachen

An dem geplanten Sonderforschungsbereich wollen sich von der Technischen Hochschule Aachen folgende Lehrstühle oder Institute beteiligen: Mineralogie und Lagerstättenlehre, Bergbaukunde I, Metallhüttenwesen und Elektrometallurgie, Aufbereitung, Veredlung und Entsorgung, Ingenieurgeologie und Hydrogeologie, Physische Geographie, insbesondere Geoökologie, Bergwerks- und Hüttenmaschinenkunde, Reaktorsicher-

5) Vgl. S. 38 ff.

heit und -technik und das Institut für Internationale Technische und Wirtschaftliche Zusammenarbeit. Außerdem beteiligt sich die „Programmgruppe Systemforschung und Technologische Entwicklung" des Forschungszentrums Jülich (KFA).

Ziel des Sonderforschungsbereichs ist die Entwicklung eines Instrumentariums zur Unterstützung eines auf Ressourcenschutz ausgerichteten Stoffstrommanagements. Den Hintergrund bildet die weltweit erhobene Forderung nach einer rationellen, ressourcen- und umweltschonenden sowie sozial verträglichen Nutzung von natürlichen Ressourcen. Im Mittelpunkt des Sonderforschungsbereichs steht der primäre Bereitstellungsprozeß metallischer Rohstoffe, der die Gewinnung, Aufbereitung und Verhüttung einschließlich der ersten Verarbeitungsstufe umfaßt sowie sekundäre Prozesse des Recyclings und der Entsorgung. Die Bilanzierung der Stoff- und Energieströme über die Prozeßkette sowie die Methoden- und Modellentwicklung zur globalen Betrachtung von Stoffströmen soll in der ersten Phase am Beispiel des Aluminiums erfolgen. Eine Erweiterung auf andere metallische Rohstoffe ist für die zweite Phase des Sonderforschungsbereichs vorgesehen. Anders als bei bislang vorliegenden Stoffstrombetrachtungen, die die umweltrelevant eingestuften Faktoren zumeist isoliert betrachten, wird ein Gesamtmodell angestrebt, aus dem Handlungsspielräume für ein auf Ressourcenökonomie und Umweltschutz ausgerichtetes ganzheitliches Stoffstrommanagement abgeleitet werden können.

Der Sonderforschungsbereich gliedert sich in neun Teilprojekte, wobei zwei Teilprojekte wesentliche Leistungen für die Erarbeitung eines übergeordneten Gesamtmodells von Stoffströmen erarbeiten sollen. Während in einem Teilprojekt geeignete Methoden zur ressourcenökonomischen Bewertung des Stoffstroms entwickelt werden sollen, verfolgt das andere Teilprojekt das Ziel, ein rechnergestütztes Gesamtmodell von technischen, ökologischen und ökonomischen Aspekten der Stoff- und Energieströme zu erarbeiten. Der weitere Aufbau des Sonderforschungsbereichs folgt den verschiedenen Gliedern der Prozeßkette von Stoffströmen. Die Themen der Teilprojekte reichen von „Lagerstätte" und „Gewinnung und Entsorgung" über „Verhüttung von Primär- und Sekundärrohstoffen", „Bereitstellung von Sekundärrohstoffen" bis zu „Umwelt", „Transport" und „Energiebereitstellung".

Die Gutachter der Deutschen Forschungsgemeinschaft waren übereinstimmend der Auffassung, daß der geplante Sonderforschungsbereich ein vielversprechendes Forschungsgebiet zum Thema habe, von dem wichtige anwendungsbezogene Empfehlungen für den Umwelt- und Ressourcenschutz ausgehen können. Vorbildlich sei insbesondere die angestrebte Integration der Teilprojekte, die dem komplexen Wirkungskreislauf von Stoffströmen gerecht werde. Damit seien jedoch auch erhöhte Anforderungen an die thematische Kohärenz und Zusammenarbeit der Teilprojekte gestellt. Den Schnittstellen zwischen einzelnen Teilprojekten müsse daher besondere Aufmerksamkeit geschenkt werden.

In forschungspolitischer Hinsicht ist hervorzuheben, daß der Sonderforschungsbereich ein Thema von großer gesellschaftlicher Bedeutung aufgegriffen hat, für das neue technische Entwicklungen und Verfahrensweisen nachgefragt werden. Die ingenieurwissenschaftlichen Institute bieten dafür in Zusammenarbeit mit der Philosophischen Fakultät sowie der Fakultät für Wirtschaftswissenschaften der TH Aachen gute Voraussetzungen. Künftig sollten die Möglichkeiten für eine interdisziplinäre Zusammenarbeit bis hin zu den Sozialwissenschaften noch konsequenter genutzt werden.

II. 3. Sonderforschungsbereich 1543 „Kulturelle und sprachliche Kontakte. Zentren und Peripherien im historischen Nordostafrika/Westasien", Mainz

An dem beantragten Sonderforschungsbereich wollen sich Wissenschaftler der Institute oder Seminare für Ägyptologie, Alte Geschichte, Orientkunde, Byzantinistik, Klassische Archäologie, Allgemeine und Vergleichende Sprachwissenschaft, Ethnologie und Afrikastudien sowie Altes Testament und Biblische Archäologie der Universität Mainz beteiligen. Darüber hinaus sollen mehrere Wissenschaftler aus dem In- und Ausland an dem Sonderforschungsbereich beratend teilnehmen.

Im Mittelpunkt der geplanten Forschungsarbeiten stehen die politisch-kulturellen und sprachlichen Kontakte im historischen Raum Nordostafrika/Westasien. Im Gegensatz zu den weltgeschichtlich jungen Kulturzonen und Staatsbildungen in Europa, die im wesentlichen Entwicklungsprodukte der letzten eintausend Jahre sind, repräsentieren die kulturellen und staatlichen Einheiten im historischen Raum Nordostafrika/Westasien Entwicklungsprozesse und Traditionen von mehrfacher zeitlicher Länge. Dieser älteste Kulturraum der überschaubaren Weltgeschichte ist deshalb in besonderer Weise geeignet, die komplexen und weitreichenden Fragen von kulturellen und sprachlichen Kontakten, die sich im Neben- und Miteinander von zentralen und peripheren Gebieten und Orten abgespielt haben, in exemplarischer Weise zu untersuchen. Die weitreichende historische Perspektive erlaubt es, kulturelle und sprachliche Verhältnisse etwa des dritten vorchristlichen Jahrtausends mit solchen in späterer Zeit zu vergleichen. Dabei sollen allgemeinere methodische Ansätze und theoretische Modelle erarbeitet werden, die auch auf andere gesellschaftliche Entwicklungsprozesse übertragbar sind.

Der Sonderforschungsbereich gliedert sich in drei Projektbereiche. Der erste Projektbereich beschäftigt sich mit Staat und Religion in Nordostafrika und Westasien. Aufgabe dieses Projektbereiches ist es, die zwischenstaatlichen Beziehungen in dieser Region, ihre Wirkungsweise und ihre Bedeutung für die jeweiligen Zentren und die betroffenen peripheren Gebiete zu untersuchen. Grundlage der Untersuchungen sind Textquellen und Gegenstände der materiellen Kultur.

Der zweite Projektbereich befaßt sich mit Siedlungsformen, Kunst- und Wirtschaft in Nordostafrika und Westasien. Im Vordergrund steht das theoretische Interesse, die wechselseitigen Beziehungen zwischen Zentren und Peripherien im kommerziellen, technologischen und kulturellen Bereich in dieser Region im Hinblick auf Rezeptionsprozesse in Kunst, Technik, Sprache und Religion zu analysieren. Vier archäologisch ausgerichtete Teilprojekte werden ergänzt durch ein althistorisch-wirtschaftsgeschichtliches Teilprojekt.

Der dritte Projektbereich beschäftigt sich mit der Sprache in der Region. Im einzelnen soll der Sprachwandel aus der Sicht des Sprachkontaktes untersucht und an Erkenntnissen aus der Sprachtypologie und der Arealtypologie gemessen werden. Im Mittelpunkt steht sowohl die Entstehung neuer als auch die hohe Zeitstabilität sprachlicher Strukturen und typologischer Eigenschaften von Sprachen.

Die Gutachter der Deutschen Forschungsgemeinschaft waren übereinstimmend der Auffassung, daß der geplante Sonderforschungsbereich in seiner thematischen Ausrichtung die Voraussetzung bietet, um zu einer fruchtbaren Zusammenarbeit der „kleinen Fächer“ zu führen. Die Teilprojekte seien einerseits sinnvoll voneinander abgegrenzt, böten andererseits aber auch genügend Gelegenheit, durch die interdisziplinäre Zusammenarbeit zu neuartigen Erkenntnis- und Interpretationsmustern der gesellschaftlichen Entwicklungsprozesse in dieser Region zu kommen. Die Universität Mainz wurde als geeigneter Standort für die Ansiedlung eines derartigen Sonderforschungsbereichs gesehen. Die Gutachter sahen es als zwingend an, die im Untertitel zum Ausdruck kommende theoretische Fragestellung „Zentren und Peripherien im historischen Raum Nordostafrika/Westasien“ in den kommenden Jahren weiterzuentwickeln und zu präzisieren. Die Abgrenzung zu den anderen regionalspezifischen Sonderforschungsbereichen (389 in Köln, 268 in Frankfurt/M. und 214 in Bayreuth) könne als ausreichend betrachtet werden. Dem gemeinsamen theoretischen Rahmen für die verschiedenen Teilprojekte ist besondere Aufmerksamkeit zu widmen.

In forschungspolitischer Hinsicht ist der Versuch der Zusammenarbeit kleiner geisteswissenschaftlicher Fächer innerhalb dieses Sonderforschungsbereichs unterstützenswert, zumal das gewählte Thema geeignet erscheint, die interdisziplinäre Zusammenarbeit zu fördern. Dem gemeinsamen theoretischen Rahmen für die verschiedenen Teilprojekte ist besondere Aufmerksamkeit zu widmen.

II. 4. Sonderforschungsbereich 1546 „Wandlungsfähige Produktionssysteme im turbulenten Umfeld", Stuttgart

An dem geplanten Sonderforschungsbereich wollen sich unter Federführung des Instituts für Industrielle Fertigung und Fabrikbetrieb der Universität Stuttgart Wissenschaftler der Institute für Steuerungstechnik der Werkzeugmaschinen und Fertigungseinrichtungen, für Arbeitswissenschaft und Technologiemanagement, für Theoretische Physik, für Parallele und Verteilte Höchstleistungsrechner, für Werkzeugmaschinen sowie des Betriebswirtschaftlichen Instituts in Stuttgart und außerdem des Lehrstuhls für Arbeits- und Organisationspsychologie der Universität Mannheim und des Fraunhofer-Instituts für Produktionstechnik und Automatisierung in Stuttgart beteiligen. In einem Industrie-Kooperationsprojekt will darüber hinaus die Siemens AG mitwirken.

Zentrales Anliegen ist es, ein grundlegendes Verständnis von Produktionssystemen als Gebilden aus gelenkten selbstorganisierenden Leistungseinheiten zu entwickeln, die in dynamischen, sich evolutionär weiterentwickelnden Netzwerken zusammenwirken. Dahinter steht die Grundannahme, daß zentrale und hierarchische Strukturen eine geringere Wandlungsfähigkeit besitzen als kleinere, selbständige Betriebseinheiten. In Auseinandersetzung mit zentralen produktionstechnischen Konzepten und Ansätzen (wie z. B. der „Agile Company", des „Holonic Manufacturing", der „Lean Production") sollen Strategien, Techniken und Methoden entwickelt werden, die eine bessere Anpassungsfähigkeit von Unternehmen an turbulente und nicht planbare Märkte ermöglichen. Wesentliche Impulse gehen vom Konzept der „Fraktalen Fabrik" aus, das um die Aspekte Wandlungsfähigkeit, Adaption an das turbulente Umfeld, Technikunterstützung und Auftragsmanagement erweitert werden soll.

Langfristig soll die Blickrichtung des Sonderforschungsbereichs auf alle Teilprozesse des Produktionssystems gerichtet sein; in der ersten Förderphase sollen zunächst jedoch die variantenreiche Serienproduktion, die Herstellung von Einzelteilen, Komponenten und Produkten mit mittlerer Komplexität sowie Einzelunternehmen im Vordergrund stehen. Die Methodenorientierung des Sonderforschungsbereichs soll der Notwendigkeit einer Reform der gesamten Methodenlehre der Betriebs- und Arbeitswirtschaft Rechnung tragen, die an die Konzepte der Selbstorganisation angepaßt werden sollen.

Der Sonderforschungsbereich gliedert sich in fünf Projektbereiche, von denen einer aus einem Industriekooperations-Projekt besteht, für das keine Fördermittel beantragt werden. Im Projektbereich „Grundlagen der Optimierung und Adaption" liegt der Schwerpunkt auf methodischen Fragen und Entwicklungen. In einem zweiten Projektbereich „Struktur- und Unternehmensentwicklung" sollen die Rahmenbedingungen für offene, am Markt orientierte Produktionsnetzwerke erarbeitet werden. Im dritten Projektbereich ist geplant, „wandlungsfähige technische Systeme“ zu untersuchen und zu konzipieren. Der vierte Projektbereich „Entwicklung von Humanpotentialen“ umfaßt zum einen die Gestaltung selbstorganisierender, wandlungsfähiger Leistungseinheiten unter arbeitswissenschaftlichen Gesichtspunkten und zum anderen die Unterstützung selbstregulierter Gruppenarbeit aus organisationspsychologischer Perspektive. Im Projektbereich „Kooperation und Führung für vernetzte Produktionseinheiten“ wird vom Industriepartner die Problematik der Kooperationsbeziehungen teilautonomer Leistungseinheiten erforscht.

Nach Auffassung der Gutachter der Deutschen Forschungsgemeinschaft behandelt der beantragte Sonderforschungsbereich ein Thema, das für die Wettbewerbsfähigkeit des Industriestandortes Deutschland von großer Bedeutung ist. Die Qualität der beantragten und zur Förderung empfohlenen Projekte wurde übereinstimmend als gut bis sehr gut bezeichnet. Hervorgehoben wurde die Integration technisch-ingenieurwissenschaftlicher Ansätze mit der Perspektive des Humanpotentials. Dabei wurde der Standort Stuttgart mit der Ergänzung durch die Kooperationspartner in Mannheim als besonders geeignet bezeichnet. Geringfügige Überlappungen mit anderen Sonderforschungsbereichen, z. B. SFB 384 „Verfügbarkeitssicherung reaktionsschneller Produktionssysteme“, Hannover, SFB 361 „Modelle und Methoden zur Parallelen Produkt- und Prozeßgestaltung“, Aachen, sowie insbesondere mit dem in Stuttgart bereits eingerichteten SFB 374 „Entwicklung und Erprobung innovativer Produkte – Rapid Prototyping“, wurden angesichts der spezifischen Orientierung als vertretbar angesehen und im Sinne einer Ergänzung betrachtet.

Aus forschungspolitischer Sicht ist die zu erwartende Transferleistung des Sonderforschungsbereichs hervorzuheben, die in einem Feld, das die aktuelle wirtschaftspolitische öffentliche Diskussion wesentlich bestimmt, unmittelbare wirtschaftliche Bedeutung gewinnen kann. Die Integration technischer und betriebswirtschaftlicher Ansätze sowie von Humanpotential-Perspektiven werden zudem in beispielhafter Weise gefördert. Vor der Einrichtung des Sonderforschungsbereichs ist jedoch die von den Gutachtern erbetene Konkretisierung erforderlich.

II. 5. Sonderforschungsbereich 1550 „Integration symbolischer und subsymbolischer Informationsverarbeitung in adaptiven sensomotorischen Systemen“, Ulm

An dem geplanten Sonderforschungsbereich wollen sich Wissenschaftler verschiedener Fakultäten der Universität Ulm (Informatik, Naturwissenschaften (Neurobiologie) und Ingenieurwissenschaften sowie Mathematik, Wirtschaftswissenschaften und Medizin), des Forschungsinstituts für angewandte Wissensverarbeitung an der Universität Ulm (FAW) und der

Abteilung „Sprachverstehende Systeme“ der Forschung Informationstechnik der Daimler-Benz AG in Ulm beteiligen. Für das gemeinsam mit dem Industrieunternehmen geplante Teilprojekt ist keine Förderung beantragt worden. Die zentrale Frage nach dem Übergang zwischen der neuronalen Repräsentation sensorischer und motorischer Ereignisse und den darauf ablaufenden, im wesentlichen sequentiellen Prozessen des Denkens und Planens soll im Mittelpunkt des Sonderforschungsbereichs stehen. Dieser Übergang soll sowohl von der biologischen Seite zum besseren Verständnis der Arbeitsweise des menschlichen Hirns beleuchtet werden, als auch unter technischen Aspekten anhand der effektiven Kopplung von subsymbolischen Datenverarbeitungsprozessen (insbesondere neuronalen Netzen) zu symbolischen Verarbeitungsprozessen (insbesondere in der Künstlichen Intelligenz).

Ziel des Sonderforschungsbereichs ist es, verschiedene technisch oder neurobiologisch motivierte Ansätze in einem konkreten sensomotorischen System an einem hinreichend komplexen praktischen Aufgabenspektrum zu erproben und weiterzuentwickeln. In einem einzigen System sollen neurobiologische Modelle der bereits besser erforschten sensorischen Repräsentationsformen (insbesondere durch topologische Karten) und der sensomotorischen Regelkreise eingesetzt und auf ihre praktische Tragfähigkeit geprüft werden. Die Robustheit der erarbeiteten Lösungen, also ihre Fähigkeit, auf Veränderungen in der Umgebung und am sensomotorischen System selbst zu reagieren, stellt ein zentrales Forschungsziel dar.

Die beteiligten Disziplinen sind durch folgende Schwerpunkte eingebunden: Die Robotik hat für die heute in der Entwicklung befindlichen Robotersysteme einen lernfähigen kognitiven Apparat zu entwickeln, also eine zentrale Repräsentation der sensomotorischen Gesamtsituation, die als Grundlage zur mittel- und langfristigen Planung und Bewertung des eigenen Verhaltens und Agierens dienen kann. Die Neurobiologie möchte ihre Modellbildungen von in experimentellen Verfahren gewonnenen Erkenntnissen an einem konkreten technischen System erproben. Aus der Sicht der Künstlichen Intelligenz bietet sich die Möglichkeit, die bekannten Komplexitätsprobleme der bisher in der Robotik angewandten Planungsmechanismen durch sensomotorisch verankerte Symbole und Verlagerung von sensornaher Detaillierung auf die subsymbolische Ebene zu überwinden. Für die Regelungstechnik ist eine Kombination der symbolischen Planungsmechanismen mit den aus der klassischen Regelungstechnik bekannten subsymbolischen Steuerungsalgorithmen vorgesehen. Die Neuroinformatik möchte bekannte Vorteile künstlicher neuronaler Netze und konnektionistischer Verfahren in einem Anwendungsbereich nutzen.

Die Gutachter der Deutschen Forschungsgemeinschaft hoben die Themenstellung als außerordentlich aktuell hervor. Insbesondere der Übergang von symbolischer zu subsymbolischer Informationsverarbeitung sei zu Recht ein zentrales Thema des Antrages. Die geplanten Arbeiten würden ein Potential für – auch im internationalen Vergleich – weit überdurchschnittliche Forschungsergebnisse in sich bergen. Die Gutachter gehen davon aus, daß der Sonderforschungsbereich aufgrund seiner aktuellen Thematik für Nachwuchswissenschaftler vieler Disziplinen von besonderer Attraktivität sein werde. Ulm sei als Standort sehr gut geeignet, da dort wichtige Vorarbeiten geleistet worden seien und das notwendige Potential vorhanden sei. Durch die Einbindung des FAW und der Daimler-Benz AG bekomme der Sonderforschungsbereich wichtige und notwendige Ergänzungen. Verwandte Sonderforschungsbereiche (SFB 509 in Bochum „Neuronale Mechanismen des Sehens" und SFB 517 in Bremen „Neuronale Grundlagen kognitiver Leistungen") hätten eine deutlich verschiedene Schwerpunktsetzung, da dort nicht der Übergang von der subsymbolischen zur symbolischen Ebene im Vordergrund stehe.

Aus wissenschaftspolitischer Sicht ist insbesondere die ausgeprägte Interdisziplinarität der Initiative hervorzuheben. Die Zusammenarbeit wird durch den zentralen Demonstrator als Versuchsplattform für alle Teilprojekte unterstützt. Die Universität Ulm bietet gerade in Verbindung mit dem FAW gute personelle Voraussetzungen dafür, auch wenn in Zukunft Wissenschaftler der Biologie und der Mathematik oder Physik verstärkt eingebunden werden sollten. Der Wissenschaftsrat hatte bereits in seiner Stellungnahme zum Forschungszentrum Ulm die Kooperation der Universität mit außeruniversitärer Forschung unterstützt.[6])

II. 6. Sonderforschungsbereich 1554 „Strukturbildung und Eigenschaften in Grenzschichten", Dresden

An dem geplanten Sonderforschungsbereich wollen sich Wissenschaftler der Technischen Universität Dresden mit den Fachrichtungen Werkstoffwissenschaft, Festkörperphysik, Theoretische Physik, Angewandte Physik, Festkörperelektronik, Kristallographie, Produktionstechnik sowie Halbleiter- und Mikrosystemtechnik beteiligen. Außerdem sind das Institut für Festkörper- und Werkstofforschung sowie das Forschungszentrum Rossendorf als Einrichtungen der Blauen Liste und die Fraunhofer-Institute für Werkstoffphysik und Schichttechnologie und für Keramische Technologien und Sinterwerkstoffe vertreten.

Als Grenzschichten werden Werkstoffvolumina bezeichnet, die aus mehreren Phasen unterschiedlicher Struktur und Bindung bestehen und deren Dicke klein gegenüber ihren lateralen Abmessungen ist, wobei die Morphologie der in ihnen auftretenden inneren Grenzflächen sehr mannigfaltig sein kann. In dem Sonderforschungsbereich sollen solche Grenzschichten untersucht werden, die aus mehrkomponentigen Legierungen mit großer Mischungslücke aufgebaut sind und deren physikali-

6) Wissenschaftsrat: Stellungnahme zum Forschungszentrum Ulm, in: Empfehlungen und Stellungnahmen 1989, Köln 1990, S. 137 ff.

sche und chemische Eigenschaften durch eine in mindestens einer Dimension nanoskalige Ausdehnung bestimmt werden.

Werkstoffeigenschaften werden durch die Gestaltung von Grenzschichten zunehmend mikrostrukturell konstruiert; Verbundwerkstoffe sowie technische Anwendungen wie Fügen, Sintern, Optimieren von Eigenschaften und schließlich die Entwicklung neuer Funktionswerkstoffe beruhen auf einem solchen Konzept. Wissenschaftliche Fortschritte wurden dabei vor allem in der physikalischen Forschung erzielt, während eine werkstoffwissenschaftliche und technische Umsetzung der Ergebnisse vernachlässigt wurde. Ziel des Sonderforschungsbereichs ist es, am Beispiel von Grenzschichten, die aus metallischen Phasen aufgebaut sind, einen grundlegenden Beitrag zur Struktur- und Eigenschaftsbestimmung zu leisten und Defizite in der Modellbildung zu beheben. Dabei ist ein enges Zusammenwirken von Natur- und Ingenieurwissenschaftlern vorgesehen. In den Forschungsprojekten sollen vor allem zwei Aspekte untersucht werden; Änderungen bei der Phasenbildung und -umwandlung in räumlich begrenzten Grenzschichten im Vergleich zum massiven Festkörper sowie die Eigenschaften einzelner Phasen und die aus ihnen aufgebauten Grenzschichtgefüge. Vor diesem Hintergrund widmet sich der Sonderforschungsbereich zwei Themenkomplexen, nämlich den Grundlagen der Strukturbildung in Grenzschichten einerseits und den Eigenschaften von strukturierten Grenzschichten andererseits.

Nach Auffassung der Gutachter der Deutschen Forschungsgemeinschaft werden mit dem geplanten Sonderforschungsbereich wichtige werkstoffwissenschaftliche und physikalische Themen aufgegriffen. Die beabsichtigte Verknüpfung natur- und ingenieurwissenschaftlicher Ansätze in der Materialforschung sei charakteristisch für das Vorhaben und grenze es von bereits bestehenden Sonderforschungsbereichen mit verwandter Thematik auf geeignete Weise ab. Die Konstruktion neuer Werkstoffe erfordere ein solches Zusammenwirken verschiedener Disziplinen. Die Gutachter betonten, daß es eine wichtige Aufgabe der beteiligten Wissenschaftler sein werde, die in sich schlüssigen und guten Projekte noch stärker miteinander zu verknüpfen und damit das übergreifende Konzept noch deutlicher hervortreten zu lassen. Vor diesem Hintergrund sei zunächst nur eine vorläufige Einrichtung für einen Förderzeitraum von drei Jahren zu befürworten.

Aus forschungspolitischer Sicht ist hervorzuheben, daß dieser Sonderforschungsbereich die materialwissenschaftliche Schwerpunktbildung in der Wissenschaftsregion Dresden abrundet, die der Wissenschaftsrat empfohlen hatte.[7]) Er bildet eine wichtige Initiative innerhalb der viel-

7) Vgl. Wissenschaftsrat: Stellungnahmen zu den außeruniversitären Forschungseinrichtungen der ehemaligen Akademie der Wissenschaften der DDR auf dem Gebiet der Physik, Köln 1992, S. 106 f., und Stellungnahme zu den mathematisch-naturwissenschaftlichen Fachbereichen an den Universitäten der neuen Länder, in: Empfehlungen zur künftigen Struktur der Hochschullandschaft in den neuen Ländern und im Ostteil von Berlin, Teil IV, Köln 1992, S. 183 f.

fältigen materialwissenschaftlichen Aktivitäten. Die beteiligten wissenschaftlichen Einrichtungen sind apparativ gut ausgestattet. Während der überwiegende Teil der Projekte in der TU Dresden angesiedelt ist, ist zugleich eine angemessene Einbindung außeruniversitärer Einrichtungen vorgesehen. Aufgrund der breit gefächerten materialwissenschaftlichen Forschung und der Ansiedlung von großen Industrieunternehmen auf dem Gebiet der Mikroelektronik sind sowohl für die Ausbildung als auch für die beruflichen Perspektiven des wissenschaftlichen Nachwuchses gute Voraussetzungen gegeben.

II. 7. Sonderforschungsbereich 1555 „Rationalitätskonzepte, Entscheidungsverhalten und ökonomische Modellierung", Mannheim

Der geplante Sonderforschungsbereich ist schwerpunktmäßig auf dem Gebiet der Betriebs- und Volkswirtschaftslehre angesiedelt, wobei soziologische und (sozial-)psychologische Aspekte Berücksichtigung finden. Beteiligen wollen sich Wissenschaftler der Universität Mannheim (Fakultäten für Betriebswirtschaftslehre, für Sozialwissenschaften, für Volkswirtschaftslehre und Statistik sowie Institut für Psychologie und Erziehungswissenschaft), der Universität Karlsruhe (Fakultät für Wirtschaftswissenschaften) und der Universität Heidelberg (Fakultät für Sozial- und Verhaltenswissenschaften). Die Universität Mannheim ist Sprecherhochschule.

Zentrales Anliegen ist es, das den traditionellen Wirtschaftswissenschaften im allgemeinen zugrundeliegende und nicht immer realitätsadäquate Menschenbild, das Paradigma des rationalen Entscheidungsträgers („homo oeconomicus"), zu reformulieren und zu erweitern. Darauf aufbauend sollen ökonomische Modelle des menschlichen Entscheidungsverhaltens entwickelt werden, die auch das institutionelle Umfeld des Entscheiders als Einflußgröße auf das Entscheidungsverhalten berücksichtigen. Basierend auf neuen Modellen zur Abbildung von menschlichem Entscheidungsverhalten sollen ökonomische Theorien für Individuen und Aggregate herausgearbeitet und durch empirische Arbeiten getestet werden. Die Weiterentwicklung deskriptiver Forschung und ihrer Erkenntnisse in Richtung präskriptiver Modelle ist zudem intendiert.

Es ist eine Aufteilung des geplanten Sonderforschungsbereichs in einen theoretisch ausgerichteten und zwei anwendungsorientierte Projektbereiche vorgesehen. Während im ersten Projektbereich das individuelle Entscheidungsverhalten im Mittelpunkt stehen soll, werden sich die beiden übrigen Projektbereiche mit der Auswirkung neuer Entscheidungsmodelle eines individuellen Entscheiders auf konkrete ökonomische Situationen befassen und die Entscheidungsfindung von Gruppen im Umfeld einer Organisation oder auf einem Markt untersuchen.

Nach Auffassung der Gutachter der Deutschen Forschungsgemeinschaft handelt es sich um ein uneingeschränkt förderungswürdiges Projekt, das sich mit einer international bedeutsamen und aktuellen Thematik befaßt. Hervorgehoben wurde die gelungene Verzahnung der beteiligten Disziplinen, insbesondere die enge Kooperation von Psychologen und Ökonomen, die in dieser Form in Deutschland einzigartig sei. Nicht zuletzt aufgrund der hohen Motivation und Qualifikation der beteiligten Wissenschaftler sei mit einer fruchtbaren Zusammenarbeit zu rechnen, von der für jede der beteiligten Disziplinen neue Impulse zu erwarten seien.

Als inhaltlich bedeutsam wurde hervorgehoben, daß sich die ökonomische Theorie mit diesem Vorhaben vom Paradigma des „homo oeconomicus" löse und dennoch am Ziel der Systemerklärung festhalte. Die enge Verknüpfung von Theorie und Empirie sowie der gleichzeitige Zugriff auf Methoden anderer Disziplinen wie der Psychologie und Soziologie, vor allem im experimentellen Bereich, bedeute einen Fortschritt für die gesamte ökonomische Methodik. Mit diesem zukunftsweisenden Vorhaben, das schon jetzt auf große Anerkennung auch über die deutschen Grenzen hinaus treffe, befinde sich die deutsche Forschung auf internationalem Stand. Es bestehe die Chance, in Mannheim, das ein adäquates wissenschaftliches Umfeld mit entsprechenden internationalen Kontakten biete, ein Forschungszentrum mit großer nationaler wie internationaler Ausstrahlungskraft zu entwickeln.

Aus wissenschaftspolitischer Sicht ist, abgesehen von der innovativen und internationalen Tragfähigkeit des Themas, insbesondere auf die zu erwartende Förderung des wissenschaftlichen Nachwuchses hinzuweisen. Dem Nachwuchs bieten sich durch den in diesem Feld neuartigen interdisziplinären Forschungsansatz zahlreiche Qualifikationsmöglichkeiten. Die ausgewogene Kombination von erfahrenen Forschern einerseits und jungen Nachwuchswissenschaftlern andererseits läßt ein anregendes und produktives Arbeitsklima erwarten. Im Förderungsprogramm Sonderforschungsbereich sind wirtschaftswissenschaftlich ausgerichtete Forschungsprojekte bisher unterrepräsentiert. Mit der vorliegenden Initiative könnte diesem Ungleichgewicht entgegengesteuert und zudem ein in Deutschland bisher vernachlässigtes Forschungsgebiet gefördert werden.

II. 8. Sonderforschungsbereich 1556 „Mechanismen neuro-immun-endokriner Interaktionen", Marburg

An dem geplanten Sonderforschungsbereich wollen sich Wissenschaftler aus verschiedenen medizinisch-theoretischen und klinischen Fachrichtungen des Fachbereichs Humanmedizin der Universität Marburg sowie mit je einem Teilprojekt Wissenschaftler des Fachbereichs Humanmedizin der Universität Gießen und des Max-Planck-Instituts für physiologische und klinische Forschung, Bad Nauheim, beteiligen. Ziel ist es, funktionelle Zusammenhänge zwischen Nerven-, Hormon- und Immunsystem zu ergründen. Traditionell betrachtet die biologische und medizinische Forschung diese Globalsysteme als voneinander unabhängig; in letzter Zeit wurde aber zunehmend deutlich, daß klassische Botenstoffe des Nervensystems Immunantworten modulieren können wie umgekehrt auch Cytokine als Signalsubstanzen des Immunsystems in der Lage sind, Expression und Freisetzung von Neurotransmittern zu beeinflussen. Hinzu kommen Wechselwirkungen von Neuro- und Immunsystem mit dem Hormonsystem. Unklar ist insbesondere, inwieweit Botenstoffe des Immunsystems und Hormone in der Lage sind, die Blut/Hirnschranke zu überwinden.

Der Sonderforschungsbereich setzt sich zum Ziel, Mechanismen von Interaktionen zwischen Nervensystem, Immunsystem und Endokrinem System auf verschiedenen Ebenen mit den Methoden der Neuroanatomie, der Histologie, der Molekularbiologie, der Zellbiologie, der Systemphysiologie, der Immunologie und der klinischen Forschung zu charakterisieren. Zur gezielten Immunstimulation sollen etablierte Tiermodelle eingesetzt und durch in vitro-Experimente ergänzt werden. Darüber hinaus sollen klinisch relevante neuro-immun-endokrine Mechanismen bei unterschiedlichen Krankheitsbildern und -zuständen untersucht werden.

Der geplante Sonderforschungsbereich ist in drei Projektbereiche gegliedert. Im Projektbereich „neuro-immun-endokrine Interaktionen: long-loop Regulation“ sind Projekte zusammengefaßt, in denen Interaktionen auf humoralen und nervalen Wegen im Mittelpunkt stehen. Im zweiten Projektbereich werden parakrine Interaktionen und autokrine Mechanismen in der Peripherie und im dritten Projektbereich parakrine Interaktionen im Zentralnervensystem bearbeitet.

Nach Auffassung der Gutachter der Deutschen Forschungsgemeinschaft widmet sich der Sonderforschungsbereich einem Gebiet, dessen Bedeutung in den vergangenen Jahren zunehmend deutlich wurde. Es liege an der Schnittstelle großer und vielbeachteter Forschungsbereiche, denen sich bereits zahlreiche Sonderforschungsbereiche widmen. Die Grenzbereiche zwischen Neurowissenschaften, Immunologie und Endokrinologie seien demgegenüber erst spät in ihrer Bedeutung erkannt worden und würden bisher von keiner Arbeitsgruppe in Deutschland in größerem Umfang wissenschaftlich aufgearbeitet. Der ganzheitliche Ansatz des geplanten Sonderforschungsbereichs wurde von den Gutachtern daher als besonders positiv hervorgehoben. Aufgrund des interdisziplinären Charakters der Fragestellungen berge das Forschungsfeld besondere Schwierigkeiten, nicht nur in der Zusammenarbeit zwischen klinischen und theoretischen Wissenschaftlern, sondern auch zwischen unterschiedlichen methodischen Ansätzen und Denkweisen der medizinisch-theoretischen Forschung. Vergleichbare Arbeitsgruppen gebe es in anderen Ländern Europas und in den USA. Die Marburger Arbeitsgruppen zeichnen sich nach Ansicht der Gutachter durch qualitativ hochstehende Vorarbeiten aus, die auch im internationalen Vergleich konkurrenzfähig sind. Auch biete das Marburger Umfeld günstige Voraussetzungen insbesondere mit Blick auf das insgesamt hohe Niveau der biomedizinischen Forschung mit drei weiteren Sonderforschungsbereichen, einer klinischen und einer weiteren durch die Deutsche Forschungsgemeinschaft geförderten Forschergruppe sowie einem Graduiertenkolleg.

Da eine Reihe wichtiger Personal- und Berufungsfragen noch nicht geklärt werden konnte, empfahlen die Gutachter zunächst eine vorläufige Einrichtung des Sonderforschungsbereichs mit einer Laufzeit von zwei Jahren.

Aus forschungspolitischer Sicht verspricht der geplante Sonderforschungsbereich wesentliche Erkenntnisse auf einem für klinische Forschung und medizinische Versorgung relevanten Gebiet. Das wissenschaftliche Umfeld wird in Marburg durch die Nachbarschaft des Max-Planck-Instituts und die interdisziplinäre Kooperation komplementärer Fachdisziplinen und international ausgewiesener Wissenschaftler geprägt. Anzumerken ist allerdings die sehr knappe Grundausstattung der Kliniken und Institute mit Personal und Sachmitteln; dies hatte der Wissenschaftsrat in seiner Stellungnahme zum Fachbereich Humanmedizin der Unversität Marburg festgestellt.[8])

II. 9. Sonderforschungsbereich 1558 „Landnutzungskonzepte für periphere Regionen“, Gießen

An dem geplanten Sonderforschungsbereich wollen sich weit überwiegend Wissenschaftler des Fachbereichs Agrarwissenschaften und Umweltsicherung der Universität Gießen beteiligen. Darüber hinaus sind die Fachbereiche Biologie und Rechtswesen sowie die Hessische Forstliche Einrichtungsanstalt (Gießen) beteiligt. Hauptziel soll die Entwicklung einer integrierten Methodik zur Erarbeitung und Bewertung von ökonomisch und ökologisch nachhaltigen, sozial verantwortlichen, natur- und wirtschaftsräumlich differenzierten Optionen der Landnutzung für Regionen sein, die aufgrund der zunehmenden Konzentration landwirtschaftlicher Produktion auf pedologisch und klimatisch bevorzugte Regionen künftig nicht mehr landwirtschaftlich genutzt werden. Dieser Konzentrationsprozeß, der durch den Anbau von Nutzpflanzen mit zunehmenden Ertragspotentialen bei weitgehend stagnierender Gesamtnachfrage hervorgerufen wird, vollzieht sich bereits heute in weiten Teilen Europas und wird sich künftig mit großer Wahrscheinlichkeit beschleunigt fortsetzen. Als peripher gilt folglich eine Region, in der relativ ungünstige natürliche Bedingungen mit relativ ungünstigen agrarstrukturellen Gegebenheiten für die landwirtschaftliche Nutzung

8) Stellungnahme zur weiteren Entwicklung des Fachbereichs Humanmedizin der Universität Marburg, in diesem Band, S. 273.

zusammentreffen. Aufgrund anderweitiger Beschäftigungsmöglichkeiten oder Abwanderung fallen weite, bisher landwirtschaftlich genutzte Flächen brach. Dies führt zur Veränderung der Kulturlandschaft und ihrer Funktionen, die zu einem großen Teil nicht erwünscht sind. Bisher fehlen methodisch fundierte Konzepte dafür, wie diese Entwicklungen im Sinne übergeordneter Ziele positiv beeinflußt oder gesteuert werden können.

Es ist vorgesehen, folgende Funktionen und Nutzungspotentiale von Landschaften zur Erarbeitung von Nutzungsoptionen heranzuziehen: Art und Umfang der landwirtschaftlichen Produktion, der Trinkwassererzeugung, der Aufnahme und Verwertung von Biomasse aus menschlicher Nutzung, der Landschaftsnutzung für Freizeit- und Erholungszwecke sowie Nutzung als Lebensraum für landschaftstypische und schützenswerte Flora und Fauna und die Qualität der Region als Siedlungsraum für nichtlandwirtschaftliche Bevölkerung. Die Methodik soll am Beispiel des Lahn-Dill-Berglandes entwickelt werden.

Der geplante Sonderforschungsbereich wird in die Projektbereiche „Modellierung und Bewertung von Optionen der regionalen Landnutzung“ und „Sozioökonomische Faktoren der Landnutzungsverteilung“ mit jeweils vier Teilprojekten, „Abiotische und biotische Landschaftskomponenten“ und „Potentiale und Gestaltung von landwirtschaftlichen Nutzungssystemen“ mit jeweils sechs Teilprojekten gegliedert.

Die Gutachter der Deutschen Forschungsgemeinschaft sprachen sich für die Einrichtung des Sonderforschungsbereichs aus. Er beschäftige sich mit einer Thematik von hoher agrarpolitischer und gesellschaftlicher Relevanz, da zu erwarten sei, daß europaweit rund die Hälfte der bisherigen Fläche aus der landwirtschaftlichen Nutzung fallen werde. Es gebe international keinen vergleichbaren und durch einen so hohen Grad an Interdisziplinarität gekennzeichneten Forschungsansatz zu dieser Problematik. Die Thematik des seit 1986 bestehenden Sonderforschungsbereichs 179 „Agrar-Ökosysteme“ in Braunschweig werde stark erweitert und durch sozialwissenschaftliche Elemente ergänzt. Aufgrund der erwiesenen Kompetenz der beteiligten Wissenschaftler sei der Standort Gießen sehr gut geeignet. Die methodischen Ansätze befänden sich auf internationalem Niveau und ließen hervorragende, anwendungsorientierte und auf andere Regionen übertragbare Ergebnisse erwarten. Die Teilprojekte, die eine Reihe von innovativen Ansätzen verfolgten, seien gut miteinander verzahnt und abgestimmt. Für den wissenschaftlichen Nachwuchs, der innerhalb des Sonderforschungsbereichs gut gefördert werde, ergäben sich mit der Doppelqualifikation im Grenzgebiet zwischen Naturwissenschaften und Planung verbesserte Berufschancen. Die Gutachter empfahlen, zur Lösung der noch offenen Bewertungsfrage regelmäßig gestufte Kolloquien aller Teilprojekte durchzuführen und dadurch den interdisziplinären Ansatz weiter zu stärken; außerdem solle ein regelmäßiger Austausch mit anderen Forschungseinrichtungen institutionalisiert werden.

Aus forschungspolitischer Sicht ist hervorzuheben, daß sich der Sonderforschungsbereich in einem relevanten und zukunftsträchtigen Feld agrarökologischer Forschung bewegt. Es ist zu erwarten, daß aufgrund des national und international einmaligen interdisziplinären Ansatzes Ergebnisse erzielt werden, die auch Resultate von Forschungsvorhaben zu Einzel- und Randthemen der dargestellten Problematik zusammenfassen und für eine gesellschaftspolitische Umsetzung erschließen.

II. 10. Sonderforschungsbereich 1570 „Internationalität nationaler Literaturen", Göttingen

In dem geplanten Sonderforschungsbereich wollen Philologen der Fachrichtungen Romanistik, Germanistik, Amerikanistik, Anglistik, Finnougristik, Klassische Philologie, Skandinavistik, Slavistik, Lateinische Philologie des Mittelalters, Ägyptologie und Sinologie der Universität Göttingen zusammenarbeiten. Das Ziel besteht darin, konzeptionelle, methodische, typologische und materielle Grundlagen und übersehene historische Grundlinien in einer Weise zu erforschen, die stets der Internationalität des Literaturgeschehens Rechnung tragen und letztendlich zu einer Integration der Ergebnisse zumindest in einem Modell einer auf Internationalität beruhenden Geschichte von Nationalliteraturen führen sollen. Der Leitgedanke des Vorhabens beruht auf der Beobachtung, daß sich zwar das literarische Leben kaum je von Staatsgrenzen einengen ließ, die literaturhistorischen Gesamtdarstellungen aber bisher stets entweder programmatisch eng national angelegt wurden oder trotz der Zunahme auch synthetisierender Arbeiten auf dem Gebiet der vergleichenden Literaturwissenschaft und der Übersetzungsforschung gerade heute Zurückhaltung bei der Bezugnahme auf ausländische Autoren üben. Es wird auf ein Desiderat der Forschung und in kulturpolitischer Hinsicht auf die Korrektur eines derzeit wieder vorherrschenden nationalistischen Paradigmas vor dem Hintergrund eines sich einigenden Europas gezielt.

Der geplante Sonderforschungsbereich ist in vier Projektbereiche mit drei, sechs oder vier Teilprojekten gegliedert, die wiederum in Unterprojekte unterteilt sind. Das Thema der Internationalität nationaler Literaturen stellt zunächst ein Problem der neuzeitlichen Literaturen und der nachklassizistischen, nachrationalistischen Literaturauffassung als komplementärer nationaler Prägungen dar. Im Projektbereich „Interdependenz und Selbstkonstituierungsmodelle lateinischer und volkssprachlicher Dichtung am Beispiel der mittelalterlichen Alexanderepik" sollen typologisch möglichst verschiedenartige Fälle im Beziehungsgeflecht eines sich über viele Jahrhunderte erstreckenden mindestens zweisprachigen Kulturraums herausgearbeitet werden. Als Gattungsbeispiel wird die mittelalterliche Alexanderepik gewählt, weil hier die Verflechtung der interregionalen und intersprachlichen Beziehungen zwischen den Texten einen besonders hohen Grad erreicht. Ziel des komparatistisch ausgerichteten Projektbereichs „Europäische Literaturen im Netzwerk internationaler Diskurse“ ist es, die Internationalität der nationalen Literaturen am Beispiel der europäischen Literaturen anhand strukturierender Fragestellungen in den Blick zu bringen. Im Projektbereich „Die Herausbildung und Ausgestaltung der Eigenliteraturen von Siedlungskolonien und ihren Nachfolgestaaten aus der Internationalität am Beispiel ausgewählter Literaturen beider Amerikas“ soll ein Modell der aufeinander sowie auf vor allem den transatlantischen Literaturaustausch bezogenen Geschichte der amerikanischen Literaturen entwickelt werden. Der Projektbereich „Internationale Vernetzung: Personen, Medien und Institutionen als Vermittlungsinstanzen von Literatur im Horizont von Erwartungen und Interessen“ zielt auf die Herausarbeitung der Funktion unterschiedlicher Vermittlungsinstanzen im wechselseitigen Prozeß der Internationalisierung und Nationalisierung zunächst literarisch formulierter kultureller Bedeutungskomplexe.

Das Gesamtkonzept des geplanten Sonderforschungsbereichs wurde von den Gutachtern als innovativ, aufregend und zukunftsweisend beurteilt. Bemerkenswert sei, daß der Anstoß zur Innovation aus dem Bereich der Philologie komme. Es handele sich um eine hochaktuelle, brisante Thematik im Bereich zwischen Politik, Literaturwissenschaft und Historik, die im Zentrum der internationalen Forschungsdiskussion stehe. Positiv bewertet wurde, daß ein solches überzeugendes Rahmenthema in Europa aufgegriffen werde, wodurch gewissermaßen ein Gegengewicht zu den USA enstehe. Insgesamt sei das Programm äußerst homogen. Es handele sich um den entschiedensten Versuch in Deutschland, neue Wege auf diesem Forschungsgebiet zu eröffnen, auch wenn die „Frauenfrage“ bedauerlicherweise ausgeklammert sei. Die Antragsteller könnten auf wertvollen Erfahrungen aus dem Ende 1996 auslaufenden Sonderforschungsbereich 309 „Die literarische Übersetzung“ in Göttingen aufbauen. Es sei nach Ansicht der Gutachter wünschenswert, daß sich die Literaturwissenschaften den Kulturwissenschaften öffnen. Außerdem wurde die Beteiligung von Historikern, z. B. aus dem Max-Planck-Institut für Geschichte in Göttingen, als wichtig erachtet.

Unter forschungspolitischen Gesichtspunkten ist darauf hinzuweisen, daß der geplante Sonderforschungsbereich dem Gebiet der Geistes- und Sozialwissenschaften zuzurechnen ist, das insgesamt einen vergleichsweise geringen Anteil am Programm der Sonderforschungsbereiche hält. Dem wissenschaftlichen Nachwuchs bieten sich gute Möglichkeiten; die Aufbruchstimmung unter den jüngeren Wissenschaftlern ist hervorzuheben.

II. 11. Sonderforschungsbereich 1573 „Design und Management komplexer technischer Prozesse und Systeme mit Methoden der Computational Intelligence“, Dortmund

Der geplante Sonderforschungsbereich ist schwerpunktmäßig auf dem Gebiet der Informatik angesiedelt, zusätzlich sollen anwendungsorientierte Aspekte aus anderen Disziplinen berücksichtigt werden. Getragen wird das Vorhaben von Wissenschaftlern der Universität Dortmund aus den Fachbereichen Informatik, Chemietechnik, Maschinenbau und Elektrotechnik. Geplant ist, sich mit Computational Intelligence (CI)-Methoden, einzeln und gekoppelt, sowie deren Anwendung in den Ingenieurwissenschaften zu befassen. Ausgehend von den Methoden Fuzzy-Logik, Neuronale Netze und Evolutionäre Algorithmen sollen auch weitere von der Natur abgeschaute Strukturen und Prozesse analytisch durchdrungen und für die Anwendung aufbereitet werden. Anwendungsgebiete sind vor allem in der Elektrotechnik, der Chemietechnik und dem Maschinenbau angesiedelt. Da diese Aufgaben prototypischen Charakter haben, wird davon ausgegangen, daß sich die gewonnenen Ergebnisse später auch auf andere Disziplinen übertragen lassen.

Das Forschungsgebiet ‚Computational Intelligence‘ erlebte in den vergangenen zehn Jahren eine bemerkenswerte Entwicklung. CI-Techniken stellen von der Intention her ganz im Gegensatz zur klassischen, rein symbolisch basierten Repräsentation in der Künstlichen Intelligenz (KI) – algorithmische Nachbildungen von Informationsverarbeitungsprozessen in natürlichen Systemen dar. Entscheidend für die Popularität und den Erfolg von CI-Techniken ist die weitgehende Problemunabhängigkeit und damit breite Verwendbarkeit CI-basierter Verfahren, die hauptsächlich in den technischen Disziplinen, aber auch im betriebswirtschaftlichen Bereich Anwendung finden. Bisher klafft jedoch eine große Lücke zwischen den Erfolgen bei der Nutzung der naturanalogen Mechanismen und ihrer theoretisch fundierten Durchdringung. Der geplante Sonderforschungsbereich hat sich vorgenommen, einen Prozeß zur Entwicklung eines konstruktiv-methodischen Überbaus anzustoßen und diese Entwicklung mitzugestalten. So soll über eine zunächst eher analytisch und experimentell ausgerichtete Vorgehensweise langfristig eine synthetische Methodik entwickelt werden.

In drei großen Projektbereichen will man versuchen, dieses Ziel zu erreichen. Den Kern aus Informatik-Sicht bildet ein theorieorientierter Bereich, in dem die theoretischen und algorithmischen Grundlagen der CI-Methoden erarbeitet werden sollen. In einem zweiten großen Projektbereich, der Bindegliedfunktion für die drei Projektbereiche besitzt, sollen Anpassung und Koppelung von CI-Methoden für spezifische Anwendungsbereiche untersucht werden. Die Projekte des dritten Bereichs schließlich sind anwendungsorientiert, das heißt, sie setzen CI-Techniken als Hilfsmittel ein, um Ziele zu erreichen, die sich aus den Anwendungsbereichen ergeben. Dabei wird man sich auf Ingenieuraufgaben konzentrieren wie die Strukturoptimierung mit Anwendungen im Anlagenbau, in der Materialtechnik und Statistik sowie beim teilweise automatisierten Entwurf.

Nach Auffassung der Gutachter der Deutschen Forschungsgemeinschaft handelt es sich um ein voll förderungswürdiges Projekt, das sich mit einer international bedeutsamen und aktuellen Thematik befaßt. Hervorgehoben wurde, daß gerade die Kombination der verschiedenen Bereiche nicht nur in Deutschland, sondern auch weltweit gesehen einzigartig sei. So werde in den bereits existierenden Zentren und starken internationalen Einzelgruppen (beispielsweise in Berkeley) oftmals der Anwendungsbereich (Ingenieurwissenschaften etc.) nicht entsprechend oder aber gar nicht berücksichtigt. Zudem sei die internationale Qualifikation einzelner Wissenschaftler der Initiative hervorragend; die Chancen, dadurch zur internationalen Spitze aufsteigen zu können, seien als durchaus realistisch zu bewerten. Der Standort Dortmund mit seinem günstigen inhaltlich-strukturellen Umfeld und einer entsprechenden Ausstattung verspreche und ermögliche ein fruchtbares Zusammenarbeiten von zahlreichen Fachleuten verschiedener Bereiche; eine völlig neue Arbeitsrichtung könnte ohne weiteres das Ergebnis dieser günstigen Rahmenbedingungen sein. Die geplante enge Interaktion von Theoretikern und Anwendern könne im Verlauf der Förderung noch weiter ausgedehnt werden, beispielsweise auf den Fachbereich Statistik oder andere Felder der Ingenieurwissenschaften.

Aus wissenschaftspolitischer Sicht ist, abgesehen von der innovativen und internationalen Tragfähigkeit des Themas, insbesondere auf die zu erwartende Förderung des wissenschaftlichen Nachwuchses hinzuweisen. Diesem bieten sich durch den in diesem Feld neuartigen interdisziplinären Forschungsansatz zahlreiche Qualifikationsmöglichkeiten. Das gilt für Informatiker und Ingenieure gleichermaßen. Zudem könnte von diesem Sonderforschungsbereich ein positiver Impuls für den ausländischen Nachwuchs im Bereich der Ingenieurwissenschaften ausgehen, für den durch dieses neue Angebot ein Forschungsaufenthalt in Deutschland wieder attraktiver werden dürfte.

II. 12. Sonderforschungsbereich 1574 „Wechselwirkungen an geologischen Grenzflächen“, Göttingen

An dem geplanten Sonderforschungsbereich wollen sich Geowissenschaftler aus dem Institut für Geologie und Dynamik der Lithosphäre, dem Institut und Museum für Geologie und Paläontologie, dem Geochemischen Institut, dem Geographischen Institut und dem Mineralogisch-Petrologischen Institut der Universität Göttingen beteiligen. Darüber hinaus sind das Institut für Geophysik und das Zentrum Anatomie eingebunden. Das Ziel besteht darin, aus den Prozessen der Stoffumlagerung und der Wechselwirkungen an geologischen Grenzflächen auf großräumige geologische Vorgänge zurückzuschließen. Der Begriff Grenzfläche wird im Sinne „geologischer Grenzflächen" gegenüber der Definition in der Materialwissenschaft allgemeiner gebraucht. Demzufolge werden als „geologische Grenzflächen" auch die Grenzen im Mikrobereich zwischen Partikeln, Körnern und Phasen, zwischen Feststoffen und Fluiden sowie zwischen Gesteinen und aktiven Mikroorganismen betrachtet. Dagegen stellen großräumige geologische Grenzen zwischen Gesteinskörpern, geologischen Verbänden und Plattengrenzen in diesem Sinne keine Grenzflächen dar. In dem geplanten Sonderforschungsbereich sollen langfristig die Anwendung und Entwicklung moderner hochauflösender Mikroanalytik in den verschiedenen Teilgebieten der Geowissenschaften und die Konzentration dieser methodischen Anstrengungen auf die Wechselwirkungen an geologischen Grenzflächen erfolgen.

Der Sonderforschungsbereich ist in drei Projektbereiche mit jeweils vier bis sechs Teilprojekten gegliedert. Der Projektbereich „Auf- und Abbau von biotischen und abiotischen Grenzflächen in geologischen Körpern oberflächennaher Bereiche und hydrothermaler Milieus" befaßt sich mit Wechselwirkungen an Grenzflächen im oberflächennahen Bereich der Verwitterung und Diagenese. Im Projektbereich „Fluide, Deformation und Grenzflächenbildung in Gesteinskörpern der oberen Kruste" werden insbesondere fluid-gesteuerte Prozesse an geologischen Grenzflächen untersucht. Fluidsysteme steuern wesentlich den Stoffaustausch an Grenzflächen und sind damit das wichtigste Medium für Dispersions- und Konzentrationsprozesse von Elementen in der Erdkruste. Darüber hinaus beeinflussen sie über physikalische und chemische Prozesse das Verformungsverhalten der Gesteine und Minerale sowohl im duktilen als auch im spröden Bereich. Der Projektbereich „Stofftransport an Grenzflächen in metamorphen und magmatischen Körpern" zielt darauf, den Informationsgehalt solcher Gradienten durch mikroanalytische Ansätze zur Rekonstruktion geologischer Prozesse zu nutzen. Insgesamt ergeben sich daraus wesentliche Fragestellungen für die Geowissenschaften, die sich ausgehend vom Submikro-Bereich der Grenzfläche zwischen Mineralen und Fluiden bei mittleren und hohen Temperaturen mit großräumigen Transport- und Austauschprozessen befassen.

Das Konzept des vorgesehenen Sonderforschungsbereichs ist nach Ansicht der Gutachter der Deutschen Forschungsgemeinschaft insgesamt durchführbar und auch längerfristig tragfähig. Es widme sich einem bedeutsamen und außerordentlich aktuellen Thema – der Grenzflächenforschung —, für das aufgrund des direkten Anwendungsbezugs eine stürmische Entwicklung in den Geowissenschaften vorausgesagt wird. Göttingen besitze als Geostandort lange Tradition und weise hervorragende analytische Möglichkeiten auf, die in Deutschland an keinem anderen Ort so umfangreich vorhanden seien. Thematisch seien die Arbeiten sehr gut in die internationale Forschungslandschaft eingebunden. Unumstritten sei die fachliche Kompetenz der Antragsteller, so daß von einer erfolgreichen Durchführung der Projekte ausgegangen werden könne. Die Initiative weise für die Zukunft viel Potential für weitere denkbare Projekte auf. Wünschenswert sei eine stärkere Beteiligung von Bereichen der Bodenkunde, der Physikalischen Chemie und der Kristallographie. Die Qualität der Forschungsprojekte wurde insgesamt als gut beurteilt.

Aus forschungspolitischer Sicht ist hervorzuheben, daß sich der Sonderforschungsbereich in einem relevanten und zukunftsträchtigen Feld der geowissenschaftlichen Forschung bewegt. Aufgrund des angestrebten hohen methodisch-analytischen Niveaus sind für den wissenschaftlichen Nachwuchs gute Berufsaussichten gegeben. Hervorzuheben sind auch die bereits fortgeschrittenen Anstrengungen, einen neuen übergreifenden Studiengang „Geowissenschaften" in Göttingen einzurichten.

II. 13. Sonderforschungsbereich 1580 „Strömungsbeeinflussung und Strömungs-Struktur-Wechselwirkung an Tragflügeln", Aachen

In dem geplanten Sonderforschungsbereich wollen Wissenschaftler der Fachgebiete Luftfahrt, Leichtbau, Strömungslehre und Hochtemperaturgasdynamik der Fakultät für Maschinenwesen sowie die Fachgebiete Mathematik, Numerische Mathematik, Angewandte Mathematik und Mechanik der Mathematisch-Naturwissenschaftlichen Fakultät der Technischen Hochschule Aachen zusammenarbeiten.

Ziel des Sonderforschungsbereichs ist die Gewinnung neuer Erkenntnisse über die Beeinflussung von Strömungen sowie über die Strömungs-Struktur-Wechselwirkungen an Tragflügeln von Transportflugzeugen. Längerfristig können diese Erkenntnisse zu einer Verbesserung von Sicherheit und Wirtschaftlichkeit von Flugzeugen beitragen. Trotz vielfältiger Bemühungen gibt es bis heute keine quantitativ wirksamen Hilfen zur Abschwächung der Wirbelsysteme, die beim Starten und Landen von Flugzeugen auftreten und deren Langlebigkeit und Größe die Start- und Landefrequenz auf Flughäfen maßgeblich beeinflussen. Quantitativ akzeptable Berechnungsverfahren für den Nachlauf von Tragflügeln existieren erst in Ansätzen, und beim quasistationären Tragflügelentwurf wird heute daher iterativ vorgegangen. Im Interesse einer Reduktion oder Vermeidung eines solchen iterativen Vorgehens soll der Sonderforschungsbereich sowohl die physikalischen Kenntnisse als auch die Berechnungsmodelle für das Strömungsverhalten von Tragflügeln verbessern. Ausgehend von einem bereits vorhandenen Modell eines Forschungsflügels mit einer vorläufigen Referenzgeometrie sollen dabei experimentelle und numerische Untersuchungen vorgenommen werden.

Im ersten Projektbereich (Aerodynamik im Hochauftrieb und Reiseflug) sind Projekte zusammengefaßt, in denen die Strömung um die Gesamtkonfiguration des Flügels erforscht wird. Dabei wird sowohl der Niedergeschwindigkeitsbereich als auch der Reiseflugbereich berücksichtigt. Modellierung und Verfahrensentwicklung für gekoppelte aerostrukturdynamische Probleme stehen im Vordergrund der Arbeiten im Rahmen des zweiten Projektbereichs. Neben der Entwicklung von Berechnungsverfahren für die Aerostrukturdynamik von Tragflügeln sollen hier z. B. auch Experimente in einem Transschallwindkanal zur Validierung von Verfahren der aeroelastischen Direktsimulation durchgeführt werden.

Nach Auffassung der Gutachter der Deutschen Forschungsgemeinschaft verspricht der geplante Sonderforschungsbereich eine sinnvolle und innovative Ergänzung der Forschungsaktivitäten auf dem Gebiet der Luftfahrtforschung. Dabei wurde insbesondere auf die Grundlagenorientierung des Forschungsprogramms verwiesen. Die an dem Sonderforschungsbereich beteiligten Wissenschaftler haben bereits in einer Reihe von Projekten zusammengearbeitet. Hierzu zählen der 1994 ausgelaufene Sonderforschungsbereich Wirbelströmungen in der Flugtechnik (SFB 25) sowie das von der Deutschen Forschungsgemeinschaft geförderte Schwerpunktprogramm Strömungssimulation mit Hochleistungsrechnern. Der Sonderforschungsbereich besitzt nach Ansicht der Gutachter ein klar konturiertes eigenständiges Profil im Bereich der Grundlagenforschung, das ihn deutlich von anderen größeren Forschungsprojekten wie z. B. dem durch das Bundesministerium für Bildung, Wissenschaft, Forschung und Technologie geförderten Verbundprojekt Dynamik des flexiblen Flugzeugs abhebt. Auch im Hinblick auf die Heranbildung des wissenschaftlichen Nachwuchses und dessen künftige Berufschancen wurden die Entwicklungsperspektiven des geplanten Sonderforschungsbereichs als sehr gut beurteilt.

Aus forschungspolitischer Sicht ist darauf hinzuweisen, daß der Sonderforschungsbereich wesentlich zur Verbesserung der ingenieurwissenschaftlichen Grundlagenkenntnisse beitragen kann, die für den Bau künftiger Großflugzeuge benötigt werden. Angesichts der wichtigen Rolle der Thematik im Kontext der deutschen Luftfahrtforschung wird es jedoch erforderlich sein, daß auch Land und Universität durch die Verbesserung der Grundausstattung zur erfolgreichen Durchführung des Forschungsprogramms beitragen. In diesem Zusammenhang sollte das Land prüfen, wie die personelle Ausstattung des auch international renommierten Stoßwellenlabors verbessert werden kann. Die bestehenden Kooperations- und Austauschbeziehungen mit thematisch nahstehenden Aktivitäten sollten kontinuierlich weitergepflegt und die Publikationsleistungen gesteigert werden.

II. 14. Sonderforschungsbereich 1588 „Lichtinduzierte Dynamik von Biopolymeren", München

An den Arbeiten des beantragten Sonderforschungsbereichs beteiligen sich Wissenschaftler der Institute für Botanik, Medizinische Optik und

Angewandte Physik der Universität München (Sprecherhochschule), der Institute für Organische Chemie und Biochemie, Theoretische Physik, Biophysik, Physik sowie für Physikalische und Theoretische Chemie der TU München, des Max-Planck-Instituts für Biochemie, Martinsried, und des Biochemistry Department des Weizmann Instituts in Rehovot, Israel.

Die beantragte Initiative geht aus dem auslaufenden Sonderforschungsbereich 143 „Elementarprozesse der Photosynthese“ hervor. In dem neu beantragten Sonderforschungsbereich soll versucht werden, die Dynamik von ausgewählten Biopolymeren von den elementaren molekularen Vorgängen im schnellsten heute zugänglichen Bereich bis hin zur Änderung ihrer Eigenschaften experimentell zu verfolgen und theoretisch zu verstehen. Durch Auslösen einer photochemischen Reaktion werden schnelle, zeitlich und räumlich definierte Störungen in den gewählten dreidimensionalen Biopolymer-Systemen ausgelöst; die Reaktion darauf soll mit einer Kombination von spektroskopischen und mikroskopischen Techniken vom Femtosekunden- bis in den Minutenbereich verfolgt werden. Die Verfahren der Moleküldynamik sollen vom Nanosekundenbereich systematisch zu längeren Zeiten erweitert werden und so interaktiv der Interpretation und dem Design von Experimenten dienen.

Der Sonderforschungsbereich ist in drei Projektbereiche gegliedert. Der Bereich „Biochemie und statische Charakterisierung“ stellt Systeme bereit und führt die nötigen statistischen Charakterisierungen durch. Der Bereich „Dynamik“ verfolgt die Strukturänderungen mit unterschiedlich zeitaufgelösten Methoden. Im Bereich „Theorie“ werden Methoden der theoretischen Physik und Chemie für ein verbessertes Verständnis der molekularen Dynamik eingesetzt.

Die Gutachter der Deutschen Forschungsgemeinschaft führten aus, daß ein Thema gewählt wurde, das innovativ und wissenschaftlich von wachsender Bedeutung sei. Auch weltweit werde nicht in vergleichbarer Intensität auf diesem Gebiet geforscht, obwohl das Forschungsgebiet aktuell sei. Die internationale Forschung konzentriere sich bislang auf die Struktur, der Sonderforschungsbereich durch die Erforschung der Dynamik dagegen auf die Funktion von Biopolymer-Systemen. Interessant sei, daß die Messungen lückenlos über viele Zeitskalen durchgeführt würden. Positiv hervorzuheben sei insbesondere der Theoriebereich, der den praktisch ausgerichteten Bereichen die notwendigen Grundlagen biete; es gebe in Deutschland keine Forschergruppe in vergleichbarer Stärke.

International führende Wissenschaftler leiteten einen Großteil der Teilprojekte. In der interdisziplinären Zusammenarbeit würden die Möglichkeiten zu Synergieeffekten gut genutzt. Aufgrund seiner vielfältigen Forschungseinrichtungen sei der Standort München gut geeignet für die Etablierung eines solchen großen Forschungsvorhabens.

Ein Teil der gut fundierten Vorarbeiten für die Teilprojekte sei im Rahmen des beendeten Sonderforschungsbereichs 143 durchgeführt worden. Von ähnlichen Forschungsprojekten auf diesem Gebiet hebe sich der Sonderforschungsbereich dadurch ab, daß er die Dynamik der Vorgänge nicht nur in extrem kurzen Zeiten, sondern auch im langsameren Zeitbereich erforschen wolle. Zum Sonderforschungsbereich 377 „Photoionisation und Ladungstrennung in großen Molekülen, Clustern und in kondensierter Phase" der Universität und TU München gebe es personelle Überschneidungen; thematisch unterschieden sich die beiden Sonderforschungsbereiche jedoch in der fachlichen Ausrichtung, da der bereits bestehende sich auf die Molekül- und Festkörperphysik konzentriere und der beantragte auf Biologie, Biochemie, Biophysik.

Aus forschungspolitischer Sicht sind vor allem die Kooperation zwischen den beiden Universitäten, dem Max-Planck-Institut und einer ausländischen Forschungseinrichtung sowie das daraus resultierende reichhaltige Ausbildungsangebot für den wissenschaftlichen Nachwuchs zu nennen, der hierdurch bessere Voraussetzungen sowohl für eine Hochschulkarriere als auch für den Arbeitsmarkt erwerben kann.

II. 15. Sonderforschungsbereich 1595 „Molekulare Orientierung als Funktionskriterium in chemischen Systemen", Münster

Der thematische Schwerpunkt des ausschließlich von Wissenschaftlern der Universität Münster getragenen Sonderforschungsbereichs liegt in der Chemie. Es sind das Organisch-Chemische, Anorganisch-Chemische und Physikalische Institut sowie das Institut für Biochemie beteiligt. Hohe Selektivität von chemischen Reaktionen, wie sie in biologischen Systemen perfektioniert ist, kann durch eine einheitliche Orientierung der wechselwirkenden oder reagierenden Moleküle erreicht werden. Orientierungsphänomene spielen in der synthetischen Chemie, der supramolekularen Chemie und der Biochemie eine große Rolle. Der beantragte Sonderforschungsbereich zielt darauf, den Transfer zwischen diesen sich parallel entwickelnden Bereichen zu verbessern. Man möchte Prinzipien der Orientierung auf molekularer Basis ergründen und die Erkenntnisse in Strategien für die selektive Synthese und den gezielten Aufbau von Polymeren und von definierten zwei- und dreidimensionalen Aggregaten umsetzen. Dabei sollen die biologischen Systeme nicht kopiert, sondern auf ihre Grundprinzipien reduziert und anschließend in einfache chemische Systeme übertragen werden. Das zentrale Anliegen besteht in der Aufklärung der Wechselwirkungen und Reaktivitäten der aufeinander ausgerichteten Funktionen.

Das Vorhaben ist in drei Projektbereiche untergliedert. Der Projektbereich „Strukturchemie und selektive Synthese" faßt verschiedene Teilprojekte zusammen, die eine Selektivitätssteuerung auf unterschiedlichen Wegen zum Ziel haben. Dabei werden beispielsweise

Metallocen-Katalysatoren, die Orientierung in Ionen-Paaren oder die Vororientierungen durch Wasserstoff-Brücken in Peptiden genutzt. Im Projektbereich „Enzymmodelle und Grenzflächen" sind biochemische und bioanorganische Projekte zusammengefaßt, die durch ein Teilprojekt aus der Physik ergänzt werden, mit dem verschiedene Charakterisierungstechniken für Schichten angewandt werden, die aus einer Reihe anderer Teilprojekte stammen. Der Projektbereich „Theoretische Methoden und Modelle" soll zu einer Kopplung zwischen Synthesechemie und theoretischen Methoden beitragen.

Die Gutachter der Deutschen Forschungsgemeinschaft sprachen sich übereinstimmend für die Einrichtung des Sonderforschungsbereichs aus. Die Thematik der molekularen Orientierung sei hochaktuell und werde in besonders zukunftsgerichteter Weise bearbeitet. Die supramolekulare Chemie mit ihren Brücken zur Biochemie und zur Physik zeige den Charakter der Chemie als Querschnittswissenschaft. Thematisch handele es sich um eine sehr homogene Initiative, deren Teilprojekte untereinander gut vernetzt seien. Erfreulich sei auch die gute Einbindung der theoretischen Projekte. Die beteiligten Wissenschaftler seien bestens ausgewiesen und gehörten zum Teil zur internationalen Spitze. Überzeugende Vorarbeiten rundeten das positive Bild ab. Die Gutachter stellten fest, daß die Münsteraner Initiative von anderen chemisch orientierten Sonderforschungsbereichen abgegrenzt sei.

Aus forschungspolitischer Sicht ist die besondere Leistungsfähigkeit des antragstellenden Fachbereichs Chemie hervorzuheben, der bereits Träger von zwei Graduiertenkollegs „Hochreaktive Mehrfachbindungssysteme" und „Membranproteine" ist und eine hohe Absolventenzahl in relativ kurzen Studienzeiten zu Diplom und Promotion führt.[9]) Die gute Nachwuchsförderung zeigt sich auch darin, daß drei Teilprojekte von Habilitanden geleitet werden. Land und Universität sollten diesen leistungsfähigen Fachbereich durch eine angemessene Grundausstattung einschließlich notwendiger Großgeräte fördern.

II. 16. Sonderforschungsbereich 1596 „Induktion und Inhibition proteolysevermittelter Prozesse bei Entzündung und Neoplasie", München

An dem geplanten Sonderforschungsbereich wollen Wissenschaftler der Universität München (Sprecherhochschule), der Technischen Universität München und der Max-Planck-Institute für Biochemie und für Psychiatrie in München zusammenarbeiten. Beteiligt sind mit der Klinischen Chemie und Biochemie, der Immunologie, Physiologischen Chemie, der Zellbiologie und der Pathologie sowohl naturwissenschaftliche und me-

9) Vgl. Wissenschaftsrat: Fachstudiendauer an Universitäten 1991, Köln 1994, S. 129, sowie GDCh-Statistik der Chemiestudiengänge 1995, in: Nachrichten aus Chemie, Technik und Laboratorium, 44 (1996), S. 732 ff.

dizinisch theoretisch ausgerichtete Institute als auch klinische Einrichtungen mit der chirurgischen Klinik und Poliklinik, der Dermatologischen Klinik und Poliklinik, der Medizinischen Klinik und Poliklinik und der Frauenklinik.

Proteasen und ihre Inhibition spielen eine zentrale Rolle bei physiologischen Prozessen sowie bei pathologischen Reaktionen des Organismus. Untersuchungen der letzten Jahre haben gezeigt, daß Proteasen an der Penetration von Basalmembranen und der extrazellulären Matrix durch Entzündungs- und Tumorzellen beteiligt sind. Auch die Wechselwirkung von Entzündungs- und Tumorzellen mit dem umgebenden Gewebe über Adhäsionsmoleküle wird wesentlich von Proteasen und damit auch von deren Inhibitoren beeinflußt. Im Mittelpunkt des geplanten Sonderforschungsbereichs steht die Frage, welche Rolle unterschiedlichen Proteasen bei Entzündungsvorgängen und neoplastischen Veränderungen zukommt. Proteasen und deren Interaktion mit anderen Zelltypen und Inhibitoren sollen an verschiedenen Modellen der Entzündung und Neoplasie untersucht werden. Langfristig zielen die Arbeiten auf eine gezielte Beeinflußung der Proteasenaktivität durch Induktion oder Inhibition.

Das Programm des geplanten Sonderforschungsbereichs soll in zwei Projektbereichen bearbeitet werden. Im ersten Projektbereich stehen die Struktur und die Strukturaufklärung im Vordergrund. Langfristiges Ziel sind die kristallographische Bestimmung der Raumstrukturen von Proteasen und Inhibitoren und deren Komplexen sowie das rationale Inhibitordesign auf der Basis dieser Strukturen, deren biologische Aktivität im zweiten Projektbereich getestet wird. Im klinisch ausgerichteten zweiten Projektbereich sollen vergleichende zellbiologische und klinisch-diagnostische Untersuchungen durchgeführt werden, die es ermöglichen sollen, die Ursachen für Gemeinsamkeiten und Unterschiede bei Proteolyse-vermittelten Prozessen von Entzündung und Tumorausbreitung aufzuklären. Zudem soll untersucht werden, welche Proteaseinhibitoren die zugrunde liegenden Pathomechanismen am effektivsten beeinflussen können.

Nach übereinstimmender Meinung der Gutachter der Deutschen Forschungsgemeinschaft bearbeitet der geplante Sonderforschungsbereich hochkompetitive grundlagenwissenschaftliche und klinisch relevante Fragestellungen der medizinisch ausgerichteten Forschung, die langfristig auf eine Therapie von Entzündungsreaktionen und onkologischen Erkrankungen hinzielen. Die beteiligten Wissenschaftler seien anerkannt und international führend. Sie würden auch durch die Vorarbeit aus dem vorangegangenen Sonderforschungsbereich 207 „Grundlagen und klinische Bedeutung der extrazellulären limitierten Proteolyse“ einen Erfolg sehr wahrscheinlich machen. Die beantragten Arbeiten seien aber nicht nur eine Fortführung der vorangegangenen, sondern beinhalteten eine neue Fragestellung. Die Struktur sei sehr geglückt durch das vielfache Ineinandergreifen der mehr grundlagenorientierten Projekte mit den klinisch zellbiologisch ausgerichteten Teilprojekten und auch der Bereiche untereinander. Zudem seien keine nennenswerten thematischen Überschneidungen zu dem Sonderforschungsbereich 387 in Magdeburg „Zelluläre Proteasen. Bedeutung für Immunmechanismen und entzündliche Erkrankungen“ und der klinischen Forschergruppe der Technischen Universität München „Gewebeassoziierte Proteasen und deren Rezeptoren sowie Inhibitoren bei malignen Tumoren und Gestationserkrankungen“ gegeben. Vielmehr sei dies ein Ausdruck dafür, daß das Forschungsgebiet hochkompetitiv und der Standort München gerade durch dieses Umfeld sehr geeignet sei.

Aus forschungspolitischer Sicht ist hervorzuheben, daß die medizinisch ausgerichtete Forschung in München eine international führende Position erreicht hat und weiterhin behaupten kann. Durch zwei 1988 und 1995 beendete Vorläufer-Sonderforschungsbereiche, durch andere Schwerpunkte der klinischen Forschung in München und durch die Zusammenarbeit mit den außeruniversitären Instituten ist ein international hohes Niveau der Forschung gegeben, das ein vielversprechendes Umfeld für eine Nachwuchsgruppe böte. Insbesondere in den Projekten der Strukturaufklärung bestehen Kontakte zur Pharmaindustrie, die auf diesem Gebiet ebenfalls sehr intensiv forscht. Dadurch sowie durch institutionalisierte Fortbildungsprogramme (z. B. winter schools) ist eine spezifische Qualifikation des Nachwuchses zu erwarten.

II. 17. Sonderforschungsbereich 1597 „Glycostrukturen in Biosystemen – Darstellung und Wirkung“, Hamburg

An dem geplanten Sonderforschungsbereich wollen sich Chemiker, Physiker, Biochemiker, Biologen und Mediziner vor allem der Universität Hamburg einschließlich des Universitätskrankenhauses Eppendorf, der Medizinischen Universität Lübeck sowie des Forschungszentrums Borstel und des Bernhard-Nocht-Instituts für Tropenmedizin als Institute der Blauen Liste beteiligen. Ziel ist es, Kohlenhydrat-bedingte biologische Phänomene auf molekularer Ebene zu verstehen. Dazu sollen kohlenhydrathaltige Strukturen durch Synthese, Biosynthese und Methoden der Naturstoffchemie dargestellt und dann in ihrer primären, konformativen und übergeordneten Struktur aufgeklärt werden. Außerdem sollen Enzyme, die entweder an der Biosynthese der Kohlenhydrate im weitesten Sinne beteiligt sind oder aber als Modelle dienen, um den Einfluß der Glycosylierung auf die Funktion von Proteinen zu studieren, untersucht werden. Schließlich sollen biologische Systeme ausgewählt werden, mit denen die dargestellten und definierten Strukturen auf ihre biologische Wirkung in pro- und eukaryonten Organismen getestet werden können.

Der geplante Sonderforschungsbereich ist in drei Projektbereiche mit je fünf oder sechs Teilprojekten gegliedert. Im Projektbereich „Darstellung von Glycostrukturen“ sind Projekte zusammengefaßt, die sich mit der organischen und enzymatischen Synthese von Oligosacchariden und Glycopeptiden, der Biosynthese von Glycokonjugaten in pro- und eukaryonten Organismen sowie Enzymen des Auf- und Abbaus von Glycokonjugaten befassen. Der Projektbereich „Struktur und Konformation von Glycostrukturen“ beschäftigt sich mit der Strukturanalyse von Glycokonjugaten. Im Projektbereich „Biologische Wirkung von Glycostrukturen“ steht das Studium von Kohlenhydrat-Protein-Wechselwirkungen in biologischen Systemen im Vordergrund.

Nach Auffassung der Gutachter der Deutschen Forschungsgemeinschaft widmet sich der geplante Sonderforschungsbereich einem bisher in Deutschland vernachlässigten Forschungsgebiet. Mit der vorliegenden Initiative könnte nun ein Anschluß an Japan und die USA, die führend in dem Bereich der Glycosetechnologie sind, erreicht werden. Die vielfach ausgezeichneten Vorarbeiten zeigten, daß hier qualitativ hochstehende Forschung geleistet werde, die auch im internationalen Vergleich durchaus konkurrenzfähig sei. Belegt werde dies auch durch die starke Publikationsleistung der international anerkannten und zum Teil führenden Wissenschaftler. Positiv hervorgehoben wurde die Verzahnung von Chemie, Biologie und Medizin sowie die klinische Anwendung. Es sei allerdings wünschenswert, daß biochemische Aspekte stärker verfolgt würden. In diesem Zusammenhang würde sich nach Ansicht der Gutachter eine Zusammenarbeit mit der Universität Kiel anbieten. Hamburg sei als Standort überaus geeignet, da es über eine lange wissenschaftliche Tradition im Bereich der Kohlenhydratforschung verfüge. Zu thematisch verwandten Forschungsbereichen bestehe eine deutliche Abgrenzung insofern, als hier die chemische Synthese und die Struktur- und Konformationsanalyse im Vordergrund stehe. Die Qualität der einzelnen Teilprojekte wurde als gut bis sehr gut bewertet. Insgesamt handele es sich um einen gut durchdachten und stringenten Antrag mit klarer Planung.

In forschungspolitischer Hinsicht ist hervorzuheben, daß der Antrag in äußerst homogener Weise zusammengefügt worden ist. Zwischen den Teilprojekten besteht außerordentliche Kommunikation; starke Bestrebungen zu Interaktionen sind vorhanden. Darüber hinaus wird das in Hamburg und Umgebung vorhandene Potential zweier Einrichtungen der Blauen Liste (Bernhard-Nocht-Institut für Tropenmedizin, Forschungszentrum Borstel) genutzt. Die Abweichung vom Ortsprinzip durch die beteiligten Einrichtungen in Borstel und Lübeck ist zu vertreten. Am Forschungszentrum Borstel werden die biologischen Aspekte des Themas umfassend verfolgt; die Zusammenarbeit zwischen der Universität Hamburg und der Medizinischen Universität Lübeck besitzt durch den Sonderforschungsbereich 232 „Funktion und Defekte von Rezeptorsystemen“ seit 1985 Tradition.

II. 18. Sonderforschungsbereich 1600 „Variation und Entwicklung im Lexikon“, Konstanz

An dem geplanten Sonderforschungsbereich wollen sich überwiegend Wissenschaftler der Fachrichtungen Allgemeine und Theoretische Sprachwissenschaft, Anglistik, Arabistik, Romanistik, Slavistik, Literaturwissenschaft und Mittelalterliche Geschichte der Fachgruppen Sprach-, Literaturwissenschaft und Geschichte der Philosophischen Fakultät sowie Forscher der Fachgruppe Soziologie der Sozialwissenschaftlichen Fakultät der Universität Konstanz beteiligen.

Sprachvariation und Sprachentwicklung gehören zu den zentralen Forschungsgegenständen der Sprachwissenschaft. Ihr Zusammenhang im einzelnen ist jedoch noch zu klären. Der geplante Sonderforschungsbereich soll die Theorie des Lexikons und die klassische Forschung über die Natur von Sprachvariation und Sprachentwicklung verbinden. Er verfolgt das Ziel, einer neuen Synthese zwischen systematischer und historischer Betrachtung näher zu kommen. Darüber hinaus will er einen Anstoß zur Rückkehr zu einer breiten, disziplinäre Grenzen überschreitenden wissenschaftlichen Beschäftigung mit Sprache geben. Der Gegenstand des Forschungsprogramms ist auf das Lexikon, verstanden als den wesentlichen Ort der Repräsentation sprachlichen Wissens und Schnittstelle der verschiedenen Komponenten der grammatischen Form, eingegrenzt.

Der beantragte Sonderforschungsbereich gliedert sich in drei Projektbereiche. Die Teilprojekte des ersten Bereichs sollen erforschen, wie Repräsentationen sprachlichen Wissens strukturiert sein müssen, damit sie synchronische Variation und diachronische Entwicklung zulassen. Dieses Ziel impliziert auch die Frage, wie die Repräsentationen erworben und wie sie verarbeitet werden. Die Teilprojekte des zweiten Bereichs untersuchen Variation und Entwicklung im Lexikon in Situationen des Sprachkontakts und der Mehrsprachigkeit. Die Projekte des dritten Bereichs haben das Ziel, repräsentative Beispiele von lexikalischer Variation zu untersuchen, die entsprechenden synchronischen Inventare und die für sie geltenden Variationsprinzipien zu erforschen und ihre Geschichte vor dem Hintergrund der jeweils relevanten Kontexte und Rahmenbedingungen zu rekonstruieren.

Nach Auffassung der Gutachter der Deutschen Forschungsgemeinschaft stellt das Lexikon als eines der Grundelemente des Sprachgebrauchs ein tragfähiges Thema für den geplanten Sonderforschungsbereich dar. Der Gegenstand werde weit aufgefaßt, er beziehe Gattungstradition und Begriffsgeschichte mit ein. Bemerkenswert sei die Zusammenführung soziologischer, literaturwissenschaftlicher und historischer Ansätze mit linguistischen Methoden. Hervorzuheben sei auch die Vielzahl der einbezogenen Sprachen, welche durch die geplanten Forschungsvorhaben den notwendigen Einstieg in die theoretische linguistische Diskussion fänden. Die antragstellenden Wissenschaftler genössen hohes internationales Ansehen auf ihren Fachgebieten, und es seien eine Reihe ausgezeichneter Teilprojekte vorhanden. Positiv hervorzuheben sei auch die hohe Qualifikation der beteiligten Nachwuchswissenschaftler.

Der bereits bestehende Sonderforschungsbereich 282 „Theorie des Lexikons“ an der Universität Düsseldorf behandele das Lexikon vor allem in bezug auf die Syntax. Demgegenüber untersuche das Konstanzer Vorhaben eine Vielfalt lexikalischer Aspekte auf allen Ebenen der Grammatik, beziehe mehrere Sprachen und mit der Frage nach dem Sprachwandel auch eine historische Komponente ein. Da überdies dem Lexikon als zentralem Ort der Grammatik grundsätzliche Bedeutung zukomme, sei ein zweiter, diesem Forschungsgebiet gewidmeter Sonderforschungsbereich gerechtfertigt.

Aus forschungspolitischer Sicht ist zu bemerken, daß es weniger geisteswissenschaftliche Sonderforschungsbereiche gibt, als angesichts des personellen und institutionellen Ausbaus dieser Fächer zu erwarten wäre. Ein wesentlicher Grund dürften die traditionellen Arbeitsformen in den Geisteswissenschaften sein, die eine sinnvolle Nutzung von Ressourcen und die notwendige Zusammenführung individueller Leistungen zu allgemeinen Fortschritten der Disziplinen behindern. Der beantragte Sonderforschungsbereich würde dazu beitragen, diese Situation zu verbessern. Die hier geplante Zusammenarbeit von Literaturwissenschaftlern und Linguisten könnte langfristig die Kluft zwischen den analytischen und den hermeneutischen Traditionen in den Geisteswissenschaften entschärfen. Die Universität Konstanz gewönne einen zweiten geisteswissenschaftlichen Sonderforschungsbereich, der die Weiterführung einer linguistischen Forschungstradition ermöglichen würde, die in Konstanz seit den 70er Jahren besteht und von der Deutschen Forschungsgemeinschaft bis 1985 als Sonderforschungsbereich und danach als Forschergruppe Lexikon gefördert wurde. Langfristig wäre eine stärkere Beteiligung von Nachwuchswissenschaftlern als selbständigen Projektleitern wünschenswert.

II. 19. Sonderforschungsbereich 1601 „Molekulare Bioenergetik“, Frankfurt/M.

In dem geplanten Sonderforschungsbereich wollen Wissenschaftler der Fachbereiche Physik, Chemie, Biochemie, Pharmazie und Lebensmittelchemie sowie Biologie und Humanmedizin der Universität Frankfurt am Main zusammenarbeiten. Darüber hinaus wollen sich Forscher aus dem Max-Planck-Institut für Biophysik in Frankfurt sowie aus dem Institut für Biochemie der Technischen Hochschule Darmstadt beteiligen.

Ziel des Sonderforschungsbereichs ist die Aufklärung molekularer Mechanismen von bioenergetisch interessanten Proteinen, die eine katalytische Rolle bei der elektrochemischen Polarisierung biologischer Membranen spielen. Vorgänge des Elektronentransports sowie des primären und sekundären Transports von Ionen und Metaboliten über die Membranen werden bereits seit längerer Zeit erforscht. Besonders gut sind z. B. die Vorgänge bei der biologischen Nutzung des Lichts untersucht worden. Obwohl viele der membranständigen Proteine, die bioenergetische Vorgänge bewirken, in den vergangenen 20 Jahren isoliert worden sind, ist ihre Struktur jedoch zumeist wenig bekannt und soll daher in dem geplanten Sonderforschungsbereich erforscht werden. Der Schwerpunkt liegt dabei auf Redoxproteinen, bei denen insbesondere die Kopplung von Elektronen- und Protonen-Transport untersucht werden soll.

Nach Auffassung der Gutachter der Deutschen Forschungsgemeinschaft verspricht der geplante Sonderforschungsbereich eine sinnvolle Ergänzung und innovative Weiterführung der Forschungsaktivitäten auf dem Gebiet der Bioenergetik, die in den letzten Jahren in Deutschland unternommen worden sind. Insbesondere auf die Orientierung des Forschungsprogramms auf die Erforschung der Struktur von Proteinen wurde in diesem Zusammenhang verwiesen.

Diese Ausrichtung des Forschungsprogramms sowie dessen große Kohärenz verleiht dem geplanten Sonderforschungsbereich nach Ansicht der Gutachter ein eigenständiges Profil, das ihn deutlich von anderen Sonderforschungsbereichen mit verwandter Zielsetzung abhebt, wie z. B. dem Düsseldorfer Sonderforschungsbereich „Differenzierung und Regulation energiewandelnder biologischer Systeme“ (189) oder dem Osnabrücker Sonderforschungsbereich „Membrangebundene Transportprozesse in Zellen“ (171).

Auch im Hinblick auf die Heranbildung des wissenschaftlichen Nachwuchses und dessen künftige Berufschancen wurden die Entwicklungsperspektiven als sehr gut beurteilt; hingewiesen wurde jedoch darauf, daß in der zweiten Antragsphase verstärkt Nachwuchswissenschaftler als Projektleiter fungieren sollten.

Wissenschaftspolitisch ist festzustellen, daß der Sonderforschungsbereich wesentlich zur weiteren Festigung des international bedeutsamen Schwerpunkts biowissenschaftlicher Forschung beitragen kann, der in den letzten Jahren in Frankfurt am Main in enger Zusammenarbeit von universitärer und außeruniversitärer Forschung etabliert worden ist. Insbesondere für die Profilbildung der Universität im naturwissenschaftlichen Bereich können von dem Sonderforschungsbereich wichtige Anstöße ausgehen. Das Land hat mit dem Bau des Biozentrums der Universität am Niederurseler Hang wesentlich zur Entwicklung des biowissenschaftlichen Schwerpunkts beigetragen. Es wird jedoch auch künftig erforderlich sein, Verbrauchs- und Betriebsmittel in ausreichendem Umfang zur Verfügung zu stellen.

II. 20. Sonderforschungsbereich 1602 „Limbische Strukturen und Funktionen“, Magdeburg

An dem beantragten Sonderforschungsbereich wollen sich Wissenschaftler der Fachrichtung Neurobiologie sowie der vorklinischen, klinisch-theoretischen und klinischen Medizin mit den Bereichen der molekularen Neurobiologie, Neurobiochemie, Genregulation, Neurophysiologie, Neuromorphologie, Neuroanatomie, Physiologie, Pharmakologie und Toxikologie, der klinischen Neurophysiologie, Endokrinologie, Psychologie und Psychiatrie der Medizinischen Fakultät der Universität Magdeburg und des Blaue Liste-Instituts für Neurobiologie, Magdeburg, beteiligen.

Limbische Strukturen gelten als funktionelle Verbindungselemente des Gehirns, welche Gedächtnisleistungen, Motivations- und Sozialverhalten, Auswahl und Bewertung von Sinnesinformationen sowie die Integration von affektiven und sensorischen Informationskategorien bestimmen. Funktionsstörungen limbischer Strukturen und ihrer Bezugssysteme stellen die pathophysiologische Basis verschiedener Hirnkrankheiten dar. Sie sind darüber hinaus bei häufigen psychiatrischen Erkrankungen, wie Suchtkrankheiten, Angst- und Zwangskrankheiten und endogenen Psychosen von zentraler Bedeutung.

Im Zentrum der Forschungsaktivitäten des geplanten Sonderforschungsbereichs stehen zwei überlappende neurale Schaltkreise, die zu den limbischen Kernstrukturen gerechnet werden: die Schaltkreise der Hippocampus-Formation über die Assoziationscortices und die Schaltkreise der Amygdala über den präfrontalen Cortex, mit den jeweils assoziierten Bezugssystemen und mit besonderer Berücksichtigung des mesolimbischen Systems. Die beteiligten Wissenschaftler stellen sich die Aufgabe, die Grundlagen der funktionellen Bedeutung dieser Schaltkreise weiter aufzuklären. Eine verbesserte Kenntnis der normalen Funktion dieser limbischen Schaltkreise soll die Aufklärung der Pathophysiologie assoziierter hirnorganischer und psychiatrischer Erkrankungen erleichtern und langfristig in neue Strategien zur therapeutischen Korrektur der Fehlfunktionen münden.

Zur Durchdringung der Funktionsprinzipien der limbischen Strukturen wird ein induktiver und interaktiver Ansatz gewählt, dessen Beschreibungsebenen zugleich die drei Projektbereiche des geplanten Sonderforschungsbereichs repräsentieren: „Molekulare Mechanismen in limbischen Strukturen“, „Intrinsische Organisation limbischer Hirnstrukturen und Signalsysteme“, „Normale und gestörte limbische Funktion: Systemische Eingangs-Ausgangs-Beziehungen“. Die antragstellenden Wissenschaftler wollen sich eines breiten Methodenrepertoires bedienen, das von molekularbiologischen, biophysikalischen und biochemischen Methoden über anatomische Verfahren bis zur Verhaltensanalyse des intakten Systems in ausgewählten Tiermodellen und zu klinischen

Untersuchungen mit neurologischen, psychiatrischen und bildgebenden Verfahren reicht.

Nach Auffassung der Gutachter der Deutschen Forschungsgemeinschaft behandelt der geplante Sonderforschungsbereich ein wichtiges Thema, welches in Deutschland über lange Jahre hinweg vernachlässigt worden sei. Auf dem Gebiet der Erforschung des limbischen Systems bestehe großer Nachholbedarf. Es sei ein tragfähiger Sonderforschungsbereich mit sehr guten und international kompetitiven Projekten entstanden. Die Kooperation der beteiligten Wissenschaftler sei schon jetzt sehr eng. Hervorgehoben wurde das breite Spektrum der beteiligten Fächer; so seien alle wichtigen Fächer der Vorklinik und vier Kliniken einbezogen. Diese Tatsache zeige, daß der Sonderforschungsbereich in Magdeburg sehr gut plaziert sei.

Nach Einschätzung der Gutachter bezieht sich keiner der Sonderforschungsbereiche mit neurobiologischer Thematik gezielt auf die Funktion des limbischen Systems. Ähnlich gelagerte Sonderforschungsbereiche in Göttingen, Frankfurt, Tübingen, Düsseldorf und München seien stärker klinisch orientiert. Am äußersten Rand des Spektrums befänden sich molekularbiologisch und verhaltensbiologisch orientierte Sonderforschungsbereiche. Nennenswerte Überschneidungen mit bestehenden oder geplanten Sonderforschungsbereichen ergäben sich nicht.

Aus forschungspolitischer Sicht ist zu bemerken, daß der geplante Sonderforschungsbereich der weiteren neurowissenschaftlichen Profilierung der Medizinischen Fakultät dient und die Zusammenarbeit mit dem Institut für Neurobiologie (IfN) verstärkt. Der Wissenschaftsrat hatte die geplante enge Zusammenarbeit zwischen Fakultät und IfN in der Forschung begrüßt und empfohlen, ein Gesamtkonzept für die neurowissenschaftliche Forschung zu erstellen.[10]) Die Universität Magdeburg hat durch die zügige Realisierung von Berufungen dazu beigetragen, daß eine breite personelle Basis für den beantragten Sonderforschungsbereich vorhanden ist; daneben ist aber auch eine angemessene Ausstattung mit laufenden Sachmitteln notwendig.

Das Profil im Bereich der Neurowissenschaften zeigt sich auch in der Beteiligung an zwei Verbundprojekten des Bundesministeriums für Bildung, Wissenschaft, Forschung und Technologie. Daneben bestehen seit zwei Jahren ein Innovationskolleg und seit April 1996 ein Graduiertenkolleg mit verwandter, aber klar abgegrenzter Thematik, die ein ideales Umfeld für den geplanten Sonderforschungsbereich darstellen.

10) Wissenschaftsrat: Stellungnahme zur weiteren Entwicklung der Medizinischen Fakultät der Universität Magdeburg, in: Empfehlungen und Stellungnahmen 1995, Köln 1996, S. 322.

II. 21. Sonderforschungsbereich 1605 „Strukturierte makromolekulare Netzwerksysteme", Freiburg

An dem geplanten Sonderforschungsbereich wollen sich Wissenschaftler der Fakultäten für Chemie und Pharmazie sowie für Physik der Universität Freiburg beteiligen. Im einzelnen handelt es sich um Arbeitsgruppen der Makromolekularen Chemie, Biochemie, Physikalischen Chemie, Polymerphysik und Pharmazeutischen Technologie. Hinzu kommt eine Gruppe aus dem Freiburger Fraunhofer-Institut für Werkstoffmechanik. Zahlreiche Mitglieder des geplanten Sonderforschungsbereichs sind auch im Freiburger Materialforschungszentrum (FMF) tätig, das 1990 als zentrale Einrichtung der Universität gegründet wurde und von den Fakultäten Chemie und Pharmazie, Physik sowie Geowissenschaften getragen wird. Die apparative Ausstattung des FMF steht auch dem Sonderforschungsbereich zur Verfügung.

Der Sonderforschungsbereich verfolgt das Ziel, strukturierte makromolekulare Netzwerksysteme mit spezifischen physikalischen Eigenschaften und biologischen Funktionen zu erforschen. Über den Bereich der herkömmlichen homogenen Netzwerke mit kovalent verknüpften Kettensegmenten hinaus sollen meso- und mikroskopisch strukturierte Systeme untersucht werden, in denen eine Kopplung zwischen größeren Einheiten vorliegt und eigenschaftsbestimmend wirkt. Das breite Spektrum der zu untersuchenden Materialien reicht von modernen polymeren Werk- und Effektstoffen bis hin zu Biosystemen mit spezifischer Funktion. Gemeinsame Kennzeichen all dieser Systeme sind die Strukturierung auf Nano- bis Mikrometerskala bei gleichzeitiger Ausbildung eines Netzwerkes. Das Interesse bei der Herstellung dieser Materialien gilt der Eigenschaftssteuerung in unterschiedlichen Bereichen, etwa der Mechanik, der Rheologie, der Optik, der katalytischen Wirkung von kompartimentierten Systemen, den spezifischen biologischen Funktionen von Biosystemen mit Netzwerkstrukturen und der kontrollierten Freisetzung von Arzneistoffen.

Durch die enge Zusammenarbeit von synthetisch und biochemisch arbeitenden Gruppen soll im Sonderforschungsbereich die Voraussetzung geschaffen werden, zu einer Annäherung zwischen den beim Aufbau von synthetischen und biologischen makromolekularen Systemen genutzten Prinzipien beizutragen. Es ist eine Gliederung in vier Projektbereiche vorgesehen: „Methodenorientierte Gemeinschaftsprojekte", „Heterogene Netzwerksysteme und Gerüststrukturen bei polymeren Werkstoffen", „Vernetzte kolloidale und mesomorphe Systeme" und „Biosysteme mit Netzwerkstrukturen".

Nach Auffassung der Gutachter der Deutschen Forschungsgemeinschaft ist die Thematik der strukturierten makromolekularen Netzwerksysteme aus wissenschaftlicher Sicht von hohem Interesse und der gewählte interdisziplinäre Ansatz – insbesondere die Zusammenarbeit in den Bereichen der makromolekularen Chemie und der Biochemie – vielversprechend. Die Forschungsthemen zweier Teilprojekte, deren Ausbau zu einem späteren Zeitpunkt wünschenswert sei, seien weltweit einzigartig. Auch insgesamt sei das Themengebiet des Sonderforschungsbereichs innovativ. Die langfristige Tragfähigkeit des Sonderforschungsbereichs sei gesichert. Allerdings solle auf längere Sicht die in der Anfangsphase nur punktuell vorgesehene Theoriebegleitung ausgebaut werden. Die Universität Freiburg wurde als hervorragend geeigneter und international beachteter Standort für die Thematik betrachtet, zumal dort bereits der Ende 1996 auslaufende Sonderforschungsbereich 60 „Funktion durch Organisation in makromolekularen Systemen" angesiedelt ist. Der geplante Sonderforschungsbereich bringe thematisch und personell zahlreiche neue Aspekte ein, insbesondere den des Netzwerks.

Mit dem polymerbezogenen Sonderforschungsbereich 287 in Dresden „Reaktive Polymere in nichthomogenen Systemen, in Schmelzen und an Grenzflächen" gebe es Berührungspunkte, es handele sich jedoch im wesentlichen um komplementäre Zielrichtungen. Der gleichfalls polymerbezogene Sonderforschungsbereich 239 in Ulm „Molekulare und kolloidale Organisation von Oligomeren und Polymeren" sei stärker physikalisch ausgerichtet. Die bestehenden Sonderforschungsbereiche 383 in Marburg, 262 in Mainz, 294 in Leipzig und 335 in Berlin enthielten Einzelprojekte aus dem Polymerbereich, doch bestünden keine nennenswerten Überschneidungen.

Aus forschungspolitischer Sicht ist hervorzuheben, daß der Sonderforschungsbereich zu einer Konzentration und Ergänzung der vorhandenen Forschungskapazitäten in Freiburg beiträgt und den Ausbau von Verbundstrukturen in den Materialwissenschaften fördert, wie vom Wissenschaftsrat empfohlen.[11]) Darüber hinaus leistet er einen Beitrag zur Kooperation mit der außeruniversitären Forschung und bietet durch seinen stark ausgeprägten interdisziplinären Ansatz ein gutes Umfeld für den wissenschaftlichen Nachwuchs.

II. 22. Sonderforschungsbereich 1611 „Invasionsmechanismen und Replikationsstrategien von Krankheitserregern", Gießen

An dem geplanten Sonderforschungsbereich wollen sich Wissenschaftler aus den Fachbereichen Humanmedizin (Medizinische Virologie, Medizinische Mikrobiologie, Biochemie), Veterinärmedizin (Virologie, Parasitologie) und Biologie (Mikrobiologie und Molekularbiologie) der Universität Gießen sowie aus der Medizin (Virologie) und der Biologie (Parasitologie) der Universität Marburg (zwei Teilprojekte) beteiligen. Es wird angestrebt, die molekularen Strukturen und Funktionsweisen auf-

11) Wissenschaftsrat: Empfehlungen zur Förderung materialwissenschaftlicher Forschung und Lehre an den Universitäten, in: Empfehlungen und Stellungnahmen 1993, Köln 1994, S. 291 ff.

zuzeigen, die es Krankheitserregern ermöglichen, in die Wirtszelle einzudringen, dort ihre Gene freizusetzen, sich zu replizieren und weiter auszubreiten. Diese Erkenntnisse sind grundlegend für die Entwicklung von Methoden zur Bekämpfung von Infektionskrankheiten, die die Abwehrmechanismen der Wirtszellen einbeziehen, die Verhinderung der Erregervermehrung anstreben oder mit neuen Immunisierungskonzepten arbeiten. Das Forschungsprogramm stellt die Eigenschaften der viralen, bakteriellen und parasitären Erreger und nicht die der Wirtsorganismen in den Vordergrund. Grundlage für die Zusammenarbeit der verschiedenen mikrobiologischen Disziplinen ist die gemeinsame molekularbiologische Methodik.

Der Sonderforschungsbereich ist in zwei Projektbereiche gegliedert. Im Projektbereich „Invasionsmechanismen und Oberflächenstrukturen" sollen die Erregerstrukturen aufgezeigt und eingegrenzt werden, die das Eindringen von Viren und Bakterien in die Wirtszelle ermöglichen. Die Beschreibung der bei einigen Erregern noch gänzlich unbekannten Faktoren, die die Anheftung an die Wirtszelle beeinflussen, wird ergänzt durch die Identifikation und Charakterisierung von Oberflächenstrukturen der Erreger, die für die ausbleibende Immunreaktion des Wirtes verantwortlich gemacht werden. Der Projektbereich „Replikation und Genexpression" ergänzt den ersten Projektbereich mit der Analyse der verbleibenden Phasen des Lebenszyklus von Erregern im Hinblick auf ihr Verhalten im Wirtsorganismus.

Die Gutachter der Deutschen Forschungsgemeinschaft bezeichneten die Thematik als sehr zeitgemäß, da die Erforschung von Infektionskrankheiten derzeit eine Renaissance erlebe und international an Gewicht gewinne. Die Entwicklung neuer Impf- und Therapiestrategien sei notwendig, ein genaues Verständnis des Infektionsvorgangs dafür unumgänglich. Gerade der Bereich der Invasion und Aufnahme von Erregern aber sei bislang unzureichend erforscht. Somit seien wichtige Beiträge zu zentralen Themen der medizinischen und biologischen Grundlagenforschung zu erwarten.

Die Intensität der molekularen Infektionsforschung in Deutschland entspreche bislang nicht der internationalen Bedeutung des Forschungsgebietes. Für den Standort Gießen spreche zum einen, daß die Universität im Bereich der Virologie gut ausgewiesen sei. Zum anderen fänden sich durch die parasitologische Ausrichtung der Gießener Veterinärmedizin ausgesprochen gute Voraussetzungen für interdisziplinäre Arbeiten. Die Beteiligung des wissenschaftlichen Nachwuchses wurde als gut bezeichnet, wobei auf eine Reihe vielversprechender jüngerer Teilprojektleiter hingewiesen wurde. Die ausgeprägte Interdisziplinarität fördere den fachübergreifenden Austausch und trage so zur Horizonterweiterung bei den Doktoranden und jungen Wissenschaftlern bei. Die Berufsaussichten für Nachwuchswissenschaftler stellten sich insbesondere für infektionsbiologisch versierte Biologen in der Medizin wie auch bei Industrieunternehmen als recht gut dar.

Thematische Doppelungen mit anderen Gruppen, die in diesem Bereich arbeiten (unter anderen das Bernhard-Nocht-Institut in Hamburg, die Max-Planck-Institute für Infektionsbiologie und molekulare Genetik in Berlin, die Gesellschaft für Biotechnologische Forschung in Braunschweig, das Zentrum für Infektionsforschung in Würzburg) seien nicht zu erkennen. Vielmehr seien von der Abstimmung der Gießener Arbeiten mit diesen Instituten positive Impulse zu erwarten. Eine thematische Nähe gebe es zum Sonderforschungsbereich 244 „Chronische Entzündungen" in Hannover, zu dem jedoch Kooperationsbeziehungen bestünden.

Aus forschungspolitischer Sicht ist zu bemerken, daß im Sonderforschungsbereich verschiedene Disziplinen der Mikrobiologie zusammengeführt werden. Dadurch erfährt auch die in Gießen traditionell starke Virologie[12]) weitere Impulse, wodurch ein Beitrag zur weiteren Profilierung der Gießener mikrobiologischen Forschung geleistet wird. Außerdem ist durch die Einbindung veterinärmedizinischer Projekte eine Stärkung der in Deutschland trotz ihrer wirtschaftlichen Bedeutung unterrepräsentierten Veterinärimmunologie zu erwarten. Hinzuweisen ist auch auf den Umstand, daß nahezu alle beteiligten Institute im Mehrzweckgebäude für Forschung untergebracht sind und die vom Wissenschaftsrat empfohlene stärkere Nutzung dieser räumlichen Nähe verschiedener Institute realisiert wird.[13])

II. 23. Sonderforschungsbereich 1613 „Institutionalität und Geschichtlichkeit", Dresden

In dem geplanten Sonderforschungsbereich wollen Wissenschaftler der Fächer und Fachrichtungen Klassische Philologie und Alte Geschichte, Systematische Theologie, Mittelalterliche Geschichte, Germanistische Mediävistik und Frühneuzeitforschung, Italienische Kulturgeschichte, Öffentliches Recht, Soziologische Theorie, Politische Theorie und Ideengeschichte, Politische Systeme und Systemvergleich sowie Theoretische Philosophie der Technischen Universität Dresden zusammenarbeiten.

Ziel ist es, anhand exemplarischer Untersuchungen das Verständnis der Mechanismen zu vertiefen, durch die sich kommunikative Handlungszusammenhänge institutionell verfestigen und wandeln. Längerfristig soll so das theoretische Instrumentarium zur Erfassung des Zusammenhangs von sozialem und kommunikativem Wandel einerseits und institutioneller Kontinuierung andererseits weiterentwickelt werden. Institutiona-

12) Stellungnahme zur weiteren Entwicklung des Fachbereichs Humanmedizin der Universität Gießen, in diesem Band, S. 262.
13) A.a.O., S. 263.

lität als notwendiges Element der Daseinssicherung des Menschen ist bereits in der älteren geisteswissenschaftlichen Forschung herausgearbeitet worden. Dieser allgemeine Befund trägt jedoch häufig lediglich zu einer Rückwärtsstabilisierung institutioneller Geltungen bei und soll daher in dem geplanten Sonderforschungsbereich mit historisch angelegten Untersuchungsverfahren verknüpft werden.

Anknüpfend an einen entsprechend konstruierten theoretischen Bezugsrahmen sollen Teilprojekte durchgeführt werden, die einzelne Aspekte des Gesamtproblems interdisziplinär und epochenübergreifend behandeln. So zum Beispiel thematisiert ein aus der Alten Geschichte kommendes Teilprojekt das römische mos maiorum von den Anfängen bis in die Augusteische Zeit. Den Zusammenhang von institutioneller Ausformung sozialstaatlicher Regelungen mit protestantischen, vor allem lutherisch geprägten Leitidealen, Ordnungsvorstellungen und Organisierungsweisen des Karitativen im 19. Jahrhundert analysiert ein Teilprojekt aus der Theologie. Von seiten der Philosophie wird ein Teilprojekt zur philosophischen Theorie der Institutionen beigetragen, in dem sowohl die semiotischen Konstituenten der Ordnungsmacht des Institutionellen als auch dessen normative Dimension theoretisch erfaßt werden sollen.

Nach Auffassung der Gutachter der Deutschen Forschungsgemeinschaft verspricht der Sonderforschungsbereich zukunftsweisende Anstöße für die Forschung auf dem Gebiet der Geistes- und Sozialwissenschaften. Insbesondere wurde dabei hervorgehoben, daß als Grundlage des Forschungsprogramms bereits jetzt ein übergreifender theoretischer Bezugsrahmen entwickelt wurde, der sowohl in theoretischer als auch in empirischer Hinsicht anschlußfähig sei. Hierdurch eröffne sich die Möglichkeit, die gegenwärtig sich vollziehende kulturwissenschaftliche Neuorientierung der Geisteswissenschaften mit zu gestalten; darüber hinaus erlaube diese Konstruktion des Forschungsprogramms auch vielfältige Möglichkeiten der Teilnahme an internationalen wissenschaftlichen Diskussionen.

Der Sonderforschungsbereich knüpfe an zahlreiche Einzelforschungen aus der Perspektive unterschiedlicher geistes- und sozialwissenschaftlicher Disziplinen an. Darüber hinaus bestünden Beziehungen mit von der Deutschen Forschungsgemeinschaft geförderten Verbundvorhaben wie dem Schwerpunktprogramm „Theorie politischer Institutionen“ sowie dem Münsteraner Sonderforschungsbereich 231 „Formen pragmatischer Schriftlichkeit“. Insbesondere die in der theoretischen Grundlegung des Forschungsprogramms vollzogene Öffnung des Institutionenbegriffs zur symbolischen Dimension verleiht dem Sonderforschungsbereich nach Ansicht der Gutachter ein eigenständiges Profil. Hervorgehoben wurde darüber hinaus, daß von dieser Initiative starke strukturfestigende Impulse auf die an der Technischen Universität Dresden neu etablierten Geistes- und Sozialwissenschaften ausgehen können. Es wurde betont, daß die interdisziplinäre, systematische und empirische Ansätze verknüpfende Ausrichtung im Einklang mit der gegenwärtigen kulturwissenschaftlichen Neuorientierung der Geistes- und Sozialwissenschaften stehe und daher gute Entwicklungschancen für den wissenschaftlichen Nachwuchs biete.

Aus wissenschaftspolitischer Sicht ist darauf hinzuweisen, daß es sich um den ersten geisteswissenschaftlichen Sonderforschungsbereich an einer Technischen Universität sowie um den ersten geisteswissenschaftlichen Sonderforschungsbereich in den neuen Ländern handelt. Das interdisziplinäre, bereits jetzt durch ein hohes Maß an Kohärenz gekennzeichnete Forschungsprogramm, das eine Vielzahl von Herangehensweisen an ein grundlegendes Thema erlaubt, verspricht wichtige Impulse für die geistes- und sozialwissenschaftliche Forschung und kann darüber hinaus in hohem Maße zu deren Profilbildung an der Technischen Universität Dresden beitragen. Land und Universität sollten die Arbeit des Sonderforschungsbereichs durch Ergänzungen im Bereich der bibliothekarischen Grundausstattung unterstützen und auch bei künftigen Berufungsentscheidungen an der Universität und fachlichen Arrondierungen seine Belange berücksichtigen.

II. 24. Sonderforschungsbereich 1616 „Zelluläre Mechanismen sensorischer Prozesse und neuronaler Interaktionen“, Tübingen

In dem geplanten Sonderforschungsbereich wollen Wissenschaftler verschiedener Einrichtungen der Universität Tübingen zusammenarbeiten, insbesondere aus der Augen-, der Hals-Nasen-Ohren- und der Neurologischen Klinik sowie aus den Instituten für Physiologie und Tierphysiologie. Beteiligt ist auch das Max-Planck-Institut für Entwicklungsbiologie. Ziel ist es, im visuellen und auditorischen System die grundlegenden Mechanismen der sensorischen Transduktion und peripheren Informationsverarbeitung sowie der neuronalen Interaktionen in subkortikalen Abschnitten des Zentralnervensystems zu analysieren. Ein anderer Teilbereich des Sonderforschungsbereichs konzentriert sich darauf, die Ursachen degenerativer und regenerativer Mechanismen bei Krankheitsprozessen der Sinnesorgane und des Zentralnervensystems zu erforschen. Methodisch steht dabei der Einsatz molekularer und zellbiologischer Techniken im Vordergrund. Hierbei sollen veränderte Zellfunktionen untersucht werden. Wichtige Erkenntnisse verspricht man sich auch von Studien an transgenen und „knock-out Tieren“ mit pathophysiologischen Modelldegenerationen.

Der geplante Sonderforschungsbereich wird in drei Projektbereiche unterteilt. Im Projektbereich „Transduktion und periphere Verarbeitung sensorischer Signale“ geht es um die Aufklärung von Rezeptor- und Verarbeitungsmechanismen im Innenohr sowie an der Netzhaut. Der Projektbereich „Entwicklung, Degeneration und Regeneration“ stellt verschiedene degenerative Erkrankungen der Retina, des Innenohres und des Zentralnervensystems in den Mittelpunkt. Auch hierbei geht es um die Aufklärung molekularer Mechanismen und Fragen der genetischen Regulation. Der Projektbereich „Zelluläre Grundlagen der Informationsverarbeitung und ihre Störungen" untersucht insbesondere Vorgänge der Informationsvermittlung, beispielsweise aus der retinalen Bildverarbeitung, bei der afferent-efferenten Interaktion im Hörnerv oder der Informationsverarbeitung von Sinneseindrücken im Zentralnervensystem. Die Arbeiten von zwei in den nächsten Jahren auslaufenden Klinischen Forschergruppen der Augen- und der Hals-NasenOhren-Klinik sollen in den Sonderforschungsbereich einfließen und dort kontinuierlich fortgesetzt werden. Die Übernahme der Leiterstellen der Klinischen Forschergruppen ist durch die Universität gesichert.

Die Gutachter der Deutschen Forschungsgemeinschaft befürworten die Einrichtung des Sonderforschungsbereichs. Er zeichne sich durch eine in Deutschland einmalige und ergiebige Grundlagenforschung innerhalb der Augen- und der Hals-Nasen-Ohren-Klinik aus. Damit sei die Grundlage für eine erfolgreiche klinische Forschung gelegt, auf der zu einem späteren Zeitpunkt auch vermehrt patienten- und kliniknahe Projekte zu erwarten seien. Auch decke der Sonderforschungsbereich mit seiner auf die Sinnesphysiologie gerichteten Orientierung eine thematische Lücke in der Reihe der übrigen neurowissenschaftlichen Sonderforschungsbereiche ab. Zu dem in der letzten Förderperiode befindlichen Tübinger Sonderforschungsbereich 307 gebe es keine thematische Überlappung, jedoch eine Komplementarität, da dieser systemorientiert und stark auf verhaltensbiologische komplexe Gehirnfunktionen orientiert sei. Das wissenschaftliche Umfeld der Tübinger Fakultät wurde als sehr förderlich bezeichnet; hierzu tragen insbesondere das Max-Planck-Institut für Entwicklungsbiologie, die von der Deutschen Forschungsgemeinschaft geförderte Forschergruppe zum Thema Schmerz, das vor einigen Jahren etablierte Graduiertenkolleg „Neurobiologie" sowie das interdisziplinäre Zentrum für klinische Forschung bei. Durch dieses forschungsfreundliche Umfeld seien auch entsprechende Unterbringungsmöglichkeiten und die notwendige Grundausstattung gesichert.

Die Qualität der Forschungsprojekte wurde als gut bis sehr gut beurteilt; hervorgehoben wurden die wissenschaftliche Leistungsfähigkeit der an den Projekten beteiligten Kliniker sowie das Engagement für die Nachwuchsförderung; ein großer Teil der Projektleiter ist jüngeren Alters.

Aus forschungspolitischer Sicht hervorzuheben ist, daß die Tübinger Arbeitsgruppen in den vergangenen Jahren einen beispielhaften Aufbau der Klinischen Forschung geleistet haben, der durch die Einrichtung dieses Sonderforschungsbereichs einen weiteren Impuls erhält.

II. 25. Sonderforschungsbereich 1620 „Mechanismen der Tumorabwehr und ihre therapeutische Beeinflussung“, Mainz

Der geplante Sonderforschungsbereich ist schwerpunktmäßig humanmedizinisch ausgerichtet. Es wollen sich Wissenschaftler der Universität Mainz, insbesondere der Institute für Immunologie, für Mikrobiologie, für Pathologie sowie für Physiologische Chemie und Pathobiochemie, der Klinik für Dermatologie sowie der I. und III. Medizinischen Klinik beteiligen. Zwei zentrale Forschungsziele werden angestrebt: Zum einen sollen Mechanismen charakterisiert werden, die zur Tumorabwehr über wirtseigene Prozesse, insbesondere über Immunelimination oder Hemmung der Tumorpromotion und -progression führen; zum anderen sollen innovative, biotherapeutische Behandlungkonzepte entwickelt werden. Mit Blick auf diese beiden Ziele sollen antigenspezifische Mechanismen der Immunabwehr sowie zytokinvermittelte Mechanismen der Beeinflussung von Tumorpromotion und -progression untersucht werden. Im einzelnen werden Ergebnisse zu folgenden Themen angestrebt:

- Charakterisierung antigener Determinanten,
- Antigen-Prozessierung und Präsentation,
- Rezeptoranalyse tumorreaktiver T-Zellen,
- Zytokine in Tumorpromotion und -progression,
- Zytokinrezeptoren und Signalübertragung.

Der geplante Sonderforschungsbereich gliedert sich in drei Projektbereiche. Ein Projektbereich befaßt sich mit antigen-spezifischen Immunmechanismen der Tumorabwehr. In einem weiteren Projektbereich werden unspezifische, zytokin-vermittelte Mechanismen der Beeinflussung von Tumoren erforscht. Der dritte Projektbereich unterstützt die anderen beiden Projektbereiche, indem er die Proteinanalytik und Peptidsynthese, die Bereitstellung humaner Zellproben sowie die histologische Klassifizierung von Tumoren und die Anlage einer Tumorbank als zentral zu leistende Aufgaben wahrnimmt.

Nach Auffassung der Gutachter der Deutschen Forschungsgemeinschaft befaßt sich der geplante Sonderforschungsbereich mit einer sehr interessanten und langfristig bedeutsamen Thematik. Die beteiligten Wissenschaftler seien national und international sehr gut ausgewiesen. Insgesamt sei ein thematisch und konzeptionell stringentes Forschungsprogramm entstanden. Entsprechend der Bedeutung und der Weite des tumorbiologischen Forschungsfeldes würden im weiteren Umfeld des gewählten Themenkomplexes auch weitere Sonderforschungsbereiche arbeiten, so die beiden Mainzer Sonderforschungsbereiche 519 „Organ- und Zelltypspezifität der Tumorentstehung, -entwicklung und -prävention“ und 311 „Immunpathogenese“ sowie die Sonderforschungsbereiche 364 „Molekulare und zelluläre Grundlagen der Tumortherapie“ in Freiburg und 502 „Molekulare Aspekte der Pathogenese, Diagnostik und Therapie des Morbus Hodgkin und verwandter Erkrankungen“ in Köln. Abgesehen vom

Sonderforschungsbereich 311, der Ende 1996 ausläuft und auf den der geplante Sonderforschungsbereich in Teilaspekten aufbaue, grenzten sich diese Sonderforschungsbereiche jedoch thematisch klar ab.

Aus forschungspolitischer Sicht ist auf die gelungene Verzahnung klinischer und theoretischer Medizin hinzuweisen, die am Hochschulstandort Mainz über eine lange Tradition verfügt. Bereits Mitte der 60er Jahre entstand zwischen den theoretischen Instituten und den klinischen Einrichtungen ein erster Sonderforschungsbereich 107 „Vollzugsmechanismen der Immunreaktion", aus dem Anfang der 80er Jahre der Sonderforschungsbereich 311 entstand. Zusammen mit dem inhaltlich komplementär ausgerichteten Sonderforschungsbereich 519 wird mit dem geplanten Forschungsprogramm die Tumorforschung in Mainz abgerundet. Hier zeigt sich, daß über die Einrichtung von Sonderforschungsbereichen langfristige Schwerpunktbildung möglich ist. Unterstützung verdienen auch die Bemühungen zur Förderung des wissenschaftlichen Nachwuchses; die Projektleiter sind zum überwiegenden Teil junge C3-Professoren, habilitierte Dozenten und Habilitanden. Ebenfalls positive Impulse sind für das in Mainz bestehende Graduiertenkolleg „Molekulare und zelluläre Mechanismen der Pathogenese" zu erwarten.

II. 26. Sonderforschungsbereich 1637 „Erinnerungskulturen", Gießen

An dem geplanten Sonderforschungsbereich wollen sich überwiegend Wissenschaftler der Fachrichtungen Geschichte, Kunstgeschichte, Klassische Archäologie, Klassische Philologie/Lateinische Philologie, Griechische Philologie, Neuere deutsche Literaturgeschichte und allgemeine Literaturwissenschaft, Neuere deutsche Literaturwissenschaft und Soziologie der Universität Gießen beteiligen. Ziel des Sonderforschungsbereichs ist es, ausgehend von der Umbruchsituation seit den 1980er Jahren, sich der von der Geschichtskulturdiskussion akzentuierten Einsicht in die Multimedialität des Erinnerungsgeschehens zu stellen. Erinnerung soll über die allgemein erfahrbare, gleichwohl je individuelle Praxis und über den bisher geübten wissenschaftlichen Zugriff hinaus als historische Kategorie faßbar gemacht werden. Über eine konsequente Historisierung der Kategorie der historischen Erinnerung wird der entwicklungsgeschichtliche Ort der aktuellen Diskussion über Geschichtskultur und historische Erinnerung bestimmt und damit zur diskursiven Verfügung gestellt. Im Mittelpunkt steht dabei, einen Beitrag zur Erinnerungskultur zu leisten, zumal dieser Begriff im Unterschied zu „Geschichtskultur" entwicklungsgeschichtlich neutraler und dem Forschungsinteresse angemessener ist.

Der beantragte Sonderforschungsbereich geht bei seinem Versuch einer Rekonstruktion der Geschichte des Erinnerns davon aus, daß Erinnerungsprozesse auf drei Ebenen analysiert werden müssen:

- auf derjenigen der Rahmenbedingungen des Erinnerns, die durch den Typus der Gesellschaft sowie ihre Wissensordnung, ihr Zeitbewußtsein und ihre Herausforderungslage bestimmt sind,

- auf derjenigen der Ausformungen spezifischer Erinnerungskulturen, für die „Erinnerungshoheit" und -interessen einer Gesellschaft sowie Erinnerungstechniken und -gattungen als maßgeblich erachtet werden,

- auf derjenigen des Erinnerungsgeschehens selbst, das wiederum nach verschiedenen Kriterien auszudifferenzieren ist.

Der Sonderforschungsbereich will sich den skizzierten Problemstellungen vorwiegend von der Ebene der Ausformung spezifischer Erinnerungskulturen nähern. Das von den Forschungsgegenständen her breit angelegte Programm soll in sechs Projektbereichen bearbeitet werden, die jeweils in drei bis fünf Teilprojekte unterteilt sind. Die Projektbereiche widmen sich der „Erinnerung und kulturellen Integration im Imperium Romanum des 2. Jahrhunderts", den „Transformationen traditionaler Erinnerungskulturen", der „Erinnerung, Legitimitätsstiftung und Identitätsstiftung im frühneuzeitlichen Deutschland", der „Erinnerung und normativ-referentiellen Wissensweise", der „Erinnerungskultur und Erinnerungspolitik im 19. und 20. Jahrhundert" und der „Erinnerungskultur und Verwissenschaftlichung der Geschichtsbetrachtung".

Die Gutachter der Deutschen Forschungsgemeinschaft sprachen sich übereinstimmend für die Einrichtung des Sonderforschungsbereichs aus, der einem wichtigen Desiderat gerecht zu werden versuche. Das Konzept sei sehr ergiebig, überzeugend, sehr gut durchdacht und begründet; es werde sich außerordentlich fruchtbar auf die Geschichts- und Kulturwissenschaften auswirken. Die Initiative zeichne sich durch ein hohes Maß an Kohärenz aus. Das theoretische Konzept spiegele sich gut in den Teilprojekten wider. Methodisch stehe man in Gießen auf der Höhe der internationalen Diskussion. Auch das wissenschaftliche Personal verfüge über ein internationales wissenschaftliches Standing.

In forschungspolitischer Hinsicht ist hervorzuheben, daß die Bearbeitung der Problematik der Erinnerungskulturen in diesem über viele historische Epochen führenden Vorhaben in dieser Weise einmalig ist. Durch die drei in dieser Empfehlung enthaltenen Gießener Sonderforschungsbereiche erhöht sich deren Gesamtzahl auf fünf.

III. Zur Finanzierung

Bund und Länder werden der Deutschen Forschungsgemeinschaft im Haushaltsjahr 1997 für die Förderung der Sonderforschungsbereiche nach dem bisherigen Stand der Beratungen voraussichtlich 556 Millionen DM zur Verfügung stellen. Dies wäre eine 5%ige Steigerung gegenüber dem Ansatz für das Jahr 1996. Bund und Länder stimmen darin überein, für die Jahre 1997 bis 1999 ihre Zuwendungen für die Deutsche Forschungsgemeinschaft um jeweils 5 % zu erhöhen. Der Wissenschaftsrat begrüßt diese mittelfristige Festlegung, ermöglicht sie es doch der Deutschen Forschungsgemeinschaft, ihre Förderungsentscheidungen auf eine verläßliche Grundlage zu stellen.

In Übersicht 2 sind die vom Senatsausschuß der Deutschen Forschungsgemeinschaft für die Angelegenheiten der Sonderforschungsbereiche empfohlenen Förderbeträge für die 26 zur Einrichtung ab Januar 1997 vorgesehenen Sonderforschungsbereiche dargestellt. Nach Angaben der Deutschen Forschungsgemeinschaft werden die Fördermittel in der genannten Höhe sowohl für die Finanzierung des laufenden Programms als auch für die zusätzliche Finanzierung der neuen sowie weiterer Sonderforschungsbereiche für das Jahr 1997 ausreichen.

Die Zahl der Anträge auf Einrichtung neuer Sonderforschungsbereiche für 1997 und die Folgejahre, die der Deutschen Forschungsgemeinschaft zur Zeit vorliegen oder die erwartet werden, ist mit 91 Initiativen weiterhin sehr hoch und entspricht in etwa dem Stand vor Jahresfrist. Die Antragszahl hat sich somit auf hohem Niveau stabilisiert. Nach Angaben der Deutschen Forschungsgemeinschaft können neben den in dieser Empfehlung für das Jahr 1997 enthaltenen neuen Sonderforschungsbereichen zusätzlich ca. 25 weitere Initiativen ab Mitte 1997 finanziert werden, falls die obengenannten Mittel zur Verfügung gestellt werden.

Sonderforschungsbereiche sind ein wichtiges Instrument für die Schwerpunktbildung und Profilierung der Hochschulen. Sie tragen in erheblichem Maße zur wünschenswerten interdisziplinären Zusammenarbeit und zur internationalen Vernetzung der Wissenschaft bei.[14]) Die Deutsche Forschungsgemeinschaft sollte auch in einer finanziell angespannten Situation dafür Sorge tragen, daß auch künftig neue Anträge und Fortsetzungsanträge für Sonderforschungsbereiche im Prinzip gleich behandelt werden. Der Wissenschaftsrat hält es für unerläßlich, daß auch weiterhin neue Initiativen aus neuen und alten Ländern aufgegriffen werden können. Die Deutsche Forschungsgemeinschaft hat durch strenge Maßstäbe bei den Begutachtungen bei Neu- und Fortsetzungsanträgen dazu beigetragen, daß Spielraum für neue Initiativen erhalten bleibt.

---

14) Vgl. Wissenschaftsrat: Thesen zur Forschung in den Hochschulen, in diesem Jahresband, Bd. I, S. 7 ff.

Übersicht 2

Mittelbedarf der neuen Sonderforschungsbereiche nach den Beratungen des Senatsausschusses für die Angelegenheiten der Sonderforschungsbereiche

Kennziffer	Kurzbezeichnung, Ort	empfohlene Fördermittel in Mio. DM[1])		
		1997	1998	1999
1492	Flugmeßtechnik – Modellierung dynamischer Systeme, Braunschweig	2,2	2,3	2,1
1504	Ressourcenorientierte Gesamtbetrachtung von Stoffströmen metallischer Rohstoffe, Aachen	2,1	2,1	2,0
1543	Kulturelle und sprachliche Kontakte. Zentren und Peripherien im historischen Raum Nordafrika/Westasien, Mainz	1,6	1,8	1,7
1546	Wandlungsfähige Produktionssysteme im turbulenten Umfeld, Stuttgart	2,4	2,5	2,4
1550	Integration symbolischer und subsymbolischer Informationsverarbeitung in adaptiven sensomotorischen Systemen, Ulm	1,9	1,7	1,7
1554	Strukturbildung und Eigenschaften in Grenzschichten, Dresden	1,3	1,1	1,1
1555	Rationalitätskonzepte, Entscheidungsverhalten und ökonomische Modellierung, Mannheim	1,6	1,5	1,6
1556	Mechanismen neuro-immun-endokriner Interaktionen, Marburg	1,8	1,7	–
1558	Landnutzungskonzepte für periphere Regionen, Gießen	2,4	2,1	2,1
1570	Internationalität nationaler Literaturen, Göttingen	1,8	1,8	1,9
1573	Design und Management komplexer technischer Prozesse und Systeme mit Methoden der Computational Intelligence, Dortmund	1,8	2,3	1,8
1574	Wechselwirkungen an geologischen Grenzflächen, Göttingen	2,8	1,5	1,3
1580	Strömungsbeeinflussung und Strömungs-Struktur-Wechselwirkung an Tragflügeln, Aachen	3,0	2,6	2,4
1588	Lichtinduzierte Dynamik von Biopolymeren, München	3,0	2,4	2,2
1595	Molekulare Orientierung als Funktionskriterium in chemischen Systemen, Münster	2,0	1,6	1,6
1596	Induktion und Inhibition proteolysevermittelter Prozesse bei Entzündung und Neoplasie, München	2,6	2,5	2,6

noch Übersicht 2

Mittelbedarf der neuen Sonderforschungsbereiche nach den Beratungen des Senatsausschusses für die Angelegenheiten der Sonderforschungsbereiche

Kennziffer	Kurzbezeichnung, Ort	empfohlene Fördermittel in Mio. DM[1]		
		1997	1998	1999
1597	Glycostrukturen in Biosystemen – Darstellung und Wirkung, Hamburg	2,7	2,2	2,2
1600	Variation und Entwicklung im Lexikon, Konstanz	1,4	1,4	1,4
1601	Molekulare Bioenergetik, Frankfurt/M.	2,2	2,1	2,0
1602	Limbische Strukturen und Funktionen, Magdeburg	1,5	1,3	1,2
1605	Strukturierte makromolekulare Netzwerksysteme, Freiburg	3,1	1,8	1,8
1611	Invasionsmechanismen und Replikationsstrategien von Krankheitserregern, Gießen	3,0	2,4	2,4
1613	Institutionalität und Geschichtlichkeit, Dresden	1,7	1,7	1,8
1616	Zelluläre Mechanismen sensorischer Prozesse und neuronaler Interaktionen, Tübingen	2,3	2,1	2,0
1620	Mechanismen der Tumorabwehr und ihre therapeutische Beeinflussung, Mainz	2,6	2,3	2,5
1637	Erinnerungskulturen, Gießen	1,4	1,5	1,5
	Insgesamt	56,5	50,4	47,2

1) Rundungsdifferenzen
Quelle: Deutsche Forschungsgemeinschaft

Der Wissenschaftsrat hält die von Bund und Ländern bis zum Jahr 1999 vorgesehene Finanzausstattung des Programms der Sonderforschungsbereiche für notwendig, weil nur so die erfreulich hohe Zahl neuer Initiativen aus alten und neuen Ländern in Ergänzung zu den bereits laufenden Sonderforschungsbereichen finanziert werden kann. Ohne eine angemessene Finanzausstattung könnten positiv beurteilte Anträge erst zu einem späteren Zeitpunkt in die Förderung aufgenommen werden, was angesichts der ohnehin langen Vorbereitungs-, Planungs- und Begutachtungszeiten große Probleme für die Leistungsfähigkeit und Dynamik innovativer Initiativen mit sich brächte.

IV. Votum

Nach Maßgabe der vorstehenden Überlegungen stimmt der Wissenschaftsrat der Einrichtung von 26 neuen Sonderforschungsbereichen in Aachen (2), Braunschweig, Dortmund, Dresden (2), Frankfurt/M., Freiburg, Gießen (3), Göttingen (2), Hamburg, Konstanz, Magdeburg, Mainz (2), Mannheim, Marburg, München (2), Münster, Stuttgart, Tübingen und Ulm zu.

Statistischer Anhang

Tabelle 1

Förderung der Sonderforschungsbereiche 1968-1996 im Überblick (Stand: Juli 1996)

Jahr	Anzahl der geförderten Sonderforschungsbereiche[1]							Aufwendungen in Mio. DM
	Geistes- u. Sozialwissenschaften	Biowissenschaften	Naturwissenschaften	Ingenieurwissenschaften	alle Gebiete	darunter erstmalig gefördert[1]	darunter letztmalig gefördert[2]	
1968	4	8	3	3	18	18	1	1,3
1969	12	15	9[4]	6	42[4]	26	–	15,3
1970	14[4]	20	13[4]	13	60[4]	19	–	68,4
1971	18	27	17	15	77	15	–	79,8
1972	19	33	18	17	87[5]	10[5]	4	113,6
1973	20	43	20	23	106	23	4	154,3
1974	19	45	25	27	116	14	–	201,0
1975	19	45	23	29	116	–	3	189,4
1976	18	45	22	29	114	1	8	193,5
1977	18	43	21	24	106	–	5	208,2
1978	16	41	24	24	105	4	–	208,9
1979	19	45	24	26	114	9	–	224,4
1980	19	47	26	28	120	6	6	253,4
1981	19	50	28	28	125	11	4	265,3
1982	16	53	30	29	128	7	11	266,9
1983	17	50	31	33	131	14	8	275,1
1984	17	55	37	38	147	24	14	296,2
1985	19	65	39	39	162	29	27	309,9
1986	21	62	44	36	163	28	19	310,1
1987	18	61	46	35	160	16	11	324,9
1988	19	57	45	35	156	7	10	335,6
1989	20	58	50	39	167	21	8	349,1
1990	20	57	50	43	170	11	4	362,1
1991	19	64	52	42	177	11	3	383,0
1992	19	66	53	44	182	8	11	420,0
1993	18	70	55	45	188	18	2	445,2
1994	19	75	62	53	209	22	13	467,2
1995	21	78	65	55	219	23	20	505,3
1996	22	89	65	57	233	34	23	529,6[3]

1) Bis 1980 einschließlich, ab 1981 ohne Sonderforschungsbereiche, denen lediglich eine Auslauffinanzierung gewährt wird.

2) Einschließlich dreier Sonderforschungsbereiche, deren Förderung nach mehrjähriger Unterbrechung wieder aufgenommen wurde.

3) Soll.

4) 1969 erhielt ein Sonderforschungsbereich, 1970 erhielten zwei Sonderforschungsbereiche keine Mittel.

5) 1972 blieben Erstbewilligungen für weitere neun Sonderforschungsbereiche in voller Höhe gesperrt.

Quellen: Tätigkeitsberichte der Deutschen Forschungsgemeinschaft; Verzeichnis der eingerichteten Sonderforschungsbereiche 1996, Bewilligungsbescheide der Deutschen Forschungsgemeinschaft für 1996.

Tabelle 2
Im Jahre 1996 geförderte Sonderforschungsbereiche
nach Sprecherhochschulen (Stand: Juli 1996)

Hochschule	Kennziffern der Sonderforschungsbereiche	Anzahl
Aachen	144, 253, 289, 332, 361, 368, 370, 380	8
Bayreuth	214, 279	2
Berlin (FU)	267, 290, 312, 337, 344, 366, 515	7
Berlin (HUB)	273, 373, 507	3
Berlin (TU)	193, 281, 288, 296, 335, 339	6
Bielefeld	177, 216, 223, 227, 343, 360	6
Bochum	191, 394, 398, 509	4
Bonn	256, 284, 303, 334, 350, 400, 408	7
Braunschweig	179, 319	2
Bremen	186, 261, 372, 517	4
Chemnitz-Zwickau	283, 379, 393	3
Clausthal	180, 362, 390	3
Darmstadt	199, 241, 252, 298, 392	5
Dortmund	316	1
Dresden	287, 358, 463	3
Düsseldorf	189, 194, 242, 282, 351, 503	6
Duisburg	166, 209, 254, 291	4
Erlangen-Nürnberg	182, 263, 292, 353, 356, 396, 466	7
Essen	237, 354	2
Frankfurt/M.	169, 185, 233, 268, 269	5
Freiberg	285	1
Freiburg	060, 276, 321, 364, 388, 505	6
Gießen	249, 272	2
Göttingen	236, 271, 309, 345, 357, 402, 406, 416, 500, 523	10
Greifswald	198	1
Halle	363, 418	2
Hamburg	232, 318	2
Hamburg-Harburg	188, 238, 371	3
Hannover (MedHo)	265	1
Hannover (TiHo)	244, 280	2
Hannover (U)	173, 264, 300, 326, 384	5
Heidelberg	229, 245, 247, 258, 317, 320, 328, 352, 359	9
Hohenheim	308	1
Jena	196, 197	2
Kaiserslautern	501	1
Karlsruhe	167, 195, 219, 315, 346, 414, 461	7
Kiel	192, 313, 460	3
Köln	243, 274, 301, 341, 389, 502	6
Konstanz	156, 178, 248, 511, 513	5
Leipzig	294	1
Lübeck	367	1
Magdeburg	385, 387	2
Mainz	201, 262, 311, 519	4
Marburg	215, 260, 286, 305, 383, 395, 397	7
München (LMU)	184, 190, 207, 217, 333, 338, 369, 386, 462, 464	10
München (TU)	143, 204, 255, 266, 331, 336, 342, 348, 365, 375, 377, 391	12
Münster	231, 293, 310	3
Osnabrück	171, 225	2
Paderborn	376	1
Regensburg	521	1
Saarbrücken	124, 246, 277, 378, 399	5
Siegen	240	1
Stuttgart	259, 270, 329, 340, 349, 374, 381, 404, 412	9
Trier	235	1
Tübingen	120, 175, 275, 307, 323, 382	6
Ulm	239, 322	2
Würzburg	165, 172, 176, 251, 347, 355, 410, 465	8
57 Hochschulen	Insgesamt	233

Tabelle 3

Sonderforschungsbereiche, die 1996 eingerichtet worden sind

Kennziffer	Kurzbezeichnung, Ort	Bewilligte Förderungsmittel in Mio. DM[1])		
		1996	1997	1998
Geisteswissenschaften				
378	Ressourcenadaptive kognitive Prozesse, Saarbrücken	2,6	2,6	2,6
511	Literatur und Anthropologie, Konstanz	2,0	1,9	1,7
Biowissenschaften und Medizin				
293	Mechanismen der Entzündung: Interaktionen von Endothel, Epithel und Leukozyten, Münster	1,5	1,6	1,6
394	Strukturelemente und molekulare Mechanismen von Proteinen bei Energieübertragung und Signalvermittlung, Bochum	2,3	1,9	1,9
395	Interaktion, Anpassung und katalytische Fähigkeiten von Bodenmikroorganismen, Marburg	1,6	1,5	1,5
397	Multifaktorielle Nucleoprotein-Komplexe bei der Transkription und RNA-Prozessierung, Marburg	1,8	1,6	–
399	Molekularpathologie der Proliferation, Saarbrücken	1,3	2,4	2,5
462	Sensomotorik – Analyse biologischer Systeme, Modellierung und medizinisch-technische Nutzung, München	1,4	2,0	1,9
464	Pathogenese HIV-induzierter Erkrankungen, München	1,0	2,1	2,2
465	Entwicklung und Manipulation pluripotenter Zellen, Würzburg	1,3	2,1	2,2
466	Lymphoproliferation und virale Immundefizienz, Erlangen-Nürnberg	1,2	2,7	2,6
500	Maligne Transformation und Tumorprogression, Göttingen	2,0	2,0	2,0
502	Molekulare Aspekte der Pathogenese, Diagnostik und Therapie des Morbus Hodgkin und verwandter Erkrankungen, Köln	1,1	2,1	2,0
509	Neuronale Mechanismen des Sehens – Neurovision, Bochum	2,4	1,9	1,9
515	Mechanismen entwicklungs- und erfahrungsabhängiger Plastizität des Nervensystems, Berlin	2,4	2,1	2,0
517	Kognitive Leistungen und ihre neuronalen Grundlagen, Bremen/Oldenburg	1,7	1,3	1,2
519	Organ- und Zelltypspezifität der Tumorentstehung, -entwicklung und -prävention, Mainz	2,1	2,0	2,0

noch Tabelle 3

Kenn-ziffer	Kurzbezeichnung, Ort	Bewilligte Förderungsmittel in Mio DM[1])		
		1996	1997	1998
521	Modellhafte Leistungen niederer Eukaryonten, Regensburg	2,5	2,4	2,4
523	Protein- und Membrantransport zwischen zellulären Kompartimenten, Göttingen	1,0	1,6	1,8
Naturwissenschaften				
287	Reaktive Polymere in nichthomogenen Systemen, in Schmelzen und an Grenzflächen, Dresden	2,1	1,4	1,3
416	Chemische und biologische Synthese und Transformation von Naturstoffen und Naturstoff-Analoga, Göttingen	1,0	2,0	1,5
418	Struktur und Dynamik nanoskopischer Inhomogenitäten in kondensierter Materie, Halle	0,6	1,0	0,9
397	Dynamik thermohaliner Zirkulationsschwankungen, Kiel	1,4	2,2	2,2
461	Starkbeben: Von geowissenschaftlichen Grundlagen zu Ingenieurmaßnahmen, Karlsruhe	1,4	2,3	1,9
463	Seltenerd-Übergangsmetallverbindungen: Struktur, Magnetismus und Transport, Dresden	0,7	1,8	1,4
513	Nanostrukturen an Grenzflächen und Oberflächen, Konstanz	2,3	1,6	1,3
Ingenieurwissenschaften				
289	Formgebung metallischer Werkstoffe im teilerstarrten Zustand und deren Eigenschaften, Aachen	3,2	3,0	2,8
291	Elastische Handhabungssysteme für schwere Lasten in komplexen Operationsbereichen, Duisburg	1,4	1,4	–
392	Entwicklung umweltgerechter Produkte – Methoden, Arbeitsmittel und Instrumente, Darmstadt	2,0	1,9	1,9
393	Numerische Simulation auf massiv parallelen Rechnern, Chemnitz-Zwickau	1,6	1,4	1,4
396	Robuste, verkürzte Prozeßketten für flächige Leichtbauteile, Erlangen-Nürnberg	2,0	1,8	1,8
398	Lebensdauerorientierte Entwurfskonzepte unter Schädigungs- und Deteriorationsaspekten, Bochum	0,9	1,9	0,9
412	Rechnergestützte Modellierung und Simulation zur Analyse, Synthese und Führung verfahrenstechnischer Prozesse, Stuttgart	2,3	2,1	2,0
414	Informationstechnik in der Medizin – Rechner- und sensorgestützte Chirurgie, Karlsruhe	1,6	2,2	2,2
Bewilligte Förderungsmittel insgesamt		57,7	65,8	59,5

[1]) Rundungsdifferenzen.

Quelle: Bewilligungsbescheide der Deutschen Forschungsgemeinschaft.

Tabelle 4

Übersicht über die Sonderforschungsbereiche, geordnet nach dem Jahr der Erstfinanzierung (Stand: Juli 1996)

Jahr	Kennziffern[1]) der Sonderforschungsbereiche, deren Finanzierung bis 1995 beendet wurde	Anzahl	1996 noch andauert	Anzahl
1968 bis 1971	2, 7, 10, 12-24, 26, 28-30, 31(1), 32-41, 44, 45(1), 46-59, 61-68, 70-80, 82(1), 83, 84, 86-90, 92, 94, 95	77		
1972	85, 97, 98, 101, 103, 114, 122, 126, 138, 140, 142	11		
1973	8, 100, 104, 105, 107, 109, 111-113, 115, 116, 132, 141, 146, 148-150, 153, 155, 157, 160-162	23		
1974	81, 96, 99, 118, 125, 127, 128, 130, 131, 136, 147, 152, 159, 163	14		
1975		–		
1976	164	1		
1977		–		
1978	91, 93, 117, 123	4		
1979	3-5, 9, 45(2), 82(2), 102, 119, 121	9		
1980	11, 31(2), 42, 106, 129, 133	6		
1981	6, 25, 27, 43, 69, 108, 110, 134, 135, 137, 139	11		
1982	145, 200, 202, 203	4	120, 143, 201	3
1983	151, 205, 206, 208, 210-212	7	60, 124, 144, 204, 207, 209, 216	7
1984	154, 158, 168, 170, 213, 218, 220, 222, 224, 226, 228, 230, 302, 304, 306	15	156, 165, 166, 167, 169, 171, 214, 215, 300	9
1985	174, 221, 234, 314	4	172, 173, 175, 176, 217, 219, 223, 225, 232, 236, 301, 303, 305, 307, 308, 309, 310, 311, 312, 313, 315, 316, 317, 319, 321	25
1986	181, 250, 324, 325, 327	5	177, 178, 179, 180, 227, 229, 231, 233, 238, 240, 242, 244, 246, 248, 252, 318, 320, 322, 323, 326, 329, 331, 333	23
1987	183, 330	2	182, 184, 185, 235, 237, 254, 256, 258, 260, 262, 328, 332, 335, 337	14
1988			186, 239, 241, 264, 266, 268, 339	7
1989	187	1	188, 189, 243, 245, 247, 249, 251, 253, 255, 261, 270, 272, 274, 276, 334, 336, 338, 340, 341, 343	20

noch Tabelle 4

Übersicht über die Sonderforschungsbereiche, geordnet nach dem Jahr der Erstfinanzierung (Stand: Juli 1996)

Jahr	Kennziffern[1]) der Sonderforschungsbereiche, deren Finanzierung			
	bis 1995 beendet wurde	Anzahl	1996 noch andauert	Anzahl
1990	257, 278	2	190, 191, 259, 342, 344, 345, 346, 347, 349	9
1991			192, 193, 194, 263, 280, 282, 284, 286, 348, 350, 352	11
1992			195, 265, 288, 351, 353, 354, 356, 358	8
1993			196, 197, 198, 199, 267, 269, 290, 292, 355, 357, 359, 360, 361, 362, 363, 364, 365, 367	18
1994			271, 273, 275, 277, 294, 296, 298, 366, 368, 369, 370, 371, 372, 373, 374, 380, 381, 382, 383, 384, 400, 402	22
1995			279, 281, 283, 285, 375, 376, 377, 379, 385, 386, 387, 388, 389, 390, 391, 404, 406, 408, 410, 501, 503, 505, 507	23
1996			287, 289, 291, 293, 378, 392, 393, 394, 395, 396, 397, 398, 399, 412, 414, 416, 418, 460, 461, 462, 463, 464, 465, 466, 500, 502, 509, 511, 513, 515, 517, 519, 521, 523	34
Zusammen		196		233

1) Die Zusätze in Klammern bei SFB 31, 45 und 82 bezeichnen den ersten und zweiten Abschnitt der Förderung (siehe auch Tabelle 1, Fußnote 2).

Tabelle 5

Verzeichnis der geförderten Sonderforschungsbereiche, geordnet nach Kennziffern (Stand: Juli 1996)

Kennziffer	Kurzbezeichnung	Hochschule	Förderung seit
060	Makromolekulare Systeme	Freiburg	1983
120	Leukämieforschung und Immungenetik	Tübingen	1982
124	Very Large Scale Integration (VLSI)	Saarbrücken	1983
143	Elementarprozesse der Photosynthese	München (TU)	1982
144	Methoden zur Energie- und Rohstoffeinsparung	Aachen	1983
156	Mechanismen zellulärer Kommunikation	Konstanz	1984
165	Genexpression in Vertebraten-Zellen	Würzburg	1984
166	Strukturelle und magnetische Phasenübergänge	Duisburg	1984
167	Hochbelastete Brennräume	Karlsruhe	1984
169	Membranständige Proteine	Frankfurt/M.	1984
171	Membrangebundene Transportprozesse	Osnabrück	1984
172	Kanzerogene Primärveränderungen	Würzburg	1985
173	Teilchenbewegungen in Kristallen	Hannover (U)	1985
175	Implantologie	Tübingen	1985
176	Molekulare Grundlagen der Signalübertragung und des Stofftransports in Membranen	Würzburg	1985
177	Sozialgeschichte des neuzeitlichen Bürgertums	Bielefeld	1986
178	Internationalisierung der Wirtschaft	Konstanz	1986
179	Agrar-Ökosysteme	Braunschweig	1986
180	Konstruktion verfahrenstechnischer Maschinen	Clausthal	1986
182	Multiprozessor- und Netzwerkkonfigurationen	Erlangen-Nürnberg	1987
184	Biogenese von Zellorganellen	München (LMU)	1987
185	Nichtlineare Dynamik	Frankfurt/M.	1987
186	Statuspassagen und Risikolagen im Lebensverlauf	Bremen	1988
188	Reinigung kontaminierter Böden	Hamburg-Harburg	1989
189	Energiewandelnde biologische Systeme	Düsseldorf	1989
190	Mechanismen und Faktoren der Genaktivierung	München (LMU)	1990
191	Physikalische Grundlagen der Niedertemperaturplasmen	Bochum	1990
192	Optimierung pflanzenbaulicher Produktionssysteme	Kiel	1991
193	Biologische Behandlung industrieller und gewerblicher Abwässer	Berlin (TU)	1991
194	Strukturveränderung und Dysfunktion im Nervensystem	Düsseldorf	1991

noch Tabelle 5

Verzeichnis der geförderten Sonderforschungsbereiche, geordnet nach Kennziffern (Stand: Juli 1996)

Kennziffer	Kurzbezeichnung	Hochschule	Förderung seit
195	Lokalisierung von Elektronen in makroskopischen u. mikroskopischen Systemen	Karlsruhe	1992
196	Physik und Chemie optischer Schichten	Jena	1993
197	Lipidorganisation und Lipid-Protein-Wechselwirkungen in Bio- und Modellmembranen	Jena	1993
198	Kinetik partiell ionisierter Plasmen	Greifswald	1993
199	Molekulare Ökophysiologie der Pflanzen	Darmstadt	1993
201	Mittelenergiephysik mit elektromagnetischer Wechselwirkung	Mainz	1982
204	Hörsystem von Vertebraten	München (TU)	1983
207	Limitierte Proteolyse	München (LMU)	1983
209	Stoff- und Energietransfer in Aerosolen	Duisburg	1983
214	Identität in Afrika	Bayreuth	1984
215	Tumor und Endokrinium	Marburg	1984
216	Polarisation und Korrelation in atomaren Stoßkomplexen	Bielefeld	1983
217	Genetik der humanen Immunantwort	München (LMU)	1985
219	Silos	Karlsruhe	1985
223	Pathomechanismen zellulärer Wechselwirkungen	Bielefeld	1985
225	Oxidische Kristalle	Osnabrück	1985
227	Prävention und Intervention im Kindes- und Jugendalter	Bielefeld	1986
229	Genexpression und Differenzierung	Heidelberg	1986
231	Formen pragmatischer Schriftlichkeit	Münster	1986
232	Rezeptordefekte	Hamburg	1985
233	Dynamik und Chemie der Hydrometeore	Frankfurt/M.	1986
235	Zwischen Maas und Rhein	Trier	1987
236	Zelluläre Signalvermittlung	Göttingen	1985
237	Unordnung und große Fluktuationen	Essen	1987
238	Meßtechnik mehrphasiger Systeme	Hamburg-Harburg	1986
239	Organisation von Oligomeren und Polymeren	Ulm	1988
240	Bildschirmmedien	Siegen	1988
241	Integrierte mechanisch-elektronische Systeme	Darmstadt	1988
242	Koronare Herzkrankheit	Düsseldorf	1986
243	Molekulare Analyse zellulärer Systeme	Köln	1989
244	Chronische Entzündung	Hannover (TiHo)	1986
245	Sprache und Situation	Heidelberg	1989

noch Tabelle 5

Verzeichnis der geförderten Sonderforschungsbereiche, geordnet nach Kennziffern (Stand: Juli 1996)

Kenn-ziffer	Kurzbezeichnung	Hochschule	Förderung seit
246	Proteinphosphorylierung	Saarbrücken	1986
247	π-Systeme	Heidelberg	1989
248	Stoffhaushalt des Bodensees	Konstanz	1986
249	Pharmakologie biologischer Moleküle	Gießen	1989
251	Pflanzliche und tierische Leistung unter Streß	Würzburg	1989
252	Elektronisch hochkorrelierte metallische Materialien	Darmstadt	1986
253	Grundlagen des Entwurfs von Raumflugzeugen	Aachen	1989
254	Schaltungen aus III-V-Halbleitern	Duisburg	1987
255	Transatmosphärische Flugsysteme	München (TU)	1989
256	Nichtlineare partielle Differentialgleichungen	Bonn	1987
258	Entstehung und Verlauf psychischer Störungen	Heidelberg	1987
259	Hochtemperaturprobleme rückkehrfähiger Raumtransportsysteme	Stuttgart	1990
260	Metallorganische Verbindungen in der Organischen Chemie	Marburg	1987
261	Der Südatlantik im Spätquartär	Bremen	1989
262	Glaszustand und Glasübergang nichtmetallischer amorpher Materialien	Mainz	1987
263	Immunologische Mechanismen bei Infektionen, Entzündungen und Autoimmunität	Erlangen-Nürnberg	1991
264	Automatisierte Fertigung unter Wasser	Hannover (U)	1988
265	Immunreaktionen und Pathomechanismen bei Organtransplantation	Hannover (MedHo)	1992
266	Synthetische und biologische Phasengrenzschichten	München (TU)	1988
267	Deformationsprozesse in den Anden	Berlin (FU)	1993
268	Westafrikanische Savanne	Frankfurt/M.	1988
269	Molekulare und zelluläre Grundlagen neuronaler Organisationsprozesse	Frankfurt/M.	1993
270	Wasserstoff als Energieträger	Stuttgart	1989
271	Molekulare Genetik morphoregulatorischer Prozesse	Göttingen	1994
272	Molekulare Grundlagen zellbiologischer Prozesse	Gießen	1989
273	Hyperthermie: Methodik und Klinik	Berlin (FU)	1994
274	Der modulare Aufbau des genetischen Materials	Köln	1989
275	Klimagekoppelte Prozesse in meso- und känozoischen Geoökosystemen	Tübingen	1994

noch Tabelle 5

Verzeichnis der geförderten Sonderforschungsbereiche, geordnet nach Kennziffern (Stand: Juli 1996)

Kenn-ziffer	Kurzbezeichnung	Hochschule	Förderung seit
276	Korrelierte Dynamik hochangeregter atomarer und molekularer Systeme	Freiburg	1989
277	Grenzflächenbestimmte neue Materialien	Saarbrücken	1994
279	Wechselspiel zwischen Ordnung und Transport in Festkörpern	Bayreuth	1995
280	Gastrointestinale Barriere	Hannover (TiHo)	1991
281	Demontagefabriken zur Rückgewinnung von Ressourcen in Produkt- und Materialkreisläufen	Berlin (TU)	1995
282	Theorie des Lexikons	Düsseldorf	1991
283	Prozeßketten der Massivumformung unter Aspekten der Produktivität und Umweltverträglichkeit	Chemnitz-Zwickau	1995
284	Glykokonjugate und Kontaktstrukturen der Zelloberfläche	Bonn	1991
285	Partikelwechselwirkung bei Prozessen der Mechanischen Verfahrenstechnik	Freiburg	1995
286	Intrazellulärer Transport und Reifung von Proteinen	Marburg	1991
287	Reaktive Polymere in nichthomogenen Systemen, in Schmelzen und an Grenzflächen	Dresden	1996
288	Differentialgeometrie und Quantenphysik	Berlin (TU)	1992
289	Formgebung metallischer Werkstoffe im teilerstarrten Zustand und deren Eigenschaften	Aachen	1996
290	Metallische dünne Filme	Berlin (FU)	1993
291	Elastische Handhabungssysteme für schwere Lasten in komplexen Operationsbereichen	Duisburg	1996
292	Mehrkomponentige Schichtsysteme	Erlangen-Nürnberg	1993
293	Mechanismen der Entzündung: Interaktionen von Endothel, Epithel und Leukozyten	Münster	1996
294	Moleküle in Wechselwirkung mit Grenzflächen	Leipzig	1994
296	Wachstumskorrelierte Eigenschaften niederdimensionaler Halbleiterstrukturen	Berlin (TU)	1994
298	Deformation und Versagen bei metallischen und granularen Strukturen	Darmstadt	1994
300	Werkzeuge und Werkzeugsysteme	Hannover (U)	1984
301	Interstellare Molekülwolken	Köln	1985
303	Informationsökonomie	Bonn	1985
305	Ökophysiologie	Marburg	1985
307	Neurobiologische Aspekte des Verhaltens	Tübingen	1985

noch Tabelle 5

Verzeichnis der geförderten Sonderforschungsbereiche, geordnet nach Kennziffern (Stand: Juli 1996)

Kennziffer	Kurzbezeichnung	Hochschule	Förderung seit
308	Tropenlandschaft	Hohenheim	1985
309	Die literarische Übersetzung	Göttingen	1985
310	Zelluläre Erkennungssysteme	Münster	1985
311	Immunpathogenese	Mainz	1985
312	Gerichtete Membranprozesse	Berlin (FU)	1985
313	Veränderungen der Umwelt: Der nördliche Nordatlantik	Kiel	1985
315	Erhalten historisch bedeutsamer Bauwerke	Karlsruhe	1985
316	Metallische und metall-keramische Verbundwerkstoffe	Dortmund	1985
317	Neuro-Molekularbiologie	Heidelberg	1985
318	Klimarelevante Prozesse im System Ozean-Atmosphäre-Kryosphäre	Hamburg	1986
319	Inelastisches Verhalten metallischer Werkstoffe	Braunschweig	1985
320	Herzfunktion und ihre Regulation	Heidelberg	1986
321	Mündlichkeit und Schriftlichkeit	Freiburg	1985
322	Lympho-Hämopoese	Ulm	1986
323	Mikrobielle Grundlagen der Biotechnologie	Tübingen	1986
326	Prozeßintegrierte Qualitätsprüfung	Hannover (U)	1986
328	Entwicklung von Galaxien	Heidelberg	1987
329	Physikalische und chemische Grundlagen der Molekularelektronik	Stuttgart	1986
331	Informationsverarbeitung in autonomen, mobilen Handhabungssystemen	München (TU)	1986
332	Bauteile aus nichtmetallischen Faserverbundwerkstoffen	Aachen	1987
333	Entwicklungsperspektiven von Arbeit	München (LMU)	1986
334	Wechselwirkungen in Molekülen	Bonn	1989
335	Anisotrope Fluide	Berlin (TU)	1987
336	Montageautomatisierung	München (TU)	1989
337	Energie- und Ladungstransfer in molekularen Aggregaten	Berlin (FU)	1987
338	Adsorption an Festkörperoberflächen	München (LMU)	1989
339	Schaufeln und Scheiben in Gasturbinen	Berlin (TU)	1988
340	Sprachtheoretische Grundlagen für die Computerlinguistik	Stuttgart	1989
341	Physik metallischer Systeme	Köln	1989
342	Nutzen paralleler Rechnerarchitekturen	München (TU)	1990

noch Tabelle 5

Verzeichnis der geförderten Sonderforschungsbereiche, geordnet nach Kennziffern (Stand: Juli 1996)

Kenn-ziffer	Kurzbezeichnung	Hochschule	Förderung seit
343	Diskrete Strukturen in der Mathematik	Bielefeld	1989
344	Regulationsstrukturen von Nukleinsäuren und Proteinen	Berlin (FU)	1990
345	Festkörper weit weg vom Gleichgewicht	Göttingen	1990
346	Rechnerintegrierte Konstruktion und Fertigung von Bauteilen	Karlsruhe	1990
347	Selektive Reaktion metallaktivierter Moleküle	Würzburg	1990
348	Nanometer-Halbleiterbauelemente	München (TU)	1991
349	Hochdynamische Strahlführungs- und Strahlformungseinrichtungen	Stuttgart	1990
350	Wechselwirkungen kontinentaler Stoffsysteme und ihre Modellierung	Bonn	1991
351	Hormonresistenz: Biochemie und Klinik	Düsseldorf	1992
352	Molekulare Mechanismen intrazellulärer Transportprozesse	Heidelberg	1991
353	Pathobiologie der Schmerzentstehung und Schmerzverarbeitung	Erlangen-Nürnberg	1992
354	Genetische und biochemische Grundlagen der Kanzerogenese und Metastasierung	Essen	1992
355	Pathophysiologie der Herzinsuffizienz	Würzburg	1993
356	Produktionssysteme in der Elektronik	Erlangen-Nürnberg	1992
357	Molekulare Mechanismen unimolekularer Prozesse	Göttingen	1993
358	Automatisierter Systementwurf	Dresden	1992
359	Reaktive Strömungen, Diffusion und Transport	Heidelberg	1993
360	Situierte künstliche Kommunikatoren	Bielefeld	1993
361	Modelle und Methoden zur parallelen Produkt- und Prozeßgestaltung	Aachen	1993
362	Fertigen in Feinblech	Clausthal	1993
363	Molekulare Zellbiologie pflanzlicher Systeme	Halle	1993
364	Molekulare und zelluläre Grundlagen der Tumortherapie	Freiburg	1993
365	Umweltfreundliche Antriebstechnik für Fahrzeuge	München (TU)	1993
366	Signalerkennung und -umsetzung an Zelloberflächen	Berlin (FU)	1994
367	Molekulare Mechanismen entzündlicher und degenerativer Prozesse	Lübeck	1993
368	Autonome Produktionszellen	Aachen	1994

noch Tabelle 5

Verzeichnis der geförderten Sonderforschungsbereiche, geordnet nach Kennziffern (Stand: Juli 1996)

Kenn-ziffer	Kurzbezeichnung	Hochschule	Förderung seit
369	Molekulare und bioorganische Grundlagen des Sekundärstoffwechsels	München (LMU)	1994
370	Integrative Werkstoffmodellierung	Aachen	1994
371	Mikromechanik mehrphasiger Werkstoffe	Hamburg-Harburg	1994
372	Sprühkompaktieren	Bremen	1994
373	Quantifikation und Simulation Ökonomischer Prozesse	Berlin (HUB)	1994
374	Entwicklung und Erprobung innovativer Produkte - Rapid Prototyping	Stuttgart	1994
375	Astro-Teilchenphysik	München (TU)	1995
376	Massive Parallelität: Algorithmen, Entwurfsmethoden, Anwendungen	Paderborn	1995
377	Photoionisation und Ladungstrennung in großen Molekülen, Clustern und in kondensierter Phase	München (TU)	1995
378	Ressourcenadaptive kognitive Prozesse	Saarbrücken	1996
379	Mikromechanische Sensor- und Aktorarrays	Chemnitz-Zwickau	1995
380	Asymmetrische Synthesen mit chemischen und biologischen Methoden	Aachen	1994
381	Charakterisierung des Schädigungsverlaufes in Faserverbundwerkstoffen mittels zerstörungsfreier Prüfung	Stuttgart	1994
382	Verfahren und Algorithmen zur Simulation physikalischer Prozesse auf Höchstleistungsrechnern	Tübingen	1994
383	Unordnung in Festkörpern auf mesoskopischen Skalen	Marburg	1994
384	Verfügbarkeitssicherung reaktionsschneller Produktionssysteme	Hannover (U)	1994
385	Effiziente Recyclingprozesse für Baustoffe	Magdeburg	1995
386	Statistische Analyse diskreter Strukturen	München (LMU)	1995
387	Zelluläre Proteasen	Magdeburg	1995
388	Zelluläre Funktionen dynamischer Proteinwechselwirkungen	Freiburg	1995
389	Kultur- und Landschaftswandel im ariden Afrika	Köln	1995
390	Magnesiumtechnologie für komplexe Anwendungen	Clausthal	1995
391	Mechanismen der schnellen Zellaktivierung	München (TU)	1995
392	Entwicklung umweltgerechter Produkte - Methoden, Arbeitsmittel, Instrumente	Darmstadt	1996

noch Tabelle 5

Verzeichnis der geförderten Sonderforschungsbereiche, geordnet nach Kennziffern (Stand: Juli 1996)

Kenn-ziffer	Kurzbezeichnung	Hochschule	Förderung seit
393	Numerische Simulationen auf massiv parallelen Rechnern	Chemnitz-Zwickau	1996
394	Strukturelemente und molekulare Mechanismen von Proteinen bei Energieübertragung und Signalvermittlung	Bochum	1996
395	Interaktion, Anpassung und katalytische Fähigkeiten von Bodenmikroorganismen	Marburg	1996
396	Robuste, verkürzte Prozeßketten für flächige Leichtbauteile	Erlangen-Nürnberg	1996
397	Multifaktorielle Nucleoprotein-Komplexe bei der Transkription und RNA-Prozessierung	Marburg	1996
398	Lebensdauerorientierte Entwurfskonzepte unter Schädigungs- und Deteriorationsaspekten	Bochum	1996
399	Molekularpathologie der Proliferation	Saarbrücken	1996
400	Molekulare Grundlagen zentralnervöser Erkrankungen	Bonn	1994
402	Molekulare und zelluläre Hepatogastroenterologie	Göttingen	1994
404	Mehrfeldprobleme in der Kontinuumsmechanik	Stuttgart	1995
406	Synaptische Interaktion in neuronalen Zellverbänden	Göttingen	1995
408	Anorganische Festkörper ohne Translationssymmetrie	Bonn	1995
410	II-VI-Halbleiter	Würzburg	1995
412	Rechnergestützte Modellierung und Simulation zur Analyse, Synthese und Führung verfahrenstechnischer Prozesse	Stuttgart	1996
414	Informationstechnik in der Medizin – Rechner- und sensorgestützte Chirurgie	Karlsruhe	1996
416	Chemische und biologische Synthese und Transformation von Naturstoffen und Naturstoff-Analoga	Göttingen	1996
418	Struktur und Dynamik nanoskopischer Inhomogenitäten in kondensierter Materie	Halle	1996
460	Dynamik thermohaliner Zirkulationsschwankungen	Kiel	1996
461	Starkbeben: Von geowissenschaftlichen Grundlagen zu Ingenieurmaßnahmen	Karlsruhe	1996
462	Sensomotorik: Analyse biologischer Systeme, Modellierung und medizinisch-technische Nutzung	München (LMU)	1996
463	Seltenerd-Übergangsmetallverbindungen: Struktur, Magnetismus und Transport	Dresden	1996

noch Tabelle 5

Verzeichnis der geförderten Sonderforschungsbereiche, geordnet nach Kennziffern (Stand: Juli 1996)

Kennziffer	Kurzbezeichnung	Hochschule	Förderung seit
464	Pathogenese HIV-induzierter Erkrankungen	München (LMU)	1996
465	Entwicklung und Manipulation pluripotenter Zellen	Würzburg	1996
466	Lymphoproliferation und virale Immundefizienz	Erlangen-Nürnberg	1996
500	Maligne Transformation und Tumorprogression	Göttingen	1996
501	Entwicklung großer Systeme mit generischen Methoden	Kaiserslautern	1995
502	Molekulare Aspekte der Pathogenese, Diagnostik und Therapie des Morbus Hodgkin und verwandter Erkrankungen	Köln	1996
503	Molekulare und zelluläre Mediatoren exogener Noxen	Düsseldorf	1995
505	Neuronale Differenzierung und Neurotransmission	Freiburg	1995
507	Die Bedeutung nicht-neuronaler Zellen bei neurologischen Erkrankungen	Berlin (HUB)	1995
509	Neuronale Mechanismen des Sehens – Neurovision –	Bochum	1996
511	Literatur und Anthropologie	Konstanz	1996
513	Nanostrukturen an Grenzflächen und Oberflächen	Konstanz	1996
515	Mechanismen entwicklungs- und erfahrungsabhängiger Plastizität des Nervensystems	Berlin (FU)	1996
517	Kognitive Leistungen und ihre neuronalen Grundlagen	Bremen	1996
519	Organ- und Zelltypspezifität der Tumorentstehung, -entwicklung und -prävention	Mainz	1996
521	Modellhafte Leistungen niederer Eukaryonten	Regensburg	1996
523	Protein- und Membrantransport zwischen zellulären Kompartimenten	Göttingen	1996

Verzeichnis
der im Jahre 1996 herausgegebenen
Veröffentlichungen des Wissenschaftsrates

A. Als selbständige Titel veröffentlichte Schriften

- Stellungnahmen zur außeruniversitären Materialwissenschaft
- Empfehlungen zur Doktorandenausbildung und zur Förderung des Hochschullehrernachwuchses, darin
  - ○ Empfehlungen zur Förderung des Hochschullehrernachwuchses
  - ○ Empfehlungen zur Neustrukturierung der Doktorandenausbildung und -förderung
  - ○ Stellungnahme zur Weiterführung des Graduiertenkolleg-Programms
- Empfehlungen zur weiteren Differenzierung des Tertiären Bereichs durch duale Fachhochschulstudiengänge
- Stellungnahmen zu Instituten der Blauen Liste sowie zur Integration des Gmelin-Instituts für Anorganische Chemie und Grenzgebiete der Max-Planck-Gesellschaft in das Fachinformationszentrum Chemie, Berlin, darin
  - ○ Stellungnahme zum Institut für den Wissenschaftlichen Film in Göttingen
  - ○ Stellungnahme zum Institut für die Pädagogik der Naturwissenschaften an der Universität Kiel
  - ○ Stellungnahme zum Institut für deutsche Sprache in Mannheim
  - ○ Stellungnahme zum Institut für Zeitgeschichte in München
  - ○ Stellungnahme zur Zentralbibliothek der Wirtschaftswissenschaften in Kiel
  - ○ Stellungnahme zum Bernhard-Nocht-Institut für Tropenmedizin in Hamburg
  - ○ Stellungnahme zum Diabetes-Forschungsinstitut an der Universität Düsseldorf
  - ○ Stellungnahme zum Forschungsinstitut für Kinderernährung in Dortmund
  - ○ Stellungnahme zum Heinrich-Pette-Institut für Experimentelle Virologie und Immunologie in Hamburg

○ Stellungnahme zum Institut für Arbeitsphysiologie an der Universität Dortmund

○ Stellungnahme zum Medizinischen Institut für Umwelthygiene an der Universität Düsseldorf

○ Stellungnahme zum Fachinformationszentrum Chemie in Berlin

○ Stellungnahme zum Niedersächsischen Landesamt für Bodenforschung – Geowissenschaftliche Gemeinschaftsaufgaben in Hannover

○ Stellungnahme zum Gmelin-Institut für Anorganische Chemie und Grenzgebiete der Max-Planck-Gesellschaft in Frankfurt/Main

- Empfehlungen zum 26. Rahmenplan für den Hochschulbau 1997 bis 2000, 5 Bände
- Empfehlungen und Stellungnahmen 1995, 2 Bände

B. Sonstige Veröffentlichungen

I. Empfehlungen und Stellungnahmen zur Bereitstellung von Investitionsmitteln nach dem Hochschulbauförderungsgesetz (ohne Einzelvorhaben der Medizin)

- Stellungnahme zu den Planungen des Landes Rheinland-Pfalz zur Gründung eines neuen Standortes der Fachhochschule Rheinland-Pfalz in Remagen vom Janaur 1996
- Stellungnahme zur Aufnahme der Fachhochschule Rhein-Sieg in das Hochschulverzeichnis des Hochschulbauförderungsgesetzes vom Januar 1996
- Stellungnahme zur Aufnahme der Fachhochschule Altmark in Stendal in das Hochschulbauförderungsgesetz vom Januar 1996
- Stellungnahme zur den Planungen des Landes Bayern zur Gründung einer neuen Fachhochschule in Ansbach vom Januar 1996
- Empfehlungen zum 26. Rahmenplan für den Hochschulbau 1997-2000. Allgemeiner Teil vom Mai 1996
- Stellungnahme zur Aufnahme der Hochschule für Musik und Theater Rostock in das Hochschulverzeichnis des Hochschulbauförderungsgesetzes vom Mai 1996

- Stellungnahme zur Aufnahme der Nordakademie Pinneberg in das Hochschulverzeichnis des Hochschulbauförderungsgesetzes vom Juli 1996
- Stellungnahme zur bibliothekarischen Versorgung der Universität Erfurt und zum geplanten Neubau der Universitätsbibliothek vom Juli 1996

II. Empfehlungen und Stellungnahmen zur Medizin

- Stellungnahme zur weiteren Entwicklung der Hochschulmedizin in Mecklenburg-Vorpommern vom Januar 1996
- Stellungnahme zur weiteren Entwicklung des Fachbereichs Humanmedizin der Universität Gießen vom Juli 1996
- Stellungnahme zur weiteren Entwicklung des Fachbereichs Humanmedizin der Universität Marburg vom Juli 1996

III. Empfehlungen und Stellungnahmen zu Einzelfragen

- Stellungnahme zum HWWA-Institut für Wirtschaftsforschung Hamburg vom Januar 1996
- Empfehlungen zur Stärkung der Lehre in den Hochschulen durch Evaluation vom Januar 1996
- Empfehlung zur Einrichtung weiterer Sonderforschungsbereiche ab Juli 1996 vom Mai 1996
- Empfehlungen zu den „Internationalen Agrarwissenschaften" an den Hochschulen vom Mai 1996
- Empfehlungen zur weiteren Entwicklung der verwaltungsinternen Fachhochschulen. Stellungnahmen zu den verwaltungsinternen Fachhochschulen Schleswig-Holsteins, Niedersachsens, Nordrhein-Westfalens und zum Fachbereich Arbeitsverwaltung der Fachhochschule des Bundes für öffentliche Verwaltung vom Mai 1996
- Stellungnahme zur Feststellung der Gleichwertigkeit der Abschlüsse der Berufsakademie Berlin im Sinne des Beschlusses der Kultusministerkonferenz vom Mai 1996
- Empfehlung zur Einrichtung eines weiteren Sonderforschungsbereichs ab Juli 1996 vom Juni 1996
- Stellungnahme zu Entwicklungsstand und Perspektiven der Privaten Universität Witten/Herdecke vom Juli 1996
- Stellungnahme zum Museum für Naturkunde, Berlin, und zur Projektgruppe Entomologie, Eberswalde, vom Juli 1996

- Thesen zur Forschung in den Hochschulen vom November 1996
- Empfehlung zur Einrichtung weiterer Sonderforschungsbereiche ab Januar 1997 vom November 1996

IV. Statistische Berichte

- Eckdaten und Kennzahlen zur Lage der Hochschulen – Stand 1996 – (Datenstand: 1991/92/93/94) vom März 1996

Abkommen zwischen Bund und Ländern über die Errichtung eines Wissenschaftsrates vom 5. September 1957

in der Fassung vom 30. 6. 1995

Artikel 1

Die Bundesregierung und die Regierungen der Länder Baden-Württemberg, Bayern, Berlin, Brandenburg, Bremen, Hamburg, Hessen, Mecklenburg-Vorpommern, Niedersachsen, Nordrhein-Westfalen, Rheinland-Pfalz, Saarland, Sachsen, Sachsen-Anhalt, Schleswig-Holstein und Thüringen sind gemeinsam Träger des Wissenschaftsrates.

Artikel 2

(1) Der Wissenschaftsrat hat die Aufgabe, im Rahmen von Arbeitsprogrammen Empfehlungen zur inhaltlichen und strukturellen Entwicklung der Hochschulen, der Wissenschaft und der Forschung zu erarbeiten, die den Erfordernissen des sozialen, kulturellen und wirtschaftlichen Lebens entsprechen. Die Empfehlungen sollen mit Überlegungen zu den quantitativen und finanziellen Auswirkungen und ihrer Verwirklichung verbunden sein. Im übrigen hat der Wissenschaftsrat die ihm durch besondere Vorschriften, insbesondere durch das Hochschulbauförderungsgesetz übertragenen Aufgaben. Der Wissenschaftsrat hat ferner die Aufgabe, auf Anforderung eines Landes, des Bundes, der Bund-Länder-Kommission für Bildungsplanung und Forschungsförderung oder der Ständigen Konferenz der Kultusminister der Länder gutachtlich zu Fragen der Entwicklung der Hochschulen, der Wissenschaft und der Forschung Stellung zu nehmen.

(2) Der Wissenschaftsrat legt seine Empfehlungen und Stellungnahmen den Vertragschließenden, bei Aufforderung durch die Bund-Länder-Kommission für Bildungsplanung und Forschungsförderung oder die Ständige Konferenz der Kultusminister der Länder auch diesen vor.

Artikel 3[1]

(1) Die Bundesregierung und die Landesregierungen werden die Empfehlungen des Wissenschaftsrates bei der Aufstellung ihrer Haushaltspläne im Rahmen der haushaltsmäßigen Möglichkeiten berücksichtigen.

(2) Die zuständigen Behörden des Bundes und der Länder unterstützen die Arbeit des Wissenschaftsrates durch laufende Unterrichtung und durch Auskünfte. Der Verkehr mit den Landesstellen ist über die für An-

1) Für den Bereich der Gemeinschaftsaufgabe Hochschulbau gelten die besonderen Vorschriften des Hochschulbauförderungsgesetzes.

gelegenheiten der Wissenschaftsverwaltung zuständige oberste Landesbehörde, der Verkehr mit den Bundesstellen über das Bundesministerium für Bildung, Wissenschaft, Forschung und Technologie zu leiten.

Artikel 4

(1) Der Wissenschaftsrat besteht aus 54 Mitgliedern. Die Mitglieder sollen Wissenschaftler und Wissenschaftlerinnnen oder anerkannte Persönlichkeiten des öffentlichen Lebens sein oder durch ihre dienstliche oder Berufstätigkeit der Wissenschaft und ihrer Förderung nahestehen.

(2) 32 Mitglieder beruft der Bundespräsident, und zwar 24 auf gemeinsamen Vorschlag der Deutschen Forschungsgemeinschaft, der Max-Planck-Gesellschaft, der Hochschulrektorenkonferenz und der Arbeitsgemeinschaft der Großforschungseinrichtungen und acht auf gemeinsamen Vorschlag der Bundesregierung und der Landesregierungen. Diese Mitglieder werden auf drei Jahre berufen; Wiederberufung ist zulässig.

(3) 22 Mitglieder werden von den Regierungen des Bundes und der Länder entsandt, und zwar entsenden die Bundesregierung sechs Mitglieder, die Landesregierungen je ein Mitglied. Für jedes Mitglied ist eine ständige Stellvertretung zu bestellen.

(4) Der Wissenschaftsrat wählt jährlich aus seiner Mitte ein Vorsitzendes Mitglied und dessen Stellvertretung, Wiederwahl ist zulässig.

Artikel 5

(1) Der Wissenschaftsrat tritt als Vollversammlung oder in Kommissionen zusammen.

(2) Es werden eine Wissenschaftliche Kommission und eine Verwaltungskommission gebildet.

(3) Der Wissenschaftlichen Kommission gehören die vom Bundespräsidenten berufenen Mitglieder, der Verwaltungskommission die von den Regierungen entsandten Mitglieder an.

(4) Der oder die Vorsitzende einer Kommission und zwei weitere von der Kommission bestimmte Mitglieder nehmen an den Sitzungen der anderen Kommissionen mit beratender Stimme teil.

Artikel 6

(1) Die Beschlüsse der Vollversammlung des Wissenschaftsrates werden von der Wissenschaftlichen Kommission unter fachlichen und wissenschaftlichen Gesichtspunkten und von der Verwaltungskommission unter verwaltungsmäßigen und finanziellen Gesichtspunkten vorbereitet.

(2) Die Verwaltungskommission äußert sich ferner Bund und Ländern gegenüber gutachtlich über die Finanzierung der vom Wissenschaftsrat festgestellten Schwerpunktvorhaben.

Artikel 7[2]

(1) Die Vollversammlung des Wissenschaftsrates wird vom Vorsitzenden Mitglied einberufen. Auf Verlangen einer Kommission oder von 14 Mitgliedern ist sie einzuberufen.

(2) Die Vollversammlung und die Kommissionen fassen ihre Beschlüsse mit einer Mehrheit von zwei Dritteln der abgegebenen Stimmen, sie sind beschlußfähig, wenn die Mehrheit ihrer Mitglieder anwesend ist. Die von der Bundesregierung entsandten Mitglieder führen insgesamt 16 Stimmen, im übrigen hat jedes Mitglied eine Stimme. Die vom Bundespräsidenten berufenen Mitglieder können bei Verhinderung im Einzelfalle ein anderes berufenes Mitglied zur Stimmabgabe ermächtigen. Für die nach Art. 4 Abs. 3 entsandten Mitglieder und deren ständige Stellvertretung gilt das entsprechend.

(3) Das weitere Verfahren regelt der Wissenschaftsrat durch eine Geschäftsordnung.

Artikel 8

Der Wissenschaftsrat bedient sich einer im Einvernehmen mit Bund und Ländern eingerichteten Geschäftsstelle.

Artikel 9

(1) Die persönlichen und sächlichen Ausgaben des Wissenschaftsrates werden je zur Hälfte vom Bund und von den Ländern getragen. Der Haushaltsplan wird jährlich vom Wissenschaftsrat aufgestellt. Er bedarf der Zustimmung des Bundes sowie von zwei Dritteln der Länder. Die Vertragschließenden übernehmen Verpflichtungen nach diesem Abkommen vorbehaltlich der Bereitstellung der erforderlichen Haushaltsmittel durch ihre gesetzgebenden Körperschaften.

(2) Der Gesamtbetrag der von den Ländern hierfür aufzubringenden Mittel wird auf die einzelnen Länder zu zwei Drittel nach dem Verhältnis ihrer Steuereinnahmen und zu einem Drittel nach dem Verhältnis ihrer Bevölkerungszahl umgelegt. Abweichend davon wird für die Jahre 1991 bis 1994 der auf die in Artikel 3 des Einigungsvertrages (BGBl. 1991 II S. 885, 890) genannten Gebiete entfallende Finanzierungsanteil nach dem Verhältnis ihrer Bevölkerungszahl umgelegt.

(3) Als Steuereinnahmen gelten die im Länderfinanzausgleich zugrunde gelegten Steuereinnahmen der Länder. Die Steuereinnahmen erhöhen oder vermindern sich um die Beträge, welche die Länder im Rahmen des Länderfinanzausgleichs von anderen Ländern erhalten oder an andere Länder abführen. Maßgebend sind die Steuereinnahmen und die vom

2) Protokollnotiz Zu Artikel 7: „Zwischen den Vertragschließenden besteht Einvernehmen, daß sich die von der Bundesregierung und die von den Landesregierungen entsandten Mitglieder in der Vollversammlung der Stimme enthalten können und dies auf Wunsch des betreffenden Mitgliedes in der Empfehlung kenntlich zu machen ist. Entsprechendes gilt bei der Abgabe von Gegenstimmen.

Statistischen Bundesamt für den 30. Juni festgestellte Bevölkerungszahl des dem Rechnungsjahr zwei Jahre vorhergehenden Rechnungsjahres.

Artikel 10

Dieses Abkommen gilt bis zum 30. Juni 2000. Es tritt mit dem Tag der Unterzeichnung in Kraft.

Geschäftsordnung des Wissenschaftsrates

in der vom Wissenschaftsrat am 5. 7. 1991 verabschiedeten Fassung

§ 1

Einberufung des Wissenschaftsrates und seiner Kommissionen

(1) Der Vorsitzende soll den Wissenschaftsrat nach Bedarf, mindestens zweimal im Jahr, zu einer Vollversammlung einberufen; auf Verlangen von 14 Mitgliedern oder einer Kommission hat er ihn einzuberufen.

(2) Die Kommissionen werden von deren Vorsitzenden zu ihren Sitzungen einberufen. Sie sollen mindestens zweimal im Jahr zusammentreten; auf Verlangen von sechs Mitgliedern sind sie einzuberufen.

(3) Die Vorsitzenden bestimmen Termin und Tagesordnung. Wird die Vollversammlung auf Verlangen von Mitgliedern oder einer Kommission oder wird eine Kommission auf Verlangen von Mitgliedern einberufen, so muß die Tagesordnung die von den Antragstellern gewünschten Punkte enthalten. Der Generalsekretär veranlaßt die Einladungen und teilt die Tagesordnung mit; Einladung und Beratungsunterlagen sollen den Mitgliedern mindestens zwei Wochen vor dem Termin zugehen.

§ 2

Vorsitz und Eröffnung

(1) Die Vollversammlung des Wissenschaftsrates wird vom Vorsitzenden, die Sitzungen der Kommissionen werden von deren Vorsitzenden – im Falle der Verhinderung von ihrem Stellvertreter – geleitet. Sind Vorsitzender und Stellvertreter verhindert, so führt das an Lebensjahren älteste Mitglied den Vorsitz.

(2) Der Vorsitzende eröffnet die Sitzung, überprüft die Ordnungsmäßigkeit der Einladung und stellt die Tagesordnung fest. Ist die in § 1 S. 3 genannte Frist nicht eingehalten, so findet eine inhaltliche Beratung nicht statt, wenn ein Viertel der vertretenen Stimmen widerspricht.

(3) Vor Eintritt in die Tagesordnung stellt der Vorsitzende die Beschlußfähigkeit fest. Die Vollversammlung und die Kommission sind beschlußfähig, wenn die Mehrheit ihrer Mitglieder anwesend sind.

§ 3

Beratung und Beschlußfassung

(1) Jedes Mitglied ist berechtigt, Anträge zu stellen. Die Anträge zu den einzelnen Punkten der Tagesordnung sind in der Reihenfolge ihres Eingehens zu behandeln, jedoch von zwei zum gleichen Gegenstand vorliegenden Anträgen der weitergehende zunächst.

(2) Anträge zur Geschäftsordnung sind vor Erledigung der sachlichen Anträge zur Beschlußfassung zuzulassen.

(3) Der Vorsitzende stellt bei jedem Beschluß fest, ob die erforderliche Stimmenmehrheit vorliegt. Die Vollversammlung und die Kommissionen fassen ihre Beschlüsse mit einer Mehrheit von zwei Dritteln der abgegebenen Stimmen. Die von der Bundesregierung entsandten Mitglieder führen insgesamt 16 Stimmen, welche geschlossen abgegeben werden; im übrigen hat jedes Mitglied eine Stimme.

(4) Die Mitglieder können bei Verhinderung im Einzelfall ein anderes Mitglied ihrer Kommission zur Stimmabgabe ermächtigen. Stimmübertragungen sind dem Generalsekretär vor der Abstimmung anzuzeigen.

(5) Die Sitzungen der Vollversammlung und der Kommissionen sind nicht öffentlich. Einzelne Gegenstände können für vertraulich erklärt werden. Mitteilungen über Ausführungen einzelner Mitglieder und über das Stimmenverhältnis sind unzulässig. Über Anträge wird offen, bei Wahlen grundsätzlich geheim abgestimmt. Auf Antrag von einem Drittel der anwesenden Stimmen muß geheim abgestimmt werden.

(6) In der Sitzungsniederschrift und in den Beschlüssen der Vollversammlung sind Stimmenthaltungen oder Gegenstimmen von Mitgliedern der Verwaltungskommission auf deren Wunsch kenntlich zu machen.

§ 4

Sitzungsniederschrift

Über jede Sitzung ist eine Niederschrift zu fertigen, in welche die gefaßten Beschlüsse im Wortlaut aufzunehmen sind und welche vom Vorsitzenden zu unterzeichnen ist. Die Niederschrift muß in der nächsten Sitzung genehmigt werden.

§ 5

Sitz

(1) Sitz des Wissenschaftsrates ist Berlin.

(2) Die Vollversammlung tritt in der Regel in Berlin zusammen.

(3) Die Geschäftsstelle befindet sich in Köln.

§ 6

Verhältnis der Vollversammlung zu den Kommissionen

(1) Die Kommissionen haben der Vollversammlung bestimmte Beschlüsse zu empfehlen. Die Empfehlungen sind in der Regel schriftlich zu erstatten und in die Sitzungsniederschrift der Vollversammlung aufzunehmen.

(2) Die gutachtliche Äußerung der Verwaltungskommission an Bund und Länder nach Artikel 6 Abs. 2 des Verwaltungsabkommens ist unmittelbar an diese zu richten. Der Vorsitzende des Wissenschaftsrates und der

Vorsitzende der Wissenschaftlichen Kommission erhalten je eine Ausfertigung des Gutachtens.

§ 7

Ausschüsse

(1) Für bestimmte Aufgaben können die Vollversammlung und die Kommissionen Ausschüsse einsetzen; als Mitglieder von Ausschüssen können auch dem Wissenschaftsrat nicht angehörende Sachverständige berufen werden.

(2) Empfehlungen zur Ausbringung und Aufhebung von Vermerken zur Baukostenprüfung sowie zur Aufnahme von Großgeräten und Ausbaumaßnahmen in Lehrkrankenhäusern in den Rahmenplan können im Auftrage der Vollversammlung von hierzu ermächtigten Ausschüssen abgegeben werden. In diesen Fällen gilt für die Beschlußfassung in den Ausschüssen § 3 Abs. 3 Satz 1 und 2; die Vertreter des Bundes führen ebenso viele Stimmen, wie Länder im Ausschuß vertreten sind. Bei der Einsetzung dieser Ausschüsse ist für ein zahlenmäßiges Verhältnis zwischen den Vertretern von Bund und Ländern sowie den übrigen dem Ausschuß angehörenden Mitgliedern Sorge zu tragen, das dem der Vollversammlung entspricht.

(3) In eiligen Fällen können Ausschüsse Beschlüsse auf schriftlichem Wege (Umlaufverfahren) fassen; die Entscheidung über die Eilbedürftigkeit trifft der Vorsitzende des Wissenschaftsrates. Der Generalsekretär veranlaßt die Übersendung der Beschlußvorlage. Die Beschlußfassung im Umlaufverfahren setzt voraus, daß kein Mitglied dem Verfahren innerhalb von zehn Tagen widerspricht. Hierauf ist in der Vorlage hinzuweisen.

§ 8

Vorsitzende der Kommissionen

(1) Die Wissenschaftliche Kommission wählt jährlich aus ihrer Mitte einen Vorsitzenden und dessen Stellvertreter.

(2) Die Verwaltungskommission wählt jährlich je ein von der Bundesregierung und den Landesregierungen entsandtes Mitglied zu gleichberechtigten Vorsitzenden. Diese regeln die Ausübung des Vorsitzes im beiderseitigen Einvernehmen und vertreten sich gegenseitig.

(3) Wiederwahl ist zulässig.

§ 9

Vertretung des Wissenschaftsrates

Der Wissenschaftsrat wird nach außen durch seinen Vorsitzenden vertreten. Der Vorsitzende kann die Vertretungsbefugnis für bestimmte Geschäfte einem der Mitglieder des Wissenschaftsrates oder dem Generalsekretär übertragen.

§ 10

Geschäftsstelle

(1) Die Geschäftsstelle untersteht dem Vorsitzenden des Wissenschaftsrates.

(2) Mit der Leitung der Geschäftsstelle ist ein Generalsekretär beauftragt. Über die Einstellung des Generalsekretärs entscheidet die Vollversammlung; die Entscheidung über die Einstellung der wissenschaftlichen Mitarbeiter trifft der Präsidialausschuß (§ 11 Abs. 1). Das übrige Personal wird von dem Generalsekretär im Einvernehmen mit dem Vorsitzenden des Wissenschaftsrates eingestellt.

§ 11

Maßnahmen, die keinen Aufschub dulden

(1) Maßnahmen, die keinen Aufschub dulden, kann der Vorsitzende des Wissenschaftsrates im Einvernehmen mit den beiden Vorsitzenden der Verwaltungskommission, dem Vorsitzenden und dem Stellvertretenden Vorsitzenden der Wissenschaftlichen Kommission (Präsidialausschuß) treffen.

(2) Die getroffenen Maßnahmen sind den Mitgliedern des Wissenschaftsrates unverzüglich mitzuteilen.

§ 12

Generalsekretär

(1) Der Generalsekretär hat die Sitzungen der Vollversammlung und der Kommission vorzubereiten. Er ist berechtigt, zu diesem Zwecke Auskünfte von den Behörden des Bundes und der Länder sowie erforderliche Gutachten einzuholen.

(2) Der Generalsekretär ist Vorgesetzter für das Personal der Geschäftsstelle.

§ 13

Haushaltsplan

(1) Der Generalsekretär stellt für jedes Haushaltsjahr (1. Januar bis 31. Dezember) bis zum 31. März des Vorjahres einen Entwurf des Haushaltsplans auf. Er legt ihn der Vollversammlung des Wissenschaftsrates vor, die dazu Empfehlungen aussprechen kann. Der Generalsekretär führt den Haushaltsplan aus.

(2) Aufstellung und Durchführung des Haushaltsplanes richten sich nach den für das Land Nordrhein-Westfalen geltenden Vorschriften.

§ 14

Jahresabschluß

(1) Bis zum 31. Mai jedes Jahres hat der Generalsekretär den Jahresabschluß – Rechnungsnachweisung und Sachbericht zum Verwendungsnachweis – den Zuwendungsgebern und der Vollversammlung vorzulegen.

(2) Die Vollversammlung stellt den Jahresabschluß für das vergangene Jahr nach der Rechnungsprüfung durch Beschluß fest und erteilt dem Generalsekretär Entlastung.

§ 15

Rechnungsprüfung

(1) Die Prüfung des Jahresabschlusses wird durch das Land Nordrhein-Westfalen oder eine beauftragte Prüfungsgesellschaft durchgeführt. Das Prüfungsergebnis ist der Vollversammlung vorzulegen.

(2) Die Vollversammlung, die Verwaltungskommission und der Vorsitzende des Wissenschaftsrates können jederzeit eine Prüfung der Geschäftsführung anordnen.

(3) Das Recht des Bundes und der Länder, die Verwendung der von ihnen gewährten Zuschüsse zu prüfen, bleibt unberührt.

§ 16

Auslagenersatz und Vergütungen

(l) Die Mitglieder der Wissenschaftlichen Kommission erhalten eine Reisekostenvergütung nach der Reisekostenstufe C des Reisekostengesetzes des Landes Nordrhein-Westfalen. Auslagen, die durch Zu- und Abgang entstehen, werden auch dann erstattet, wenn ein nicht regelmäßig verkehrendes Beförderungsmittel benutzt wird. Ferner wird eine Nebenkostenpauschale je Tag (bzw. anteilig) gewährt, die durch den Haushaltsplan festgelegt wird.

(2) Der Vorsitzende erhält eine Aufwandsentschädigung, die durch den Haushaltsplan festgelegt wird.

(3) Sachverständige, die an der Arbeit des Wissenschaftsrates mitwirken, aber dem Wissenschaftsrat nicht angehören, erhalten Auslagenersatz und Vergütungen wie die Mitglieder der Wissenschaftlichen Kommission.

Mitglieder des Wissenschaftsrates

(Stand: Dezember 1996)

Von dem Herrn Bundespräsidenten berufene Mitglieder:

1. Auf gemeinsamen Vorschlag der Deutschen Forschungsgemeinschaft, der Max-Planck-Gesellschaft, der Hochschulrektorenkonferenz und der Arbeitsgemeinschaft der Helmholtz-Zentren

Dr. rer. nat. Helmut E s c h r i g
Professor für Theoretische Festkörperphysik
an der Technischen Universität Dresden
Mitglied seit Februar 1994

Dr. med. Gernot F e i f e l
Professor für Chirurgie an der Chirurgischen
Universitätsklinik der Universität des Saarlandes
Homburg/Saar
Mitglied seit Januar 1992

Dr. med. Detlev G a n t e n
Professor für klinische Pharmakologie
an der Freien Universität Berlin
Stiftungsvorstand des Max-Delbrück-Centrums
für Molekulare Medizin (MDC)
Mitglied seit Februar 1994

Dr. med. Harald G o e b e l l
Professor für innere Medizin
Direktor an der Medizinischen Klinik und
Poliklinik der Universität-Gesamthochschule Essen
Mitglied seit Februar 1995

Olaf H a r d e r
Professor für Bauingenieurwesen an der
Fachhochschule Konstanz
Mitglied seit Juni 1991

Dr. rer. nat. Bert H ö l l d o b l e r
Professor für Zoologie an der
Universität Würzburg
Mitglied seit Februar 1996

Dr. phil. Bernhard König
Professor für Romanische Philologie
an der Universität zu Köln
Mitglied seit Februar 1994

Dr. phil. Lothar Kreiser
Professor für Logik an der Universität Leipzig
Mitglied seit Juni 1991

Dr. phil. Lenelis Kruse-Graumann
Professorin für Psychologie
an der Fernuniversität Hagen
Honorarprofessorin an der Universität Heidelberg
Mitglied seit Januar 1991

Dr. rer. soc. Karl Ulrich Mayer
Direktor am Max-Planck-Institut für Bildungsforschung
Honorarprofessor für Soziologie an der Freien Universität Berlin
Mitglied seit Januar 1993

Dr.-Ing. Franz Mayinger
Professor für Thermodynamik, Wärmeübertragung
und Gas-Flüssigkeitsströmung an der
Technischen Universität München
Mitglied seit Januar 1991

Dr. med. Volker ter Meulen
Professor für klinische Virologie und Immunbiologie
an der Universität Würzburg
Mitglied seit Januar 1992

Dr. rer. pol. Erhard Mielenhausen
Professor für Allgemeine Betriebswirtschaftslehre
und Marketing an der Fachhochschule Osnabrück
Mitglied seit Februar 1995

Dr. rer. nat. Jürgen Nehmer
Professor für Praktische Informatik
an der Universität Kaiserslautern
Mitglied seit Februar 1996

Dr. rer. nat. habil. Benno Parthier
Professor für Biochemie der Pflanzen an der Universität Halle
Direktor des Instituts für Pflanzenbiochemie
Mitglied seit Juni 1991

Dr. rer. pol. Helga P o l l a k
Professorin für Volkswirtschaftslehre
an der Universität Göttingen
Mitglied seit Februar 1994

Dr. rer. nat. Dr. sc. pol. Harald S c h e r f
Professor für Volkswirtschaftslehre, Statistik und
Ökonometrie an der Universität Hamburg
Mitglied seit Januar 1991

Dr.-Ing. habil. Dagmar S c h i p a n s k i
Professorin für Festkörperelektronik an der
Technischen Universität Ilmenau
Mitglied seit Januar 1992

Dr. iur. Eberhard S c h m i d t - A ß m a n n
Professor für öffentliches Recht
an der Universität Heidelberg
Mitglied seit Januar 1993

Dr. phil. Winfried S c h u l z e
Professor für Neuere Geschichte
an der Universität München
Mitglied seit Februar 1995

Dr. rer. pol. Stefan T a n g e r m a n n
Professor für Agrarökonomie
an der Universität Göttingen
Mitglied seit Februar 1994

Dr. rer. nat. Jörn T h i e d e
Professor für Paläo-Ozeanologie
an der Universität Kiel
Direktor des GEOMAR Forschungszentrums
für marine Geowissenschaften
Mitglied seit Februar 1994

Dr. rer. nat. Jürgen T r o e
Professor für Physikalische Chemie
an der Universität Göttingen
Direktor am Max-Planck-Institut für
Biophysikalische Chemie
Mitglied seit Januar 1993

Dr. rer. nat. Dietrich Wegener
Professor für Experimentelle Physik
an der Universität Dortmund
Mitglied seit Februar 1994

2. Auf gemeinsamen Vorschlag der Bundesregierung und der Länderregierungen

   Ludwig Graf zu Dohna
   Vorstandsmitglied der KPMG Bayerische Treuhandgesellschaft
   Mitglied seit Mai 1993

   Dr.-Ing. Herbert Gassert
   ASEA Brown Boveri AG
   Mitglied seit Januar 1984

   Dr. phil. Ralf Thomas Kersten
   Professor für Hochfrequenztechnik
   Geschäftsführer ZENIT – Zentrum für
   Innovation und Technik GmbH
   Mitglied seit Februar 1994

   Dr. rer. pol. Peter Meyer-Dohm
   Professor für Wirtschaftslehre
   Honorarprofessor der Technischen Universität Braunschweig
   Mitglied seit Januar 1992

   Dipl.-Ing. Werner Pollmann
   Mitglied des Direktoriums der Daimler-Benz AG
   Honorarprofessor an der Universität Stuttgart
   Mitglied seit Februar 1996

   Dr. Hermann Schmidt
   Präsident des Bundesinstituts für Berufsbildung, Berlin
   Mitglied seit Februar 1995

   Gisa Schultze-Wolters
   Direktorin, Generalbevollmächtigte
   der IBM Deutschland – Informationssysteme GmbH
   Mitglied seit Januar 1993

   Dr. med. Günter Stock
   Mitglied des Vorstands der Schering AG
   apl. Professor für Physiologie an der Freien Universität Berlin
   Mitglied seit Januar 1992

II. Von den Regierungen des Bundes und der Länder entsandte Mitglieder

1. Bundesregierung

Dr. phil. Fritz Schaumann
Staatssekretär im Bundesministerium
für Bildung, Wissenschaft, Forschung
und Technologie

Helmut Stahl
Staatssekretär im Bundesministerium
für Bildung, Wissenschaft, Forschung
und Technologie

Ständiger Stellvertreter für beide:
Hans Rainer Friedrich
Ministerialdirektor im Bundesministerium
für Bildung, Wissenschaft, Forschung
und Technologie

Dr. sc. pol. Manfred Overhaus
Staatssekretär im Bundesministerium der Finanzen

Ständiger Stellvertreter:
Dr. rer. pol. Lothar Weichsel
Ministerialdirigent im Bundesministerium der Finanzen

Dr. Eckart Werthebach
Staatssekretär im Bundesministerium des Innern

Ständiger Stellvertreter:
Diethelm Banspach
Ministerialdirektor im Bundesministerium des Innern

Dr. Franz-Josef Feiter
Staatssekretär im Bundesministerium für
Ernährung, Landwirtschaft und Forsten

Ständige Stellvertreterin:
Annemarie Dopatka
Ministerialdirigentin im Bundesministerium
für Ernährung, Landwirtschaft und Forsten

Professor Dr. Johannes Ludewig
Staatssekretär im Bundesministerium für Wirtschaft

Ständiger Stellvertreter:
N. N. (Bundesministerium für Verteidigung)

2. Von den Länderregierungen entsandte Mitglieder

Baden-Württemberg

Klaus von Trotha
Minister für Wissenschaft und Forschung

Ständiger Stellvertreter:
Rudolf Böhmler
Ministerialdirektor im Ministerium
für Wissenschaft und Forschung

Bayern

Hans Zehetmair
Staatsminister für Unterricht, Kultus,
Wissenschaft und Kunst

Ständiger Stellvertreter:
Dr. Wolfgang Quint
Ministerialdirektor im Staatsministerium
für Unterricht, Kultus, Wissenschaft und Kunst

Berlin

Peter Radunski
Senator für Wissenschaft, Forschung und Kultur

Ständiger Stellvertreter:
Professor Dr. phil. Erich Thies
Staatssekretär bei der Senatsverwaltung
für Wissenschaft, Forschung und Kultur

Brandenburg

Steffen Reiche
Minister für Wissenschaft, Forschung und Kultur

Ständiger Stellvertreter:
Professor Dr. Friedrich Buttler
Staatssekretär im Ministerium für Wissenschaft,
Forschung und Kultur

Bremen

Bringfriede Kahrs
Senatorin für Bildung, Wissenschaft, Kunst und Sport

Ständiger Stellvertreter:
Rainer Köttgen
Senatsrat beim Senator für Bildung,
Wissenschaft, Kunst und Sport

Hamburg

Ortwin R u n d e
Senator und Präses der Finanzbehörde

Ständige Stellvertreterin:
Ingrid N ü m a n n - S e i d e w i n k e l
Staatsrätin in der Finanzbehörde

Hessen

Dr. iur. Christine H o h m a n n - D e n n h a r d t
Staatsministerin für Wissenschaft und Kunst

Ständiger Stellvertreter:
Rolf P r a m l
Staatssekretär im Ministerium für
Wissenschaft und Kunst

Mecklenburg-Vorpommern

Regine M a r q u a r d t
Kultusministerin

Ständiger Stellvertreter:
Dr. Hans-Christoph E h m a n n
Staatssekretär im Kultusministerium

Niedersachsen

Helga S c h u c h a r d t
Ministerin für Wissenschaft und Kultur

Ständiger Stellvertreter:
Dr. iur. Uwe R e i n h a r d t
Staatssekretär im Ministerium für
Wissenschaft und Kultur

Nordrhein-Westfalen

Anke B r u n n
Ministerin für Wissenschaft und Forschung

Ständiger Stellvertreter:
Wolfgang L i e b
Staatssekretär im Ministerium für
Wissenschaft und Forschung

Rheinland-Pfalz

Professor Dr. med. E. Jürgen Z ö l l n e r
Minister für Bildung, Wissenschaft und Weiterbildung

Ständige Stellvertreterin:
Doris A h n e n
Staatssekretärin im Ministerium für
Bildung, Wissenschaft und Weiterbildung

Saarland

Henner W i t t l i n g
Minister für Bildung, Kultur und Wissenschaft

Ständiger Stellvertreter:
Dr. iur. Rüdiger P e r n i c e
Staatssekretär im Ministerium für
Bildung, Kultur und Wissenschaft

Sachsen

Professor Dr. phil. Hans Joachim M e y e r
Staatsminister für Wissenschaft und Kunst

Ständiger Stellvertreter:
Eckhard N o a c k
Staatssekretär im Staatsministerium
für Wissenschaft und Kunst

Sachsen-Anhalt

Karl-Heinz R e c k
Kultusminister

Ständiger Stellvertreter:
Klaus F a b e r
Staatssekretär im Kultusministerium

Schleswig-Holstein

Gisela B ö h r k
Ministerin für Bildung, Wissenschaft, Forschung und Kultur

Ständiger Stellvertreter:
Dr. rer. pol. Dieter S w a t e k
Staatssekretär im Ministerium für
Bildung, Wissenschaft, Forschung und Kultur

Thüringen

Dr. Gerd S c h u c h a r d t
Minister für Wissenschaft, Forschung und Kultur

Ständiger Stellvertreter:
Dr. Wolf-Dieter D u d e n h a u s e n
Staatssekretär im Ministerium für Wissenschaft,
Forschung und Kultur

Vorsitzende des Wissenschaftsrates:

Professor Dr.-Ing. Dagmar S c h i p a n s k i
Seit Januar 1996

Vorsitzender der Wissenschaftlichen Kommission des Wissenschaftsrates:

Professor Dr. rer. soc. Karl Ulrich M a y e r
Seit Januar 1996

Stellvertretender Vorsitzender der Wissenschaftlichen Kommission des Wissenschaftsrates:

Professor Dr. rer. pol. Stefan T a n g e r m a n n
Seit Januar 1996

Vorsitzende der Verwaltungskommission des Wissenschaftsrates:

Minister Professor Dr. med. E. Jürgen Z ö l l n e r
Seit November 1996

Staatssekretär Dr. phil. Fritz S c h a u m a n n
Seit Juli 1988

Geschäftsstelle

(Stand: Dezember 1996)

Generalsekretär:

Ministerialdirektor Dr. Winfried Benz

Referatsleiterin und Referatsleiter:

Dr. Gisela Gieselmann
Dr. Hans-Gerhard Husung
Gertrude Kreutzmann
Dr. Michael Maurer
Thomas May
Dr. Friedrich Tegelbekkers

Referentinnen und Referenten:

Dr. Hans Afflerbach
Dr. Annette Barkhaus
Dr. Karin Benz
Dr. Ursula Bittins
Gero Federkeil
Dr. Dietmar Goll-Bickmann
Dr. Steffi Hammer
Dr. Lydia Hartwig
Dr. Christiane Kling-Mathey
Birgit Poniatowski
Dr. Michael Quirin
Dr. Susanne Reichrath
Dr. Petra Sadowiak
Dr. Beatrix Schwörer
Dr. Andreas Stucke
Ulrike Vieten
Dr. Martina Wächter
Dr. Thomas Walter
Dr. Daisy Weßel

Anschrift der Geschäftsstelle:

Brohler Straße 11
50698 Köln
Telefon: (0221) 3776-0
Telefax: (0221) 388440
E-mail: post@wrat.de

Weitere Mitarbeiterinnen und Mitarbeiter:

Monika Antosik
Bernt Bauer
Edith Breuer
Anja Brückner
Petra Bujack
Hans-Joachim Dahlke
Martina Eichel
Erika van Genabeck
Erika Golz
Ellen Haaf
Gabriele Heis
Silke Kaspar
Regine Korn
Gudrun Kripzak
Helmut Kröner
Petra Langhein
Horst Lenting
Peter Lindlar
Kristiane Lückerath
Karl Malo
Angelika Otto
Renate Pflanz
Myriam Pickel
Irmgard Pokahr
Annemie Ritter
Hannelore Schaden
Claudia Schmitz
Astrid Schulte
Reinhold Schulte
Bernd Schuster
Karin Simnonia
Monika Steffen
Uwe Sterzing
Marlies Telaar
Corinna Trybel
Elke Viertel
Sigrid Wagner
Renate Wicharz
Manfred Willutzki
Rosemarie Wirth
Holger Zahnow

Veröffentlichungen des Wissenschaftsrates:

Empfehlungen und Stellungnahmen, die nicht gesondert veröffentlicht wurden, sind in dem seit 1972 jährlich erscheinenden Band „Empfehlungen und Stellungnahmen“ zusammengefaßt. Dieser Band enthält auch den Allgemeinen Teil der Empfehlungen zu den Rahmenplänen nach dem Hochschulbauförderungsgesetz (seit dem 3. Rahmenplan). Ein Verzeichnis der bis 1986 veröffentlichten Schriften enthält der Band „Empfehlungen und Stellungnahmen 1986“. Im folgenden sind nur die nicht vergriffenen Veröffentlichungen aufgeführt.

- Empfehlungen und Stellungnahmen aus den Jahren 1988 ff. (jährlich).
- Empfehlungen zum Wettbewerb im deutschen Hochschulsystem, 1985.
- Empfehlungen zur Struktur des Studiums, 1986.
- Empfehlungen zur klinischen Forschung in den Hochschulen, 1986.
- Stellungnahme zur Zusammenarbeit zwischen Hochschule und Wirtschaft, 1986.
- Stellungnahme zu medizinischen Forschungseinrichtungen außerhalb der Hochschulen, 1987.
- Stellungnahme zu den Zentralen Fachbibliotheken in der Bundesrepublik Deutschland, 1988.
- Stellungnahme zur Meeresforschung, 1989.
- Stellungnahme zur Förderung der Meeresforschung in den norddeutschen Ländern, Allgemeiner Teil, 1989.
- Stellungnahmen zu Einrichtungen der Information und Dokumentation, 1990.
- Empfehlungen zur Förderung der klinischen Pharmakologie, 1990.
- Empfehlungen zur Entwicklung der Fachhochschulen in den 90er Jahren, 1991.
- Stellungnahmen zu biologischen Forschungseinrichtungen außerhalb der Hochschulen, 1991.
- Empfehlungen zur Zusammenarbeit von Großforschungseinrichtungen und Hochschulen, 1991.
- Empfehlungen zur Internationalisierung der Wissenschaftsbeziehungen, 1992.
- Empfehlungen zu den außeruniversitären Forschungseinrichtungen der ehemaligen DDR – 10 Bde., 1992.
    - Allgemeiner Teil

  - Agrarwissenschaften
  - Biowissenschaften und Medizin
  - Chemie
  - Bauakademie
  - Geisteswissenschaften und Akademie der Künste
  - Mathematik, Informatik, Automatisierung und Mechanik
  - Geo- und Kosmoswissenschaften
  - Physik
  - Wirtschafts- und Sozialwissenschaften
- Leitlinien zur Reform des Medizinstudiums, 1992.
- Stellungnahmen zu den Einrichtungen des Sektors Museen der Blauen Liste, 1992.
- Empfehlungen zur Neuordnung der Blauen Liste, 1993.
- Stellungnahme zur Umweltforschung in Deutschland, 2 Bde., 1994.
- Empfehlungen zur künftigen Struktur der Hochschullandschaft in den neuen Ländern und im Ostteil von Berlin – Teil V –, 1994.
- Empfehlungen zur Ausstattung der Wissenschaft mit moderner Rechner- und Kommunikationstechnologie, 1995.
- Stellungnahmen zu Naturwissenschaftlichen Forschungseinrichtungen der Blauen Liste, 1995.
- Empfehlungen zum 26. Rahmenplan für den Hochschulbau, 1997 bis 2000, Bd. 1-5, 1996.
- Stellungnahme zur außeruniversitären Materialwissenschaft, 1996.
- Stellungnahmen zu Instituten der Blauen Liste sowie zur Integration des Gmelin-Instituts für Anorganische Chemie und Grenzgebiete der Max-Planck-Gesellschaft in das Fachinformationszentrum Chemie, Berlin, 1996.